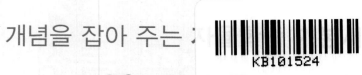
개념을 잡아 주는

고등 **셀파**

Sherpa

정치와 법

김관성· 김예리· 김현진· 나혜영· 박홍인· 서정일

이 책의 구성과 특징

BOOK 1 개념 잡는 알집

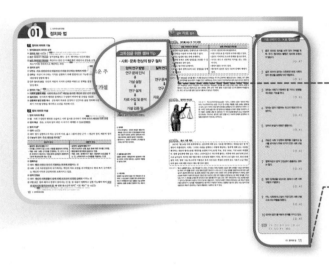

교과서 내용 정리

❶ 교과서 핵심 개념 정리 핵심 개념을 중심으로 4종 교과서의 내용을 체계적으로 정리

❷ 고득점을 위한 셀파 Tip 시험에 꼭 출제되는 핵심 부분을 한눈에 볼 수 있도록 정리

셀파 자료 탐구

❶ 자료 분석 교과서와 수능의 주요 자료를 수록하고, 상세하게 설명

❷ O, ×로 정리 기출 선택지를 통한 내용 정리

개념 완성

개념 채우기 앞에서 정리한 교과서의 주요 내용을 주제별로 깔끔하게 표로 정리하고, 빈칸 채우기로 주요 개념을 다시 확인

탄탄 내신 문제

내신 객관식 및 서답형 문제 내신 예상 문제, 시험 비중이 높아지고 있는 서답형 문제로 집중 연습

STRUCTURE

● 도전 수능 문제

기출 문제 수능, 평가원, 교육청 기출 문제로 수능 유형 연습

BOOK 2 | 딱 맞는 풀이집

● 딱 맞는 풀이집

모든 문제에 대한 상세한 풀이, 정답을 찾아가는 셀파–Tip, 자료를 분석하는 셀파–Tip, 내 것으로 만드는 셀파–Tip 등의 코너를 통한 친절한 해설 수록

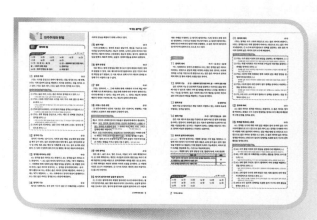

이 책의 **차례**

CONTENTS

고등 셀파 정치와 법

천재교과서	금성출판사	미래엔	비상교육	지학사
10 ~ 17	10 ~ 19	12 ~ 23	10 ~ 21	10 ~ 19
18 ~ 27	20 ~ 31	24 ~ 33	22 ~ 29	20 ~ 29
28 ~ 39	32 ~ 39	34 ~ 43	30 ~ 37	30 ~ 39
44 ~ 51	44 ~ 51	48 ~ 55	44 ~ 51	44 ~ 53
52 ~ 63	52 ~ 65	56 ~ 69	52 ~ 63	54 ~ 67
64 ~ 73	66 ~ 73	70 ~ 77	64 ~ 69	68 ~ 77
78 ~ 85	78 ~ 85	82 ~ 87	76 ~ 83	82 ~ 89
86 ~ 97	86 ~ 93	88 ~ 95	84 ~ 93	90 ~ 99
98 ~ 107	94 ~ 103	96 ~ 107	94 ~ 101	100 ~ 109
112 ~ 121	108 ~ 113	112 ~ 117	108 ~ 113	114 ~ 119
122 ~ 131	114 ~ 123	118 ~ 127	114 ~ 125	120 ~ 129
132 ~ 141	124 ~ 131	128 ~ 135	126 ~ 133	130 ~ 141
146 ~ 153	136 ~ 143	140 ~ 147	138 ~ 147	146 ~ 153
154 ~ 167	144 ~ 153	148 ~ 157	148 ~ 157	154 ~ 163
168 ~ 181	154 ~ 161	158 ~ 165	158 ~ 165	164 ~ 173
182 ~ 189	166 ~ 173	170 ~ 177	170 ~ 179	178 ~ 185
190 ~ 207	174 ~ 191	178 ~ 195	180 ~ 195	186 ~ 201

I

민주주의와 헌법

이 단원의 핵심 포인트

중단원	핵심 포인트	학습일
01 정치와 법	• 정치와 법의 의미와 기능 • 실질적 법치주의와 형식적 법치주의	월 일 ~ 월 일
02 헌법의 의의와 기본 원리	• 헌법의 의미와 기능 • 헌법의 기본 원리	월 일 ~ 월 일
03 기본권의 보장과 제한	• 기본권의 유형과 실현 방안 • 기본권의 제한과 한계	월 일 ~ 월 일

셀파와 내 교과서 단원 비교

셀파	천재교과서	지학사	미래엔	비상교육
01 정치와 법	01 정치와 법	01 민주 정치와 법	01 민주주의와 법치주의	01 정치와 법
02 헌법의 의의와 기본 원리	02 헌법의 의의와 기본 원리	02 헌법의 의의와 기본 원리	02 헌법의 의의와 기본 원리	02 헌법의 의의와 기본 원리
03 기본권의 보장과 제한	03 기본권의 보장과 제한	03 기본권의 보장	03 기본권의 보장과 제한	03 기본권의 내용과 제한

01 정치와 법

1 정치의 의미와 기능

1. 정치(政治)의 의미와 성격

(1) 정치의 의미 [자료 01] **중요!** 좁은 의미와 넓은 의미로 정치를 바라보는 관점 모두 물리적 강제력을 독점한 통치 기구의 권력 활동을 정치로 본다.

① **좁은 의미(국가 현상설)** 정치권력을 획득·유지·행사하는 인간의 활동

② **넓은 의미(집단 현상설)** 개인이나 집단 간 이해관계의 대립이나 갈등을 조정·해결하여 사회적 희소가치를 권위적으로 배분하는 과정 — **중요!** 국가 형성 이전의 정치 현상을 설명하기에 적합하다.

(2) 정치의 성격

① **양면성** 서로 상반되거나 대립적인 가치를 추구하는 데에서 비롯 — **예시** 자유와 평등이 대립될 때, 평화와 전쟁이 대립될 때 등 정치적 사안은 그 자체로서 대립적 가치들을 가지고 있는 경우가 많다.

② **권력성** 자신이 추구하는 가치를 실현하기 위해 합법적으로 가능한 모든 수단을 동원하여 상대방에게 영향력 행사

③ **민주 정치의 본질** 국민의 자발적 지지와 신뢰를 바탕으로 정책을 결정·집행함. → 권력의 정당성 확보

2. 정치의 기능 [분석] 갈등 해결과 질서 유지는 서로 중첩되기도 하지만 그렇지 않은 경우도 있다. 예를 들어 교통관련법을 제정하는 것은 갈등 해결이 아니라 질서 유지를 위한 정치 활동에 속한다.

(1) 사회적 갈등의 해결 사회적 희소가치❶ 배분을 둘러싼 개인과 집단 간의 갈등과 대립을 해결함.

(2) 질서 유지 반사회적 행위를 통제하고 구성원이 따라야 할 규범을 정립함.

(3) 공동체의 발전 방향 제시 공동체의 목표를 설정하고 인간다운 삶을 영위해 나갈 수 있도록 사회가 가야 할 방향을 제시하고 조건을 개선해 나감.

2 법의 의미와 이념

1. 법의 의미와 특성

(1) 법 사회 구성원의 행위를 규율하고 사회 질서를 유지하기 위해 **국가가 제정한 사회 규범** — **예시** 관습, 도덕, 종교, 법 등

(2) 법의 특성 관습, 도덕과 달리 위반 시 국가가 제재할 수 있음(강제성).

2. 법의 이념❷

(1) 정의 [자료 02]

① **의미** 법이 실현하고자 하는 궁극적 이념, 옳고 그름의 판단 근거 → 평균적 정의, 배분적 정의

② **오늘날의 정의** 주로 평등을 의미함.❸

평균적 정의	배분적 정의
• 절대적·형식적 평등 추구	• 상대적·실질적 평등 추구
• 차이를 고려하지 않고 모든 사람을 동등하게 대우함.	• 개인의 능력과 상황, 필요 등에 따른 차이를 고려함.
• 적용 사례: 보통 선거권을 인정하는 것, 선거 시 모든 유권자가 재산이나 직업 등에 상관없이 동등하게 1표씩 투표하도록 하는 것 등	• 현대 복지 국가에서 강조되고 있음. • 적용 사례: 생계유지가 힘든 사람에게 보조금을 주는 것, 소득에 따라 누진세율을 적용하는 것 등

(2) 합목적성

① **의미** 해당 시대나 국가가 지향하는 목적에 부합하는 것

② **사례** 근대 자유방임주의 국가에서는 개인의 자유 보장을 추구하였으나 현대 복지 국가에서는 개인의 이익과 공공복리를 조화시키고 있음.

(3) 법적 안정성

① **의미** 개인의 사회생활이 법에 의해 보호되어 안정된 상태를 이루는 것

② **구현 조건** 법의 폐지나 변경이 잦아서는 안 됨. 법 내용이 명확하고 실현 가능해야 하며 **국민의 법의식과 합치되어야 함.** 예 법률 불소급의 원칙,❹ 시효 제도❺ 등 [자료 03]

주의! 정의와 충돌될 수 있다. 예를 들어 노예제 사회에서 국민 다수가 노예제를 수용·인정하고 있다면 노예제를 폐지하는 것이 법적 안정성을 해치는 모순이 발생할 수 있다.

고득점을 위한 셀파 Tip

• 정치의 의미와 기능

의미	• 좁은 의미: 정치권력을 획득·유지·행사하는 인간의 활동 • 넓은 의미: 개인이나 집단 간 이해관계의 대립이나 갈등을 조정·해결하여 사회적 희소가치를 권위적으로 배분하는 과정
기능	• 사회적 갈등의 해결 • 질서 유지 • 공동체의 발전 방향 제시

❶ 사회적 희소가치

정치적 권력, 사회적 위신 등과 같이 모든 사람이 얻기를 원하지만, 그 양이 한정되어 상대적으로 부족한 가치를 의미한다.

❷ 법 이념을 강조한 법언

정의	• 세상이 망하더라도 정의는 세우라. • 정의만이 통치의 기초이다.
합목적성	• 국민이 원하는 것이 곧 법이다. • 민중의 행복이 최고의 법률이다.
법적 안정성	• 악법도 법이다. • 정의의 극치는 부정의의 극치이다.

❸ 정의론

• 아리스토텔레스: 정의의 본질은 평등이며, 평등을 기준으로 모든 인간을 동등하게 취급하는 평균적 정의와, 능력과 공헌도에 따라 차등 대우하는 배분적 정의로 구분하였다.

• 울피아누스: 정의란 각자에게 그의 몫을 돌리려는 항구적인 의지이다.

❹ 법률 불소급의 원칙

법률의 효력은 시행일로부터 발생하며 시행일 이전의 사건에 대해서는 소급하여 적용할 수 없다는 원칙

❺ 시효 제도

일정한 사실 상태가 일정 기간 계속되어 온 경우에 그 사실 상태가 진정한 권리 관계와 합치하는지 여부를 묻지 않고 법률상 사실 상태에 대응하는 법률 효과를 인정하여 주는 제도이다.

셀파 자료 탐구

자료 01 정치를 보는 두 가지 관점

좁은 의미(국가 현상설)	넓은 의미(집단 현상설)
• 국가의 가입과 탈퇴는 강제적으로 이루어진다.	• 국가도 집단의 하나에 불과하다.
• 동시에 둘 이상의 국가에 속할 수 없다.	• 이중 국적으로 둘 이상의 국가에 속할 수 있다.
• 국가는 일정한 영토 위에 존재한다.	• 집단도 지역적인 요소와 한계를 필요로 한다.
• 국가의 목적은 전체 성원들을 포용할 수 있는 전반적인 것이 있다.	• 국가도 반드시 전반적인 목적을 갖는 것은 아니다.
• 국가는 영구적인 존재이다.	• 생명이 짧은 국가도 있다.
• 국가는 법과 권력으로써 모든 성원들을 강제할 수 있다.	• 대부분의 집단은 일정 수준의 강제와 제재가 있다.

자료 분석 | 국가 현상설은 정치를 통치 기구를 중심으로 전개되는 국가의 근본적인 활동으로 보는 견해로, 국가 권력과 정치권력을 동일시한다. 이들은 인간 사회에서는 반드시 질서가 유지되어야 하며, 질서 유지는 법의 운용 없이는 불가능하다고 보았다. 법의 효력은 물리적 강제력의 행사를 수반하는데 그 물리적 강제력을 국가가 독점하고 있다고 주장한다. 이에 비해 집단 현상설은 정치를 모든 공공 단체의 공동 사무의 수행 과정에서 나타나는 현상이라고 보는 견해로, 권력 관계·지배·통제·조정과 같은 인간의 행위에 역점을 둔다. 또한 국가도 다른 일반 집단과 다를 바가 없다고 주장한다.

자료 02 정의의 여신상

자료 분석 | 아스트라이아(Astraea)는 그리스 신화에 나오는 정의의 여신이다. 아스트라이아는 눈을 가리고 한 손에는 저울을, 다른 손에는 칼을 들고 있다. 눈이 가려진 것은 법적 정의를 실현할 때 사건 관련자의 지위나 신분, 사적인 관계 등을 떠나 법 앞에서의 평등을 유지해야 함을 의미한다. 또한 저울은 심판을 내릴 때 상반되는 두 개의 입장을 충실히 듣고 엄밀하게 판단하라는 의미이다. 끝으로, 칼은 법을 어긴 자에게 강제로 공권력의 처벌을 엄중하게 가한다는 의미이다.

자료 03 공소 시효 제도

2015년 7월 24일 국회 본회의에서는 살인죄에 대한 공소 시효를 폐지한다는 내용을 담은 법 개정안이 의결되었다. 국회는 '고의로 사람을 살해하고 사형에 해당하는 범죄'에 대해 공소 시효를 폐지하는 내용의 형사소송법 개정안을 표결에 부쳐 203명 투표, 찬성 199표, 기권 4표로 의결했다. 원래 살인죄에 대한 공소 시효는 15년이었으나 지나치게 짧다는 의견에 따라 2007년에 25년으로 늘어났다. 하지만 대구 황산 테러 사건(일명 태완이 사건), 개구리 소년 실종 사건, 화성 연쇄 살인 사건, 영화 '그놈 목소리'의 이형호군 유괴 사건 등은 개정된 25년의 공소 시효가 소급 적용되지 않아 이에 대한 비판이 계속 제기되어 왔다.

자료 분석 | 형사 소송법에 공소 시효 제도를 두고 있는 근거로는 첫째, 일정한 사실의 영속 상태를 기초로 하여 형성된 여러 가지 법률 관계가 오랜 뒤에 진정한 권리자가 나타나서 이 사실 상태를 뒤엎어버리게 되면 사회 질서가 혼란에 빠진다는 점, 둘째, 영속한 사실 상태가 과연 진정한 권리 관계와 합치하는가 여부는 결국 소송에 의하여 가려지게 되는데 그동안 증거 보전의 곤란 내지 입증이 곤란하다는 점, 셋째, 권리를 가지고 있는 자가 그 권리를 오래도록 방치하고 권리 행사를 하지 않는 것은 '권리 위에 잠자는 자는 보호할 필요가 없다.'는 원리에서 보호의 가치가 없다는 점을 든다. 그런데 이러한 이유로 마련해 둔 시효 제도가 범죄자를 보호하거나 범죄를 저질렀음에도 불구하고 처벌하지 못하는 상황을 만들기도 한다. 이는 법적 안정성을 만든 제도가 정의라는 이념과 충돌하는 사례라고 할 수 있다.

기출 선택지 〇, ✕로 정리하기

1 좁은 의미로 정치를 보면 정치 권력을 획득·유지·행사하는 활동은 정치에 포함되지 않는다.
(〇 , ✕)

2 넓은 의미의 정치는 다원화된 현대 사회의 정치 현상을 설명하기에 적합하다.
(〇 , ✕)

3 정치는 사회가 지향해야 할 가치나 방향을 제시하는 기능을 한다.
(〇 , ✕)

4 정의는 법이 지향하는 최고의 목표이자 이념이다.
(〇 , ✕)

5 정의의 본질적 내용은 평등이다.
(〇 , ✕)

6 관습은 사회 구성원의 행위를 규율하고 질서를 유지하기 위해 국가가 만든 사회 규범이다.
(〇 , ✕)

7 합목적성과 법적 안정성이 충돌하는 경우는 없다.
(〇 , ✕)

8 법은 강제성을 갖는다는 점에서 다른 사회 규범과 구별된다.
(〇 , ✕)

9 어느 사회에서나 법이 가장 강한 사회 규범으로서의 역할을 해왔다.
(〇 , ✕)

10 정치와 법은 불가분의 관계를 가지고 있다.
(〇 , ✕)

정답 1 ✕ 2 〇 3 〇 4 〇 5 〇 6 ✕
7 ✕ 8 〇 9 ✕ 10 〇

3 민주주의와 법치주의

1. 민주주의의 발전 과정

(1) **민주주의** 국민의 뜻에 따라 정치가 이루어진다는 이념 ──┐

> **의미** 민주주의(DEMOCRACY)의 어원은 DEMOS(다수, 민중)+KRATIA(지배)에서 유래하였다. 다수의 민중이 지배하는 정치 형태를 민주주의라고 한다.

(2) **민주주의의 발전 과정**

① 고대 아테네의 민주주의 시민 다수가 직접 정치에 참여하는 직접 민주 정치 → 여성, 노예, 외국인을 배제한 제한적 민주 정치

> **의의** 제한적이기는 하지만 시민권자들이 모두 정치적 참여를 하는 정치 형태였다는 점에서 오늘날 민주주의의 원형으로 삼고 있다.

② 시민 혁명과 근대 민주 정치의 성립
  • 근대 시민 혁명의 사상적 배경[6]: **천부 인권 사상, 계몽사상, 사회 계약설** 등 [자료 04]
  • 대표적인 시민 혁명

영국 명예혁명(1688)	의회 주도로 국왕의 전제 정치에 저항 → 권리 장전
미국 독립 혁명(1776)	영국의 부당한 식민 지배에 대항한 독립 전쟁 → 독립 선언
프랑스 혁명(1789)	봉건적 신분 제도로 인한 불평등한 사회 구조에 대한 시민의 저항 → 인권 선언 [자료 05]

  • 시민 혁명의 결과: 민주주의와 대의제 발달, 법치주의 확립, 입헌주의 원리 확립
  • 근대 민주 정치의 한계: **노동자, 농민, 여성 등의 참정권 제한**

> **중요** 시민 혁명을 통해 절대 왕정을 타파하는 과정에서 근대 민주 정치가 성립되었다.

③ 현대 민주 정치
  • 보통 선거 제도 확립: 차티스트 운동[7] 등 참정권 확대를 통해 **모든 구성원에게 선거권 부여**
  • 대중 민주주의: 보통 선거 제도에 기반을 둔 대의제 실시, 직접 민주제 요소 도입 등을 통해 누구에게나 정치 참여를 보장하고 있음.
  • 시민의 정치 참여 기회 확대: 직접 민주 정치 요소(국민 투표, 국민 발안, 국민 소환 등)[8] 도입, 전자 민주주의 등을 통해 시민의 의견 수렴

2. 법치주의의 발전 과정

(1) **법치주의** 의회가 제정한 법률에 근거하여 국가 기관을 구성하고 운영해야 한다는 이념

(2) **형식적 법치주의와 실질적 법치주의** ── **중요** 근대 시민 혁명 이후 초기의 법치주의에서는 형식적 법치주의가 강조되었지만 현대 민주 국가에서는 실질적 법치주의가 강조된다.

① 형식적 법치주의

의미	합법적 절차를 거쳐 제정된 명확한 법에 의해 통치가 이루어져야 함.
특징	법의 목적이나 내용에 관계없이 **권력과 통치의 합법성만을 강조함.**
한계	통치 절차가 합법적이기만 하면 독재 정치도 정당화될 수 있다는 논리로 악용됨(예 히틀러가 이끌던 나치 정권의 통치). [자료 06]

② 실질적 법치주의

의미	합법적 절차에 따라 제정되고 목적이나 내용도 인간의 존엄성이나 실질적 평등과 같은 정의에 부합되는 법에 의해 통치가 이루어짐.
특징	권력과 통치의 합법성과 함께 정당성도 강조함(예 위헌 법률 심판 제도).[9]

(3) **법치주의의 의의** 통치자의 권력 남용 제한, 국민의 자유와 권리 보장

3. 법치주의와 민주주의의 관계

> **분석** 법이 허용한 권력 행사의 범위를 넘어서는 것으로, 이는 불법적인 행위로 간주됨.

(1) **법치주의의 근원** 국민 주권의 원리 → 국가가 행사하는 모든 권력은 국민의 의사에 근거함.

(2) **법치주의와 민주주의의 관계** ──┐

> **분석** 민주주의가 상위의 개념으로, 민주주의는 그 자체로서 완전한 제도가 아니기 때문에 법치주의가 필요하며, 법치주의가 없는 민주주의는 불가능하다.

① 민주주의와 법치주의 간의 긴장 국민의 의사는 시대와 상황에 따라 변하므로 민주주의는 동적인 성격을 가짐, 법치주의는 법이라는 제도적 틀 안에서 사회 질서를 유지하려 하므로 정적인 성격을 가짐.

② 민주주의와 법치주의의 조화 법치주의를 통해 민주 정치의 발전을 도모하고, 민주 정치를 통해 법치주의가 지향하는 국민의 자유와 권리가 보장됨. → 상호 보완적 관계

고득점을 위한 셀파 Tip

• **민주주의 발전 과정**

고대 아테네	• 직접 민주 정치 • 제한적 민주 정치
근대 민주 정치	• 시민 혁명을 통해 절대 왕정을 타파하여 대의제가 확립됨. • 천부 인권 사상, 계몽사상, 사회 계약설이 사상적 배경임.
현대 민주 정치	• 보통 선거제 확립 • 대의제의 일반화, 시민의 정치 참여 기회 확대

[6] 근대 시민 혁명의 사상적 배경
• 천부 인권 사상: 인권은 하늘로부터 부여된 것이므로 누구도 침해할 수 없다는 사상
• 계몽사상: 합리적인 이성에 따라 낡고 모순된 제도를 개혁해야 한다는 사상
• 사회 계약설: 개인의 자연권을 보장하기 위해 사람들 간의 계약에 의해 국가가 형성되었다는 사상

[7] 차티스트 운동
19세기 초 영국 노동자들이 벌인 참정권 확대 운동으로, 의원의 재산 자격 철폐, 21세 이상 모든 성인 남성의 선거권 보장 등을 요구하는 인민헌장을 발표하였다.

[8] 직접 민주 정치 요소

국민 투표	국가의 중요 정책을 국민의 의사를 물어 결정하는 제도
국민 발안	국민이 직접 헌법 개정안이나 법률안을 제출할 수 있는 제도
국민 소환	선거를 선출한 대표를 임기 만료 전에 투표를 통해 파면하는 제도

고득점을 위한 셀파 Tip

• **형식적 법치주의와 실질적 법치주의**

형식적 법치주의	국가 권력의 행사가 법률의 형식에 적합하기만 하면 그 법률 자체의 목적이나 내용은 문제삼지 않음.
실질적 법치주의	통치의 합법성과 함께 정당성도 강조함.

[9] 위헌 법률 심판 제도
위헌 법률 심판은 국회에서 제정한 법률이 헌법에 위반되는지 여부를 헌법 재판소가 심사하는 것을 말한다.

자료 04 홉스, 로크, 루소의 사회 계약설

구분	홉스	로크	루소
인간관	합리적 인간, 성악설	합리적 인간, 성백지설	합리적 인간, 성선설
자연 상태	만인에 대한 만인의 투쟁	불안정한 평화	자유롭고 평화로움
사회 계약의 성립 계기	자연 상태 자체	외부에서 발생할 수 있는 위협	문명화로 인한 불평등의 발생
특징	통치권을 양도	• 통치권을 위임 • 생명, 신체, 재산에 관한 권리는 위임이나 양도 불가 → 권력 신탁 사상 • 정부의 계약 불이행시 저항권 인정	• 권리의 위임이나 양도는 불가능 • 일반의지(최고선, 공동선)에 대해 구성원 모두가 동의함으로써 국가가 성립·운영됨.
주권의 소재	군주	국민	국민
옹호하는 정치 형태	절대 군주제	간접 민주주의	직접 민주주의

자료 분석 | 사회 계약설은 인간의 권리와 국가의 역할을 설명하는 이론이다. 홉스는 사회 구성원이 자신들의 안전을 위해 통치권을 완전히 양도했다고 보았다. 그런 이유로 홉스는 절대 군주제를 지지했음에도 불구하고, 왕권 신수설과는 다른 사회 계약론으로 볼 수 있다. 로크와 루소는 각각 기본권에 대해 서로 다른 생각을 가지고 있기 때문에 지지하는 정치 형태가 다르다. 시민 혁명에 직접적 영향을 미친 사상가는 로크이며, 루소는 간접 민주주의 민주주의로 보기 어렵다고 주장하였다.

자료 05 프랑스 인권 선언

제1조 인간은 권리에 있어 자유롭고 평등하게 태어나 생존한다.

제3조 모든 주권의 원리는 본질적으로 국민에게 있다. 어떠한 단체나 어떠한 개인도 국민으로부터 명시적으로 유래하지 않은 권위를 행사할 수 없다.

제4조 자유는 타인에게 해롭지 않은 모든 것을 행할 수 있다. 그 제약은 법에 의해서만 규정될 수 있다.

자료 분석 | 프랑스 인권 선언에는 개인의 권리는 절대적(천부 인권)이며, 이를 제한할 때에는 반드시 '법'에 의해서만 가능하다고 명시되어 있다. 민주주의에서 국가의 목적은 개인의 권리 보장이며, 이를 제한할 때에는 법에 근거해야 함을 명시함으로써 민주주의와 법치주의 간의 관계를 잘 보여주고 있다. 이는 현대 민주주의에서도 그대로 반영되어 민주주의에서 법치주의의 원리를 실현하는 데에 원칙으로 삼고 있다.

자료 06 형식적 법치주의의 대표적인 사례

제1조 라이히 법률은 라이히 헌법이 규정하고 있는 절차에 의하는 외에, 라이히 정부에 의해서도 의결될 수 있다.

제2조 라이히 정부가 의결하는 법률에는 라이히 헌법과는 다른 규정을 둘 수 있다.

자료 분석 | 제시된 법률은 독일의 수권법으로, 헌법 위에 법률이나 정부가 군림할 수 있다는 것을 명시해 놓았다. 이는 법치주의라는 이름으로 민주주의를 파괴한 것으로서, 형식적 절차만을 중시하는 법치주의는 통치 권력에 의해 독재를 정당화하고, 인권을 탄압하는 데에 악용될 수 있다는 것을 보여준다.

1 민주주의는 인간의 존엄성 실현을 목적으로 한다.

(○ , ×)

2 민주주의는 근대 시민 혁명에서 시작되었다.

(○ , ×)

3 모든 사회 계약설은 시민 혁명의 사상적 토대가 되었다.

(○ , ×)

4 시민 혁명의 결과 모든 사회 구성원이 정치에 참여할 수 있게 되었다.

(○ , ×)

5 현대 대부분의 국가에서 보통 선거 제도가 확립되었다.

(○ , ×)

6 민주주의는 다수의 정치 참여가 보장되는 정치 형태이다.

(○ , ×)

7 법치주의는 민주주의가 지향해야 할 가치이자 목적이다.

(○ , ×)

8 실질적 법치주의와 형식적 법치주의는 상호 배타적인 성격을 가지고 있다.

(○ , ×)

9 오늘날의 법치주의는 실질적 법치주의를 지향한다.

(○ , ×)

10 법치주의와 민주주의는 상호 의존적인 관계를 가지고 있다.

(○ , ×)

정답 1 ○ 2 × 3 × 4 × 5 ○ 6 ○
7 × 8 × 9 ○ 10 ○

개념 완성

1 정치의 의미

좁은 의미	정치권력의 획득·유지·행사와 관련된 활동
넓은 의미	사회 구성원 간의 이해관계의 대립과 갈등을 조정하고 해결하는 과정

2 정치의 기능

사회적 갈등 해결	사회적 (❶　　　　) 배분을 둘러싼 개인과 집단 간의 갈등과 대립을 조정하고 해결함.
질서 유지	반사회적 행위를 통제하고 구성원이 따라야 할 규범을 정립함.
공동체의 발전 방향 제시	사회가 지향해야 할 가치와 목표를 제시함으로써 사회 발전을 도모하고자 함.

3 법의 이념

(❷　　　　)	법이 실현하고자 하는 궁극적 이념, 옳고 그름의 판단 근거
합목적성	해당 시대나 국가가 지향하는 목적에 부합하는 것
(❸　　　　)	개인의 사회생활이 보호되어 안정된 상태를 이루는 것

4 형식적 법치주의와 실질적 법치주의

형식적 법치주의	• 합법적인 절차를 거쳐 제정된 명확한 법에 의해 통치가 이루어져야 한다는 원리 • 법 제정이 합법적이기만 하면 법의 목적이나 내용은 문제 삼지 않음.
실질적 법치주의	• 합법적인 절차뿐만 아니라 법의 목적과 내용도 (❹　　　　), 정의에 부합되는 법에 의해 통치가 이루어져야 한다는 원리 • 현대 민주주의에서의 법치주의

5 민주주의와 법치주의의 관계

구분	민주주의	법치주의
특징	변화하는 국민의 의사에 따라 이루어지기 때문에 변화의 역동성이 내재되어 있음.	법을 통해 사회 질서를 유지하려고 하며 (❺　　　　)을 추구하는 경향이 있음.
관계	둘 사이에서는 상호 의존적인 성격이 있으며, 조화로운 공존이 필요함.	

정답 ❶ 희소가치 ❷ 정의 ❸ 법적 안정성 ❹ 인간의 존엄성 ❺ 안정

탄탄 내신 문제

1 정치의 의미와 기능

01 정치의 의미에 관한 관점 (가), (나)에 대한 설명으로 옳은 것은?

> (가) 사회적 희소가치의 배분을 둘러싼 권력 현상은 국가 수준에서 형성되기 때문에 사회적 갈등을 해결하고 질서를 유지하는 국가의 활동을 정치로 보아야 한다.
> (나) 권력 현상은 국가는 물론 다른 사회 집단에서도 나타나기 때문에 국가를 포함한 사회 집단이 갈등을 해결하고 사회 집단 내의 의사를 형성하는 것도 정치로 보아야 한다.

① (가)는 넓은 의미, (나)는 좁은 의미로 정치를 보고 있다.
② (가)는 (나)와 마찬가지로 국가를 여러 사회 집단 중 하나로 본다.
③ (가)와 달리 (나)에서는 국가의 통치 작용을 정치로 보지 않는다.
④ (가)는 권력 현상을 중심으로, (나)는 개인 간 관계를 중심으로 정치를 본다.
⑤ (가)와 달리 (나)에서는 집단 간의 이해 관계 조정도 정치적 현상으로 본다.

02 다음 대화를 통해 알 수 있는 정치의 기능으로 적절하지 않은 것은?

> 갑 우리 사회는 자유 민주주의를 지향하고 있어. 지향점을 제시하고, 이를 위해 정치 제도가 맞춰져야 한다고 생각해.
> 을 맞아, 정치 제도를 통해 권력이 분산되고 상호 견제하도록 하는 건 매우 중요한 일이지.
> 병 최근 노사정 위원회의 극적 타결은 정치적 갈등을 해결하는 데에 매우 큰 역할을 했어.
> 정 그렇지, 뿐만 아니라 사회 구성원들의 다양한 욕구를 충족시키는 데에도 기여했다고 볼 수 있어.
> 무 하지만 다양성의 실현이라는 이름 아래에 사회 질서를 해치는 행위까지 정당화할 수는 없어. 이에 대해서는 제재가 필요해.

① 사회 발전의 방향을 제시한다.
② 정치권력을 감시하고 견제한다.
③ 사회 구성원의 다양성을 존중한다.
④ 구성원들 간의 이해관계를 조정한다.
⑤ 사회 구성원의 권리를 부여하고 제한한다.

03 표는 정치를 바라보는 관점 A, B를 구분한 것이다. 이에 대한 옳은 설명만을 〈보기〉에서 있는 대로 고른 것은?

질문	A	B
정치를 국가의 고유한 현상으로 보는가?	예	아니요
학교와 학급 내에서 정치 현상이 나타나는가?	아니요	㉠
(가)	㉡	아니요

┌ 보기 ┐
ㄱ. ㉠에 들어갈 답변은 '예'이다.
ㄴ. 사회가 있는 곳에 정치가 있다는 것은 A로 설명할 수 있다.
ㄷ. B는 A에 비해 현대 사회에서의 대립과 갈등 해결 양상을 설명하는 데 적합하다.
ㄹ. (가)에 '정치를 정치권력의 획득, 유지, 행사 활동으로 보는가?'라는 질문이 들어가면 ㉡에 들어갈 답변은 '예'이다.

① ㄱ, ㄴ   ② ㄴ, ㄹ   ③ ㄷ, ㄹ
④ ㄱ, ㄴ, ㄷ   ⑤ ㄱ, ㄷ, ㄹ

2 법의 의미와 이념

05 빈칸 ㉠, ㉡에 들어갈 용어를 옳게 연결한 것은?

┌─────────────────────────────┐
아리스토텔레스는 정의의 본질은 평등이며 평등은 모든 인간을 동등하게 취급하는 [㉠] 정의와 능력과 공헌도에 따라 차등 대우하는 [㉡] 정의로 구분하였다.
└─────────────────────────────┘

  　㉠　　㉡
① 배분적　상대적
② 배분적　실질적
③ 평균적　배분적
④ 평균적　형식적
⑤ 형식적　절대적

04 다음 두 사례에 공통적으로 나타난 정치의 기능으로 가장 적절한 것은?

• 정부에서는 노동자와 사업자 간의 갈등 상황에서 양측의 입장을 조율하고 타협안을 마련하며 논의를 진행하였다.
• 재건축을 둘러싸고 인근 지역 상인들과 아파트 주민들 간의 갈등이 심화되자 해당 지방 자치 단체가 중재에 나섰다.

① 반사회적 행위 통제
② 공동체의 유지와 발전
③ 사회의 발전 방향 설정
④ 집단 간 이해관계 조정
⑤ 권력에 대한 견제와 감시

06 그림은 어느 법률 사이트에 올라온 질문과 답변이다. 이에 대한 분석으로 옳지 <u>않은</u> 것은?

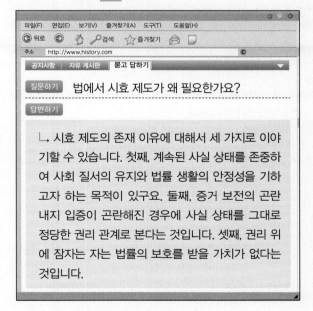

① 정의의 실현과 충돌할 수도 있다.
② 법 생활의 안정성을 중시하는 제도이다.
③ 개인의 권리는 국가에서 보장해 주기 어렵다.
④ 법이 안정적인 국민 생활의 유지를 중시하고 있다.
⑤ 불법이라도 일정 기간이 지나면 책임을 묻기 힘들다.

07 (가)에 대한 옳은 설명만을 〈보기〉에서 고른 것은?

> (가) 은/는 법이 지향하는 최고의 이념으로, 옳고 그름의 판단 근거이다. 그런데 (가) 을/를 실현하기 위한 구체적인 방향과 내용은 시대에 따라 달라질 수 있다. 예를 들면 근대 사회에서의 (가) 와/과 현대 사회에서의 (가) 은/는 국가 권력의 남용 방지를 목적으로 한다는 점에서는 동일하지만 사회 문제에 대한 국가의 개입 등을 두고서는 서로 다른 관점을 보인다.

> ┤ 보기 ├
> ㄱ. 절대적 진리로 통용되는 원칙이다.
> ㄴ. 사회에 따라 다르게 해석될 수 있다.
> ㄷ. 법의 목적보다 적용 과정에서 중시된다.
> ㄹ. (가)의 본질은 평등의 실현과 밀접한 관련이 있다.

① ㄱ, ㄴ   ② ㄱ, ㄷ   ③ ㄴ, ㄷ
④ ㄴ, ㄹ   ⑤ ㄷ, ㄹ

09 다음 갑~병의 주장의 공통점으로 옳은 것은?

> 갑 자연 상태에서는 투쟁이 불가피하기 때문에 개인의 평화와 안전을 보장받기 위해 모든 권리를 국가에게 양도했다.
> 을 사람들은 생명과 재산을 보호하기 위해 계약을 맺고 권력을 탄생시켰다. 만일 국가가 인민의 자연권을 침해하면 이에 저항할 수 있다.
> 병 자연 상태에서 자유롭고 평등했던 인간은 이를 제도적으로 보장받기 위해 국가를 만들었다. 주권은 양도하거나 위임할 수 없다.

① 공동체의 질서를 개인의 권리보다 중시하였다.
② 정부의 계약 불이행시 저항권 사상을 주장하였다.
③ 국가의 가장 큰 목적은 사회 질서를 유지하는 데 있다.
④ 개인은 자발적인 동의를 바탕으로 국가 공동체를 구성하였다.
⑤ 국가 권력은 자발적인 복종에 의한 것이므로 무너뜨릴 수 없다.

3 민주주의와 법치주의

08 다음은 프랑스 인권 선언의 일부이다. 이에 대한 설명으로 옳지 <u>않은</u> 것은?

> • 제1조 인간은 권리에 있어서 자유롭고 평등하게 태어나 생존한다.
> • 제2조 모든 정치적 결사의 목적은 인간의 자연적이고 소멸될 수 없는 권리를 보전함에 있다. 그 권리란 자유, 재산, 안전, 그리고 압제에 대한 저항이다.
> • 제3조 모든 주권의 원리는 본질적으로 국민에게 있다. 어떠한 단체나 개인도 국민으로부터 유래하지 않는 권리를 행사할 수 없다.
> • 제16조 법의 준수가 보장되지 않거나 권력 분립이 이루어지지 않은 사회는 헌법을 가지고 있다고 할 수 없다.

① 국민 주권주의 원리가 나타나 있다.
② 천부 인권 사상을 바탕으로 하고 있다.
③ 권력 분립 원리의 제도화를 강조하고 있다.
④ 시민 혁명을 정당화하는 근거가 명시되어 있다.
⑤ 인권은 국가가 헌법에 규정해 놓은 것이라고 보고 있다.

★10 다음 대화 내용에 관한 분석으로 옳지 <u>않은</u> 것은?

> 갑 법치주의는 법에 의한 통치야. 법치주의는 곧 민주주의야. 따라서 의회에서 절차상의 원칙에 맞게 제정된 법이라면 반드시 지켜야 돼. 이를 어기면 민주주의는 혼란에 빠지게 될 거야.
> 을 법 제정 과정에서 형식이 중요한 것은 맞아. 하지만 그렇게 형식만을 강조하면 중요한 것을 놓칠 수 있어. 법치주의에서 중요한 것은 법 제정의 합법성뿐만 아니라 법의 내용이나 목적이야. 국민의 인권 보장에 부합되는지 살펴보아야 해.

① 갑과 을은 모두 '사람에 의한 지배'를 부정한다.
② 갑의 주장은 독재 정치를 정당화하는 수단으로 악용될 가능성이 있다.
③ 갑은 법치주의와 민주주의 간의 상관성을 부정하고 있다.
④ 갑보다 을의 주장이 현대 민주주의에서의 법치주의에 부합한다.
⑤ 갑은 형식적 법치주의, 을은 실질적 법치주의를 강조하고 있다.

11 갑~정이 정치를 바라보는 관점을 구분하여 쓰시오.

> 갑 정치는 어느 사회에나 존재합니다.
> 을 정치는 대통령이나 국회 의원의 통치 행위를 의미합니다.
> 병 정치는 국가라는 공동체를 기반으로 권력이 행사되는 것입니다.
> 정 갈등이 있는 곳이라면 곧 정치가 형성됩니다.

넓은 의미(㉠)	좁은 의미(㉡)

12 다음 대화에서 갑, 을이 중시하는 정치의 기능을 구분하여 쓰시오.

> 갑 이번 선거에서는 동물 복지를 중시하는 사람을 뽑을거야. 인간만 행복한 세상은 있을 수 있어도 동물만 행복한 세상은 없거든. 동물까지 배려의 대상으로 삼는 정치라면 우리 사회가 가야 할 방향을 제대로 잡은 정치가일거야.
> 을 현재 사회에 만연한 갈등을 해결할 수 있는 사람을 대표로 뽑을 거야. 현대 사회는 너무 많은 갈등으로 인해 혼란스러워지고 있어. 이를 해결하는 것이 가장 중요하다고 생각해.

13 (가)에 들어갈 법 이념을 쓰시오.

> ⌐(가)⌐ (이)란 사회가 지향하는 목적에 맞도록 법의 방향을 설정하는 것이다. 한 국가의 법 질서는 그 사회가 지향하는 목적에 의하여 구체적으로 제정·시행되기 때문에 사회의 지배적인 이념이나 가치관 등에 따라 다르다. 예를 들어 근대 초기의 자유 방임주의 시대에는 법이 개인의 자유 보장에 최대의 가치를 부여하고자 했다면 현대 복지 국가에서는 개인의 이익과 사회의 공공복리를 동시에 증진하는 것을 법의 목적으로 삼고 있다.

14 다음 대화에서 갑과 을이 중시하는 법 이념을 구분하여 쓰시오.

> 갑 너무 오랜 시간이 지난 후에는 법익에 대한 판단을 하기가 어렵습니다. 그리고 이런 사건을 지속적으로 수사한다면 증거 보존과 수사에 들어가는 사회적 비용도 매우 큽니다. 따라서 재판의 공정성과 안정된 생활을 위해서라도 공소 시효 제도는 필요합니다.
> 을 공소 시효 제도를 악용하는 범죄와 계획 범죄 발생 가능성을 배제할 수 있을까요? 법은 범죄자보다 피해자의 인권을 우선해야 하는데, 공소 시효 제도는 피해자의 억울함을 풀어주지 못할뿐더러 가해자의 보호책이 될 수도 있어서 부당합니다.

15 다음은 히틀러의 수권법의 일부이다. 이를 통해 파악할 수 있는 법치주의의 한계에 대해 서술하시오.

> 히틀러는 국민의 절대적인 지지를 등에 업고, 내각을 구성한 후, 의회로 하여금 다음과 같은 법률을 제정하도록 하여 통과시켰다. 당시 의회는 다음과 같은 법률을 의결하였다.
>
> > 제1조 라이히(Reich,제국) 법률은 라이히 헌법(바이마르 헌법: 민주적 헌법)이 규정하고 있는 절차에 의하는 외에, 라이히 정부에 의해서도 의결될 수 있다.
> > 제2조 라이히 정부가 의결하는 법률에는 라이히 헌법과는 다른 규정을 둘 수 있다.
> > 제4조 독일과 외국과의 조약도 …… 입법에 영향을 미치는 기관들과의 합의를 필요로 하지 않는다.

| 수능 기출 |

01 정치의 의미에 대한 관점 (가), (나)에 대한 설명으로 옳은 것은?

> (가) 사회적 희소가치의 배분을 둘러싼 권력 현상은 국가 수준에서 형성되기 때문에 사회적 갈등을 해결하고 질서를 유지하는 국가의 활동을 정치로 보아야 한다.
>
> (나) 권력 현상은 국가는 물론 다른 사회 집단에서도 나타나기 때문에 국가를 포함한 사회 집단이 갈등을 해결하고 사회 집단 내의 의사를 형성하는 것도 정치로 보아야 한다.

① (가)는 국가 형성 이전의 정치 현상을 설명하는 데 적합하다.
② (가)는 학생 자치회가 자선 바자회 수익금의 사용처를 결정하는 과정을 정치라고 본다.
③ (가)는 (나)에 비해 다원화된 현대 사회의 갈등 해결 양상을 설명하기에 용이하다.
④ (가)는 (나)와 달리 시민 단체가 정부 정책을 감시하고 비판하는 것을 정치라고 본다.
⑤ (가), (나) 모두 소수의 통치 엘리트가 정책을 결정하는 것을 정치라고 본다.

| 평가원 기출 |

02 정치를 바라보는 관점 A에 대한 설명으로 옳은 것은?

> 정치를 바라보는 관점은 크게 두 가지로 구분된다. A는 정치권력을 획득하고 유지·행사하는 과정과 관련된 국가 고유의 활동만을 정치로 본다. 한편 넓은 의미로 정치를 바라보는 관점은 국가를 포함한 모든 사회 집단에서 나타나는 갈등을 해결하는 일체의 과정을 정치로 본다.

① 대통령의 국정 운영을 정치로 본다.
② 임금 인상에 대한 노사 간 협상 과정을 정치로 본다.
③ 국가 형성 이전의 정치 현상을 설명하기에 적합하다.
④ 다른 사회 집단의 활동과 구별되는 국가 활동의 특수성을 부정한다.
⑤ 다양한 사회 집단이 내부 이해관계의 대립을 자체적으로 조정해가는 과정을 정치로 본다.

| 수능 기출 |

03 정치를 바라보는 관점 A, B에 대한 설명으로 옳은 것은?

> A는 국가에 의한 사회 갈등 해결과 질서 유지 활동과 같이 권력을 독점한 국가의 활동만을 정치로 본다. 반면 B는 권력 현상은 국가뿐만 아니라 다양한 사회 집단에서도 나타날 수 있기 때문에 국가 이외의 집단이 갈등 해결을 위해 의사를 결정하는 활동도 정치로 본다.

① A는 국가 형성 이전의 정치 현상을 설명하기에 적합하다.
② B는 이익 집단 내 이해관계를 조정하는 활동을 정치로 보지 않는다.
③ A는 B와 달리 주민과 정부가 협력하여 지역 문제를 해결하는 것을 정치로 본다.
④ B는 A와 달리 국가의 권력 현상은 다른 사회 집단의 권력 현상과 본질적으로 다르다고 본다.
⑤ A와 B 모두 물리적 강제력을 독점한 통치 기구의 권력 활동을 정치로 본다.

| 평가원 기출 |

04 다음 자료에 나타난 법 이념에 부합하는 내용으로 가장 적절한 것은?

> 일정한 사실 상태가 정당한 권리 관계와 일치하지 않는다 하여 오랜 후에 이를 뒤집고 정당한 권리 관계를 부활시키는 것은, 그러한 사실 상태를 기초로 이미 구축된 사회 질서 내지 법률 관계를 근본적으로 뒤집는 결과가 된다. 이런 경우에는 영속한 사실 상태를 정당한 것으로 인정하는 것이 낫다.

① 미성년자가 법률 행위를 함에는 사전(事前)에 법정 대리인의 동의를 얻도록 한다.
② 수사 기관이 적법한 절차에 따르지 아니하고 수집한 증거는 증거로 할 수 없도록 한다.
③ 형사 피의자에 대해 검사가 일정한 기간 공소를 제기하지 않고 방치한 경우에 공소권을 행사할 수 없도록 한다.
④ 사용자가 근로자와 근로 계약을 체결하면서 근로자의 계약 불이행 시 부담해야 할 손해 배상액을 미리 정하지 못하도록 한다.
⑤ 물건의 제조자가 제조한 물건의 결함으로 인해 타인의 생명·신체 또는 재산에 손해를 입힌 때에는 그 손해를 배상하도록 한다.

05 | 평가원 기출 |
(가), (나)에 해당하는 적절한 사례만을 〈보기〉에서 고른 것은?

> 정의의 본질은 평등이다. 정의는 (가)와 (나)로 나누어 구분하는 것이 일반적이다. (가)는 모든 인간을 동등하게 취급하는 것을 내용으로 하며, 절대적·형식적 평등으로서의 성격을 갖는다. 이에 비해 (나)는 능력과 공헌도에 따라 차등 대우하는 것을 내용으로 하며, 상대적·실질적 평등의 성격을 갖는다.

┤ 보기 ├
ㄱ. 부담 능력에 따라 세금을 부과하는 것
ㄴ. 누구든지 손해를 끼치면 배상케 하는 것
ㄷ. 초범과 상습범에 대한 교화 방법을 달리하는 것
ㄹ. 국회 의원 선거권자 1인당 2표의 투표권을 부여하는 것

	(가)	(나)		(가)	(나)
①	ㄱ, ㄴ	ㄷ, ㄹ	②	ㄱ, ㄹ	ㄴ, ㄷ
③	ㄴ, ㄷ	ㄱ, ㄹ	④	ㄴ, ㄹ	ㄱ, ㄷ
⑤	ㄷ, ㄹ	ㄱ, ㄴ			

06 | 평가원 기출 |
표의 법 이념 (가)~(다)에 관한 옳은 설명만을 〈보기〉에서 있는 대로 고른 것은?

법 이념	법 이념을 표현하는 법언
(가)	• 각자에게 그의 몫을 주라. • 같은 것은 같게, 다른 것은 다르게!
(나)	• 악법도 법이다. • 정의롭지 못한 법도 무질서보다는 낫다.
(다)	• 목적은 모든 법의 창조자이다. • 민중의 행복이 최고의 법이다.

┤ 보기 ├
ㄱ. (가)에 따르면 법관은 모든 피고인을 공평하게 대우해야 하지만, 장애를 가진 피고인은 특별하게 배려할 수도 있다.
ㄴ. (나)에 따르면 타인의 토지를 20년 이상 자신이 소유할 의사로 평온·공연하게 점유한 사람에게 소유권이 인정될 수 있다.
ㄷ. (다)에 따르면 모든 법률은 시대와 사회의 지배적 가치관에 영향을 받지 않는다.
ㄹ. (나)는 법률이 상황에 맞게 자주 개정되어야 달성될 수 있고, (다)는 법률이 함부로 변동되지 않아야 실현된다.

① ㄱ, ㄴ ② ㄱ, ㄷ ③ ㄷ, ㄹ
④ ㄱ, ㄴ, ㄹ ⑤ ㄴ, ㄷ, ㄹ

07 | 수능 기출 |
교사의 질문에 대한 학생의 답변으로 옳은 것은?

A와 B가 발생하게 된 공통적인 배경은 무엇일까요?

> **민주 정치의 발전 과정에서 발생한 A와 B**
> • A: 19세기 영국에서 노동자들이 중심이 되어 21세 이상 남성의 선거권 보장 등을 요구하며 벌인 운동
> • B: 20세기 초 영국에서 결성된 여성사회정치동맹(WSPU)의 활동가들이 여성의 선거권을 요구하며 벌인 활동

① 직접 민주 정치 제도에 대한 요구가 증가했기 때문입니다.
② 대의제로 인해 정책 결정의 효율성이 떨어졌기 때문입니다.
③ 개인주의가 심화되어 정치적 무관심이 확대되었기 때문입니다.
④ 사회 구성원의 정치 참여 증가로 중우 정치가 나타났기 때문입니다.
⑤ 국민의 대표를 선출할 권리가 보장되지 않아 정치 참여가 제한되는 사회 구성원들이 있었기 때문입니다.

08 | 수능 기출 |
법치주의의 유형 A, B에 대한 설명으로 옳은 것은?

> 헌법 제59조는 "조세의 종목과 세율은 법률로 정한다."라고 규정하여 조세 법률주의를 선언하고 있다. A는 국회가 제정한 법률이 과세 요건을 명확히 규정하고 있다면 그 목적과 내용의 정당성 여부와 상관없이 조세 법률주의에 위배되지 않는다고 본다. 그러나 B에 따르면 경제 활동을 더 이상 불가능하게 할 정도로 과도하게 조세를 부과하는 조세법은 허용되지 않는다. B는 과세 근거가 되는 법률의 목적과 내용 또한 기본권 보장이라는 헌법 이념에 부합되어야 한다고 보기 때문이다.

① A는 B와 달리 입법 절차의 합법성을 중시한다.
② A는 B와 달리 조세법이 적법한 절차에 따라 제정되었더라도 법률 심사를 할 수 있다고 본다.
③ B는 A와 달리 조세의 종목과 세율을 법률로 정해야 한다고 본다.
④ B는 A와 달리 다수당의 횡포와 독재 체제를 옹호하는 논리로 악용될 수 있다.
⑤ A와 B는 모두 국가가 국민의 재산권을 제한할 때 법률에 근거가 있어야 한다고 본다.

09 법치주의의 유형 A, B에 대한 설명으로 옳은 것은?

> 헌법은 국가 권력의 남용으로부터 국민의 기본권을 보호하려는 법치주의 실현을 기본 이념으로 하고 있다. 이러한 법치주의는 어떤 행위가 범죄이고 그 범죄에 대하여 어떤 처벌을 할 것인가는 미리 성문의 법률에 규정되어 있어야 한다는 원칙을 포함한다. A는 의회가 제정한 법률이라면 범죄와 형벌을 규정하는 근거가 된다고 본다. 하지만 합법적으로 제정된 법률이라도 인간의 존엄과 가치를 실질적으로 보장하지 못할 수 있다. 이에 따라 법률의 목적과 내용도 실질적 정의에 합치할 것을 고려하는 B는 법률이 정한 형벌이 행위의 무거움과 행위자의 책임에 비해 지나치게 가혹하지 않아야 할 것을 강하게 요구한다.

① A는 국가 권력의 자의적 형벌권 남용을 방지하기 위해 통치자도 법의 구속을 받도록 하는 근거가 된다.
② B는 법의 목적과 내용이 정의에 부합할 때 국가 권력이 정당성을 확보한다는 점을 간과한다.
③ A는 B와 달리 법의 예측 가능성을 높여 국가의 개입에 대한 국민의 신뢰를 보호하고자 한다.
④ B는 A와 달리 범죄와 형벌을 법률로 정해야 한다고 본다.
⑤ A와 B 모두 국민의 자유와 권리를 보장하는 것보다 통치의 합법성을 중시한다.

10 (가)~(라)에 들어갈 옳은 내용만을 〈보기〉에서 있는 대로 고른 것은?

> 학습 주제: 근대 시민 혁명과 민주 정치의 발전 과정
> 1. 근대 시민 혁명의 결과
>   • 영국: __(가)__ • 미국: __(나)__ • 프랑스: __(다)__
> 2. 근대 시민 혁명의 한계와 한계 극복 노력
>   • 한계: 재산과 성별 등에 따른 참정권 제한이나 차등 부여
>   • 한계 극복 노력: _____(라)_____
>   ⋮

〈보기〉
ㄱ. (가)-입헌 군주제 폐지, 의회 정치 기반 마련
ㄴ. (나)-영국으로부터 독립, 대통령제 정부 형태 수립
ㄷ. (다)- 인권 선언 채택, 자유와 평등의 이념 확산
ㄹ. (라)- 노동자들을 중심으로 차티스트 운동 전개

① ㄱ, ㄴ   ② ㄱ, ㄷ   ③ ㄷ, ㄹ
④ ㄱ, ㄴ, ㄹ   ⑤ ㄴ, ㄷ, ㄹ

11 갑~병은 대표적인 근대 정치 사상가이다. 이들의 주장에 대한 옳은 설명을 〈보기〉에서 고른 것은?

> 갑 인간은 자유롭게 태어나지만, 도처에서 사슬에 매여 있다. 이런 문제점을 해결하기 위해 사람들은 국가를 만들고 일반 의지에 따라 국가를 운영한다.
> 을 자연 상태는 평화롭지만 분쟁이 발생하는 경우 자연권이 침해될 수 있다. 개인들은 생명과 재산 등을 보장받기 위해 국가를 만들어 자연권의 일부를 위임한다.
> 병 인간은 자연 상태에서 서로에게 늑대가 되며, 삶은 고독하고 야만스럽기까지 하다. 이런 상태에서 죽음을 두려워하는 인간은 국가를 만들어 안전의 문제를 해결한다.

〈보기〉
ㄱ. 갑과 을은 사회 계약을 통해 자연 상태로 회귀할 것을 주장하였다.
ㄴ. 갑과 병은 자연권의 일부 양도를 통해 군주 주권을 확립해야 한다고 보았다.
ㄷ. 을은 병과 달리 국가 권력의 분립과 대의 민주주의를 강조하였다.
ㄹ. 갑, 을, 병은 모두 국가 성립이 구성원들의 자발적 동의에 기초한다고 보았다.

① ㄱ, ㄴ   ② ㄱ, ㄷ   ③ ㄴ, ㄷ
④ ㄴ, ㄹ   ⑤ ㄷ, ㄹ

12 다음 자료에 대한 설명으로 옳은 것은?

> A는 시민이 최고 의결 기구에서 국가의 의사를 직접 결정하는 민주주의 방식인 (가)를 시행하였지만, B와 C는 시민에 의해 선출된 대표로 구성된 기구가 대의 기능을 수행하는 민주주의 방식인 (나)를 채택하였다. A와 B에서는 사회 구성원 중 일부만 참정권을 행사할 수 있었고, 보통 선거 원칙은 C에서 확립되었다.

① (가)는 (나)보다 정치 공동체의 규모가 클수록 실현이 용이하다.
② (나)는 (가)보다 국민 자치의 원칙에 충실하다.
③ A는 B보다 시민의 의사가 정책 결정에 정확하게 반영되지 않을 가능성이 크다.
④ B는 C와 달리 (나)의 한계를 보완하기 위해 (가)의 요소를 도입하였다.
⑤ C는 A와 달리 입헌주의 원리를 통해 기본권을 보장하고자 하였다.

| 평가원 응용 |

13 법치주의의 유형 A, B에 대한 옳은 설명만을 〈보기〉에서 고른 것은?

법치주의는 '사람의 지배'가 아닌 '법의 지배'를 의미한다. 그러나 A는 입법자에 의한 기본권 침해 가능성을 인식하지 못해 합법적 독재를 정당화하는 논리로 악용되었다. 이에 대한 반성으로 의회에서 적법한 절차를 거쳐 제정된 법률일지라도 그 내용과 목적이 인간의 존엄과 평등, 정의에 부합해야 한다는 B가 등장하였다.

┤ 보기 ├
ㄱ. A는 법률에 근거하지 않은 국가 권력 행사도 정당하다고 본다.
ㄴ. B는 통치 행위의 형식적 합법성과 함께 실질적 정당성도 강조한다.
ㄷ. B와 달리 A는 부당한 국가 권력에 대해 저항권을 행사할 수 있다고 본다.
ㄹ. A, B 모두 국민의 기본권을 제한할 때 법적 근거가 있어야 한다고 본다.

① ㄱ, ㄴ   ② ㄱ, ㄷ   ③ ㄴ, ㄷ
④ ㄴ, ㄹ   ⑤ ㄷ, ㄹ

| 평가원 기출 |

14 표는 시대별 민주 정치의 특징을 나타낸 것이다. 이에 대한 설명으로 옳은 것은? (단, (가)~(다)는 각각 고대 아테네 민주 정치, 근대 민주 정치, 현대 민주 정치 중 하나이다.)

구분	특징
(가)	자유와 평등의 이념이 확산되고 시민의 범위가 확대됨에 따라 선거를 통해 대의 기구인 A를 구성하였다. 그러나 성별, 재산 등에 따른 참정권 제한은 사라지지 않았다.
(나)	시민들은 최고 의결 기구인 B에 모여 공동체의 문제에 대해 토론하고 법률 제정, 과세, 외교 등 국가의 중요 사안을 직접 결정하였다.
(다)	선거로 뽑힌 대표자가 정치를 담당하는 형태는 시민의 의사를 정확히 반영하기 어렵다는 점을 보완하기 위해 직접 민주주의의 요소인 C를 도입하였다.

① (가)에서는 모든 성인에게 공직 참여 기회가 제공되었다.
② (나)는 (다)와 달리 입헌주의를 통해 기본권을 보장하였다.
③ A의 구성원을 선출하는 과정에는 보통 선거의 원칙이 적용되었다.
④ B에 참여하는 시민들은 추첨을 통해 선출되었다.
⑤ 국가의 중요 정책을 결정하기 위해 실시하는 국민 투표는 C에 해당한다.

| 평가원 기출 |

15 다음 자료에 대한 설명으로 옳은 것은?

역사적으로 법치주의의 의미는 A에서 B로 확장되었다. A는 군주의 자의적인 권력 행사를 제한하기 위해 시민의 대표인 의회가 제정한 법률에 따라 국가 권력이 행사되어야 함을 강조하면서 등장하였다. 그러나 합법적인 절차에 따라 제정된 법률에 의해서도 시민의 자유와 권리가 침해될 수 있다는 역사적 경험을 통해 법률의 목적과 내용도 헌법의 가치 체계에 합치되어야 함을 강조하는 B가 등장하였다. 이러한 B의 정신은 법과 제도에 투영되어 있다. 가령 죄형 법정주의의 파생 원칙 중 하나인 ┌─(가)─┐ 은/는 형법에 구현된 것으로 범죄와 이에 대한 형벌은 적절한 균형을 이루어야 하며 헌법의 이념에 부합해야 함을 내용으로 한다. 이러한 의미에서 오늘날 죄형 법정주의는 B의 요청을 충실히 반영하고 있다.

① A는 법적 안정성보다 실질적 평등과 같은 정의의 실현을 강조한다.
② B는 법률에 대한 헌법의 우위를 보장하기 위해 헌법 재판 제도의 필요성을 강조한다.
③ B는 A와 달리 개인의 권리를 제한하기 위해서는 의회가 제정한 법률에 근거가 있어야 한다고 본다.
④ (가)가 강조될수록 형법의 보장적 기능은 약화되고, 보호적 기능은 강화된다.
⑤ (가)는 사안에 적용할 법률 규정이 없는 경우에는 그와 유사한 규정을 적용해야 한다는 원칙이다.

(02) 헌법의 의의와 기본 원리

1 헌법의 의의와 기능

1. 헌법의 의의

(1) **헌법** 국가의 근본법으로서 국가의 통치 조직과 통치 작용의 원리를 규정하고 국민의 기본권을 보장하는 국가의 최고법

(2) **헌법의 의미 변천** 자료 01   **의의** 법의 위계에서 최상위 법으로서 헌법은 모든 하위 법체계의 원칙이며, 헌법에 어긋나는 하위법은 그 효력을 상실할 수 있다.

고유한 의미의 헌법	국가 통치 기관을 조직·구성하고 이들 기관의 권한과 상호 관계 등을 규정한 규범
근대 입헌주의 헌법	국가 통치 기관의 존립 근거이면서 자유권을 중심으로 국민의 기본권을 보장하기 위해 국가 권력을 제한하는 근본 규범
현대 복지 국가 헌법	국민이 인간다운 생활을 영위할 수 있도록 하는 복지 국가의 이념을 추구하는 규범

분석 고유한 의미의 헌법과 근대적 의미의 헌법에 더해져서 의미가 확장되어 왔으므로 현대적 의미의 헌법은 위의 두 내용을 모두 포함하는 개념이다.

2. 헌법의 기능

(1) **국가 창설** 국가 성립에 필요한 국민의 자격, 영토 범위 등을 규정함.

(2) **기본권 보장** 국민의 자유와 권리를 명시하여 국가 권력이 국민의 기본권을 함부로 침해하지 못하도록 함.

(3) **조직 수권 규범** 국가 기관을 구성하고(조직 규범), 각 기관에 일정한 권한을 부여함(수권 규범).

(4) **공동체 유지 및 통합** 국민의 합의된 의사로서 다원화된 이익을 조정하고 사회 통합을 실현함.

(5) **권력 제한** 권력 분립과 권력 기관 간 상호 견제를 통해 권력을 제한하여 국민의 기본권을 실질적으로 보장함.

2 우리 헌법의 기본 원리 자료 02

분석 자유 민주주의는 개인의 자유를 근본 가치로 한다는 점에서 지나치게 개인의 자유를 중시한다는 비판을 받는다.

국민 주권주의❶	의미	국가의 의사를 결정하는 주권이 국민에게 있다는 원리
	실현 방안	국민의 참정권 보장(민주적 선거 제도 규정, 국민 투표제 등), 언론·출판·집회·결사의 자유 보장, 복수 정당제❷ 및 선거 제도, 지방 자치 제도 등
자유 민주주의	의미	자유주의와 민주주의가 결합한 정치 원리 → 개인의 자유 존중을 근본 가치로 삼아 국가 권력의 간섭을 최소화하고, 국가 권력의 창출과 통치 과정이 국민적 합의에 근거하여 정당성을 가져야 한다는 정치 원리
	실현 방안	법치주의, 적법 절차의 원리,❸ 권력 분립 제도, 사법권의 독립, 복수 정당제를 기반으로 하는 자유로운 정당 활동, 상향식 의사 결정 과정 등
복지 국가의 원리❹	의미	국민에게 인간다운 생활을 할 권리를 보장하기 위해 국가가 적극적인 역할을 해야 한다는 원리
	실현 방안	국가에 사회 보장 및 사회 복지의 증진 의무 부여, 사회권 보장, 근로자에 대한 적정 임금의 보장과 최저 임금제❺ 실시, 여성 및 연소 근로자의 특별 보호 등
국제 평화주의	의미	국제 질서를 존중하고, 세계 평화와 인류의 번영을 위해 노력한다는 원리
	실현 방안	침략적 전쟁의 부인, 국제법 존중, 국제 평화 유지 활동 참여, 상호주의에 따른 외국인의 지위 존중 등 **주의!** 방어적 전쟁까지 부인하는 것은 아니며, 국제법은 국내법과 같은 효력을 가진다.
평화 통일 지향	의미	우리나라의 통일을 평화적인 방법으로 추구한다는 원리
	실현 방안	평화 통일 정책의 수립과 실천, 대통령에게 조국의 평화 통일을 위해 노력할 의무 부과, 민주 평화 통일 자문 회의 설치, 남북 교류 협력 추진 등
문화 국가의 원리	의미	문화의 자율성을 인정하면서 국가가 문화를 보호하고 발전시켜야 한다는 원리
	실현 방안	종교·학문·예술 활동의 자유 보장, 평생 교육 진흥, 의무 교육 제도 등

의의 세계화, 다문화 사회에서 강조된다.

주의! 자유 민주주의의 원리와 문화 국가의 원리에서 중첩적으로 보장되는 원리이다. 자유로서의 의미와 문화적 발전으로서의 의미를 모두 파악해야 한다.

왜? 문화 국가의 원리에서 교육이 강조되는 것은 문화를 창조하고, 향유하는 능력이 교육에서 비롯된다고 여기기 때문이다.

• 헌법의 기본 원리와 실현 방안

국민 주권주의	참정권 보장, 복수 정당제, 선거 제도 등
자유 민주주의	법치주의, 적법 절차의 원리, 권력 분립 제도 등
복지 국가의 원리	사회권 보장, 최저 임금제 등
국제 평화주의	침략 전쟁 부인, 국제법 존중, 외국인 지위 존중 등
평화 통일 지향	남북 교류 협력 추진, 평화 통일 정책의 수립과 실천 등
문화 국가의 원리	평생 교육 진흥, 의무 교육 제도 등

❶ **국민 주권주의와 자유 민주주의 실현 방안**
복수 정당제, 언론·출판·집회·결사의 자유 보장은 국민의 자유로운 정치 참여를 가능하게 하는 제도이다. 따라서 이는 국민 주권주의 원리 실현과도 관계가 깊으며 동시에 자유 민주주의를 실현하기 위한 방법이기도 하다.

❷ **복수 정당제**
복수 정당제는 두 개 이상의 정당을 인정하는 제도이다. 이는 실질적으로 정치적 자유를 실현하기 위한 방법으로서 자유로운 정치적 의사를 실현할 수 있는 근간이 되는 제도이다. 단일 정당제가 정당 독재를 가져올 수 있기 때문에 이를 부인하는 제도라는 데 의의가 있다.

❸ **적법 절차의 원리**
국민의 기본권을 제한할 때에는 법이 정한 절차와 원칙에 근거해야 한다는 것으로서 개인의 권리를 제한하거나 침해하는 국가 작용은 법률로 정한 절차를 거쳐야 한다는 원칙이다. 입법·사법·행정 등 모든 국가 작용에 적용되는 원칙이며, 공권력의 남용을 막고 개인의 기본권을 보장하는 것이 목적이다.

❹ **복지 국가의 원리**
큰 정부, 적극 국가, 행정 국가 등이 수반되는 것으로서 현대 사회에서 새롭게 등장한 헌법 원리이다. 정부의 개입이 증가하면서 자유 민주주의 원리와 충돌하는 경우도 있다.

❺ **최저 임금제**
국가가 노사 간의 임금 결정 과정에 개입하여 임금의 최저 수준을 정하고, 사용자에게 최저 수준 이상의 임금을 지급하도록 법으로 강제한 제도이다. 저임금 근로자를 보호함으로써 사회적 기본권을 실현하기 위한 제도이다.

의의 남북 분단이라는 특수 상황이 반영된 헌법의 기본 원리이다.

자료 01 근대 입헌주의 헌법과 현대 복지 국가 헌법

구분	근대 입헌주의 헌법(18~19세기)	현대 복지 국가 헌법(20세기)
특징	기본권 보장, 권력 분립, 법치주의	실질적 국민 주권, 경제 민주화, 실질적 법치주의 강조
기본권	자유권 중심, 재산권 보장의 절대성	사회권 규정, 재산권 보장의 상대성
국가관	• 소극적 질서 유지에 국한 • 소극 국가, 자유방임 국가, 야경 국가	• 국가의 적극적 개입 강조 • 적극 국가, 행정 국가, 복지 국가

자료 분석 | 근대 시민 혁명 이후에 성립된 입헌주의 헌법은 국가 권력으로부터의 개인의 자유 보장이 중심이었다. 그러나 국가의 역할이 소극적인 질서 유지에 국한되어 빈부 격차 등 자본주의의 구조적 모순에 적극 대처할 수 없게 되자 국가가 모든 국민의 인간다운 생활을 보장해야 한다는 복지 국가의 이념이 대두되었다. 현대 복지 국가 헌법은 이와 같은 복지 국가의 이념을 바탕으로, 근대의 입헌주의적 헌법을 계승하면서 실질적인 경제 민주화 등의 요구를 수용하였다.

자료 02 헌법의 기본 원리와 관련된 헌법 조항

국민 주권주의	• 제1조 ① 대한민국은 민주 공화국이다. ② 대한민국의 주권은 국민에게 있고, 모든 권력은 국민으로부터 나온다.
자유 민주주의	• 전문 ⋯ 자율과 조화를 바탕으로 자유 민주적 기본 질서를 더욱 확고히 하여 ⋯ • 제4조 ⋯ 자유 민주적 기본 질서에 입각한 평화적 통일 정책을 수립하고 이를 추진한다. • 제8조 ② 정당은 그 목적·조직과 활동이 민주적이어야 하며 ⋯ • 제12조 누구든지 법률에 의하지 않고는 체포·구금·압수·수색·심문을 받지 않으며, 법률과 적법한 절차에 의하지 않고는 처벌·보안 처분·강제 노역을 받지 않는다.
복지 국가의 원리	• 전문 ⋯ 안으로는 국민 생활의 균등한 향상을 기하고 ⋯ • 제34조 ① 모든 국민은 인간다운 생활을 할 권리를 가진다. • 제119조 ② 국가는 균형 있는 국민 경제의 성장 및 안정과 적정한 소득의 분배를 유지하고 ⋯ 경제에 관한 규제와 조정을 할 수 있다.
국제 평화주의	• 전문 ⋯ 항구적인 세계 평화와 인류 공영에 이바지함으로써 ⋯ • 제5조 ① 대한민국은 국제 평화의 유지에 노력하고 침략적 전쟁을 부인한다. • 제6조 ① 헌법에 의하여 체결·공포된 조약과 일반적으로 승인된 국제 법규는 국내법과 같은 효력을 가진다. ② 외국인은 국제법과 조약이 정하는 바에 의하여 그 지위가 보장된다.
평화 통일 지향	• 전문 ⋯ 평화적 통일의 사명에 입각하여 ⋯ • 제4조 대한민국은 통일을 지향하며, 자유 민주적 기본 질서에 입각한 평화적 통일 정책을 수립하고 이를 추진한다. • 제66조 ③ 대통령은 조국의 평화적 통일을 위한 성실한 의무를 진다.
문화 국가의 원리	• 전문 유구한 역사와 전통에 빛나는 ⋯ • 제9조 국가는 전통문화의 계승·발전과 민족 문화의 창달에 노력하여야 한다. • 제31조 ⑤ 국가는 평생 교육을 진흥하여야 한다.

1 헌법은 국가 설립의 토대가 되는 법이다.
(○ , ×)

2 고유한 의미의 헌법은 현대 헌법에서 그 의미를 찾아보기 어렵다.
(○ , ×)

3 근대 입헌주의 헌법은 현대 복지 국가의 헌법이 등장하며 일부 수정되었다.
(○ , ×)

4 우리나라에서 헌법은 국민에게 기본권을 부여하는 역할을 한다.
(○ , ×)

5 참정권을 보장하는 것은 국민 주권주의를 실현하기 위한 것이다.
(○ , ×)

6 여성 및 연소 근로자를 특별 보호하는 것은 자유 민주주의를 실현하기 위한 것이다.
(○ , ×)

7 평화 통일 지향은 우리나라 대통령이 지고 있는 법적 의무이다.
(○ , ×)

8 종교·학문·예술 활동의 자유는 자유 민주주의와 문화 국가의 원리 실현에 기여한다.
(○ , ×)

9 복지 국가의 원리는 자본주의 발달 과정에서 발생한 현대 사회의 모순을 해결하고자 한다.
(○ , ×)

10 우리나라는 국제 평화주의에 따라 일체의 모든 전쟁을 부인한다.
(○ , ×)

정답 1○ 2× 3○ 4× 5○ 6×
7○ 8○ 9○ 10×

1 헌법의 의의와 기능

의미	국가의 통치 조직과 통치 작용 등을 규정하는 법으로서 가장 상위에 있는 (❶)
변천	고유한 의미의 헌법 → 근대 입헌주의 헌법 → 현대 (❷) 헌법
기능	국가 창설, 기본권 보장, 조직 수권 규범, 공동체 유지 및 통합, 권력 제한

2 헌법의 기본 원리

국민 주권주의	의미	국가의 의사를 결정하는 (❸)이 국민에게 있다는 원리
	실현 방안	참정권 보장, 복수 정당제 및 선거 제도, 언론·출판·집회·결사의 자유 보장, 지방 자치 제도 등
자유 민주주의	의미	자유주의와 민주주의가 결합된 원리
	실현 방안	법치주의, (❹)의 원리, 권력 분립 제도, 사법권의 독립, 복수 정당제, 상향식 의사 결정 등
복지 국가의 원리	의미	국민에게 인간다운 생활을 할 권리를 보장하기 위해 국가가 적극적인 역할을 해야 한다는 원리
	실현 방안	사회 복지 제도, (❺) 보장, 최저 임금제 실시 등
국제 평화주의	의미	국제 질서를 존중하고 세계 평화와 인류의 번영을 위해 노력한다는 원리
	실현 방안	침략적 전쟁의 부인, 국제 평화 유지 활동 참여, (❻)에 따른 외국인의 법적 지위 보장 등
평화 통일 지향	의미	우리나라의 통일을 평화적인 방법으로 추구한다는 원리
	실현 방안	평화 통일 정책의 수립과 실천, 대통령에게 평화 통일을 위해 노력할 의무 부과, 남북 교류 협력 추진, 민주 평화 통일 자문 회의의 설치 등
문화 국가의 원리	의미	문화의 자율성을 인정하면서 국가가 문화를 보호하고 발전시켜야 한다는 원리
	실현 방안	종교·학문·예술 활동의 자유 보장, 평생 교육 진흥, 의무 교육 제도 실시 등

정답 ❶ 최고법 ❷ 복지 국가 ❸ 주권 ❹ 적법 절차 ❺ 사회권 ❻ 상호주의

---

1 헌법의 의의와 기능

★01 다음 내용을 통해 공통적으로 알 수 있는 헌법의 의의만을 〈보기〉에서 고른 것은?

> • 헌법은 국가의 기본적이고 으뜸가는 법이며 모든 하위 법령, 즉 법률, 명령, 조례, 규칙 등은 헌법에 위반되어서는 안 된다.
> • 헌법 재판소는 법률의 위헌 여부를 심사하며, 헌법 재판소의 위헌 결정이 내려지면 해당 법률은 그 효력을 상실한다.

┤보기├
ㄱ. 최고법으로서 하위법의 제정 기준이 된다.
ㄴ. 권력 기관 간의 상호 견제를 통해 권력에 제한을 가한다.
ㄷ. 모든 법령의 제정 근거인 동시에 법령의 정당성을 평가하는 기준이다.
ㄹ. 국가의 통치 기구와 통치 작용을 구성하고 국가 기관에 권한을 부여한다.

① ㄱ, ㄴ　　　② ㄱ, ㄷ　　　③ ㄴ, ㄹ
④ ㄴ, ㄷ　　　⑤ ㄷ, ㄹ

★02 밑줄 친 ㉠, ㉡에 대한 설명으로 옳지 않은 것은?

> ㉠ 근대 입헌주의 헌법은 시민 혁명 이후 시민의 자유와 권리의 보장을 우선하여 제정되었다. 자유주의와 개인주의를 기본 이념으로 하여 국가의 역할을 최소화하며 소극적 자유, 절대적 평등을 중시하였다. 그러나 사회적인 문제가 발생하여 헌법의 기본 원리가 변화하였다. ㉡ 현대 복지 국가 헌법에서는 적극적 자유, 실질적 평등을 실현하기 위한 복지를 국민의 권리로 인식하고 이를 위한 국가의 역할을 강조하였다.

① ㉠은 ㉡과 달리 사회권적 기본권을 보장하고자 하였다.
② ㉠보다 ㉡에서 더 폭넓은 국가의 역할을 명시하고 있다.
③ 오늘날의 헌법에는 ㉠의 성격과 ㉡의 성격이 모두 나타난다.
④ 빈부 격차 심화, 노동 문제 발생 등은 ㉠을 ㉡으로 변화시키는 원인이 되었다.
⑤ ㉠이 자유방임주의를 지향했다면 ㉡은 복지주의를 지향한다는 점에서 차이가 있다.

03 다음 헌법 조항들을 토대로 추론할 수 있는 헌법의 기능으로 옳은 것은?

> • 국회는 정부의 예산안을 심의·확정한다.
> • 대법원장은 국회의 동의를 얻어 대통령이 임명한다.
> • 명령·규칙 또는 처분이 헌법이나 법률에 위반되는지 여부가 재판의 전제가 된 경우에는 대법원은 이를 최종적으로 심사할 권한을 가진다.

① 국가를 창설하는 기능
② 사회 통합을 하는 기능
③ 하위법의 정당성을 평가하는 기준
④ 사회 문제 해결 방향을 제공하는 기능
⑤ 국가 권력을 분립시키고 상호 견제하도록 하는 기능

04 다음 헌법 재판소의 결정문에서 파악할 수 있는 헌법의 의의로 가장 적절한 것은?

> 집회 및 시위에 관한 법률 제10조는 야간 옥외 집회를 원칙적으로 금지하고 그 단서에서 행정청인 관할 경찰서장이 집회의 성격 등을 고려해 야간 옥외 집회의 허용 여부를 사전에 심사하여 결정하게 하고 있다. 그러나 이는 집회 및 결사에 대한 허가는 인정하지 않는다는 헌법 규정을 정면으로 위반한 것이다.

① 국가 권력을 강화한다.
② 국민의 기본권을 보장한다.
③ 국가 권력 행사에 정당성을 부여한다.
④ 국가 통치 조직에 일정한 권한을 부여한다.
⑤ 정치적 갈등을 해결하여 사회 통합을 실현한다.

2 우리 헌법의 기본 원리

05 (가), (나)와 관계 있는 헌법의 기본 원리를 옳게 연결한 것은?

> (가) 국민투표법 제2장 제7조(투표권)에 따르면 19세 이상의 국민은 투표권이 있다고 규정하고 있다. 제8조(연령 산정 기준)에서는 투표권자의 연령은 국민 투표일 현재로 산정한다고 규정함으로써 자의적으로 투표 연령이 해석되는 것을 방지하고 있다. 이는 대통령 선거나 국회 의원 선거 등에 그대로 적용된다.
> (나) 「국민기초생활보장법」은 사회 보장 제도의 하나인 공공 부조(公共扶助)의 기능을 담당하기 위하여 제정된 법률이다. 이 법률에 따르면 최저한도의 인간다운 생활 유지가 곤란하게 된 경우에 필요한 급여가 지급될 수 있도록 그 요건과 급여 내용을 정하고 있다.

	(가)	(나)
①	국민 주권주의 –	자유 민주주의
②	자유 민주주의 –	국민 주권주의
③	자유 민주주의 –	복지 국가의 원리
④	국민 주권주의 –	문화 국가의 원리
⑤	자유 민주주의 –	문화 국가의 원리

★06 (가), (나)에 나타난 헌법의 기본 원리를 실현하기 위한 헌법 조항을 〈보기〉에서 옳게 연결한 것은?

> (가) 모든 국민은 인간다운 생활을 할 권리를 가진다.
> (나) 대한민국의 주권은 국민에게 있고, 모든 권력은 국민으로부터 나온다.

┤ 보기 ├
ㄱ. 모든 국민은 언론·출판·집회·결사의 자유를 가진다.
ㄴ. 모든 국민은 법률이 정하는 바에 의하여 선거권을 가진다.
ㄷ. 모든 국민은 능력에 따라 균등하게 교육을 받을 권리를 가진다.
ㄹ. 국가는 노인과 청소년의 복지 향상을 위한 정책을 실시할 의무를 진다.

	(가)	(나)		(가)	(나)
①	ㄱ, ㄴ	ㄷ, ㄹ	②	ㄱ, ㄷ	ㄴ, ㄹ
③	ㄴ, ㄷ	ㄱ, ㄹ	④	ㄴ, ㄹ	ㄱ, ㄷ
⑤	ㄷ, ㄹ	ㄱ, ㄴ			

07 다음 헌법 조항에 대한 분석으로 가장 적절한 것은?

> 제8조 ① 정당의 설립은 자유이며, 복수 정당제는 보장된다.
> ④ 정당의 목적이나 활동이 민주적 기본 질서에 위배될 때에는 정부는 헌법 재판소에 그 해산을 제소할 수 있고, 정당은 헌법 재판소의 심판에 의하여 해산된다.

① 양당제를 실현하기 위한 규정이다.
② 정당의 정치적 자유를 제한하는 규정이다.
③ 민주적인 정당 운영을 보장하기 위한 규정이다.
④ 정부가 정당 해산을 할 수 있도록 만든 규정이다.
⑤ 정당 설립의 자유도 헌법에 부합해야 한다는 것을 명시하였다.

★08 다음은 우리 헌법의 전문이다. 밑줄 친 ⊙~⑩을 관련된 헌법 조항과 연결한 것으로 옳지 않은 것은?

> 유구한 역사와 전통에 빛나는 우리 대한 국민은 3·1 운동으로 건립된 대한민국 임시 정부의 법통과 불의에 항거한 ⊙ 4·19 민주 이념을 계승하고, 조국의 민주 개혁과 ⓛ 평화적 통일의 사명에 입각하여 정의·인도와 동포애로써 민족의 단결을 공고히 하고, 모든 사회적 폐습과 불의를 타파하며, ⓒ 자율과 조화를 바탕으로 자유 민주적 기본 질서를 더욱 확고히 하여 정치·경제·사회·문화의 모든 영역에 있어서 각인의 기회를 균등히 하고, 능력을 최고도로 발휘하게 하며, 자유와 권리에 따르는 책임과 의무를 완수하게 하여, 안으로는 ⓔ 국민 생활의 균등한 향상을 기하고 밖으로는 ⑩ 항구적인 세계 평화와 인류 공영에 이바지함으로써 우리들과 우리들의 자손의 안전과 자유와 행복을 영원히 확보할 것을 다짐하면서 1948년 7월 12일에 제정되고 8차에 걸쳐 개정된 헌법을 이제 국회의 의결을 거쳐 국민 투표에 의하여 개정한다.
> – 1987년 10월 29일 –

① ⊙ – 정당의 설립은 자유이며, 복수 정당제는 보장된다.
② ⓛ – 대한민국은 통일을 지향하며… 평화적 통일 정책을 수립하고 이를 추진한다.
③ ⓒ – 국가는 사회 보장·사회 복지의 증진에 노력할 의무를 진다.
④ ⓔ – 신체 장애자 및 … 생활 능력이 없는 국민은 법률이 정하는 바에 의하여 국가의 보호를 받는다.
⑤ ⑩ – 대한민국은 국제 평화의 유지에 노력하고 침략적 전쟁을 부인한다.

09 (가)에 들어갈 헌법의 기본 원리를 실현하기 위한 방안으로 적절하지 <u>않은</u> 것은?

> 우리 헌법의 기본 원리인 □□(가)□□은/는 세계 유일의 분단 국가라는 역사적 상황에 따른 우리 헌법 특유의 기본 원리로서, 국제 평화주의와 밀접한 관계를 가진다.

① 북한 동포에 대한 인도적 지원을 한다.
② 대통령에게 평화적 통일을 위한 의무를 부과한다.
③ 평화 통일을 위하여 북한의 정치·경제 체제를 수용한다.
④ 평화 통일 정책 수립을 위해 필요한 경우 자문 기관을 둘 수 있다.
⑤ 통일에 관한 주요 정책에 대한 정당성을 확보하기 위해 대통령이 직접 국민 투표에 부칠 수 있다.

10 다음은 우리나라 헌법의 기본 원리를 실현하기 위한 방안이다. 이 헌법 원리에 대한 옳은 설명만을 〈보기〉에서 있는 대로 고른 것은?

> • 행정 권력은 독립된 사법부, 의회, 다른 공적 기관 등에 의하여 견제되어야 한다.
> • 복수 정당제를 기반으로 하는 자유로운 정당 활동이 보장되어야 한다.
> • 국민의 권리에 대한 국가의 자의적 제한을 금지하는 적법 절차의 원리가 존중되어야 한다.

| 보기 |

ㄱ. 자유주의와 민주주의가 결합된 정치 원리이다.
ㄴ. 국민 투표권과 공무 담임권 보장을 통해 실현한다.
ㄷ. 인간의 존엄성 존중과 기본적 인권 보장을 핵심으로 한다.
ㄹ. 최저 임금제와 사회 보장 제도는 이 원리를 실현시키기 위한 제도이다.

① ㄱ, ㄴ　　　② ㄱ, ㄷ　　　③ ㄴ, ㄹ
④ ㄱ, ㄴ, ㄷ　　⑤ ㄴ, ㄷ, ㄹ

11 다음 내용을 통해 알 수 있는 헌법의 의의를 서술하시오.

> 법률이나 명령, 조례, 규칙은 헌법에 위배되는 내용을 규정할 수 없다. 이에 헌법 재판소에서는 법률의 위헌 여부를 판결하여 헌법에 위배될 경우에는 법률의 효력을 정지시킬 수 있다. 헌법은 모든 법령의 제정 근거인 동시에, 법령의 정당성을 평가하는 기준이 된다. 그런 이유로 헌법에 어긋나는 법률이나 국가 권력의 작용은 그 효력을 인정받기 어렵다.

12 (가), (나) 법 조항과 관련된 헌법의 기능을 구분하여 쓰시오.

> (가) 제61조　① 국회는 국정을 감사하거나 특정한 국정 사안에 대하여 조사할 수 있으며, 이에 필요한 서류의 제출 또는 증인의 출석과 증언이나 의견의 진술을 요구할 수 있다.
>
> (나) 제72조　대통령은 필요하다고 인정할 때에는 외교, 국방, 통일 기타 국가 안위에 관한 중요 정책을 국민 투표에 부칠 수 있다.

13 (가), (나)에 들어갈 우리 헌법의 기본 원리를 쓰시오. (단, (가), (나)는 서로 <u>다른</u> 원리이다.)

> 　(가)　을/를 실현하기 위해 우리 헌법에서는 적법 절차의 원리를 규정하고 있다. 사법권의 독립도 이를 실현하기 위한 제도적 장치라고 볼 수 있다. 한편　(나)　을/를 실현하기 위해 우리 헌법에서는 투표권과 공무 담임권 등을 규정하고 있다.

14 다음 법 조항과 관련된 헌법의 기본 원리를 쓰고, 그 등장 배경을 서술하시오.

> • 이 법은 근로자에 대하여 임금의 최저 수준을 보장하여 근로자의 생활 안정과 노동력의 질적 향상을 꾀함으로써 국민 경제의 건전한 발전에 이바지하는 것을 목적으로 한다.
> • 이 법은 국민의 질병, 부상에 대한 예방, 진단, 치료, 재활과 출산, 사망 및 건강 증진에 대하여 보험 급여를 실시함으로써 국민 보건 향상과 사회 보장 증진에 이바지함을 목적으로 한다.
> • 모든 국민은 건강하고 쾌적한 환경에서 생활할 권리를 가지며, 국가와 국민은 환경 보전을 위하여 노력하여야 한다.

15 다음은 우리나라 유신 헌법 중 일부이다. 헌법의 기본 원리 중 위배된 원리를 <u>두 가지</u> 쓰고, 그 근거를 구분하여 서술하시오.

> • 제1조　② 대한민국의 주권은 국민에게 있고, 국민은 그 대표자나 국민 투표에 의하여 주권을 행사한다.
> • 제53조　① 대통령은…… 국정 전반에 걸쳐 필요한 긴급 조치를 할 수 있다.
> 　② 대통령은 제1항의 경우에 필요하다고 인정할 때에는 이 헌법에 규정되어 있는 국민의 자유와 권리를 잠정적으로 정지하는 *긴급 조치를 할 수 있고, 정부나 법원의 권한에 관하여 긴급 조치를 할 수 있다.
> • 긴급 조치: 국가 존립을 위태롭게 하는 비정상적인 사태에 직면하거나 그러한 사태 발생이 예상되는 경우에 정상적인 법절차와 행정력으로는 이를 극복할 수 없어서 입헌체제의 부분적·일시적 정지를 취하는 국가 긴급권(國家緊急權).

| 평가원 기출 |

01 표는 우리나라 헌법의 기본 원리 A, B를 비교한 것이다. 이에 대한 설명으로 옳은 것은?

구분	관련 헌법 조항	실현 방안
A	(가)	• 최저 임금제 실시 • 사회 보장 제도 실시
B	국가는 전통문화의 계승·발전과 민족 문화의 창달에 노력하여야 한다.	• (나) • 학문·예술의 자유 보장

① (가)에는 '대한민국은 국제 평화의 유지에 노력하고 침략적 전쟁을 부인한다.'가 들어갈 수 있다.

② (나)에는 '평생 교육 진흥'이 들어갈 수 있다.

③ A는 개인의 사적 영역에 대한 국가의 간섭을 최소화해야 한다는 원리이다.

④ A는 B와 달리 근대 입헌주의 헌법에서부터 강조된 원리이다.

⑤ B는 A와 달리 여성 및 연소 근로자에 대한 특별한 보호를 강조한다.

| 수능 기출 |

02 다음 자료에 대한 설명으로 옳은 것은?

우리나라 헌법의 기본 원리	관련 헌법 조문 예시	기본 원리의 실현 방안
(가)	모든 국민은 거주·이전의 자유를 가진다.	A
(나)	모든 국민은 인간다운 생활을 할 권리를 가진다.	B

① (가)는 국민의 기본적 생활을 국가가 보장해 주는 원리이다.

② (나)는 자유방임적 시장 경제 질서를 유지하는 것이 국가의 주된 역할임을 강조한다.

③ (가)는 (나)와 달리 법률 제정과 정책 결정의 방향을 제시한다.

④ A에는 '국가가 저소득층을 비롯한 주거 약자에게 안정적인 주거 환경을 우선적으로 보장하는 제도'가 들어갈 수 있다.

⑤ B에는 '국가가 치매를 비롯한 각종 질병으로 일상생활에 어려움을 겪고 있는 노인을 지원하는 제도'가 들어갈 수 있다.

| 평가원 기출 |

03 다음 자료에 대한 설명으로 옳은 것은?

〈우리나라 헌법의 기본 원리 (가)와 (나)의 비교〉

(가)	(나)
■ 관련 헌법 내용 • ㉠ • 대한민국의 주권은 국민에게 있고, 모든 권력은 국민으로부터 나온다. ■ 실현 방안 • 보통 선거 실시를 통한 국민의 참정권 보장	■ 관련 헌법 내용 • 모든 국민은 인간다운 생활을 할 권리를 가진다. • 국가는 균형 있는 국민 경제의 성장 및 안정과 적정한 소득의 분배를 유지하고 … (중략)… 경제에 관한 규제와 조정을 할 수 있다. ■ 실현 방안 • ㉡

① ㉠에 '대한민국은 민주 공화국이다.'가 들어갈 수 있다.

② ㉡에 '사유 재산의 절대적 보장'이 들어갈 수 있다.

③ (가)는 직접 민주제의 요소를 배제하고 국민이 선출한 대표에 의해 국가 의사를 결정해야 한다는 원리이다.

④ (나)는 국민 경제의 성장 및 안정을 위해 국가의 간섭이 최소화되어야 한다는 원리이다.

⑤ (가), (나)는 모두 근대 입헌주의 헌법에서부터 강조되었다.

| 수능 기출 |

04 다음 자료에서 공통적으로 부각되는 우리나라 헌법의 기본 원리를 실현하기 위한 방안으로 가장 적절한 것은?

> • 국회는 노인 장기 요양 보험법을 제정하면서 장기 요양 급여가 원활하게 제공될 수 있도록 충분한 수의 요양 기관을 확충하여야 할 국가 및 지방 자치 단체의 책무를 규정하였다.
> • 헌법 재판소는 영유아 보육법의 직장 보육 지원 조항이 근로자들의 안정적 육아 및 고용 안정을 이루어 가정 복지 증진에 기여한다고 보았다.

① 언론·출판·집회·결사의 자유를 보장한다.

② 대통령 선거에서 재외 국민에게 선거권을 부여한다.

③ 복수 정당제를 기반으로 민주적인 정당 활동을 보장한다.

④ 상호주의에 근거해 국내 거주 외국인에게 지위를 보장한다.

⑤ 근로자의 생활 안정과 노동력의 질적 향상을 위해 최저 임금제를 시행한다.

| 평가원 기출 |

05 우리나라 헌법의 기본 원리 (가), (나)에 대한 설명으로 가장 적절한 것은?

> 근대적 의미의 헌법은 국가의 역할을 제한하여 개인의 자유와 권리를 최대한 존중하고 국민의 동의와 지지에 근거한 국가 권력의 행사를 강조하였다. 이를 실현하기 위해 우리나라 헌법은 (가)을/를 반영하여 기본권 보장, 법치주의 등을 규정하고 있다. 하지만 근대적 의미의 헌법으로는 국가가 빈부 격차를 비롯한 여러 사회 문제에 적극적으로 대처할 수 없다는 한계가 있었다. 그래서 현대적 의미의 헌법은 국민의 생존과 인간다운 생활을 보장하기 위하여 국가의 적극적인 개입을 강조한다. 이를 실현하기 위해 우리나라 헌법은 (나)을/를 반영하고 있다.

① (가)는 남북 분단이라는 현실을 반영한 우리나라 헌법 특유의 원리이다.
② (가)를 실현하기 위해 우리나라는 국제 평화 유지에 노력하고, 침략적 전쟁을 부인하고 있다.
③ (나)를 구현하는 방안으로 우리나라는 국민 기초 생활 보장 제도를 시행하고 있다.
④ (나)에 따라 우리나라 헌법에서는 국가 기관 간 상호 견제와 균형을 유지하도록 규정하고 있다.
⑤ (나)와 달리 (가)는 실질적 평등을 추구함에 있어 근거가 되는 원리이다.

| 수능 기출 |

06 다음에서 공통으로 파악할 수 있는 우리나라 헌법의 기본 원리를 실현하는 방안으로 가장 적절한 것은?

> • 국가는 여자와 연소자의 근로에 대해 특별한 보호를 위한 정책을 실시하여야 한다.
> • 국가는 균형 있는 국민 경제의 성장 및 안정을 위하여 경제에 관한 규제와 조정을 할 수 있다.

① 영유아 보육을 위해 국가의 지원을 확대한다.
② 개발 도상 국가에 대한 대외 원조를 확대한다.
③ 문화재 관리를 위해 국가의 지원을 확대한다.
④ 투표율을 높이기 위해 사전 투표제를 확대한다.
⑤ 사생활과 관련된 개인 정보 보호 정책을 강화한다.

| 수능 기출 |

07 우리나라 헌법의 기본 원리 A, B에 대한 설명으로 옳은 것은?

교사: 청소년의 일상생활 속에서 우리나라 헌법의 기본 원리가 실현된 사례를 찾아 볼까요?

○○시는 가정 형편이 어려운 청소년들의 교통비 부담을 덜어 주기 위해 교통비 지원 사업을 시행하고 있습니다. 이는 국민의 삶의 질 보장을 중시하는 A의 실현에 기여하였다고 생각합니다.

□□법 개정으로 18세 청소년이 선거에 참여할 수 있게 되었습니다. 이는 국가 권력의 정당성이 국민에게 있다는 B의 실현에 기여하였다고 생각합니다.

① A에 따라 국가 기관 간 견제와 균형이 이루어지도록 하고 있다.
② B에 따라 국민 투표를 통해 국민이 직접 국가 안위에 관한 중요 정책을 결정할 수 있도록 하고 있다.
③ A와 달리 B는 국민의 사회권 보장을 통한 실질적 평등의 실현을 강조한다.
④ B와 달리 A는 법률 제정과 정책 결정 방향을 제시한다.
⑤ A, B 모두 근대 입헌주의 헌법에서부터 강조되었다.

| 평가원 기출 |

08 우리나라 헌법의 기본 원리 (가), (나)에 대한 설명으로 옳은 것은?

구분	관련 법률
(가)	**국민연금법** 제1조(목적) 이 법은 국민의 노령, 장애 또는 사망에 대하여 연금 급여를 실시함으로써 국민의 생활 안정과 복지 증진에 이바지하는 것을 목적으로 한다.
(나)	**문화재 보호법** 제1조(목적) 이 법은 문화재를 보존하여 민족 문화를 계승하고, 이를 활용할 수 있도록 함으로써 국민의 문화적 향상을 도모함과 아울러 인류 문화의 발전에 기여함을 목적으로 한다.

① (가)의 실현을 위해 국가는 경제에 관한 규제와 조정을 할 수 있다.
② (가)의 실현을 위해 국가는 개인의 재산권을 실질적으로 보장하고 간섭을 최소화해야 한다.
③ (나)의 실현을 위해 북한 주민에 대한 인도적 지원을 하고 있다.
④ (나)의 실현을 위해 상호주의 원칙에 따라 외국인의 지위를 보장하고 있다.
⑤ (가)와 달리 (나)의 실현을 위해서는 국가의 적극적인 역할이 요구된다.

| 수능 기출 |

09 우리나라 헌법의 기본 원리 A에 대한 옳은 설명을 〈보기〉에서 고른 것은?

> 국가와 지방 자치 단체가 생활 유지 능력이 없는 사람의 질병·부상·출산에 대해 의료 급여를 제공하는 것은 A에 의하여 정당화된다. 국가와 지방 자치 단체는 이 원리에 따라 경제적 약자에 대해 의료 급여를 제공할 수 있을 뿐만 아니라 제공할 의무가 있다.

| 보기 |
ㄱ. 실질적 평등보다 형식적 평등을 실현하기 위한 것이다.
ㄴ. 국민의 생존권 보장을 위한 국가의 적극적 역할을 강조한다.
ㄷ. 개인의 윤택한 삶에 필요한 문화적 환경을 조성하기 위한 것이다.
ㄹ. 자본주의 발달로 인하여 발생한 빈부 격차와 같은 현대 사회의 문제를 해결하기 위한 것이다.

① ㄱ, ㄴ   ② ㄱ, ㄷ   ③ ㄴ, ㄷ
④ ㄴ, ㄹ   ⑤ ㄷ, ㄹ

| 평가원 기출 |

10 우리나라 헌법의 기본 원리 (가), (나)에 대한 설명으로 가장 적절한 것은?

> 지방 자치 제도는 지방의 공동 관심사를 자율적으로 해결하고, 주민의 자치 역량을 배양하는 것을 목적으로 한다. 이는 국가 권력이 본래 국민의 것이라는 (가)에서 출발하여 국가 의사를 최종적으로 결정할 수 있는 지역적 주체로서의 주민에 의한 자기 통치의 실현인 것이다. 한편 현대 사회에서 국가는 국민의 생활 능력을 강화하고 적절한 생활 수준을 유지할 의무를 진다. (나)의 실현과 관련된 국민 생활의 안정, 실질적 평등 실현의 필요성으로 인해 중앙 정부와 지방 자치 단체 간에는 상호 협력이 이루어져야 한다.

① (가)는 균형 있는 지역 경제 육성 정책의 근거가 된다.
② (가)를 실현하기 위한 방안으로 국민 투표제를 들 수 있다.
③ (나)는 개인의 자유 존중을 근본으로 하여 국가 권력의 간섭을 최소화하는 원리이다.
④ (나)의 실현을 위해 우리나라 헌법에서는 국가 기관 간 상호 견제와 균형을 유지하도록 규정하고 있다.
⑤ (가), (나) 모두 근대 입헌주의 헌법에서부터 강조되었다.

| 평가원 기출 |

11 다음 글에 나타난 헌법의 기본 원리를 실현하기 위한 방안만을 〈보기〉에서 있는 대로 고른 것은?

> 민주 국가는 국민의 합의로 성립되므로 국가의 주인은 국민이다. 국가는 국민의 의사에 따라 운영된다. 국가는 국민의 의사 없이 다른 나라를 간섭할 수 없으며, 국가 내 어떤 개인이나 단체도 국민의 의사를 무시하는 행동을 할 수 없다.

| 보기 |
ㄱ. 선거권과 공무 담임권 보장
ㄴ. 언론·출판·집회·결사의 자유 보장
ㄷ. 민주적 선거에 바탕을 둔 대의제 운용
ㄹ. 국제 평화를 위한 저개발국에 대한 원조 확대

① ㄱ, ㄴ   ② ㄱ, ㄹ   ③ ㄷ, ㄹ
④ ㄱ, ㄴ, ㄷ   ⑤ ㄴ, ㄷ, ㄹ

| 수능 기출 |

12 다음 자료에 대한 설명으로 옳지 **않은** 것은?

> 헌법은 국민의 기본권과 이를 보장하기 위한 국가 기관의 구성과 운영을 규정한 근본 규범으로, ㉠ 최고 규범성을 가진다. 따라서 ㉡ 민주 국가는 헌법에 따라 구성되고 운영되어야 한다. 이와 관련하여 우리 헌법에서는 다음과 같은 헌법의 기본 원리를 도출할 수 있다. 　(가)　은/는 근대 자본주의의 모순을 극복하고 국민의 실질적인 자유와 평등을 보장하기 위하여 국가가 적극적인 행위를 하여야 한다는 원리이다. …(중략)… 한편, 　(나)　은/는 인류 공존을 위하여 국가가 평화를 추구하여야 한다는 원리이다.

① ㉠을 보장하기 위해서 우리 헌법은 위헌 법률 심판 제도를 두고 있다.
② 국민의 기본권 보장은 ㉡의 목적에 해당한다.
③ (가)와 가장 연관성이 높은 기본권의 유형은 절차적이고 방어적인 성격을 가진다.
④ (가)를 통해 우리 헌법이 국민의 인간다운 생활을 보장하는 현대 복지 국가 헌법에 속한다는 것을 알 수 있다.
⑤ (나)를 실현하기 위한 사례로 행정부가 외국인의 법적 지위를 보장하기 위해 추진하는 정책을 들 수 있다.

| 평가원 기출 |

13 우리나라 헌법의 기본 원리 (가), (나)에 대한 옳은 설명을 〈보기〉에서 고른 것은?

> 20세기에 발생한 세계 대전을 통해 인류는 국가 간의 평화 질서 내에서만 인간의 존엄성을 보장할 수 있다는 교훈을 얻게 되었다. 우리나라 헌법 전문에서도 "… 인류 공영에 이바지함으로써 …"라고 하여 [(가)]을/를 천명하고 있다. 한편 제2차 세계 대전 이후 한반도에서는 남북이 분단되어 군사적인 대치 상황과 이산가족 문제 등으로 많은 고통을 겪어왔다. 이에 우리나라 헌법은 [(나)]을/를 기본 원리로 받아들이고 있다.

┤ 보기 ├

ㄱ. (가)에 따라 우리나라 헌법은 외국인의 지위 보장에 대해 상호주의를 택하고 있다.

ㄴ. (가)의 실현 방안으로 '재외 국민의 선거권 보장'이 적절하다.

ㄷ. (나)에 따라 우리나라 헌법은 자유 민주적 기본 질서에 입각한 평화 통일 정책을 추진하도록 하고 있다.

ㄹ. (나)의 실현 방안으로 '모든 유형의 전쟁을 금지하는 법률 제정'이 적절하다.

① ㄱ, ㄴ　　　② ㄱ, ㄷ　　　③ ㄴ, ㄷ
④ ㄴ, ㄹ　　　⑤ ㄷ, ㄹ

| 평가원 기출 |

14 그림에서 교사가 제시한 과제에 대해 모둠별로 발표한 내용 중 적절하지 <u>않은</u> 것은?

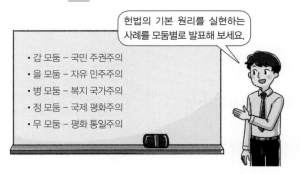

> 헌법의 기본 원리를 실현하는 사례를 모둠별로 발표해 보세요.
>
> • 갑 모둠 – 국민 주권주의
> • 을 모둠 – 자유 민주주의
> • 병 모둠 – 복지 국가주의
> • 정 모둠 – 국제 평화주의
> • 무 모둠 – 평화 통일주의

① 갑 모둠 – 재외 국민의 참정권 보장을 위해 선거권을 부여한다.

② 을 모둠 – 책임 정치 실현을 위해 대통령의 법률안 거부권을 폐지한다.

③ 병 모둠 – 사회적 기본권 보장을 위해 건강 보험 제도를 확대 실시한다.

④ 정 모둠 – 국제 협력을 위해 저개발국을 원조한다.

⑤ 무 모둠 – 통일을 위해 북한 주민에 대한 인도적 지원을 늘린다.

| 평가원 기출 |

15 자료의 탐구 과제를 옳게 수행한 학생을 〈보기〉에서 고른 것은?

> 1. 헌법의 이념과 원리
>
> 학습 목표: 헌법의 기본 원리와 그 내용을 이해하고 헌법의 전문이나 본문을 통하여 추론할 수 있다.
>
> 학습 내용: 헌법의 기본 원리
> • 의의: 헌법 조항을 비롯한 모든 법령의 해석 기준을 제공할뿐만 아니라 헌법 조항이나 법령의 흠 또는 빠진 부분이 있을 경우 보완하는 원리가 된다.
> • 원리 1: A는 모든 국민의 인간다운 생활을 보장하는 것이 국가의 책임이며 또한 국민의 권리라는 의미이다.
> ※ 탐구 과제 : A에 해당하는 헌법 조항 적어보기
>
> [   ]
>
> • 원리 2 : 평화 통일의 원리는 자유 민주적 기본 질서에 입각하여 ……

┤ 보기 ├

갑 – 대한민국은 민주 공화국이다(제1조 ①항).

을 – 모든 국민은 보건에 관하여 국가의 보호를 받는다.(제36조 ③항)

병 – 대한민국은 국제 평화의 유지에 노력하고 침략적 전쟁을 부인한다. (제5조 ①항)

정 – 국가는 재해를 예방하고 그 위험으로부터 국민을 보호하기 위하여 노력하여야 한다. (제34조 ⑥항)

① 갑, 을　　　② 갑, 병　　　③ 을, 병
④ 을, 정　　　⑤ 병, 정

| 평가원 기출 |

16 다음 자료에 대한 설명으로 옳지 <u>않은</u> 것은?

> • 헌법 전문 …(중략)… 국민 생활의 균등한 향상을 기하고 …(중략)…
> • 제34조 ① 모든 국민은 인간다운 생활을 할 권리를 가진다.
> • 제119조 ② 국가는 균형 있는 국민 경제의 성장 및 안정과 적정한 소득의 분배를 유지하고 …(중략)… 경제 주체 간의 조화를 통한 경제의 민주화를 위하여 경제에 관한 규제와 조정을 할 수 있다.

① 시민들의 평화적인 집회와 시위를 보장한다.

② 통일 정책 수립을 위한 자문 기구를 설치한다.

③ 우리 군대를 국제 연합의 평화 유지 활동에 파견한다.

④ 법률이 정하는 바에 의하여 최저 임금 제도를 시행한다.

⑤ 지방 자치제를 통해 주민 스스로 지역의 문제를 해결하도록 한다.

03 기본권의 보장과 제한

1 기본권의 의미와 유형

1. 기본권의 의미와 성격

(1) **기본권** 헌법을 통해 보장되는 국민의 기본적 인권

[비교] 인권이 인간으로서의 권리라면 기본권은 그 권리 중 헌법에서 보장되는 권리이다.

(2) **기본권의 성격** 천부 인권 사상과 실정법 사상의 조화를 추구하고 있음.

성격	천부 인권 사상	입헌주의 사상
의미	모든 인간은 태어나면서부터 불가양·불가침의 권리를 갖고 있다는 사상 → 초국가적 권리	국가의 헌법에 따라 보장되는 권리 → 국가에 의한 기본권의 제한을 인정함.
관련 헌법 조항	• 제10조 국가는 기본적 인권을 확인하고 이를 보장할 의무… • 제37조 ① 국민의 자유와 권리는 헌법에 열거되지 아니한 이유로 경시되지 아니한다. • 제37조 ② 국민의 모든 자유와 권리는 … 제한하는 경우에도 자유와 권리의 본질적인 내용을 침해할 수 없다.	• 제37조 ② …법률로써 제한할 수 있으며…

2. 기본권의 유형과 내용

(1) **인간의 존엄과 가치 및 행복 추구권**

[의미] 모든 기본권의 궁극적 목적이며 법적 판단의 최고 기준이 된다. 정의의 실현은 곧 인간의 존엄성을 실현하는 것이라고 보기도 한다.

① 의미 헌법상 기본권의 일반적·원칙적 규정, 헌법의 최고 가치 지표❶

② 성격 천부 인권적 규정, 기본권의 대원칙 천명, 포괄적 성격의 권리, 선언적 성격

③ 행복 추구권 물질적 풍요와 정신적 만족을 충족시킬 수 있는 권리, 국민의 행복 추구에 필요한 모든 자유와 권리의 내용을 담고 있는 포괄적 성격의 권리

(2) **평등권**

[주의] 합리적 차별은 평등에 부합된다고 본다.

① 의미 합리적 이유 없이 불합리한 차별을 받지 않을 권리❷

② 성격 다른 기본권의 보장을 위한 전제 조건, 상대적·비례적 평등

③ 내용 법 앞의 평등, 교육의 기회 균등, 가족 생활에서의 양성 평등 등

④ 종류 [자료01]

[주의] 평등의 실현은 정의의 실현과 연결된다. 절대적 평등과 평균적 정의, 상대적 평등과 배분적 정의를 연결하여 이해해야 한다.

형식적 평등	• 개인에게 주어진 선천적·후천적 차이를 고려하지 않고 동등하게 대우하는 것 • 절대적·산술적 평등이라고 하며, 평균적 정의를 실현하고자 함. • 사례: 모든 사람에게 동일한 가치의 한 표의 투표권 부여 등
실질적 평등	• '같은 것은 같게, 다른 것은 다르게'라는 의미로 각 사람이 처한 상황, 여건에 따라 대우하는 것 • 상대적·비례적 평등이라고도 하며, 배분적 정의를 실현하고자 함. • 사례: 누진세 제도, 연소자의 근로 시간 제한 등

(3) **자유권**

① 의미 국가 권력의 간섭이나 침해를 받지 않고 자신의 의지에 따라 자유로운 생활을 할 수 있는 권리

[왜?] 국가의 간섭을 받지 않으면 향유 가능하기 때문이다.

[왜?] 시민 혁명을 통해 보장된 권리이기 때문이다.

② 성격 소극적 권리, 방어적 권리, 포괄적 권리, 역사상 가장 오래된 권리

③ 종류 [자료02]

[중요] 헌법에 열거되지 아니한 이유로 경시되어서는 안 될 권리이다.

신체의 자유	불법적인 체포·감금을 당하지 않고 신체의 안전을 보장받으며 국가 권력의 간섭 없이 자율적으로 활동할 수 있는 자유 예 적법 절차의 원리, 영장주의,❸ 묵비권, 고문 금지, 변호인의 조력을 받을 권리, 구속 적부 심사제,❹ 자백의 증거 능력 제한, 죄형 법정주의❺ 등
정신적 자유	양심의 자유, 종교의 자유, 학문과 예술의 자유, 언론·출판·집회·결사의 자유 등
사회·경제적 자유	거주·이전의 자유, 직업 선택의 자유, 사생활의 비밀과 자유, 재산권의 보장 등

• **기본권의 성격**

인간의 존엄과 가치 및 행복 추구권	모든 기본권의 근거이자 원천, 헌법이 지향하는 최고 가치, 포괄적 권리
평등권	다른 기본권 보장의 전제 조건, 상대적·비례적 평등
자유권	역사적으로 가장 오래된 권리, 소극적 권리, 포괄적 권리, 방어적 권리
참정권	능동적 권리, 정치적 기본권, 국민으로서의 권리
사회권	적극적 권리, 열거적 권리, 현대적 권리
청구권	수단적 권리, 적극적 권리, 국가의 존재를 전제로 한 개별적 권리, 절차적 권리

❶ **인간의 존엄과 가치 및 행복 추구권 관련 헌법 규정**

제10조 모든 국민은 인간으로서의 존엄과 가치를 가지며, 행복을 추구할 권리를 가진다.

❷ **평등권 관련 헌법 규정**

제11조 모든 국민은 법 앞에 평등하다. 누구든지 성별, 종교 또는 사회적 신분에 의하여 정치적, 경제적, 사회적, 문화적 생활의 모든 영역에 있어서 차별을 받지 아니한다.

❸ **영장주의**

체포, 압수, 수색, 구속을 할 경우에는 반드시 사전에 법관이 발부한 영장이 있어야 한다는 원칙으로, 개인의 인권을 국가가 함부로 침해하지 못하도록 하기 위한 장치이다.

❹ **구속 적부 심사제**

구속된 피의자가 구속 절차의 적법성과 필요성을 심사하여 자신을 석방해 줄 것을 법원에 신청할 수 있는 제도로서, 피의자의 인권을 보장하기 위한 것이다.

❺ **죄형 법정주의**

범죄 여부와 형벌 부여 등은 행위 시의 법률을 적용하여 재판한다는 원칙이다.

셀파 자료 탐구

자료 01 군 가산점 제도와 평등권

'군 가산점 제도'는 제대 군인이 7급 및 9급 공무원 시험, 공기업 시험 등에 응시한 경우 만점의 5% 범위 안에서 가산점을 받는 제도이다. 이 제도는 1961년부터 시행되어 오다 1999년 헌법 재판소의 위헌 판결로 폐지되었다. 당시 군 가산점 제도에 대한 헌법 재판소의 위헌 판결 요지는 '군 가산점 제도가 가산점을 받지 못하는 사람의 권리를 과도하게 제한한다'는 것이었다. 즉 여성이나 장애인 등 군대에 자신의 의지와 무관하게 가지 못하는 사람들도 있는데 그런 사람들에게 진입 장벽부터 불이익을 주는 것은 공무 담임권과 평등권이 침해된다고 본 것이다. 당시 헌법 재판소에서는 채용 시험에서의 가산점 부여라는 보상 방식은 위헌이며, 정부는 다른 방식의 보상 방안을 강구할 필요가 있다고 하였다. 실제로 우리 사회에서 군 경력은 호봉이나 승진 심사에서 보상 기제로 작용하고 있다. 그럼에도 불구하고 보상의 수준이나 기타 보상 방식을 둘러싼 논쟁은 여전하다.

자료 분석 | 20여 년 전에 폐지되었음에도 불구하고 징병의 의무로부터 자유롭지 못한 남성들은 이에 대한 보상을 요구하며 군 가산점 제도가 다시 논쟁이 되고 있다. 많은 군필 남성들은 실질적 평등을 주장하며 군 가산점을 달라고 요구하고 있고, 그렇지 않은 여성과 장애인 등은 군 가산점은 아예 진입을 하지 못하게 만드는 것이라며 평등권을 침해한다고 주장하고 있다. 당시 헌법 재판소에서도 군 가산점이 공무원 채용 시험에서 행해지는 것은 옳지 않다고 보았지만, 호봉이나 승급 심사 등에서 경력으로 인정해 주는 것에 대해서는 부정하지 않았으며, 정부는 공무원 채용 시험이 아닌 다른 방식의 보상이 이루어지도록 보상 방안을 강구해야 한다고 판시하였다.

자료 02 판례를 통해 본 자유권 침해 사례

(가) A 씨는 뇌물을 받은 혐의로 검찰의 수사를 받았다. 그런데 수사 과정에서 진술 거부권을 고지받지 않은 채 자신에게 불리한 진술을 하였다. 이에 A 씨는 자신의 혐의는 인정하지만 진술 거부권을 고지받지 않은 상태에서 이루어진 수사는 부당하다고 생각하였다.

(나) B 씨는 의과 대학을 졸업하고 의사가 되었다. 의학을 공부하다가 한의학의 필요성을 느껴 한의과 대학에 진학해 한의사가 되었다. 한방을 통합 진료하는 동서 결합 병원 개업을 추진하던 B 씨는 양의와 한의의 겸업이 의료법상 금지되어 있다는 사실을 알게 되었고, 이는 과도한 규제라고 생각하였다.

(다) C 씨는 자신의 회사를 홍보하기 위해 텔레비전 광고를 신청하였다. 하지만 방송국에서는 법률에서 요구하는 사전 심의 절차를 받지 않았다는 이유로 이를 거절하였다. 이에 C 씨는 사전 심의를 규정하고 있는 방송법 및 방송법 시행령이 자신의 기본권을 침해한다고 생각하였다.

자료 분석 |
• (가) - 수사 기관은 피의자 및 피고인에게 진술 거부권 등이 있음을 적극적·명시적으로 고지할 의무를 진다. 수사 기관이 피의자를 신문하면서 진술 거부권을 고지하지 않은 경우 그 피의자의 진술은 위법 수집 증거로서 증거 능력이 인정되지 않는다. 그 증거 자체뿐만 아니라 그걸 실마리로 얻어 낸 모든 증거가 증거로 사용될 수 없다.
• (나) - 의사 면허와 한의사 면허를 둘 다 가지고 있어도 의료법 제33조 제2항에 따르면 의료인은 하나의 의료 기관만 개설할 수 있어 B 씨는 병원과 한방 병원 개원 중 하나만 선택해야 한다. 이에 헌법 재판소는 직업의 자유, 평등권을 침해한다며 헌법 불합치 판결을 내렸다.
• (다) - 방송 광고를 사전 심의해야 한다는 방송법 조항을 문제 삼아 낸 헌법 소원 사건에서 헌법 재판소는 언론·출판·집회·결사의 자유와 표현의 자유를 침해한다며 위헌 결정을 내렸다.

1 일반적으로 기본권은 헌법상의 권리를 의미한다.

(○ , ×)

2 우리 헌법에서 기본권은 천부 인권성을 바탕으로 하지만 실정법적 성격도 가미되어 있다.

(○ , ×)

3 인간의 존엄과 가치는 헌법이 추구하는 최고의 가치이다.

(○ , ×)

4 행복 추구권은 포괄적인 권리의 성격을 가지고 있다.

(○ , ×)

5 우리 헌법상 법 앞의 평등은 선천적·후천적 차이를 고려하는 절대적 평등을 의미한다.

(○ , ×)

6 합리적 차별은 평등의 원칙을 실현하는 데 부합한다.

(○ , ×)

7 실질적 평등은 상대적·비례적 평등이라고도 한다.

(○ , ×)

8 자유권은 다른 기본권 보장의 전제 조건이 되는 권리이다.

(○ , ×)

9 자유권은 국가 권력에 의한 침해를 배제하는 방어적 권리이다.

(○ , ×)

10 자유권은 기본권 중에서 가장 최근에 등장한 권리이다.

(○ , ×)

정답 1 ○ 2 ○ 3 ○ 4 ○ 5 × 6 ○
7 ○ 8 × 9 ○ 10 ×

(4) 참정권 자료 03

① **의미** 국민이 주권자로서 국가의 정책 결정 과정에 참여해 정치적 의사를 표출할 수 있는 권리

② **성격** 능동적 권리, 국가에의 권리, 국민 주권의 원리를 구현하는 정치적 기본권

└ **주의!** 외국인은 원칙적으로 제외된다.

③ **종류**

선거권	국민의 대표를 선출할 수 있는 권리
공무 담임권	국가 기관의 구성원으로 선출될 수 있는 권리(피선거권), 일정한 자격이나 조건을 갖추어 공무원이 될 수 있는 권리(공직 취임권)
국민 투표권	헌법 개정안의 찬반이나 기타 국가의 중요 정책 결정에 직접 참여할 수 있는 권리

(5) 사회권

① **의미** 사회 구성원으로서 인간다운 생활을 하기 위해 국가에 대하여 보호나 생활 수단의 제공을 요구할 수 있는 권리

② **등장 배경** 자본주의의 발달로 빈부 격차, 절대 빈곤, 계급 갈등이 심화되어 인간다운 생활 및 실질적 평등 보장의 필요성 제기 → 독일 바이마르 헌법(1919)에서 처음 규정함.

③ **성격** 국가에 대해 인간다운 생활을 요구하는 적극적 권리, 헌법에 열거되어 있는 것만을 보장하는 열거적 권리, 현대적 권리 ■ **왜?** 기본권 중에서 가장 최근에 등장한 기본권이다.

④ **종류** 인간다운 생활을 할 권리, 교육권, 근로권, 노동 삼권(단결권, 단체 교섭권, 단체 행동권), 보건권, 환경권 등

(6) 청구권

① **의미** 국민이 국가에 대해 일정한 행위를 요구하거나 침해당한 기본권의 구제를 청구할 수 있는 권리

② **성격** 기본권 보장을 위한 기본권, 수단적·절차적 권리, 적극적 권리, 국가의 존재를 전제로 한 개별적 권리

③ **종류** 재판 청구권, 청원권[6], 범죄 피해자 구조 청구권, 형사 보상 청구권[7], 국가 배상 청구권[8] 등

2 기본권의 제한과 한계

1. 기본권의 제한

(1) **목적**[9] 국가 안전 보장, 질서 유지, 공공복리

(2) **형식** 국회가 제정한 법률로써 제한해야 함.

(3) **관련 헌법 조항** 국민의 모든 자유와 권리는 국가 안전 보장, 질서 유지 또는 공공복리를 위하여 필요한 경우에 한하여 법률로써 제한할 수 있으며, 제한하는 경우에도 자유와 권리의 본질적인 내용을 침해할 수 없다.(제37조 제2항)

2. 기본권 제한의 요건과 한계

(1) **방법적 요건** 과잉 금지의 원칙 자료 04

① **목적의 정당성** 국민의 기본권을 제한하려는 법률은 입법 목적의 정당성이 인정되어야 함.

② **방법의 적정성** 목적 달성을 위해 그 방법이 효과적이고 적절하여야 함.

③ **피해의 최소성** 기본권의 제한은 필요한 최소한도에 그치도록 해야 함.

④ **법익의 균형성** 보호하려는 공익과 침해되는 사익을 비교할 때 보호되는 공익이 더 커야 함

(2) **기본권 제한의 한계** 자유와 권리의 본질적 내용은 침해할 수 없음. → 개별 기본권이 기본권으로서의 기능을 상실하게 될 정도로 본질적인 내용을 침해할 수 없음.

(3) **기본권 제한 규정의 의의** 기본권 제한의 한계를 분명히 하여 국민의 기본권을 보장하기 위함.

고득점을 위한 셀파 Tip

· 자유의 이념 변화

자유권 (18세기)	·시민 혁명 당시 왕권을 무너뜨리며 국가 권력의 간섭과 억압으로부터 벗어나고자 함. ·국가 권력으로부터 자유, 소극적 자유
참정권 (19세기)	·부르주아만 참정권을 갖고 노동자 농민·빈민·여성 등은 참정권이 제한되자 참정권 확대 운동이 일어남. ·국가에의 자유, 적극적 자유
사회권 (20세기)	·시장 실패, 빈부 격차, 대공황 등으로 사회적 약자의 보호 필요성이 대두됨. ·국가에 의한 자유, 복지적 자유

❻ 청원권

국가 기관에 대해 자신의 의견이나 희망을 문서로 제출할 수 있는 권리이다.

❼ 형사 보상 청구권

형사 피의자 또는 형사 피고인으로 구금되었던 자가 법률이 정하는 불기소 처분을 받거나 무죄 판결을 받을 경우에 국가에 정당한 보상을 청구할 수 있는 권리이다.

❽ 국가 배상 청구권

공무원의 직무상 불법 행위나 공공 시설의 설치 또는 관리의 잘못으로 손해를 입은 국민이 법률이 정하는 바에 의하여 국가 또는 공공 단체에 정당한 배상을 청구할 수 있는 권리이다.

고득점을 위한 셀파 Tip

· 기본권의 제한

목적	국가 안전 보장, 질서 유지, 공공복리
형식	법률로써 제한
한계	과잉 금지의 원칙, 자유와 권리의 본질적 내용 침해 금지

❾ 기본권 제한의 목적

국가 안전 보장	국가의 존립과 영토의 보전, 헌법의 기본 질서 유지, 헌법에 의하여 설치된 국가 기관의 유지 등을 뜻함.
질서 유지	사회의 안녕과 공공질서의 유지를 의미함.
공공복리	국가와 사회 구성원 모두를 위한 공공의 이익을 의미함.

셀파 자료 탐구

자료 03 　인간으로서의 권리와 국민으로서의 권리

　　인간으로서의 존엄과 자유권, 평등권은 천부 인권성이 강한 인간으로서의 기본적 권리이다. 그래서 핵심적·본질적 권리라고 한다. 즉, 인간이기만 하면 누구나, 어디에서나 누릴 수 있는 기본적 권리로 보기 때문이다. 이는 이념적 성격이 강한 권리이기 때문이다. 하지만 참정권이나 사회권의 경우에는 구체적이며 명시적인 성격이 강한 국민으로서의 권리 성격이 나타난다. 외국인에게는 매우 제한적이기 때문이다. 한국에 거주하고 있는 외국인이라고 할지라도 - 비단 한국뿐만 아니라 다른 나라도 마찬가지이다. - 투표권을 보장하지 않으며, 교육권 역시 매우 제한적이다. 국민이라면 당연히 누릴 수 있는 권리이지만 외국인에게는 보장되기 어렵다. 왜냐하면 국가가 국민에게 보장하는 성격이 강하기 때문이다. 이런 이유로 최근에는 사회권이나 참정권도 폭넓게 인정해야 한다는 주장이 대두되며 사회적 논쟁이 야기되기도 한다.

자료 분석 | 자유와 평등은 본질적이고 핵심적인 권리이며 민주주의의 역사와 그 맥을 같이한다. 이는 사회가 지향해야 할 이념이면서 동시에 인간으로서의 천부 인권적 권리의 성격을 가지고 있다. 자유권은 포괄적 성격의 권리이다. 하지만 참정권은 '국가'라는 공동체를 중심으로 주권을 행사할 수 있는 권리이고, 사회권은 '국가'가 국민에게 보장하는 열거적 성격의 권리이다. 그런 이유로 사회권의 보장 범위나 방식을 둘러싼 논쟁은 많이 발생하고 있는데, 특히 다문화 사회가 되면서 이와 같은 논쟁은 더욱 증가할 수밖에 없다.

자료 04 　과잉 금지의 원칙

　　만일 성범죄 예방 혹은 성범죄자 처벌을 위한 방법으로 전자 팔찌 착용, 전자 발찌 착용, 전자칩을 체내에 넣는 방법 총 세 가지가 있다고 가정해 보자. 그리고 국가는 전자칩을 체내에 넣는 방안을 채택했다고 해 보자. 그렇다면 이것이 과잉 금지의 원칙을 준수한 것이라고 볼 수 있을까?

　　그럼 과잉 금지의 원칙에 적용해 보자. 첫째, 목적이 정당한가? 정당하다. 성범죄를 예방하고, 성범죄자를 처벌하는 것은 국가가 마땅히 해야 할 의무이기 때문이다. 둘째, 전자칩의 방법은 효과적이고, 적절할까? 이 역시 그럴 수 있다. 체내에 전자칩을 넣는다면 범죄자가 스스로 전자칩을 빼낼 수 있을 가능성이 다른 두 가지 방안보다 낮아서 더 정확하게 위치 추적 등을 할 수 있기 때문이다. 셋째, 범죄자의 기본권 제한이 최소한일까? 여기에서는 이 방안이 최선이라고 단언하기 어렵다. 이 방법은 다른 두 가지 방안이라는 선택지가 있는 상황에서 목적을 달성하기 위한 최소한의 기본권 침해가 이루어지는 선택이라고 하기 힘들기 때문이다. 마지막으로, 이 사례에서 보호하려는 공익인 '사회 안전'과 '범죄자 처벌'이 침해되는 사익인 '범죄자의 인권'과 비교했을 때, 공익이 마땅히 더 크다고 할 수 있을까? 이는 사람마다 판단하는 게 다를 수 있다. 어떤 가치를 중시하고 우선하느냐에 따라 판단이 다를 수 있기 때문이다.

자료 분석 | 기본권 제한 시 과잉 금지의 원칙, 즉 목적의 정당성, 방법의 적정성, 피해의 최소성, 법익의 균형성이 지켜져야 한다. 그런데 제시된 사례에서 보듯이 목적의 정당성이나 방법의 적정성보다 피해의 최소성이나 법익의 균형성은 논쟁이 되는 경우가 많다. 피해의 최소성이나 법익의 균형성은 단순화·수량화해서 비교 판단하기 어렵기 때문이다. 그런 이유로 기본권 제한의 방법은 헌법의 기본 원칙을 토대로, 법률에 근거하여 국민의 법의식 및 사회적 가치나 합의 등에 의해 결정된다.

1 기본권의 의미와 성격

의미	헌법을 통해 보장되는 국민의 기본적 인권
성격	• (①): 모든 인간은 태어나면서부터 불가양, 불가침의 권리를 갖고 있다는 사상 • 입헌주의 사상: 국가의 헌법에 따라 보장되는 권리

2 기본권의 유형과 내용

인간으로서의 존엄과 가치 및 행복 추구권	• 헌법의 최고 가치 지표 • 헌법 10조 모든 국민은 인간으로서의 존엄과 가치를 가지며, 행복을 추구할 권리를 가진다. 국가는 개인이 가지는 불가침의 기본적 인권을 확인하고 이를 보장할 의무를 진다.
(②)	• 모든 국민이 성별, 종교, 사회적 신분 등에 의해 법 앞에서 차별받지 않을 권리 • 인간의 존엄성을 실현하기 위한 본질적 권리 • 모든 권리에 적용되는 원칙으로서의 권리
자유권	• 인간의 존엄성 실현을 위한 본질적인 권리 • 국가의 간섭을 받지 않으면 자연스럽게 향유할 수 있는 소극적 권리 • 헌법에 구체적으로 열거되지 않아도 폭넓게 인정되는 (③) 권리
참정권	• 국민이 주권자로서 국가의 정책 결정 과정에 참여하여 정치적 의사를 표출할 수 있는 권리 • 능동적 권리로서, 국민 주권의 원리를 구현하는 정치적 기본권
(④)	• 모든 국민의 인간다운 생활을 위해 국가에 대하여 보호나 생활 수단의 제공을 요구할 수 있는 권리 • 국가에 대해 인간다운 생활의 보장을 요구할 수 있는 적극적 권리 • 헌법에 열거된 내용에 한해서만 보장되는 개별적 권리
청구권	• 국가에 대해 일정한 행위나 급부를 요구할 수 있는 권리 • 다른 기본권을 보장하기 위한 (⑤) 권리, 기본권 보장을 위한 기본권

3 기본권의 제한

목적	(⑥), 질서 유지, 공공복리
형식	국회가 제정한 법률을 통해 이루어져야 함.
한계	자유와 권리의 본질적인 내용은 침해할 수 없음.

정답 ❶ 천부 인권 사상 ❷ 평등권 ❸ 포괄적 ❹ 사회권 ❺ 수단적 ❻ 국가 안전 보장

탄탄 내신 문제

1 기본권의 의미와 유형

01 다음은 외국인 근로자의 인권 문제를 두고 토론한 내용이다. (가)에 들어갈 권리로 가장 적절한 것은?

> 갑 외국인도 우리와 똑같은 인간입니다. 따라서 인간으로서의 기본적인 권리를 보장해 주어야 합니다.
> 을 하지만 그들이 대한민국 국민은 아닙니다. 그러므로 [(가)] 와/과 같은 권리는 인정하기 어렵습니다.

① 국민 투표권   ② 종교의 자유
③ 거주 이전의 자유   ④ 차별받지 않을 권리
⑤ 사생활의 비밀과 자유

02 다음은 세계 여러 나라의 헌법 내용 중 일부이다. 이를 종합하여 내린 결론으로 가장 적절한 것은?

> • 대한민국 헌법 제10조 모든 국민은 인간으로서의 존엄과 가치를 가지며, 행복을 추구할 권리를 가진다. 국가는 개인이 가지는 불가침의 기본적 인권을 확인하고 이를 보장할 의무를 진다.
> • 미국 수정 헌법 제9조 헌법에 열거되지 않았다 하더라도 국민이 가지는 여러 권리들이 부인되거나 경시되어서는 안 된다.
> • 일본 헌법 제11조 국민에게 보장하는 기본적 인권은 침범할 수 없는 영구한 권리로서 현재 및 장래의 국민에게 부여된다.

① 기본권은 자연법적 권리이다.
② 행복 추구권은 기본권의 핵심이다.
③ 국가의 존립 목적은 기본권 보장이다.
④ 모든 기본권은 자유와 평등으로 귀결된다.
⑤ 헌법은 기본권을 명시하기 위해 제정되었다.

03 다음 헌법 조항에서 보장하고 있는 기본권의 유형에 대한 설명으로 옳지 **않은** 것은?

> • 제31조 ① 모든 국민은 능력에 따라 균등하게 교육을 받을 권리를 가진다.
> • 제34조 ① 모든 국민은 인간다운 생활을 할 권리를 가진다.
> • 제35조 ① 모든 국민은 건강하고 쾌적한 환경에서 생활할 권리를 가지며…

① 현대 사회에서 새롭게 등장한 권리이다.
② 국가의 적극적 개입으로 실현되는 권리이다.
③ 법에 구체적으로 명시된 것만 보장되는 권리이다.
④ 실정법적 성격보다 천부 인권적 성격이 강한 권리이다.
⑤ 자유방임주의의 문제점을 해결하기 위해 등장한 권리이다.

04 밑줄 친 ㉠, ㉡에 대한 설명으로 옳지 **않은** 것은?

> 평등의 이념은 법 앞에서는 만인이 평등하다는 사상이다. 여기에는 두 가지 의미의 평등이 있다. 첫째, ㉠모든 사람을 똑같이 대우하는 것이다. 모든 인간의 가치는 동일하다는 것에서 출발하며, 모든 사람에게 동일한 가치의 투표권을 한 표씩 제공하는 것은 이에 해당한다. 둘째, ㉡각 사람에게 각자의 몫을 제공하는 것이다. 인간의 선천적·후천적 차이를 인정하는 것에서 시작하며 복지 제도를 통해 사회적 약자에게 경제적 지원을 해 주는 것 등은 이에 해당한다.

① 우리 헌법상 법 앞의 평등은 ㉡을 의미한다.
② ㉡은 ㉠의 실현을 전제로 이루어진다.
③ ㉠은 형식적 평등, ㉡은 실질적 평등에 해당한다.
④ ㉠과 ㉡은 법 이념인 정의의 실현과 매우 밀접한 관련이 있다.
⑤ ㉠을 주장하는 사람들에게는 ㉡의 실현이 차별로 느껴질 수 있다.

05 다음 글에 대한 분석 및 추론으로 옳지 **않은** 것은?

> 「국가 유공자 등 예우 및 지원에 관한 법률」 제31조 제1항과 제2항에서는 국가 기관, 지방 자치 단체, 군부대, 국립 학교와 공립 학교 등의 취업 시험에 응시한 국가 유공자와 그 가족의 경우, 만점의 10%를 가산점으로 받을 수 있도록 규정하고 있었다. 그런데 이 규정으로 불이익을 받는다고 생각한 공무원 응시생들 일부는 해당 법률 조항이 ㉠ 헌법에 보장된 권리를 침해한다며 헌법 소원 심판을 청구하였다. 이에 헌법 재판소에서는 법률 조항이 헌법에 불합치한다는 판결을 내렸다.

① ㉠은 평등권과 공무 담임권이 될 수 있다.
② 해당 법률의 제정 취지는 '실질적 평등'의 실현이라고 보았을 것이다.
③ 법률이 헌법에 위배된다고 판결이 내려졌으므로 법률은 무효화될 것이다.
④ 모든 가산점 제도는 헌법에 위배될 소지가 있다고 해석할 수 있는 판결이다.
⑤ 헌법 소원을 한 공무원 응시생들은 가산점 제도로 인해 역차별을 받았다고 보았다.

06 밑줄 친 ㉠, ㉡에 대한 설명으로 옳은 것은?

> 교사 오늘 수업 시간에 배운 기본권 중 가장 중요하다고 생각하는 기본권에 대해서 발표해 봅시다.
> 갑 ㉠국가의 간섭이나 침해를 받지 않고 자율적으로 활동할 수 있는 권리가 반드시 필요하다고 생각해요.
> 을 ㉡기본권을 침해당했을 때 이를 구제받을 수 있도록 하는 기본권이 꼭 보장되어야 한다고 생각해요.

① ㉠ – 단체 행동권을 예로 들 수 있다.
② ㉠ – 헌법에 열거된 것만 보장하는 개별적 권리이다.
③ ㉠ – 인간다운 생활을 국가로부터 보장받기 위한 권리이다.
④ ㉡ – 소극적이고 방어적인 성격을 갖는다.
⑤ ㉡ – 실체적 기본권을 실현하기 위한 절차적 권리이다.

07 (가)에 들어갈 권리로 옳은 것은?

> (가) 은/는 그 개념의 모호함으로 인하여 학설의 대립이 나타나는 권리이다. 고통이 없는 상태나 만족감을 느낄 수 있는 상태를 실현할 수 있는 권리로서 우리나라 헌법 제10조에 명시되어 있다. 물질적 만족과 더불어 정신적 만족까지 이룰 수 있는 상태여야 하기 때문에 매우 다의적이고 주관적으로 해석될 여지가 있는 권리이다. 그런 모호성 때문에 헌법 개정에서 이를 삭제해야 한다는 주장도 있고, 최소한의 물질적인 생활 수요를 충당할 수 있는 급부를 청구할 수 있는 권리의 근거로 확대 해석해야 한다는 주장도 있다.

① 생명권   ② 생존권
③ 안전권   ④ 천부 인권
⑤ 행복 추구권

08 그림은 기본권의 유형을 성격에 따라 분류한 것이다. A~D에 대한 옳은 설명만을 〈보기〉에서 있는 대로 고른 것은? (단, A~D는 평등권, 참정권, 사회권, 자유권 중 하나이다.)

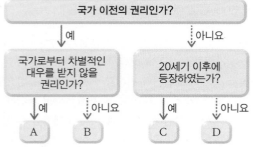

┤ 보기 ├
ㄱ. A와 B는 핵심적이고 본질적인 권리이다.
ㄴ. A는 포괄적 권리이고, B는 열거적 권리이다.
ㄷ. C가 국가에의 자유라면 D는 국가에 의한 자유이다.
ㄹ. A, B에 비해 C, D는 실정권적 성격이 강한 권리이다.

① ㄱ, ㄴ   ② ㄱ, ㄹ   ③ ㄷ, ㄹ
④ ㄱ, ㄴ, ㄷ   ⑤ ㄴ, ㄷ, ㄹ

2 기본권의 제한과 한계

09 다음 헌법 규정에 대한 설명으로 옳지 <u>않은</u> 것은?

> 제37조 ② 국민의 모든 자유와 권리는 ㉠ 국가 안전 보장·질서 유지 또는 공공복리를 위하여 필요한 경우에 한하여 ㉡ 법률로써 제한할 수 있으며, ㉢ 제한하는 경우에도 자유와 권리의 본질적인 내용을 침해할 수 없다.

① ㉠은 기본권 제한의 목적이다.
② ㉡은 기본권 제한의 형식이다.
③ ㉡은 기본권의 실정권적 성격을 보여주고 있다.
④ ㉢은 기본권의 자연권적 성격을 보여주고 있다.
⑤ 국가가 국민의 기본권을 제한하기 위해 규정한 조항이다.

10 다음 사례를 과잉 금지의 원칙에 적용하여 옳게 분석한 것만을 〈보기〉에서 있는 대로 고른 것은?

> 우리나라에서는 다음 법률에 따라 한강 주변 상수원 보호 구역에서는 축사 건축이 금지된다.
> 「한강 수계 상수원 수질 개선 및 주민 지원 등에 관한 법률」 제5조 ① 누구든지 수변 구역에서는 다음 각 호의 어느 하나에 해당하는 시설을 새로 설치하여서는 아니 된다.

┤ 보기 ├
ㄱ. 시민의 건강이라는 공공복리에 부합되는 목적의 정당성을 가지고 있다.
ㄴ. 축사 건축을 금지하는 것은 수질 관리를 위해 효과적이고 적절한 방법이라고 볼 수 있다.
ㄷ. 축사 건축 금지로 해당 지역 주민에게 발생하는 경제적 손해가 시민 건강이라는 이익보다 크다.
ㄹ. 지역 주민들의 재산권 행사의 자유와 직업 선택의 자유라는 권리가 부분적으로 제한되고 있지만 이는 필요 최소한의 피해로 볼 수 있다.

① ㄱ, ㄴ   ② ㄱ, ㄷ   ③ ㄷ, ㄹ
④ ㄱ, ㄴ, ㄹ   ⑤ ㄴ, ㄷ, ㄹ

11 다음 글에서 설명하는 기본권의 유형을 쓰고, 그 기본권의 성격을 <u>세 가지 이상</u> 서술하시오.

> 20세기 초에 등장한 권리로서 당시 사회 문제인 빈부 격차 심화, 노동 문제, 환경 문제 등이 인간의 자유와 평등을 실질적으로 보장해 주기 어렵다는 데에 착안하여 등장한 새로운 권리이다. 국가에 의한 자유로 자유의 이념이 확대된 것이라고 볼 수 있으며, 궁극적으로는 모든 인간의 인간다운 삶의 보장을 목적으로 한다. 노동의 권리, 휴가와 여가의 권리, 인간의 존엄을 유지할 권리 등의 권리가 포함되어 제2세대 인권이라고 하기도 한다.

12 (가)와 같은 문제가 발생했을 때, 근대 사회와 현대 사회에서 각각 강조하는 기본권의 유형을 쓰고, 그 성격을 구분하여 서술하시오.

13 다음 글에 나타난 기본권의 유형을 쓰고, 그 성격을 <u>세 가지 이상</u> 서술하시오.

> 빙판길에서 사고가 나 머리를 다친 갑은 도로 관리자인 국가를 상대로 소송을 제기하여 국가로부터 1억여만 원을 지급받았다. 법원은 국가가 상습 결빙 도로를 방치하여 교통사고가 났다면 국가에게 손해 배상 책임이 있다는 것이다.

14 다음은 제도와 관계 있는 기본권의 유형을 쓰시오.

> 피의자를 체포할 때에 피의자에게 변호사 선임의 권리와 묵비권 행사의 권리 등을 미리 말해주어야 한다는 원칙이다. 이 원칙을 지키지 않고 이루어진 체포와 수사는 불법적인 공무 집행으로 간주된다.

15 다음과 같은 국가의 행위가 정당성을 인정받는 이유에 대하여 서술하시오.

> 국민의 기본권은 반드시 보장받아야 하지만, 다음의 경우와 같이 국가가 국민의 기본권을 제한하는 경우도 있다.
> • 금연 구역 설치
> • 학원 심야 교습 제한
> • 군사 시설의 사진, 동영상 촬영 금지
> • 개발 제한 구역 내에서의 건물 신축 금지

16 다음 밑줄 친 부분에 해당하는 내용을 서술하시오.

> 헌법 재판소는 금고 이상의 실형을 선고받고 그 집행이 끝나거나 집행이 면제된 날부터 3년이 지나지 아니한 사람은 행정사가 될 수 없도록 한 「행정사법」 제6조 제3호는 <u>과잉 금지의 원칙</u>에 위배되지 않으므로 합헌이라고 결정하였다.

| 평가원 기출 |

01 (가)~(다)의 기본권에 대한 설명으로 옳은 것은?

(가)	(나)	(다)
모든 국민은 헌법과 법률이 정한 법관에 의하여 법률에 의한 재판을 받을 권리를 가진다.	모든 국민은 법률이 정하는 바에 의하여 공무 담임권을 가진다.	모든 국민은 종교의 자유를 가진다.

① (가)는 청원권이나 국가 배상 청구권과 동일한 성격의 권리이다.
② (나)는 국가 성립 이전에도 인정되는 자연권의 성격을 가진다.
③ (다)는 바이마르 공화국 헌법에 기원을 두고 있다.
④ (가)는 (나)와 달리 그 자체가 권리의 목적으로서의 성격을 갖는다.
⑤ (나)와 (다)는 '국가로부터의 자유'를 지향한다.

| 수능 기출 |

02 기본권 유형 A~C에 대한 설명으로 옳은 것은?

A, B에 대한 침해는 국가와 기본권 주체인 개인의 관계에서 주로 발생할 수 있다. A는 국가의 간섭과 침해를 배제함으로써 보장되는 기본권으로, 기본권 제한이 헌법상 과잉 금지의 원칙에 위반될 경우 위헌 판단이 가능하다. B는 권리 구제를 위한 기본권으로, 이를 실현하기 위한 법률을 제정하지 않은 것이 현저히 불합리하다면 위헌 여부를 다툴 수 있다. 이에 비하여 C는 국가, 개인, 그 개인과 비교 대상이 되는 제3자의 관계를 통하여 위헌 여부가 판단될 수 있다. 국가가 본질적으로 같은 사안에서 두 기본권 주체에게 자의적으로 서로 다른 처우를 하면 C의 침해가 인정될 수 있다.

① A와 달리 B는 국가에 특정한 행위를 요구하거나 다른 기본권이 침해되었을 때 행사할 수 있는 권리이다.
② B와 달리 A는 입법자가 법률을 통해 기본권을 구체화할 때 행사할 수 있는 권리이다.
③ B와 달리 C는 수단적 성격의 권리로서 국가의 존재를 전제로 한다.
④ C는 A를 행사하기 위한 전제 조건으로 현대 복지 국가 헌법에서부터 보장되기 시작하였다.
⑤ B와 달리 A, C는 기본권 제한의 한계를 준수하는 경우에도 제한될 수 없는 본질적 권리이다.

| 수능 기출 |

03 기본권 유형 A~D에 대한 설명으로 옳은 것은?

외국인에게 기본권을 인정해야 하는가의 문제는 기본권의 성질에 따라 결정하여야 한다. 기본권 중 행복 추구권은 인간이라면 누구나 누릴 수 있는 권리이므로 외국인에게도 인정된다. 한편 신체의 자유로 대표되는 A와 재판 청구권과 같은 B도 원칙적으로 외국인에게 인정되지만 일정한 경우에 제한될 수 있다. 그러나 교육을 받을 권리와 같은 C와 국민 투표권과 같은 D는 원칙적으로 외국인에게 인정되기 어려운 점이 있다.

① B는 C보다 우월한 가치가 있는 기본권이다.
② C는 A보다 최근에 등장한 현대적인 권리이다.
③ D는 A보다 수동적이고 방어적인 권리이다.
④ A와 C는 국가 성립 이전부터 인정되는 권리이다.
⑤ B와 D는 헌법에 열거되지 않아도 보장받을 수 있는 포괄적 권리이다.

| 수능 기출 |

04 기본권 A~C에 대한 설명으로 옳은 것은? (단, A~C는 각각 자유권, 평등권, 청구권 중 하나이다.)

갑은 일정한 범죄로 확정 판결을 받은 사람의 디엔에이(DNA) 시료를 영장에 의해 채취하도록 한 ○○법에 따라 시료를 채취당하였다. 갑은 ○○법 조항이 입법 목적에 부합하는 구체적 채취 요건의 규정 없이 본인의 의사에 반해 구강 등에서 시료를 채취하도록 하여 신체의 안정성과 자율적 활동에 관한 A를 침해한다고 보았다. 또한, 갑은 해당 조항이 강력 범죄자와 경미한 범죄자를 합리적 이유 없이 동일하게 취급하여 B를 침해하고, 채취 대상자의 의견 진술 기회와 사후 불복 및 구제 절차를 마련하지 않아 C를 침해한다고 판단하여 헌법 소원 심판을 청구하였다.

① A는 현대 복지 국가 헌법에서부터 보장된 기본권이다.
② B는 국가에 특정 행위를 요구할 수 있는 절차적 권리이다.
③ C는 민주주의 이념 중 하나로 다른 기본권 보장의 전제 조건이다.
④ A는 소극적·방어적 권리, C는 적극적 권리에 해당한다.
⑤ A는 B와 C의 보장과 실현을 위한 수단적 성격의 권리이다.

| 평가원 기출 |

05 (가)~(다)는 기본권에 관한 우리나라의 헌법 조항 중 일부이다. 이에 대한 설명으로 옳은 것은?

> (가) 모든 국민은 사생활의 비밀과 자유를 침해받지 아니한다.
> (나) 누구든지 성별·종교 또는 사회적 신분에 의하여 정치적·경제적·사회적·문화적 생활의 모든 영역에 있어서 차별을 받지 아니한다.
> (다) 국민의 모든 자유와 권리는 국가 안전 보장·질서 유지 또는 공공복리를 위하여 필요한 경우에 한하여 법률로써 제한할 수 있으며, 제한하는 경우에도 자유와 권리의 본질적인 내용을 침해할 수 없다.

① (가)에 규정된 기본권은 다른 기본권이 침해되었을 때 이를 구제하기 위한 수단적 권리이다.
② (가)에 규정된 기본권은 인간다운 생활의 보장을 국가에게 적극적으로 요구할 수 있는 권리이다.
③ (나)에 따르면 합리적 이유의 유무와 관계없이 모든 차별이 허용되지 않는다.
④ (다)는 국가 권력의 남용을 방지하여 국민의 기본권을 보장하는 것을 목적으로 한다.
⑤ (다)에 따르면 기본권을 제한하는 목적의 정당성이 인정된다면 수단의 적합성은 고려될 필요가 없다.

| 평가원 기출 |

06 기본권 A, B에 대한 설명으로 옳은 것은?

> • 재판에 영향을 미칠 염려가 있거나, 영향을 미치게 하기 위한 집회 또는 시위를 금지하는 △△ 법률의 해당 조항은 국민이 재판과 관련된 집단적 의견을 표명하는 것을 전면적으로 불가능하게 하여 A를 실질적으로 박탈하는 결과를 초래하므로 헌법에 위반된다.
> • 형사 소송에서 즉시 항고의 제기 기간을 3일로 정한 ○○ 법률의 해당 조항은 국민이 재판에 대해 불복할 기회를 실질적으로 보장받지 못하게 하여 B를 침해하므로 헌법에 위반된다.

① A는 내국인에게만 보장되는 권리이다.
② B는 다른 기본권 실현의 전제 조건이 되는 본질적 권리이다.
③ A는 B와 달리 헌법에 열거되어야 보장되는 권리이다.
④ B는 A와 달리 국가에 특정 행위를 요구할 수 있는 절차적 권리이다.
⑤ A, B 모두 국가 설립 이전부터 인정받아 온 권리이다.

| 평가원 응용 |

07 기본권 유형 A~C의 특징에 대한 설명으로 옳은 것은? (단, A~C는 각각 자유권, 청구권, 사회권 중 하나이다.)

> • 갑은 자신이 살고 있는 주택 앞 아파트 신축으로 인해 일조량이 감소되었고, 더 이상 쾌적한 환경에서 살지 못하게 되어 A를 침해당하였다.
> • 을은 자신을 원고로 하여 소장을 제출했으나 담당 공무원의 실수로 재판을 받을 수 없게 되어 B를 침해당했다.
> • 병은 수사 기관에 의해 불법 체포되어 C를 침해당했다.

① A의 예로 교육을 받을 권리를 들 수 있다.
② B는 모든 개별적인 기본권의 내용을 담은 포괄적인 권리이다.
③ C는 기본권 중 가장 최근에 등장한 현대적 권리이다.
④ C는 기본권 보장을 위한 수단적 성격의 권리이다.
⑤ A는 C와 달리 소극적·방어적 성격의 권리이다.

| 수능 기출 |

08 다음 상황과 관련된 적절한 설명을 〈보기〉에서 고른 것은?

> **보기**
> ㄱ. 도로교통법이 갑의 기본권을 제한한 것은 질서 유지를 위한 것으로 목적의 정당성을 충족한다.
> ㄴ. 헌법재판소는 국가가 갑의 권리와 자유를 제한했지만 본질적인 내용을 침해한 것은 아니라고 보았다.
> ㄷ. (나)에서 갑이 침해당했다고 생각하는 기본권은 '기본권 보장을 위한 기본권'으로 수단적 권리의 성격을 갖는다.
> ㄹ. (다)에서 갑은 인간다운 생활을 위해 국가에 일정한 배려를 요구할 수 있는 적극적 권리의 행사를 제안받았다.

① ㄱ, ㄴ   ② ㄱ, ㄷ   ③ ㄴ, ㄷ
④ ㄴ, ㄹ   ⑤ ㄷ, ㄹ

01. 정치와 법

① 정치의 의미

좁은 의미	정치권력의 획득·유지·행사를 둘러싼 활동 → 정치를 국가 특유의 현상, 국가와 관련된 활동으로 보는 관점으로 이어짐.
넓은 의미	개인이나 집단 간 이해관계의 대립이나 갈등을 조정·해결하여 사회적 희소가치를 권위적으로 배분하는 과정 → 정치를 모든 사회 활동에서 나타나는 보편적 현상으로 보는 관점으로 이어짐.

② 정치의 기능

- 사회적 갈등의 해결: 다양한 갈등 양상을 해결함.
- 질서 유지: 반사회적 행위를 통제하고 구성원이 따라야 할 규범을 정립함.
- 공동체의 발전 방향 제시: 사회가 가야 할 방향을 제시하고 조건을 개선해 나감.

③ 법의 이념

정의	• 법이 추구하는 최고의 이념으로 본질적 내용은 평등임. • 평균적 정의: 형식적·절대적 평등을 통해 실현 • 배분적 정의: 실질적·상대적 평등을 통해 실현
합목적성	해당 시대나 국가가 지향하는 목적에 부합하는 것
법적 안정성	개인의 사회생활이 법에 의하여 보호되어 안정된 상태를 이루는 것 → 법의 규정이 명확하고, 법의 폐지나 변경이 잦아서는 안 됨.

④ 민주주의와 법치주의

민주주의	법치주의
다수 국민의 의사에 따라 지배가 이루어지는 정치 형태 → 정치 권력의 정당성이 매우 중요함.	법률에 근거하여 통치가 이루어진다는 원리 → 자의적인 권력 행사를 막아 국민의 기본권을 보장하는 것이 목적임.

⑤ 형식적 법치주의와 실질적 법치주의

형식적 법치주의	실질적 법치주의
• 합법적 절차를 거쳐 제정된 명확한 법에 의해 통치가 이루어져야 함. • 법의 목적이나 내용에 관계없이 권력과 통치의 합법성만을 강조하기 때문에 독재 정치에 악용되기도 함. (예 히틀러의 수권법)	• 합법적 절차에 따라 제정되고 목적과 내용도 인간의 존엄성이나 실질적 평등과 같은 정의에 부합되는 법에 의해 통치가 이루어짐. • 통치의 합법성과 함께 정당성을 중시하며, 국가 기관의 권력 남용을 통제하는 장치가 강조됨. • 민주주의에서 법치주의는 실질적 법치주의를 의미함.

→ 행정부에 광범위하고 포괄적인 법률을 제정할 수 있는 권한을 위임하는 법률

02. 헌법의 의의와 기본 원리

① 헌법의 의미 변천

고유한 의미의 헌법	국가 통치 기관을 조직, 구성하고 이들 기관의 권한과 상호 관계 등을 규정한 규범
근대 입헌주의 헌법	국가 통치 기관의 존립 근거이면서 자유권을 중심으로 국민의 기본권을 보장하기 위해 국가 권력을 제한하는 근본 규범
현대 복지 국가 헌법	국민이 인간다운 생활을 영위할 수 있도록 하는 복지 국가의 이념을 추구하는 규범

② 우리나라 헌법의 기본 원리

구분	의미	실현 방안
국민 주권주의	국가 의사를 최종적으로 결정할 수 있는 주권이 국민에게 있다는 원리	참정권 보장, 언론·출판·집회·결사의 자유, 복수 정당제, 민주 선거에 바탕을 둔 대의 정치 제도 등
자유 민주주의	개인의 자유와 자율을 기본으로 하는 자유주의와 국민의 동의와 지지를 바탕으로 하는 민주주의를 지향한다는 원리	법치주의, 적법 절차의 원리, 입헌주의, 권력 분립, 사법권의 독립, 지방 자치 제도, 복수 정당제 등
복지 국가의 원리	국민에게 인간다운 생활을 할 권리를 보장하기 위해 국가가 적극적인 역할을 해야 한다는 원리	근로, 교육, 보건, 환경 등 사회권(생존권)의 보장, 사회 보장 제도와 사회 복지 정책의 시행 등
국제 평화주의	국제 질서를 존중하고 세계 평화와 인류 번영을 위해 노력한다는 원리	침략 전쟁 부인, 국제법 존중, 외국인의 지위 보장 등
평화 통일 지향	우리나라의 통일을 평화적인 방법으로 추구한다는 원리	평화 통일 정책의 수립과 실천, 남북 간 교류 활성화 등
문화 국가의 원리	문화의 자율성을 인정하면서 국가가 문화를 보호하고 발전시켜야 한다는 원리	전통문화 계승 발전, 평생 교육 및 의무 교육의 확대, 학문과 예술의 자유 보장 등

03. 기본권의 보장과 제한

① 기본권의 유형과 내용

인간으로서의 존엄과 가치 및 행복 추구권	• 헌법상 기본권의 일반적·원칙적 규정, 헌법의 최고 가치 지표 • 헌법 10조 모든 국민은 인간으로서의 존엄과 가치를 가지며, 행복을 추구할 권리를 가진다. 국가는 개인이 가지는 불가침의 기본적 인권을 확인하고 이를 보장할 의무를 진다.
평등권	• 합리적 이유 없이 불합리한 차별을 받지 않을 권리 • 인간의 존엄성을 실현하기 위한 본질적 권리, 다른 기본권의 보장을 위한 전제 조건
자유권	• 인간의 존엄성 실현을 위한 본질적인 권리, 핵심적 권리 • 소극적 권리, 포괄적 권리, 방어적 권리, 역사상 가장 오래된 권리
참정권	• 국민이 주권자로서 국가의 정책 결정 과정에 참여하여 정치적 의사를 표출할 수 있는 권리 • 능동적 권리, 국가에의 권리, 정치적 기본권
사회권	• 사회 구성원으로서 인간다운 생활을 하기 위해 국가에 대하여 보호나 생활 수단의 제공을 요구할 수 있는 권리 • 적극적 권리, 개별적 권리, 현대적 권리
청구권	• 국가에 대해 일정한 행위를 요구하거나 침해당한 기본권의 구제를 청구할 수 있는 권리 • <u>수단적 권리</u>, 적극적 권리, 절차적 권리, 기본권 보장을 위한 기본권

└→ 국가의 존재를 전제로 인정되는 권리이다.

② 기본권의 제한과 한계

목적	국가 안전 보장, 질서 유지, 공공복리
형식	법률로써 제한해야 함.
한계	자유와 권리의 본질적 내용은 침해할 수 없음.
관련 헌법 조항	제37조 ② 국민의 모든 자유와 권리는 국가 안전 보장, 질서 유지 또는 공공복리를 위하여 필요한 경우에 한하여 법률로써 제한할 수 있으며, 제한하는 경우에도 자유와 권리의 본질적인 내용을 침해할 수 없다.

Ⅱ

민주 국가와 정부

이 단원의 핵심 포인트

중단원	핵심 포인트	학습일
01 정부 형태	• 의원 내각제와 대통령제 • 우리나라의 정부 형태	월 일 ~ 월 일
02 우리나라의 국가 기관	• 국회 • 대통령과 행정부 • 법원과 헌법 재판소	월 일 ~ 월 일
03 지방 자치의 의의와 과제	• 우리나라의 지방 자치 • 우리나라의 주민 참여 제도	월 일 ~ 월 일

셀파와 내 교과서 단원 비교

셀파	천재교과서	지학사	미래엔	비상교육
01 정부 형태	01 민주 국가의 정부 형태	01 민주 국가와 우리나라의 정부 형태	01 정부 형태의 이해	01 정부 형태
02 우리나라의 국가 기관	02 우리나라의 국가 기관	02 국가 기관의 구성과 역할	02 권력 분립과 국가 기관	02 우리나라의 국가 기관
03 지방 자치의 의의와 과제	03 지방 자치의 의의와 과제	03 지방 자치의 의의와 과제	03 지방 자치의 이해	03 지방 자치

01 정부 형태

Ⅱ. 민주 국가와 정부

1 민주 국가의 정부 형태

1. 정부 형태
(1) **의미** 입법권, 행정권, 사법권 등 권력 분립이 구체화한 형태
(2) **구분** 입법부와 행정부의 구성 방식 및 두 국가 기관 간의 관계에 따라 구분하며, 의원 내각제와 대통령제가 전형적인 유형임. 자료01

2. 의원 내각제
(1) **의미** 입법부와 행정부의 관계가 상호 의존적인 정부 형태 자료02 | 의의 주요 왕권 행사는 의회 동의를 받도록 규정하였다.
(2) **성립 배경** 영국에서 명예혁명의 결과로 채택한 권리 장전(1689)을 통해 군주 중심의 전제 정치를 청산하고 입헌 군주제를 바탕으로 한 의회 중심의 정치를 형성하면서 성립됨.
(3) **행정부 구성** 국민이 선거를 통해 의회 의원을 선출하고, 의회 다수당의 대표가 총리❶가 되어 내각(행정부)❷을 구성함.
(4) **특징**

권력 융합	• 의회는 선거로 구성되고, 내각은 의회의 신임을 얻어 지명된 총리(수상)가 구성함. • 내각은 의회에 대하여 연대 책임을 지며, 의회 의원의 각료❸ 겸직, 내각의 법률안 제출이 가능함.
상호 견제	• 내각은 의회 해산권❹을 통해 의회를 견제함. ┌ 분석 의회 해산시 내각도 해산된다. • 의회는 내각에 대한 불신임권을 행사할 수 있음.
행정 이원화	• 국왕 또는 대통령이 국가 원수로서 명목상 존재할 뿐, 실질적인 통치권은 없음. • 정치적 실권은 행정부 수반인 총리에게 있음.

(5) **장점과 단점**

왜? 국민의 지지가 낮으면 차기 선거에서 정권을 잃게 되기 때문이다.

장점	단점
• 국민적 요구에 민감함. → **책임 정치** 구현 가능 • 의회와 내각의 긴밀한 협조로 능률적인 국정 처리가 가능함. • 내각 불신임이나 의회 해산으로 입법부와 행정부 간 대립을 신속하게 해결할 수 있음.	• 입법부와 행정부를 한 정당이 모두 장악할 경우에 **다수당의 횡포**가 우려됨. • 군소 정당의 난립으로 연립 내각이 구성될 경우에 **정치적 책임 소재가 불명확**해질 수 있음. • 의회 해산시 내각도 해산됨. ┌ 분석 과반 의석을 차지한 다수당이 없는 상황이다.

3. 대통령제
(1) **의미** 입법부와 행정부가 독립적으로 구성되고 운영되는 정부 형태 자료03
(2) **성립 배경** 미국이 영국으로부터 독립한 후 국민의 자유와 권리를 보장하기 위해 견제와 균형의 원리에 입각하여 입법부와 행정부를 엄격히 분리하면서 성립됨.
(3) **행정부 구성** 국민이 별도의 선거로 의회 의원과 대통령을 선출하고, 대통령이 행정부를 구성함.
(4) **특징**

분석 국민의 직접 선거로 선출되었으므로 국민에 대해 정치적 책임을 진다.

엄격한 권력 분립	• 대통령은 국민의 직접 선거로 선출되고, 의회 역시 국민의 직접 선거로 구성됨. • 대통령은 의회에 대한 책임을 지지 않으며, 임기 동안 안정적으로 국정을 운영함. • 행정부 각료의 의회 의원 겸직은 불가능하며, 의회는 행정부 구성에 개입하지 못함. • 의회는 행정부를 불신임할 수 없고, 대통령은 의회를 해산할 수 없음.
상호 견제	• 대통령은 의회가 제출한 법률안에 대한 거부권으로 의회를 견제함. • 의회는 각종 동의 및 승인권, 탄핵 소추권❺ 등으로 대통령과 행정부를 견제함.
행정 일원화	• 대통령은 행정부의 수반인 동시에 국가 원수의 지위를 가짐. • 행정부의 각 부처는 대통령의 지시로 행정을 수행함.

고득점을 위한 셀파 Tip

• 의원 내각제와 대통령제

구분	의원 내각제	대통령제
특징	• 권력 융합 • 의회 해산권 • 내각 불신임권	• 권력 분립 • 법률안 거부권 • 동의권, 승인권
장점	• 책임 정치 • 의회와 내각의 긴밀한 협조	• 정국 안정 • 다수당의 횡포 견제
단점	• 연립 내각 구성 시 정국 불안정 • 다수당의 횡포	• 입법부와 행정부 대립 시 조정 곤란 • 독재 우려

❶ **총리**
의원 내각제에서 내각(행정부)을 이끄는 최고 직위로, 수상이라고도 한다.

❷ **내각**
국가의 행정권을 담당하는 최고 합의 기관으로 의원 내각제에서 행정부를 의미한다.

❸ **각료**
내각의 관료라는 뜻으로 대통령제의 장관을 의미하며, 정책을 결정하고 집행하는 역할을 담당한다.

❹ **의회 해산권**
의원 내각제 국가에서 총리가 의회 의원의 자격을 임기 만료 전에 소멸시킴으로써 의회를 해산할 수 있는 권리로, 의회가 해산되면 총선거를 통해 의회를 다시 구성한다.

❺ **탄핵 소추권**
대통령 등의 고위 공직자가 직무를 집행할 때 헌법이나 법률을 위배한 경우 탄핵의 소추를 의결할 수 있는 국회의 권리이다.

셀파 자료 탐구

자료 01 의원 내각제와 대통령제

의회 해산권, 법률안 제출권
행정부 → 입법부
수상
내각 불신임권
다수당의 대표

하원 | 상원

선거

투표함

국민

▲ 영국의 의원 내각제

법률안 거부권
행정부 ↔ 입법부
대통령
고급 공무원 임명 동의권, 조약 체결 동의권

하원 | 상원

대통령 선거인단
선거

선거 | 선거

투표함

투표함 | 투표함

국민

▲ 미국의 대통령제

자료 분석 | 의원 내각제에서는 입법부에 대해서만 국민의 선거가 실시되며, 행정부는 입법부에 대해 의회 해산권을 행사할 수 있고, 입법부는 행정부에 대해 불신임권을 행사할 수 있다. 한편 대통령제에서는 행정부와 입법부에 대한 국민의 선거가 별도로 실시되며, 행정부는 입법부에 대해 법률안 거부권을 행사할 수 있고, 입법부는 행정부에 대해 각종 동의권과 승인권을 행사할 수 있다. 의원 내각제는 행정부와 입법부 간의 융합을, 대통령제는 행정부와 입법부 간의 엄격한 분립을 추구하고 있지만, 두 정부 형태 모두 행정부와 입법부가 상호 견제를 통해 힘의 균형을 이루고 있다.

자료 02 의원 내각제 정부 형태에 영향을 미친 정치 사상

로크는 시민 정부 이론에서 정부의 권력은 입법권, 집행 및 동맹권으로 구성되며, 이 중에서 입법권은 의회에 있고 나머지는 군주에게 주어진 권한이라고 밝히면서 2권 분립론을 주장하게 된다. 시민의 대표로 구성된 의회에 주어진 입법권이, 군주에게 주어진 입법권 및 동맹권에 대해서 상대적 우위를 차지한다고 보았다. 로크의 이러한 사상은 영국을 중심으로 한 입헌 군주제 형성에 큰 영향을 주었고, 로크의 2권 분립론은 현대 정치에서 의원 내각제로 발전하게 되어 정치 구성 원리로 발전하게 된다.

자료 분석 | 로크의 2권 분립론은 권력 분립을 주장하기는 하였으나, 권력 분립의 본래 목적인 권력의 견제와 균형에 대해서는 언급하지 않아 의원 내각제 발전에 영향을 주었다.

자료 03 대통령제 정부 형태에 영향을 미친 정치 사상

몽테스키외는 그의 저서 '법의 정신'에서 국가 권력은 귀족 및 인민의 대표로 구성된 입법 기관과 국민에 의해 선발된 자가 행사하는 비상설의 사법 기관, 군주가 행사하는 행정권 등 권력이 세 부분으로 분립할 것을 주장하였다. 당시 유럽의 정치 제도는 왕에 의해 선출된 귀족에 의해 사법 기능이 행해짐으로써 사법 기관은 국민의 기본권을 보장하는 기능보다는 오히려 군주의 이익을 위해 존속하는 기관으로서의 성격이 강하였다. 몽테스키외는 이러한 한계점을 극복하기 위해 사법권을 독립시켜 법의 제정과 집행 그리고 사법 기능 분립을 통해 국민의 기본권 보장을 최우선의 과제로 삼았다. 몽테스키외의 엄격한 3권 분립론은 미국에 영향을 미쳐 대통령제로 발전하였다.

자료 분석 | 몽테스키외는 로크의 권력 분립이 권력 기관 상호 간의 견제와 균형의 원리에는 충실하지 못하다고 비판하였다. 그는 엄격한 3권 분립을 통해 기관의 분리와 기관 간의 견제와 균형을 확립하여 국민의 자유와 권리를 보장하려는 데 초점을 맞추었다.

1 정부 형태는 입법부와 사법부의 관계에 따라 의원 내각제와 대통령제로 구분한다.
(O , X)

2 의원 내각제에서는 의회 의원의 각료 겸직이 가능하다.
(O , X)

3 의원 내각제는 행정부 수반의 임기가 보장되어 정책의 계속성 확보가 용이하다.
(O , X)

4 의원 내각제에서 내각은 법률안을 제출할 수 있다.
(O , X)

5 의원 내각제의 행정부 수반은 의회에 대해 책임을 진다.
(O , X)

6 의원 내각제의 의회 의원과 행정부 수반은 모두 국민의 직접 선거에 의해 선출된다.
(O , X)

7 대통령제는 입법부와 행정부의 권력이 융합된 정부 형태이다.
(O , X)

8 대통령제에서는 법률안 거부권을 통해 입법부를 견제할 수 있다.
(O , X)

9 대통령제에서는 행정부 수반이 국가 원수의 지위를 가진다.
(O , X)

10 대통령제와 의원 내각제는 사법부의 독립을 보장한다는 공통점이 있다.
(O , X)

정답 1 X 2 O 3 X 4 O 5 O 6 X
7 X 8 O 9 O 10 O

01 정부 형태

(5) 장점과 단점

> **왜?** 대통령의 임기가 정해져 있으므로
> 의회의 견제가 제한적이기 때문이다.

장점	단점
• 대통령의 임기 동안 정국 안정 → 안정적이고 일관성 있게 정책을 추진할 수 있음. • 법률안 거부권 행사로 의회의 횡포를 방지할 수 있음.	• 정치적 책임과 국민적 요구에 민감하지 못함. • 대통령에게 권한이 집중되어 독재 출현이 우려됨. • 행정부와 입법부의 대립 시 해결이 곤란함.

4. 이원 집정부제 자료 04

(1) **의미** 대통령제와 의원 내각제를 절충한 정부 형태

(2) **구성** 대통령과 의회가 별도의 직접 선거를 통해 구성되며, 내각은 대통령이 임명한 총리가 구성함.

2 우리나라의 정부 형태

1. 헌법 개정과 우리나라 정부 형태의 변화 과정 자료 05

> **비교** 우리나라는 대통령제를 기본으로 유지하였고,
> 제3차 개헌에서만 의원 내각제를 채택하였다.

구분	시기	특징
제헌 헌법	1948년	• 의원 내각제를 가미한 대통령제 채택 • 국회에서 대통령 선출 → 제1차 개헌에서 대통령 직선제로 변경함.
제3차 개헌	1960년	• 1960년 4·19 혁명 후 의원 내각제 정부 형태 채택, 국회 양원제 도입 • 국회 다수당의 대표가 총리가 되어 행정권을 행사함. • 대통령은 국회에서 선출하였으며 국가 원수로서 상징적인 존재임.
제5차 개헌	1962년	• 1961년 5·16 군사 정변으로 등장한 군사 정권이 대통령제 채택 • 국회 단원제로 환원
제7차 개헌	1972년	• 1972년 유신 헌법으로 대통령 간선제(통일 주체 국민 회의에서 대통령 선출) 채택 • 국민의 기본권 대폭 축소 • 대통령의 권한 확대(긴급 조치권 및 국회 해산권 등)
제8차 개헌	1980년	• 간접 선거로 대통령 선출 • 대통령 단임제(임기 7년)
제9차 개헌	1987년	• 1987년 6월 민주화 운동의 결과로 대통령 직선제(5년 단임제) 채택 • 국민의 기본권 강화(헌법 재판소 부활) • 국가 권력의 균형과 견제(국정 감사 부활, 국회 해산권 폐지 등) • 현행 헌법

2. 우리나라의 정부 형태 자료 06

(1) **특징** 대통령제를 기본으로 의원 내각제 요소를 가미한 정부 형태

(2) **우리나라 정부 형태의 대통령제 및 의원 내각제 요소**

대통령제 요소	• 국민의 직접 선거를 통해 대통령과 국회 의원을 각각 선출함. • 대통령의 법률안 거부권으로 국회 다수파의 횡포를 방지함. • 대통령은 국가 원수로서 국가를 대표하고, 행정부 수반으로서 행정부를 지휘·감독함. • 국회의 탄핵 소추권으로 대통령을 비롯한 주요 공직자의 헌법과 법률을 위반한 직무 수행을 견제함. ┗ **분석** 행정부뿐만 아니라 사법부 법관도 포함된다.
의원 내각제 요소	• 행정부가 법률안을 제출할 수 있음. • 국무총리와 국무 회의가 헌법 기관으로 존재함. • 국회 의원이 국무 위원을 겸직할 수 있음. • 국회가 국무총리와 국무 위원에 대한 해임을 건의할 수 있음. • 국무총리 임명 시 국회의 동의가 있어야 함. • 대통령은 임시 국회의 소집을 요구할 수 있음. • 대통령의 국회 출석 및 의사 표시권이 있음.

---

❻ 법률안 거부권
정부에 이송된 법률안에 대하여 이의가 있을 때에 대통령이 그 법률안을 국회로 환부하여 그 재의를 요구할 수 있는 권리이다.

❼ 유신 헌법
조국의 평화적 통일 지향과 한국적 민주주의의 토착화를 특징으로 하였으나 실제로는 장기 집권을 위한 개헌이었고, 국민의 기본권 침해, 권력 구조상에 있어 대통령 권한의 비대로 독재를 가능하게 한 헌법이었다.

❽ 간접 선거(간선제)
국민은 대통령 선거인단을 선출하고 대통령 선거인단이 대통령을 선출하는 제도이다.

❾ 직접 선거(직선제)
국민이 직접 선거를 통해 대표를 선출하는 제도이다.

❿ 국무 회의
정부의 권한에 속하는 주요 정책을 심의하는 최고 정책 심의 기관이다. 의원 내각제하의 의결 기관인 내각과 미국의 대통령제하에서의 단순 자문 기관인 장관 회의를 절충한 자문적 기능을 가진 심의 기관이다.

고득점을 위한 셀파 Tip

• 우리나라 정부 형태의 특징

우리나라의 정부 형태	대통령제를 기본으로 의원 내각제 요소를 가미한 정부 형태
대통령제 요소	• 대통령과 국회 의원 각각 선출 • 대통령의 법률안 거부권 • 국회의 탄핵 소추권 • 행정부 수반이 국가 원수의 지위를 가짐.
의원 내각제 요소	• 행정부의 법률안 제출권 인정 • 국무총리와 국무 회의 제도 • 국회 의원의 국무총리, 국무 위원 겸직 가능 등

자료 04 이원 집정부제

이원 집정부제는 분권형 대통령제, 이원 정부제 등 다양한 명칭으로 불리는데, 대통령과 의회가 별도의 직접 선거를 통해 구성되며, 대통령이 의회에 책임을 지지 않는다는 점에서 대통령제의 특징을 가진다. 하지만 행정권 중 주로 외교와 국방 분야는 대통령이, 일반 행정 분야는 총리가 담당하여 행정권이 이원화되어 있다는 점에서 전형적인 대통령제와는 다른 특징을 보인다. 또한 총리가 내각을 구성하고 의회는 내각 불신임권을 가진다는 점은 의원 내각제의 특징으로 보이지만, 대통령이 총리를 임면할 수 있고 의회 해산권을 가진다는 점은 전형적인 의원 내각제와 다른 특징으로 볼 수 있다.

자료 분석 | 이원 집정부제에서는 대통령과 총리의 소속 정당이 같을 경우 정책 결정과 집행 과정에서 강력한 추진력을 발휘할 수 있다. 그러나 대통령과 총리의 소속 정당이 다른 동거 정부가 구성될 경우 대통령과 총리의 대립으로 정치적 혼란이 나타날 수도 있다.

자료 05 우리나라 정부 형태의 변화 과정에서 일어난 주요 사건

1960년	1961년	1972년	1987년
4·19 혁명	5·16 군사 정변	유신 헌법 공포	6월 민주 항쟁
4·19 혁명의 결과 제3차 개헌을 통해 의원 내각제 정부 형태가 도입되었다.	무력으로 국회를 해산하고 정권을 잡은 군사 정부는 대통령제로 헌법을 개정하였다.	대통령에게 초헌법적인 권한이 부여되는 권위주의적 정부 형태가 탄생하였다.	대통령 직선제를 내용으로 하는 제9차 개헌을 이끌어내는 직접적 계기가 되었다.

자료 분석 | 초대 대통령의 독재와 장기 집권으로 4·19 혁명이 일어난 이후, 제3차 개헌을 통해 의원 내각제가 도입되었다. 하지만 의원 내각제가 제대로 정착하기도 전에 5·16 군사 정변이 일어나며 제5차 개헌을 통해 다시 대통령제가 도입되었고, 제7차 개헌에서는 대통령에게 초헌법적 권한을 부여하는 유신 체제가 나타났다. 이후 제8차 개헌을 통해 유신 체제가 폐지되었고, 1987년 6월 민주 항쟁의 결과로 제9차 개헌을 통해 대통령 직선제가 부활하였다.

자료 06 현행 우리나라 헌법을 통해 본 우리나라의 정부 형태

제40조 입법권은 국회에 속한다.
제52조 국회 의원과 정부는 법률안을 제출할 수 있다.
제53조 ② 법률안에 이의가 있을 때에는 대통령은 제1항의 기간 내에 이의서를 붙여 국회로 환부하고, 그 재의를 요구할 수 있다.
제63조 ④ 국회는 국무총리 또는 국무 위원의 해임을 대통령에게 건의할 수 있다.

자료 분석 | 헌법 제40조 입법권의 국회 고유 권한, 제53조 대통령의 법률안 거부권은 대통령제의 특징이다. 반면 제52조 행정부의 법률안 제출권, 제63조 국무총리 및 국무 위원에 대한 해임 건의권은 의원 내각제 요소에 해당한다.

1 대통령제에서는 의회와 행정부의 정치적 대립이 신속하게 해결될 수 있다.
(○, ×)

2 이원 집정부제에서는 대통령과 총리 모두 의회에 정치적 책임을 진다.
(○, ×)

3 유신 헌법은 권력 분립의 원리에 충실한 헌법이다.
(○, ×)

4 현행 헌법은 대통령 직선제 및 5년 단임제를 채택하고 있다.
(○, ×)

5 우리나라는 4·19 혁명이 일어난 이후, 제3차 개헌을 통해 의원 내각제가 도입되었다.
(○, ×)

6 우리나라 정부 형태에서 행정권은 대통령을 수반으로 하는 정부에 속한다.
(○, ×)

7 우리나라 대통령은 국가적 위기 상황에서는 비상 조치권과 국회 해산권을 갖는다.
(○, ×)

8 우리나라 정부 형태에서 행정부가 법률안을 제출할 수 있는 것은 의원 내각제적 요소이다.
(○, ×)

9 대통령의 법률안 거부권은 우리나라 정부 형태의 의원 내각제적 요소에 해당한다.
(○, ×)

정답 1× 2× 3× 4○ 5○ 6○ 7× 8○ 9×

1 의원 내각제

정부 구성	국민의 직접 선거로 의회 의원을 선출하고, 의회 다수당의 대표가 (❶)가 되어 내각을 구성함.
특징	• 내각은 의회에 대해 연대 책임을 짐. • 의회 의원의 각료 겸직이 가능함. • 내각의 법률안 제출이 가능함.
장점	• 내각이 정치적 책임과 국민적 요구에 민감함. • 내각과 의회의 협조로 능률적인 국정 처리가 가능함. • 입법부와 행정부의 정치적 대립이 신속하게 해결 가능함.
단점	• 다수당의 횡포가 우려됨. • 연립 내각 구성시 정치적 책임 소재가 불분명함.

2 대통령제

정부 구성	국민이 별도의 선거로 의회 의원과 대통령을 선출하고, 대통령이 행정부를 구성함.
특징	• 의회 의원의 각료 겸직은 불가능함. • 행정부의 법률안 제출은 불가능함. • 대통령의 (❷), 의회는 각종 동의 및 승인권, 탄핵 소추권 등으로 대통령과 행정부를 견제함.
장점	• 대통령 임기 동안 정국이 안정됨. • 법률안 거부권으로 의회 다수당의 횡포를 견제함.
단점	• 대통령에게 권한이 집중될 경우 독재가 우려됨. • 의회와 행정부의 대립 시 해결이 곤란함.

3 헌법 개정과 우리나라 정부 형태 변화

제헌 헌법(1948)	의원 내각제 요소를 가미한 대통령제
3차 개헌(1960)	(❸) 채택, 국회 양원제
5차 개헌(1962)	대통령제 채택, 국회 단원제
7차 개헌(1972)	유신 체제, 대통령 간선제, 권위주의적 정부 형태
8차 개헌(1980)	대통령 간선제 및 단임제(7년)
9차 개헌(1987)	대통령 직선제 및 단임제(5년)

4 우리나라 정부 형태의 특징

대통령제 요소	• 국민의 선거로 대통령과 국회 의원을 각각 선출함. • 대통령의 법률안 거부권, 국회의 (❹)
의원 내각제 요소	• 행정부의 법률안 제출권 인정 • (❺)와 국무 회의 제도 • 국회 의원의 국무 위원 겸직 가능 • 국회의 국무총리 임명 동의 및 국무 위원 해임 건의 가능

정답 ❶ 총리 ❷ 법률안 거부권 ❸ 의원 내각제 ❹ 탄핵 소추권 ❺ 국무총리

1 민주 국가의 정부 형태

01 갑국이 채택하고 있는 전형적인 정부 형태에 대한 설명으로 옳은 것은?

> 갑국은 국가 원수와 행정부 수반이 이원화되어 있다. 일반적으로 국민이 선거를 통해 입법부를 구성하고, 행정부는 입법부에 의해 구성된다. 즉, 의회 다수당의 대표가 행정부 수반인 총리가 되어 내각을 구성하고 행정권을 행사한다.

① 행정부 수반의 임기는 보장된다.
② 내각이 법률안을 제출할 수 있다.
③ 의회 의원이 각료를 겸직할 수 없다.
④ 권력 융합보다 권력 분립에 충실한 정부 형태이다.
⑤ 행정부 수반은 국민에 대해 직접 정치적 책임을 진다.

★02 다음 그림에 나타난 정부 형태에 대한 옳은 설명만을 〈보기〉에서 고른 것은?

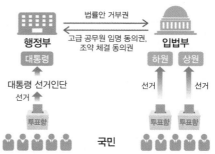

┤ 보기 ├
ㄱ. 대통령은 의회를 해산할 수 없다.
ㄴ. 대통령이 다수당의 횡포를 견제할 수 있다.
ㄷ. 대통령이 입법부에 대해 정치적 책임을 진다.
ㄹ. 의회와 행정부의 정치적 대립이 신속하게 해결될 수 있다.

① ㄱ, ㄴ 　② ㄱ, ㄷ 　③ ㄴ, ㄷ
④ ㄴ, ㄹ 　⑤ ㄷ, ㄹ

03 다음 교사의 질문에 옳은 답변을 한 학생만을 고른 것은?

> 교사 전형적인 의원 내각제 국가에서 과반 의석을 차지한 정당이 없으면 어떤 상황이 나타날 수 있을까요?
> 갑 단독 내각이 구성될 수 있어요.
> 을 총리에게 권한이 집중되어 독재가 나타날 수 있어요.
> 병 의회 해산권과 내각 불신임권이 행사될 가능성이 높아요.
> 정 군소 정당이 난립하게 되어 국정 불안을 초래할 수 있어요.

① 갑, 을   ② 갑, 병   ③ 을, 병
④ 을, 정   ⑤ 병, 정

★04 다음은 의원 내각제 국가인 갑국 의회의 정당별 의석 점유율을 나타낸 것이다. 이에 대한 옳은 분석 및 추론만을 〈보기〉에서 고른 것은?

구분	A당	B당	C당	D당	E당
t기	55	28	10	4	3
t+1기	45	40	8	5	2

┤ 보기 ├
ㄱ. t기의 국가 원수는 A당 대표이다.
ㄴ. t+1기에는 연립 내각이 구성되었을 것이다.
ㄷ. t기와 달리 t+1기에는 여소야대의 정치 상황이 발생하였을 것이다.
ㄹ. t+1기와 달리 t기에는 행정부 수반의 소속 정당이 의회 의석의 과반을 차지하고 있다.

① ㄱ, ㄴ   ② ㄱ, ㄷ   ③ ㄴ, ㄷ
④ ㄴ, ㄹ   ⑤ ㄷ, ㄹ

★05 표는 전형적인 정부 형태 A와 B를 구분한 것이다. 이에 대한 옳은 설명만을 〈보기〉에서 고른 것은?

질문	A	B
국민의 선거로 행정부가 구성되는가?	예	아니요
(가)	아니요	예

┤ 보기 ├
ㄱ. A의 행정부 수반은 의회에 대해 정치적 책임을 진다.
ㄴ. B의 내각은 의회를 해산할 수 있다.
ㄷ. B와 달리 A는 행정부 수반의 임기가 보장되어 있다.
ㄹ. (가)에는 '의회 다수당의 횡포를 견제할 수 있는가?'가 들어갈 수 있다.

① ㄱ, ㄴ   ② ㄱ, ㄷ   ③ ㄴ, ㄷ
④ ㄴ, ㄹ   ⑤ ㄷ, ㄹ

06 다음과 같은 특징을 지닌 정부 형태에 대한 설명으로 옳지 <u>않</u>은 것은?

> 대통령은 국가 원수로서 국민의 직접 선거에 의해 선출되며, 외교와 국방 등 외치에 관한 권한, 총리 및 각료 임명권과 의회 해산권을 가지고, 비상시에는 행정권을 전적으로 행사하게 된다. 대통령은 국민의 선거로 선출되기 때문에 의회의 불신임 대상이 되지 않으며, 국민에 대해 정치적 책임을 진다. 행정권 중 주로 외교와 국방 분야는 대통령이, 일반 행정 분야는 총리가 담당하여 행정권이 이원화되어 있다.

① 행정부의 권력이 이원화되어 있다.
② 의원 내각제와 대통령제가 혼합된 정부 형태이다.
③ 대통령과 총리는 모두 의회에 대해 연대 책임을 진다.
④ 대통령과 총리의 소속 정당이 다를 경우 정치적 혼란이 발생하기 쉽다.
⑤ 대통령과 총리의 소속 정당이 동일할 경우 강력한 국정 수행이 가능하다.

2 우리나라의 정부 형태

07 우리나라의 대표적인 민주화 운동인 (가), (나)에 대한 설명으로 옳지 <u>않은</u> 것은?

> (가) 이승만 정권의 장기 집권을 종식시키는 결과를 가져왔다.
> (나) 최초로 여야 합의에 의해 대통령 직선제 및 민주화 조치가 담긴 개헌의 계기가 되었다.

① (가)의 발생 원인은 3·15 부정 선거이다.
② (가) 이후 의원 내각제 정부 형태가 등장하였다.
③ (나)의 결과로 유신 개헌이 이루어졌다.
④ (나)는 권위주의 정권 연장에 대한 다수 시민의 반발이었다.
⑤ (가)와 (나) 이후 민주 정치 발전을 담은 헌법 개정이 이루어졌다.

08 다음 헌법 조항에 나타난 우리나라 정부 형태의 특징으로 옳은 것은?

> 제40조 입법권은 국회에 속한다.
> 제52조 국회 의원과 정부는 법률안을 제출할 수 있다.
> 제53조 ② 법률안에 이의가 있을 때에는 대통령은 제1항의 기간 내에 이의서를 붙여 국회로 환부하고, 그 재의를 요구할 수 있다.
> 제63조 ④ 국회는 국무총리 또는 국무 위원의 해임을 대통령에게 건의할 수 있다.

① 제40조는 의원 내각제적 요소이다.
② 제52조는 권력 분립형 정부 형태의 특징이다.
③ 제53조 ②항을 통해 정부는 다수당의 횡포를 견제할 수 있다.
④ 제63조 ④항은 대통령에게 구속력을 발휘한다.
⑤ 제52조와 제53조 ②항으로 국정 운영의 신속성과 능률성이 보장된다.

09 표는 우리나라 주요 개정 헌법의 내용을 정리한 것이다. (가)~(다)에 대한 설명으로 옳은 것은?

개정 헌법	주요 내용
(가)	의원 내각제 채택, 국회 양원제 도입
(나)	대통령 간선제, 대통령에게 긴급 조치권 및 국회 해산권 부여
(다)	대통령 직선제, 국정 감사 및 헌법 재판소 부활

① (가)는 행정부 수반을 국민이 선출하도록 명시하였다.
② (나)는 권력 분립 원칙이 엄격하게 보장된다.
③ (다)는 국민의 기본권 보장을 강화한다.
④ (가)는 (나)와 달리 사법권의 독립이 보장되기 어렵다.
⑤ (나)는 5·18 민주화 운동으로 등장한 헌법이며, (다)는 6월 민주화 운동을 계기로 등장한 헌법이다.

10 밑줄 친 '의원 내각제의 요소'와 관련하여 우리나라 헌법에 규정된 내용만을 〈보기〉에서 있는 대로 고른 것은?

> 오늘날 대부분의 민주 국가는 대통령제 정부 형태를 취하거나 의원 내각제 정부 형태를 취하고 있다. 그러나 미국식 대통령제나 영국식 의원 내각제를 그대로 수용한 나라는 거의 없다. 우리나라도 대통령제를 채택하고 있지만, <u>의원 내각제의 요소</u>를 많이 가미하고 있다.

┤ 보기 ├
ㄱ. 국회 의원은 국무 위원을 겸직할 수 있다.
ㄴ. 국회 의원과 정부는 법률안을 제안할 수 있다.
ㄷ. 대통령은 국회에서 의결된 법률안에 대해 거부권을 행사할 수 있다.
ㄹ. 국회는 국무총리 또는 국무 위원의 해임을 대통령에게 건의할 수 있다.

① ㄱ, ㄴ 　② ㄴ, ㄷ 　③ ㄷ, ㄹ
④ ㄱ, ㄴ, ㄹ 　⑤ ㄱ, ㄷ, ㄹ

11 다음 글을 읽고 물음에 답하시오.

> 최근에 치러진 갑국의 의회 의원 총선거에서 A당이 의회 총의석 300석 중에서 145석을 차지하여 제1당이 되었다. 종전 의회에서 과반수 의석을 차지했던 B당은 105석을 차지하여 제2당이 되었고, 뒤를 이어 C당이 30석, 기타 5개 정당이 남은 20석을 각각 5석 미만으로 차지하였다. 이에 따라 A당의 당수가 새로운 행정부 수반이 되었고, B당은 차기 선거에서 정권을 노려야 하는 상황이 되었다.

(1) 갑국의 정부 형태를 쓰시오.

(2) A당이 행정부 수반을 배출할 수 있었던 이유를 추론하여 서술하시오.

-----

12 다음 그림은 전형적인 정부 형태를 나타낸 것이다. 이를 보고 물음에 답하시오.

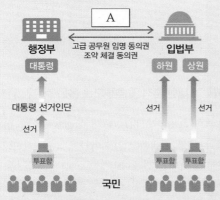

(1) 위 그림의 빈칸 A에 들어갈 권한을 쓰시오.

(2) 위 그림에 해당하는 정부 형태를 쓰고, 그 장·단점을 한 가지씩 서술하시오.

-----

13 다음 글에 나타난 정부 형태를 쓰고, 내각과 의회의 견제 권한에 대해 서술하시오.

> 절대 군주의 권력을 제한하는 과정에서 성립된 정부 형태로 입법권과 행정권의 분리를 주장하면서도 행정권에 대한 입법권의 우위를 강조하는 로크의 이권 분립론에 기초하고 있다. 이러한 정부 형태에서 의회는 선거로 구성되지만, 내각은 의회의 신임을 얻어 지명된 총리 또는 수상에 의해 구성된다.

-----

14 (가)에 들어갈 알맞은 내용을 쓰시오.

> 교사   의원 내각제가 ⬚(가)⬚ 을/를 구현하는데 적합한 이유가 무엇인가요?
> 갑   내각의 존속이 의회의 신임 여부에 달려 있으므로 내각이 의회의 요구에 민감할 수밖에 없기 때문입니다.
> 을   네, 맞아요. 이유를 잘 알고 있네요.

-----

15 다음 밑줄 친 내용과 같이 우리나라의 정부 형태가 대통령제로 분류되는 이유를 서술하시오.

> 우리나라 헌법에는 국회의 국무총리 임명에 대한 동의권 및 국무총리와 국무 위원에 대한 해임 건의권, 국무 회의의 설치, 국무총리와 관계 국무 위원의 부서권, 국회 의원의 국무 위원 겸직, 정부의 법률안 제출권 등 의원 내각제적 요소가 상당 부분 가미되어 있다. 그럼에도 <u>우리나라의 정부 형태는 대통령제로 분류된다.</u>

| 평가원 기출 |

01 다음 자료에 대한 설명으로 옳은 것은?

갑국과 을국은 각각 전형적인 대통령제와 의원 내각제 중 하나를 채택하고 있다. 표는 각국에서 입법부와 행정부가 상호 견제하는 수단을 나타낸 것이다.

구분	갑국	을국
입법부가 행정부를 견제하는 수단	내각 불신임권	(가)
행정부가 입법부를 견제하는 수단	(나)	법률안 거부권

① (가)에는 '의회 해산권'이 들어갈 수 있다.
② (나)에는 '탄핵 소추권'이 들어갈 수 있다.
③ 갑국에서는 의회 의원이 각료를 겸할 수 있다.
④ 갑국에서는 을국과 달리 행정부 수반과 국가 원수가 동일인이다.
⑤ 을국에서는 갑국과 달리 의회 의원이 국민에 의해 선출된다.

| 평가원 기출 |

02 그림에 나타난 갑국과 을국의 정부 형태에 대한 설명으로 옳은 것은? (단, 갑국과 을국의 정부 형태는 각각 전형적인 대통령제와 의원 내각제 중 하나이다.)

최근 갑국의 행정부 수반이 법률안 거부권을 행사했습니다. 여소야대 상황에서 의회의 반발이 거세지고 있는데요. 을국도 정치 상황이 혼란스럽다고 합니다. 을국에 나가 있는 특파원의 소식을 들어보겠습니다.

을국도 행정부와 의회의 갈등이 심합니다. 의회의 내각 불신임이 예상되는 가운데 최근 행정부 수반이 의회를 해산할 가능성을 내비쳤습니다.

① 갑국에서는 내각이 의회에 대해 책임을 진다.
② 갑국에서는 의회 의원이 각료를 겸직할 수 있다.
③ 을국에서는 입법부와 행정부의 권력이 융합되어 있다.
④ 을국에서는 행정부 수반이 국가 원수의 지위를 가진다.
⑤ 을국과 달리 갑국에서는 행정부가 법률안을 제출할 수 있다.

| 수능 기출 |

03 다음 자료는 전형적인 대통령제를 채택하고 있는 갑국의 시기별 선거 결과이다. 이에 대한 옳은 추론만을 〈보기〉에서 있는 대로 고른 것은?

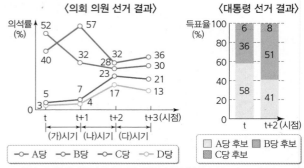

* t시점과 t+2시점에는 대통령 선거와 의회 의원 선거가 동시에 실시되었으며, t+1 시점과 t+3 시점에는 의회 의원 선거만 실시되었다.

| 보기 |

ㄱ. 대통령이 자신의 정책을 가장 강력하게 추진할 수 있는 시기는 (가) 시기였을 것이다.
ㄴ. (가) 시기에 비해 (나) 시기에 의회가 통과시킨 법률안에 대해 대통령이 거부권을 행사할 가능성이 낮을 것이다.
ㄷ. (가) 시기에 비해 (다) 시기에 행정부와 의회 사이의 협조가 원활하게 이루어졌을 것이다.
ㄹ. (나) 시기에 비해 (다) 시기에 C당이 B당을 견제하기 용이했을 것이다.

① ㄱ, ㄷ　　② ㄱ, ㄹ　　③ ㄴ, ㄷ
④ ㄱ, ㄴ, ㄹ　　⑤ ㄴ, ㄷ, ㄹ

| 평가원 기출 |

04 다음 자료에 대한 분석 및 추론으로 옳은 것은?

갑국은 전형적인 정부 형태인 대통령제와 의원 내각제 중 하나를 채택하고 있으며 　⊙　을/를 통해 행정부가 의회를 견제하고, 　⊙　을/를 통해 의회가 행정부를 견제한다. 갑국 의회의 정당별 의석률은 A당이 60%, B당이 40%이며, 행정부 수반은 B당 소속이다.

① 행정부 수반과 국가 원수는 동일인이다.
② A당 소속 의원은 각료를 겸직할 수 있다.
③ '법률안 제출권'은 ⊙에 들어갈 수 있다.
④ '내각 불신임권'은 ⊙에 들어갈 수 있다.
⑤ '탄핵 소추권'은 ⊙에, '법률안 거부권'은 ⊙에 들어갈 수 있다.

05 갑, 을의 주장에 대한 옳은 설명을 〈보기〉에서 고른 것은?

> 사회자 우리나라 정부 형태를 어떻게 바꾸어야 한다고 생각하십니까?
>
> 갑 정부의 법률안 제출권을 폐지하는 한편, 국회 의원이 국무총리나 국무 위원을 겸직할 수 없도록 해야 합니다.
>
> 을 대통령은 상징적인 지위를 갖고 국회가 선출하는 국무총리가 국정에 관한 전반적인 권한과 책임을 행사하도록 해야 합니다.

┃ 보기 ┃
ㄱ. 갑은 권력 분립의 원리가 엄격하게 구현되어야 한다고 본다.
ㄴ. 을은 행정부와 국회 간 더욱 긴밀한 협조가 필요하다고 본다.
ㄷ. 갑은 을과 달리 행정부가 국회에 정치적 책임을 져야 한다고 본다.
ㄹ. 을은 갑과 달리 국가 원수와 행정부의 수반이 일치되어야 한다고 본다.

① ㄱ, ㄴ 　② ㄱ, ㄷ 　③ ㄴ, ㄷ
④ ㄴ, ㄹ 　⑤ ㄷ, ㄹ

06 갑국과 을국이 채택하고 있는 전형적인 정부 형태에 대한 설명으로 옳은 것은?

> 갑국의 정부 형태는 입법부와 행정부가 엄격히 분리된 형태로서, 입법부와 행정부가 별도의 선거를 통해 구성된다. 반면 을국의 정부 형태는 입법부와 행정부의 권력이 융합된 형태로서, 입법부에서 다수의 의석을 차지한 정당의 대표가 행정부 수반이 되어 내각을 구성한다.

① 갑국에서 행정부는 의회에 대해 정치적 책임을 진다.
② 을국에서 행정부는 의회를 해산할 수 있는 권한을 가진다.
③ 갑국과 달리 을국에서 행정부 수반과 국가 원수는 동일인이다.
④ 을국과 달리 갑국에서 행정부는 법률안 제출권을 가진다.
⑤ 갑국과 을국 모두에서 행정부 수반의 임기는 보장된다.

07 A국 의회 선거 결과에 대한 분석 및 추론으로 옳은 것은?

> 이번 A국 의회 선거에서는 여당이 패배하며 의회 권력을 야당에 내줬다. 전체 의석 435석 중에서 갑당이 226석, 을당이 209석을 얻은 것이다. 여당으로서는 행정부 수반의 임기 후반 국정 장악력에 적신호가 커지게 되었다.

① 갑당이 국정 운영의 책임을 지게 되었다.
② 의회에서 여당의 의사가 더 잘 반영될 것이다.
③ 행정부 수반이 법률안 거부권을 행사할 가능성이 높아졌다.
④ 갑당이 행정부 구성에 참여하여 동거 정부가 구성될 수 있다.
⑤ 의회와 행정부의 상호 협조를 통한 능률적인 정책 수행이 가능하게 되었다.

08 다음 자료에 대한 설명으로 옳은 것은?

> 갑국과 을국의 정부 형태는 각각 전형적인 대통령제와 의원 내각제 중 하나이다. 행정부 수반이 소속된 정당의 의회 의석률은 갑국 35%, 을국 65%이며, 양국 모두 무소속 의원은 존재하지 않는다. 표는 질문에 따라 갑국과 을국을 비교한 것이다.

질문 \ 국가	갑국	을국
(가)	예	아니요
(나)	예	예

① (가)에 '행정부 수반이 국가 원수의 지위를 동시에 가지는가?'가 들어가면, 갑국의 행정부 수반은 임기가 보장되지 않는다.
② (가)에 '의회가 내각을 불신임할 수 있는가?'가 들어가면, 갑국과 달리 을국의 의회 의원은 각료를 겸직할 수 있다.
③ (나)에 '국민이 선거를 통해 행정부 수반을 직접 선출하는가?'가 들어갈 수 있다.
④ (나)에 '의회 내 과반 의석을 확보한 정당이 존재하는가?'가 들어가면, 을국과 달리 갑국의 행정부 수반은 법률안 거부권을 가진다.
⑤ (나)에 '의회 의석을 확보한 정당이 2개만 존재하는가?'가 들어가면, (가)에 '행정부가 법률안을 제출할 수 있는가?'가 들어갈 수 있다.

| 평가원 기출 |

09 그림에 대한 분석 및 추론으로 옳은 것은? (단, 갑국~정국의 정부 형태는 각각 전형적인 대통령제와 의원 내각제 중 하나이다.)

① 갑국과 달리 을국은 행정부 수반이 국가 원수의 지위를 가진다.
② 을국과 달리 병국은 행정 권력이 의회의 신임을 받는 동안에만 유지된다.
③ 병국과 달리 정국은 의회 의원이 각료를 겸직할 수 있다.
④ 갑국에 비해 병국은 행정부 정책 추진을 위한 법률 제·개정이 용이할 것이다.
⑤ 을국과 달리 병국, 정국은 연립 내각이 구성된다.

| 평가원 기출 |

10 다음 자료에 대한 설명으로 옳은 것은? (단, A와 B는 각각 전형적인 대통령제와 의원 내각제 중 하나이다.)

학습주제: 헌법에 나타난 우리나라 정부 형태의 특징	
A의 요소가 나타난 우리나라 헌법 조항	**B의 요소가 나타난 우리나라 헌법 조항**
• 제52조 국회 의원과 정부는 법률안을 제출할 수 있다. • _____(가)_____	• 제53조 ② 법률안에 이의가 있을 때에는 대통령은 제1항의 기간 내에 이의서를 붙여 국회로 환부하고, 그 제의를 요구할 수 있다. …(후략)… • _____(나)_____

① A에서 의회 의원은 각료를 겸직할 수 없다.
② B에서 행정부 수반은 의회 해산권을 가진다.
③ 우리나라에서 대통령이 국가 원수로서의 지위와 행정부 수반으로서의 지위를 동시에 가지는 것은 B의 요소에 해당한다.
④ '제67조 제1항 대통령은 국민의 보통·평등·직접·비밀 선거에 의하여 선출한다.'는 (가)에 들어갈 수 있다.
⑤ '제63조 제1항 국회는 국무총리 또는 국무 위원의 해임을 대통령에게 건의할 수 있다.'는 (나)에 들어갈 수 있다.

11 그림은 전형적인 두 가지 정부 형태 A, B를 구분한 것이다. 이에 대한 옳은 설명 만을 〈보기〉에서 고른 것은?

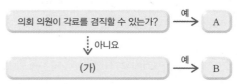

| 보기 |
ㄱ. A에서 행정부 수반은 국민에 의해 선출된다.
ㄴ. B에서 의회는 행정부를 불신임할 수 있다.
ㄷ. B는 A와 달리 행정부 수반이 법률안 거부권을 가진다.
ㄹ. (가)에는 '행정부가 법률안을 제출할 수 없는가?'라는 질문이 들어갈 수 있다.

① ㄱ, ㄴ   ② ㄱ, ㄷ   ③ ㄴ, ㄷ
④ ㄴ, ㄹ   ⑤ ㄷ, ㄹ

| 평가원 기출 |

12 다음 자료에 대한 분석 및 추론으로 옳은 것은?

갑국은 전형적인 정부 형태 중 하나를 채택하고 있다. 표는 각 시기별 갑국 의회의 정당별 의석률과 행정부 수반의 소속 정당을 나타낸다. 단, t+1 시기 의회 의원 선거는 국민이 행정부 수반을 선출하는 선거와 동시에 실시되었다.

시기	정당별 의석률(%)				행정부 수반 소속 정당
	A	B	C	D	
t	49	12	32	7	C
t+1	58	23	10	9	A
t+2	45	28	16	11	A

* 갑국의 정부 형태 변화는 없음.

① t 시기에 행정부의 강력한 정책 추진이 용이할 것이다.
② t 시기에 비해 t+1 시기에 연립 내각이 등장할 가능성이 높다.
③ t 시기에 비해 t+1 시기에 행정부 수반의 법률안 거부권 행사 가능성이 높다.
④ t+1 시기에 비해 t+2 시기에 의회가 내각을 불신임할 가능성이 높다.
⑤ t+1 시기에 비해 t+2 시기에 행정부와 의회 간 갈등이 발생할 가능성이 높다.

13 | 평가원 기출 |
다음 자료는 시기별 갑국의 정부 형태와 의회 내 정당별 의석 수를 나타낸다. 이에 대한 추론으로 가장 적절한 것은?

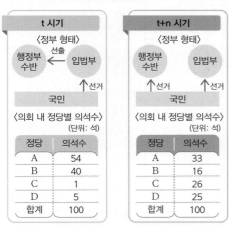

*t 시기와 t+n 시기에서 행정부 수반은 모두 A 정당 소속이다.

① t 시기는 t+n 시기와 달리 연립 내각이 구성되었을 것이다.
② t 시기는 t+n 시기와 달리 행정부 수반의 임기가 보장되어 정책의 지속성을 확보하기가 용이했을 것이다.
③ t+n 시기는 t 시기에 비해 다수당의 횡포 가능성이 높았을 것이다.
④ t+n 시기는 t 시기에 비해 의회 내에서 A 정당의 영향력은 감소한 반면 B 정당의 영향력은 증가했을 것이다.
⑤ t+n 시기는 t 시기에 비해 입법부와 행정부 간 대립 가능성이 높아 행정부의 강력한 정책 추진을 위한 법률 제·개정은 어려웠을 것이다.

14 | 평가원 기출 |
(가)에 들어갈 수 있는 내용으로 옳은 것은?

이번에 ○○당 소속 국회 의원이 □□부 장관으로 임명되었다는 뉴스봤니? 국회 의원이 장관을 겸임할 수 있어?

응, 우리 헌법은 의원 내각제 요소를 일부 채택하고 있어. 예를 들면, (가)

① 대통령은 국회를 해산할 수 있어.
② 행정부는 법률안을 제출할 수 있어.
③ 대통령은 법률안 거부권을 가지고 있어.
④ 국회는 법률을 제정하거나 개정할 수 있어.
⑤ 대통령이 행정부 수반과 국가 원수를 겸하고 있어.

15 (가)에 들어갈 수 있는 내용으로 옳지 <u>않은</u> 것은?

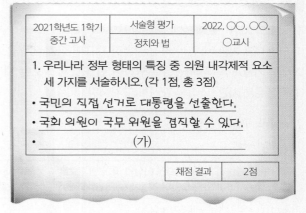

2021학년도 1학기 중간 고사	서술형 평가	2022. ○○. ○○.
	정치와 법	○교시

1. 우리나라 정부 형태의 특징 중 의원 내각제적 요소 세 가지를 서술하시오. (각 1점, 총 3점)
• 국민의 직접 선거로 대통령을 선출한다.
• 국회 의원이 국무 위원을 겸직할 수 있다.
• _____(가)_____

채점 결과	2점

① 행정부는 법률안을 제출할 수 있다.
② 국회 의원이 국무 위원을 겸직할 수 있다.
③ 국회는 국무총리의 해임을 건의할 수 있다.
④ 국회는 대통령에 대한 탄핵을 소추할 수 있다.
⑤ 대통령은 임시 국회의 소집을 요구할 수 있다.

16 (가)에 들어갈 수 있는 헌법 조항으로 옳은 것만을 〈보기〉에서 있는 대로 고른 것은?

우리나라 헌법은 대통령제를 정부 형태로 채택하고 있다. 다만, [(가)] 와/과 같은 헌법 조항의 내용에서 확인할 수 있듯이 순수한 대통령제와 같이 의회와 행정부의 관계가 완전히 독립되어 있다고 볼 수는 없다.

┤ 보기 ├
ㄱ. 제52조 국회 의원과 정부는 법률안을 제출할 수 있다.
ㄴ. 제53조 ② 법률안에 이의가 있을 때에는 대통령은 제1항의 기간 내에 이의서를 붙여 국회로 환부하고, 그 재의를 요구할 수 있다.
ㄷ. 제66조 ④ 행정권은 대통령을 수반으로 하는 정부에 속한다.
ㄹ. 제86조 ① 국무총리는 국회의 동의를 얻어 대통령이 임명한다.

① ㄱ, ㄴ 　　② ㄱ, ㄹ 　　③ ㄷ, ㄹ
④ ㄱ, ㄴ, ㄷ 　　⑤ ㄴ, ㄷ, ㄹ

우리나라의 국가 기관

1 국회

1. 국회의 지위
의의 현대 대의 정치에서 국민 주권의 원리를 실현하는 핵심적인 역할을 담당한다.

(1) **국민 대표 기관** 국민이 직접 선출한 대표인 국회 의원들로 구성됨.

(2) **입법 기관** 국민의 의견을 수렴하여 법률을 제정 또는 개정함. 자료 01

(3) **국정 통제 기관** 국정을 감시하고 견제함.

2. 국회의 구성과 운영

(1) **국회의 구성**

구성 형태	• 단원제[1]이며, 200인 이상의 국회 의원으로 규정함(현재 300명임). ─ 분석 지역구 253석, 비례 대표 47석 • 지역구 의원(국민이 직접 선출), 비례 대표 의원(정당별 득표율에 비례하여 선출)
국회 의원	• 임기 4년, 연임 가능함 • 국회 운영의 자주성을 보장하기 위해 불체포 특권,[2] 면책 특권[3] 등이 부여됨.
주요 기구	• 의장 1인, 부의장 2인 ─ 국회 의원 중에서 선출, 임기 2년 • 본회의: 국회의 의사를 최종적으로 결정함. • 위원회: 본회의에서 심사할 안건을 미리 조사함(상임 위원회, 특별 위원회). • 교섭 단체[4]: 국회의 중요 의사를 협의 및 조정하여 국회 운영을 원활하게 함.

(2) **국회의 운영**

회의 종류	• 정기회: 매년 1회 열리며, 100일 이내로 운영함. • 임시회: 대통령 또는 국회 재적 의원 1/4 이상의 요구로 열리며, 30일 이내로 운영함.
의결 방식	• 일반적으로 재적 의원 과반수의 출석과 출석 의원 과반수의 찬성으로 의결됨. • 가부 동수일 때는 부결[5]된 것으로 봄. ─ 의미 찬성과 반대의 수가 동일하다.
회의 원칙	• 회의 공개의 원칙: 본회의는 특별한 규정이 없는 한 공개함. • 회기 계속의 원칙: 한 회기 중에 의결하지 못한 안건은 다음 회기에서 계속 심의함. • 일사부재의의 원칙: 한번 부결된 안건은 같은 회기 중에 다시 발의·제출하지 못함.

비교 일사부재리의 원칙은 법의 일반 원칙이다.

(3) **국회의 권한**

비교 국정 감사는 매년 상임 위원회별로 실시되고, 국정 조사는 특정 시안이 발생했을 때 실시한다.

입법	헌법 개정에 관한 권한 자료 02, 법률 제정 및 개정에 관한 권한, 조약 체결·비준에 대한 동의권 등
국정 통제 자료 03	국정 감사·국정 조사권, 선전 포고·국군의 해외 파견에 대한 동의권, 일반 사면에 대한 동의권, 긴급 재정·경제 처분 및 긴급 명령에 대한 승인권, 국무총리·국무 위원의 국회 출석 요구 및 질문권과 해임 건의권, 법률이 정한 공무원에 대한 탄핵 소추권 ─ 분석 사전 동의와 사후 승인으로 구분한다.
재정	조세 결정권, 예산안 심의·확정권, 결산 심사권, 국채의 모집 및 예산 외에 국가 부담이 될 계약 체결에 대한 동의권 등 ─ 의미 정부의 세입과 세출의 집행을 계산하여 정리하는 권한이다.
국가 기관 구성	헌법 재판소 재판관 3인 및 중앙 선거 관리 위원회 위원 3인 선출권, 국무총리·감사원장·대법원장·헌법 재판소장 임명 등에 대한 동의권 등

비교 대통령이 행정 각부의 장 임명시에는 국회의 동의를 받지 않아도 된다.

2 대통령과 행정부

분석 국민의 직접 선거로 선출, 임기 5년, 중임할 수 없다.

1. 대통령의 지위와 권한

의미 외교관이 체결한 조약을 대통령이 확인하는 행위이다.

행정부 수반	행정부 지휘·감독권, 공무원 임면권, 국군 통수권, 대통령령 발포권 등
국가 원수	• 국가 대표: 조약의 체결·비준권, 외교 사절의 신임·접수·파견권, 선전 포고·강화권 • 헌법 수호: 긴급 재정·경제 처분 및 명령권, 긴급 명령권, 계엄 선포권 등 • 국정 조정: 국회 임시회 소집 요구권, 헌법 개정안 발의권, 국민 투표 부의권, 사면권[6] • 헌법 기관 구성: 국무총리, 대법원장, 대법관, 헌법 재판소장, 감사원장 등 임명권

셀파 자료 탐구

기출 선택지 ○, ×로 정리하기

자료 01 법률의 제·개정 절차

```
국회 의원 (10인 이상)        환부 거부(15일 이내)
정부
   제출 → 국회 의장 → 회부 → 상임 위원회 → 상정 → 본회의 → 이송 → 대통령 → 15일 이내 → 공포
                         직권 상정                              5일 이내 (국회 재의결 시)
```

자료 분석 | 법률의 제정 및 개정은 정부 또는 국회 의원 10인 이상의 발의로 시작되며, 상임 위원회에서는 안건을 심의하여 본회의에 상정한다. 천재지변, 전시·사변, 이에 준하는 국가 비상 사태, 의장이 각 교섭 단체 대표 의원과 합의하는 경우에는 국회 의장이 직권 상정할 수 있다. 상정된 법률안은 국회 재적 의원 과반수의 출석과 출석 의원 과반수의 찬성으로 의결된다. 대통령은 이송된 법률안을 15일 이내에 공포하거나 국회로 환부하여 재의를 요구할 수 있다. 재의 요구된 법률안은 재적 의원 과반수의 출석과 출석 의원 3분의 2 이상의 찬성으로 의결되면 법률로서 확정된다.

자료 02 헌법의 개정 절차

```
제안 → 공고 →[60일 이내] 국회 의결 →[30일 이내] 국민 투표 →[즉시] 공포
· 국회 재적 의원   · 대통령 20일   · 국회 재적 의원   · 유권자 과반수 투표 및   · 대통령
  과반수            이상            3분의 2 이상 찬성    투표자 과반수 찬성
· 대통령
```

자료 분석 | 헌법 개정은 국회 재적 의원 과반수 또는 대통령의 발의로 제안되며, 제안된 헌법 개정안은 국회 재적 의원 3분의 2 이상의 찬성으로 의결된다. 국회의 의결이 이루어지고 난 후 30일 이내에 주권자인 국민의 의견을 물어보기 위해 국민 투표를 실시한다. 이때 국민 투표는 선거권자 과반수의 투표와 투표자 과반수의 찬성으로 결정한다. 국민 투표로 헌법 개정안이 확정되면 대통령은 개정된 헌법을 즉시 공포할 의무가 있다.

자료 03 법원과 정부에 대한 국회의 견제 수단

(가) 국회는 본회의를 열어 두 명의 대법관 후보자에 대한 임명 동의안을 통과시켰다. 대법원장이 임명을 제청한 이들 후보자는 국회 인사 청문 특별 위원회의 임명 동의안 심사 경과 보고서 채택 과정을 거쳤다.

(나) 국회는 가습기 살균제 사고의 진상을 규명하고 피해를 구제하며 재발 방지 대책을 마련하고자 국정 조사를 하였다. 조사 대상에는 국무 조정실, 환경부, 보건 복지부 등 정부 부처와 관련 공공 기관, 가습기 살균제 제조 및 판매 업체와 원료 공급 업체가 포함되었다.

자료 분석 | (가)는 대법관 임명 동의권으로서 국회가 법원을 견제하는 수단이고, (나)는 국정 조사권으로서 국회가 정부를 견제하는 수단이다. 국회는 국민을 대표하는 기관으로서 다른 국가 기관을 감시하고 견제할 수 있는 국정 통제에 관한 권한을 가진다.

1 국회 의원 선거에서 비례 대표 의원은 각 정당별 득표율에 비례하여 선출된다. (○ , ×)

2 위원회와 교섭 단체는 국회 운영의 효율성을 높이는 데 기여한다. (○ , ×)

3 국회 회의는 공개하는 것이 원칙이고, 한 회기 중에 의결하지 못한 안건은 폐기된다. (○ , ×)

4 국회 의원의 불체포 특권과 면책 특권은 국회의 자주성을 확보하기 위한 것이다. (○ , ×)

5 대통령은 헌법 개정안에 대해 재의를 요구할 수 있다. (○ , ×)

6 국회의 일반 의결 정족수는 재적 의원 과반수의 출석과 출석 의원 과반수의 찬성이다. (○ , ×)

7 국회는 정기적으로 국정 전반을 감사하고 특정한 국정 사안을 조사할 수 있다. (○ , ×)

8 국회 본회의에서 법률안이 의결되면 국회 의장이 즉시 공포한다. (○ , ×)

9 국회는 국무총리, 대법원장과 대법관, 헌법 재판소장과 헌법 재판소 재판관, 감사원장의 임명에 대한 동의권을 행사한다. (○ , ×)

10 대통령은 국가 안위에 관한 중요 정책을 국민 투표에 부칠 수 있다. (○ , ×)

정답 1 ○ 2 ○ 3 × 4 ○ 5 × 6 ○ 7 ○ 8 × 9 × 10 ○

2. 행정부의 주요 조직 [자료 04]

국무총리	• 대통령을 보좌하며 행정에 관하여 대통령의 명을 받아 행정 각부를 통할함.
	• 국회 동의를 얻어 대통령이 임명함. ┗ **주의!** 의결 기관이 아니므로 대통령은 국무 회의 결과에 구속되지 않는다.
국무회의	• 행정부의 주요 정책을 심의하는 행정부 내 최고 심의 기관❼ • 의장(대통령), 부의장(국무총리), 일정 수의 국무 위원으로 구성됨.
행정각부	• 구체적인 행정 사무를 시행함. • 행정 각부의 장(장관)❽은 국무 위원 중에서 국무총리의 제청을 받아 대통령이 임명함.
감사원	국가 세입·세출의 결산 검사, 국가 및 법률이 정한 단체의 회계 감사, 행정 기관 및 공무원의 직무 감찰❾

┗ **중요** 조직상으로는 대통령 직속 기관이지만, 업무상으로는 독립된다.

3 법원과 헌법 재판소

1. 법원

(1) **사법권** 공적 및 사적 영역에서 발생하는 분쟁이나 사건에 법을 적용하여 옳고 그름이나 권리관계 등을 판단하는 권한으로, 법원에 속하며, 헌법 재판소에도 일부 권한이 부여됨.

(2) **사법권의 독립** 법원의 독립, 법관의 신분상 독립, 법관의 재판상 독립 → 공정한 재판을 실현함으로써 국민의 기본권 보장을 목적으로 함.

(3) **법원의 조직**❿

┗ **분석** 임기 6년으로 국회의 동의를 얻어 대통령이 임명한다.

대법원	• 최고 법원으로서 대법원장과 대법관으로 구성되며, 상고 및 재항고 사건을 담당함. • 위헌·위법 명령과 규칙 및 처분에 대한 최종 심사권 등 권한 행사 • 대통령, 국회 의원, 비례 대표 시·도 의원, 시·도지사 선거 소송 관할
고등법원	• 항소 및 항고 사건을 담당함. • 지역구 시·도 의원, 자치구·시·군 의원 및 자치구 시·군의 장 선거 소송 관할
지방법원	• 원칙적으로 제1심을 담당함. • 지방 법원 본원 합의부는 지방 법원 단독 판사의 판결·결정·명령에 대한 항소 및 항고 사건 관할

(4) **심급 제도** 급을 달리하는 법원이 다시 재판하는 제도 → 하급 법원의 판결 등에 불복하여 상급 법원에 다시 재판을 청구할 수 있음(상소 제도), 원칙적으로 3심제로 운영됨. [자료 05]

┗ **비교** • 판결에 불복: 항소(2심), 상고(3심)
 • 결정·명령에 불복: 항고(2심), 재항고(3심)

2. 헌법 재판소

(1) **지위** 헌법 해석과 관련된 분쟁을 사법적 절차에 따라 해결하는 헌법상 독립 기관

(2) **구성** 법관의 자격을 가진 9인의 재판관 → 국회에서 3인 선출, 대법원장이 3인 지명, 대통령이 3인을 지명하여 대통령이 임명함.

(3) **헌법 재판소의 권한**⓫

┗ **분석** 법원은 직권 또는 재판 당사자의 신청에 의한 결정으로 헌법 재판소에 위헌 법률 심판을 제청함.

위헌 법률 심판	법률의 위헌 여부가 재판의 전제가 될 때, 법원의 제청으로 그 법률의 위헌 여부를 심판함.
헌법 소원 심판 [자료 06]	• 권리 구제형: 공권력의 행사 또는 불행사로 헌법상 기본권을 침해당한 국민이 청구함. • 위헌 심사형: 재판 당사자가 법원에 위헌 법률 심판 제청을 신청하였으나 법원이 이를 받아들이지 않았을 때 당사자가 직접 청구함.
탄핵 심판	국회에서 탄핵 소추를 받은 자를 공직에서 파면시켜야 하는지를 심판함.
위헌 정당 해산 심판	정부가 그 목적이나 활동이 민주적 기본 질서에 어긋난다고 생각하는 정당의 해산을 요구할 경우에 이를 심판함.
권한 쟁의 심판	국가 기관 상호 간, 국가 기관이나 지방 자치 단체 간, 지방 자치 단체 상호 간의 권한에 대한 다툼을 심판함.

---

❼ **대통령의 신중한 권한 행사와 관련된 제도**
• 국무 회의 심의: 대통령이 국정과 관련하여 수행하는 중요한 일은 반드시 국무 회의의 심의를 거쳐야 한다.
• 부서(副署) 제도: 법령이나 대통령의 국무에 관한 문서에 대통령이 서명한 다음, 국무총리와 관계 국무 위원이 함께 서명하는 제도

❽ **행정 각부의 장(장관)**
장관의 지위에서 소관 사무를 집행하거나 부령을 발하며, 국무 위원의 지위에서 국무 회의에 참여하여 국정 전반에 대해 의견을 제시할 수 있다.

❾ **직무 감찰**
감사원의 직무 감찰은 공무원의 위법·비위 사실에 대한 조사 및 징계 처분, 공무원을 수사 기관에 고발하는 것 등이다.

❿ **기타 법원**
전문적 영역의 사건을 다루는 법원으로 특허 법원, 행정 법원, 가정 법원, 회생 법원이 있다.

⓫ **헌법 재판소의 심판 결정 정족수**
위헌 법률 심판, 탄핵 심판, 위헌 정당 해산 심판, 헌법 소원 심판에서 인용 결정을 할 때에는 9인의 재판관 중 6인 이상의 찬성이 있어야 한다. 권한 쟁의 심판은 종국 심리에 관여한 재판관 중 과반수의 찬성으로 사건에 관한 결정을 할 수 있다.

셀파 자료 탐구

자료 04 우리나라의 행정부 조직도

우리나라 행정부 조직도

* 2017년 11월 기준

```
                    대통령
       감사원                  대통령 경호처
              국무총리
 국가 보훈처   인사 혁신처        법제처   식품 의약품 안전처
```

기획재정부	교육부	과학기술정보통신부	외교부	통일부	법무부
국방부	행정안전부	문화체육관광부	농림축산식품부	산업통상자원부	보건복지부
환경부	고용노동부	여성가족부	국토교통부	해양수산부	중소벤처기업부

자료 분석 | 행정부는 5개의 처와 18개 부 및 그 아래 17청으로 조직되어 입법부나 사법부보다 방대한 조직으로 다양한 업무를 수행한다. 따라서 국민 생활에 직접적인 영향을 끼치며, 정책이 효과를 나타내는데 가장 실질적인 역할을 담당한다. 모든 국민의 인간다운 생활의 실현이 국가의 의무로 인식되는 현대 복지 국가에서 행정의 규모는 더욱 커지고, 전문성은 높아질 수밖에 없다.

자료 05 심급 제도

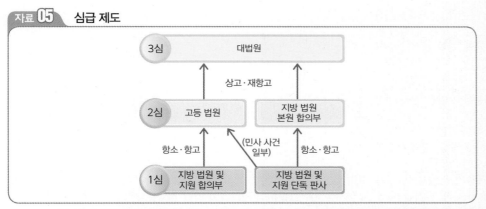

자료 분석 | 항소란 법원의 판결에 불복하여 2심 재판을 청구하는 것이고, 상고란 2심 법원의 판결에 불복하여 3심 재판을 청구하는 것이다. 법원의 판결이 아닌 결정과 명령에 불복할 경우 항고 또는 재항고할 수 있다. 한편, 특허 재판, 지방 의회 의원 및 기초 자치 단체의 장 선거 재판은 2심제, 비상 계엄하의 군사 재판, 대통령, 국회 의원, 시·도지사 선거 재판은 단심제로 이루어진다.

자료 06 헌법 소원 심판의 유형

구분	위헌 심사형 헌법 소원	권리 구제형 헌법 소원
청구 주체	재판을 받고 있는 당사자	공권력에 의해 기본권이 침해된 당사자
전제 조건	법률의 위헌 여부에 대한 심판 제청 신청이 기각된 경우	모든 권리 구제 절차를 거친 경우

자료 분석 | 위헌 심사형 헌법 소원은 법률의 위헌 여부가 재판의 전제가 되어야 하며, 헌법 재판소에서 해당 법률 조항이 위헌으로 결정되면 즉시 효력을 상실한다. 권리 구제형 헌법 소원은 국가 공권력의 행사 또는 불행사로 기본권을 침해당한 경우에 청구할 수 있으며, 법원의 판결은 심판 대상이 되지 않는다.

기출 선택지 O, ×로 정리하기

1 국무총리는 총리령을 발하거나 국무 위원에 대한 임명 및 해임권을 행사할 수 있다.
(O , ×)

2 국무 회의의 의장은 대통령, 부의장은 국무총리가 맡는다.
(O , ×)

3 감사원은 대통령 소속의 헌법 기관이지만 업무에 있어서는 대통령의 지휘를 받지 않는다.
(O , ×)

4 1심 법원의 판결에 불복하여 2심 법원에 재판을 청구하는 것을 항소라고 한다.
(O , ×)

5 법관은 헌법과 법률에 의하여 그 양심에 따라 독립하여 심판한다.
(O , ×)

6 대통령, 국회 의원, 비례 대표 시·도 의원, 시·도지사 선거 소송은 2심제가 적용된다.
(O , ×)

7 고위 공무원이 직무 수행 중 헌법이나 법률을 위반하면 헌법 재판소가 직권으로 탄핵 심판을 할 수 있다.
(O , ×)

8 법원의 판결은 헌법 소원 심판의 대상이 될 수 없다.
(O , ×)

9 국민의 기본권이 공권력에 의해 침해되었을 때 이를 구제하기 위한 심판은 권한 쟁의 심판이다.
(O , ×)

정답 1× 2○ 3○ 4○ 5○ 6×
      7× 8○ 9×

1 국회

지위	국민의 대표 기관, 입법 기관, 국정 통제 기관
국회 의원	• 지역구 의원과 비례 대표 의원 • 임기 4년, 면책 특권과 불체포 특권
조직	• 국회 의장 1인과 부의장 2인 • (❶　　　): 본회의에서 심의할 안건을 미리 조사함. • 교섭 단체: 국회의 중요 의사를 협의·조정함.
운영	• 정기회와 임시회 • 일반적으로 재적 의원 과반수 출석과 출석 의원 과반수의 찬성으로 의결됨.
권한	• 입법: 헌법 개정에 관한 권한, 법률 제·개정에 관한 권한, 조약 체결 및 비준에 대한 동의권 • 국정 통제: 국정 감사 및 조사권, 탄핵 소추권, 국무총리 및 국무 위원 해임 건의권 등 • 재정: 예산안 심의·확정권, 결산 심사권, 조세 결정권 등 • 국가 기관 구성: 국무총리, 감사원장, 대법원장, 헌법 재판소장 임명 동의권 등

2 대통령과 행정부

대통령 지위	• 행정부 수반: 행정부 지휘·감독권, 국군 통수권, 공무원 임면권, 대통령령 발포권 등 • (❷　　　): 조약 체결·비준권, 외교 사절 신임·접수·파견권, 긴급 재정·경제 처분 및 명령권, 계엄 선포권, 국민 투표 부의권, 헌법 개정안 발의권, 국무총리·대법원장·대법관·헌법 재판소장·감사원장 등 임명권 등
행정부 주요 조직	• 국무총리: 대통령 보좌, 대통령의 명을 받아 행정 각부를 통할함. • (❸　　　): 행정부 최고 심의 기관 • 행정 각부: 구체적인 행정 사무 집행, 행정 각부의 장은 국무 위원 중에서 대통령이 임명함. • (❹　　　): 국가 세입·세출의 결산 검사, 국가 및 법률이 정한 단체의 회계 감사, 행정 기관 및 공무원의 직무 감찰 등

3 법원과 헌법 재판소

법원 조직	• 대법원: 상고 및 재항고 사건 재판 • 고등 법원: 지방 법원 판결·결정·명령에 대한 항소 및 항고 사건 재판 • 지방 법원: 민사, 형사 사건에 대한 1심 재판
헌법 재판소	• 헌법 관련 심판 담당 기관 • 구성: 법관의 자격을 가진 9명의 재판관을 대통령이 임명함. • 권한: (❺　　　) 심판, 헌법 소원 심판, 탄핵 심판, 위헌 정당 해산 심판, 권한 쟁의 심판

정답 ❶ 위원회 ❷ 국가 원수 ❸ 국무 회의 ❹ 감사원 ❺ 위헌 법률

---

1 국회

01 다음 교사의 질문에 옳은 답변을 한 학생만을 있는 대로 고른 것은?

> 교사　우리나라 국회의 구성과 운영에 대해 발표해 볼까요?
> 갑　의안의 전문적인 심의를 위해 위원회를 두었어요.
> 을　단원제 형태로 임기 5년의 국회 의원으로 구성되었어요.
> 병　현행 헌법은 국회 의원의 수를 200명 이상으로 규정했어요.
> 정　한 회기 중에 의결하지 못한 안건은 다음 회기에 처음부터 심의해야 해요.

① 갑, 을　　② 갑, 병　　③ 을, 병
④ 을, 정　　⑤ 병, 정

★02 그림은 우리나라의 입법 절차를 간략히 나타낸 것이다. 밑줄 친 ㉠~㉣에 대한 설명으로 옳은 것은?

① ㉠에는 국회 출석 의원 과반수의 찬성이 있어야 한다.
② ㉡은 전형적인 의원 내각제에서는 존재하지 않는 절차이다.
③ ㉢은 국회 의원 20인 이상으로 구성되며, 국회 중요 의사를 협의하고 조정한다.
④ ㉣은 의결된 법률안을 공포하지 않고 거부할 수 있다.
⑤ ㉣이 재의를 요구한 경우 본회의에서는 재적 의원 과반수 이상의 찬성으로 재의결할 수 있다.

03 (가), (나)의 국회 활동에 대한 옳은 설명만을 〈보기〉에서 고른 것은?

> (가) 국회는 2017년 9월 11일 헌법 재판소장 후보자 ○○○의 임명 동의안에 대한 무기명 투표를 시행하였는데 부결되었다.
> (나) 국회는 2016년 7월 7일부터 10월 4일까지 90일 동안 가습기 살균제 사고의 진상을 규명하고 피해를 구제하며 재발 방지 대책을 마련하고자 국정 조사를 하였다.

┤ 보기 ├
ㄱ. (가)는 입법 기관으로서의 기능에 해당한다.
ㄴ. (가)로 인해 대통령은 헌법 재판소장을 임명할 수 없다.
ㄷ. (나)는 국회가 행정부를 견제하는 수단을 행사한 것이다.
ㄹ. (나)는 국회가 정기적으로 국정 전반을 통제하는 것이다.

① ㄱ, ㄴ ② ㄱ, ㄷ ③ ㄴ, ㄷ
④ ㄴ, ㄹ ⑤ ㄷ, ㄹ

★04 밑줄 친 ㉠~㉤에 대한 설명으로 옳은 것은?

제○○회 국회(㉠ 정기회) 전체 의사 일정	
9. 3.	개회식
9. 4. ~ 9. 5.	국정에 관한 ㉡ 교섭 단체 대표 연설
9. 6. ~ 9. 11.	대정부 질문
9. 14. ~ 9. 29.	• ㉢ 위원회 활동 및 각종 법안 처리 • 한국-△△국 형사 ㉣ 조약 비준 동의안 처리
9. 30.	2011년 회계 연도 세입·세출 결산
10. 5. ~ 10. 20.	㉤ 국정 감사

① ㉠은 국회 재적 의원 1/4 이상의 요구가 있어야 한다.
② ㉡은 10인 이상의 소속 의원을 가진 정당이 구성한다.
③ ㉢은 본회의에서 심의할 안건을 미리 전문적으로 심사하는 역할을 담당한다.
④ ㉣은 국회의 국정 통제 권한에 해당한다.
⑤ ㉤은 필요할 때 특정 사안을 조사하는 권한이다.

2 대통령과 행정부

05 다음과 같은 대통령 권한 행사 방식의 목적으로 가장 적절한 것은?

> 대통령은 일정한 권한을 행사할 때 국무 회의의 심의를 거쳐야 한다. 또한 국가의 중요한 일이나 국민의 기본권을 제한하는 권한을 행사하는 경우 국회의 동의나 승인을 받아야 한다. 대통령의 국법상 행위는 문서로 해야 하며, 그 문서에는 국무총리와 관계 국무 위원이 부서해야 한다.

① 국정 처리를 신속하게 하려는 것이다.
② 국정 운영을 신중하게 하려는 것이다.
③ 국정 처리 권한을 확대하기 위한 것이다.
④ 국민의 의사를 국정 운영에 반영하려는 것이다.
⑤ 정책 집행 효과가 공정하게 나타나게 하려는 것이다.

06 그림의 A~C 행정 기관에 대한 옳은 설명만을 〈보기〉에서 고른 것은? (단, A~C는 각각 국무총리, 국무 회의, 감사원에 해당한다.)

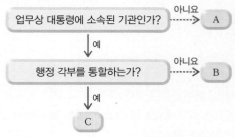

┤ 보기 ├
ㄱ. A는 국가의 세입·세출의 결산을 검사한다.
ㄴ. B의 의결 사항은 대통령을 법적으로 구속하지 않는다.
ㄷ. C는 행정부의 주요 정책을 심의하는 최고 심의 기관이다.
ㄹ. B의 구성원은 A의 제청으로 대통령이 임명한다.

① ㄱ, ㄴ ② ㄱ, ㄷ ③ ㄴ, ㄷ
④ ㄴ, ㄹ ⑤ ㄷ, ㄹ

07 그림은 우리나라 행정부의 조직을 간략히 나타낸 것이다. 밑줄 친 ㉠~㉣에 대한 설명으로 옳은 것은?

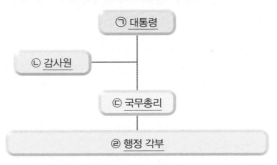

① ㉢은 국무 회의에서 의장의 지위를 갖는다.
② ㉣의 장은 국회 의원을 겸직할 수 없다.
③ ㉠과 ㉢의 임기는 헌법에 규정되어 있다.
④ ㉡은 ㉠의 지휘 감독을 받아 업무를 수행한다.
⑤ ㉠이 ㉡의 장과 ㉢을 임명하기 위해서는 국회의 동의를 받아야 한다.

3 법원과 헌법 재판소

08 다음 자료에 대한 옳은 설명만을 〈보기〉에서 고른 것은?

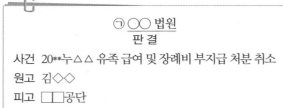

㉠ ○○ 법원
판 결
사건 20**누△△ 유족 급여 및 장례비 부지급 처분 취소
원고 김◇◇
피고 □□공단
제1심 판결 ㉡ 행정 법원 …
주 문
1. 제1심 판결을 취소한다.
2. 피고가 원고에 대하여 한 유족 급여 및 장례비 부지급 처분을 취소한다.

┤ 보기 ├
ㄱ. 원고는 1심 결과에 불복하여 항소하였다.
ㄴ. ㉠은 헌법을 해석하는 사법부의 최고 법원이다.
ㄷ. 피고는 ㉠의 판결에 불복하는 경우 ㉠의 상급 법원에 재판을 청구할 수 있다.
ㄹ. ㉡은 2심을 원칙으로 하는 재판의 1심 법원이다.

① ㄱ, ㄴ   ② ㄱ, ㄷ   ③ ㄴ, ㄷ
④ ㄴ, ㄹ   ⑤ ㄷ, ㄹ

09 다음 헌법 조항의 제정 목적으로 가장 적절한 것은?

• 제103조 법관은 헌법과 법률에 의하여 그 양심에 따라 독립하여 심판한다.
• 제106조 ① 법관은 탄핵 또는 금고 이상의 형의 선고에 의하지 아니하고는 파면되지 아니하며, 징계 처분에 의하지 아니하고는 정직·감봉 기타 불리한 처분을 받지 아니한다.

① 사법권의 독립
② 재판의 효율성 추구
③ 법관의 권한 남용 방지
④ 재판 과정의 투명성 확보
⑤ 사법부 권한에 대한 견제 및 통제

10 (가), (나)는 헌법 소원 심판의 종류이다. 이에 대한 설명으로 옳은 것은?

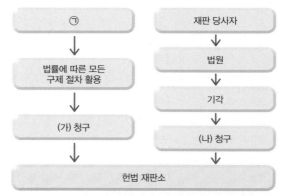

① ㉠은 타인에 의해 기본권을 침해당한 당사자이다.
② (가)의 결과에 불복할 경우 대법원에 상소할 수 있다.
③ (나)의 청구는 법률의 위헌 여부에 대한 판단을 요구하는 것이다.
④ (가)와 달리 (나)는 법원이 직권으로 심판을 제청할 수 없다.
⑤ (가)의 청구가 기각되는 경우, (나)를 청구할 수 있다.

11 그림은 헌법 개정 절차를 나타낸 것이다. 이를 보고 물음에 답하시오.

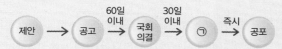

(1) 헌법 개정을 위한 국회의 의결 정족수를 쓰시오.

(2) ㉠에 들어갈 절차를 쓰시오.

12 (가)에 들어갈 알맞은 용어를 쓰시오.

> (가) 은/는 국회에서 일단 부결된 안건은 같은 회기 중에 다시 발의 또는 제출하지 못한다는 원칙이다. 이 원칙은 회기 중에 이미 한 번 부결된 안건에 대하여 다시 심의하는 것은 회의의 능률을 저해하며, 동일한 안건에 대하여 전과 다른 의결을 하면 어느 것이 회의체의 진정한 의사인지 알 수 없는 문제가 발생할 수 있다는 점에서 시행하는 제도이다.

13 (가), (나)에 들어갈 헌법 재판소의 권한을 쓰시오.

> 학교 보건법을 위반한 혐의로 기소되어 △△지방 법원에서 재판을 받던 갑은 관련 조항이 자신의 기본권을 침해한다고 보고 △△지방 법원에 (가) 제청 신청을 하였다. 법원이 갑의 신청을 기각하자 (나) 을/를 헌법 재판소에 청구하였다.

14 다음 글을 읽고 물음에 답하시오.

> 대통령이 형의 선고를 받은 특정한 사람의 형의 집행을 면제하거나 형의 선고의 효력을 상실케 하는 권한을 (가) 이라고 한다. 이것은 법무부 장관이 상신하고 국무 회의의 심의를 거쳐 대통령이 결정한다.

(1) (가)에 들어갈 대통령의 권한을 쓰시오.

(2) (가)를 통해 견제 대상이 되는 국가 기관을 쓰시오.

15 그림은 심급 제도를 나타낸 것이다. 이를 보고 물음에 답하시오.

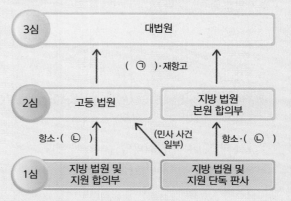

(1) ㉠, ㉡에 들어갈 절차를 쓰시오.

(2) 위 제도를 시행하는 목적을 서술하시오.

....

....

....

| 수능 기출 |

01 밑줄 친 ㉠~㉣에 대한 옳은 설명만을 〈보기〉에서 있는 대로 고른 것은?

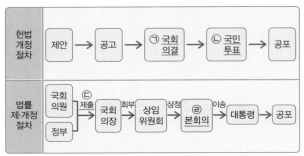

┨ 보기 ┠

ㄱ. ㉠을 위해서는 국회 재적 의원 3분의 2 이상의 찬성을 얻어야 한다.

ㄴ. 국회 의원 선거권자는 ㉡에 참여하여 투표할 수 있다.

ㄷ. 정부의 ㉢은 국회 의원 10인 이상의 동의가 필요하다.

ㄹ. 교섭 단체는 제출된 법률안을 ㉣에 직권 상정할 수 있다.

① ㄱ, ㄴ   ② ㄱ, ㄹ   ③ ㄷ, ㄹ

④ ㄱ, ㄴ, ㄷ   ⑤ ㄴ, ㄷ, ㄹ

| 평가원 기출 |

02 그림은 우리나라 헌법 기관 간 견제 관계를 나타낸다. A~C에 대한 설명으로 옳은 것은? (단, A~C는 각각 국회, 대법원, 헌법 재판소 중 하나이다.)

① A의 장(長)은 국무 회의의 부의장이 된다.

② B는 국정을 감사하거나 특정한 국정 사안에 대하여 조사할 수 있다.

③ C는 정당의 목적이나 활동이 민주적 기본 질서에 위배된다는 정부의 제소가 있을 때 그 정당의 해산 심판을 담당한다.

④ C가 위헌 법률 심판권을 행사하기 위해서는 A의 위헌 법률 심판 제청이 전제되어야 한다.

⑤ B의 장(長)과 달리 C의 장(長)을 대통령이 임명할 때에는 A의 동의가 필요하다.

| 수능 기출 |

03 다음 자료에 대한 설명으로 옳은 것은? (단, (가)와 (나)는 우리나라의 국가 기관이다.)

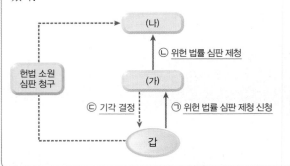

갑은 자신에 대한 재판의 전제가 된 법률 조항의 법정 최고형이 사형까지 규정되어 있어 기본권을 침해한다고 판단하고, 다음과 같은 절차로 기본권을 구제받고자 하였다.

① (가)가 ㉠을 받아들이면 해당 법률 조항은 효력을 상실한다.

② (가)는 갑의 신청 없이 ㉡을 할 수 없다.

③ (나)는 ㉡에 의한 법률의 위헌 여부를 심판하는 권한으로 국회를 견제할 수 있다.

④ 갑이 ㉢에 불복하는 경우 항고할 수 있다.

⑤ (가), (나) 모두 공정한 재판을 보장하기 위해 심급 제도를 두고 있다.

| 수능 기출 |

04 우리나라 헌법 기관 A~D에 대한 설명으로 옳은 것은?

- A는 국가의 예산안을 심의·확정한다.
- B는 세입·세출의 결산을 매년 검사하여 C와 차년도 A에 그 결과를 보고하여야 한다.
- 예산안 결산은 C가 의장이 되는 D의 심의를 거쳐야 한다.

① A는 입법 사항에 관한 조약을 체결·비준한다.

② B는 D의 소속하에 있지만 업무의 독립성을 보장받는다.

③ C가 일반 사면을 명하려면 A의 동의를 얻어야 한다.

④ C의 긴급 재정·경제 처분은 B의 승인을 얻어야 한다.

⑤ D의 모든 구성원은 A의 동의를 받아 C가 임명한다.

05 | 평가원 기출 |
그림은 (가)~(다) 질문에 따라 우리나라 국가 기관 A~C를 구분한 것이다. 이에 대한 옳은 설명만을 〈보기〉에서 있는 대로 고른 것은? (단, A~C는 각각 감사원, 국회, 대통령 중 하나이다.)

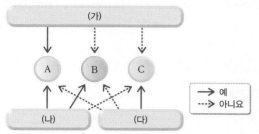

→ 예
⇢ 아니요

┤ 보기 ├

ㄱ. (가)에 '조약의 체결·비준에 대한 동의권을 가지고 있습니까?'가 들어가면, (나)에 '헌법 재판소 재판관의 구성 권한이 있습니까?'가 들어갈 수 없다.

ㄴ. (나)에 '국민으로부터 직접 민주적 정당성을 부여받았습니까?'가 들어가면, (다)에 '국가 세입·세출의 결산 검사의 권한을 가집니까?'가 들어갈 수 있다.

ㄷ. (가)에 '법률안 재의 요구권이 있습니까?'가 들어가고 (나)에 '헌법 개정에 관한 권한이 있습니까?'가 들어가면, B의 장(長)은 탄핵 소추의 대상이 된다.

ㄹ. (가)에 '국정 감사권을 가지고 있습니까?'가 들어가고 (다)에 '행정 기관 및 공무원의 직무에 관한 감찰을 합니까?'가 들어가면, C의 장(長)은 A의 동의를 얻어 B가 임명한다.

① ㄱ, ㄴ ② ㄴ, ㄹ ③ ㄷ, ㄹ
④ ㄱ, ㄴ, ㄷ ⑤ ㄴ, ㄷ, ㄹ

06 | 수능 기출 |
다음 자료는 우리나라 국회의 활동을 나타낸 것이다. 밑줄 친 ㉠~㉣에 대한 설명으로 옳은 것은?

- 국무총리 후보자 □□□의 ㉠ 임명 동의안 의결
- ◇◇ 사고의 진상 규명을 위한 ㉡ 국정 조사 실시
- 대통령이 ㉢ 재의 요구한 △△법 ㉣ 개정안 재의결

① ㉠은 감사원장 임명 시에도 실시된다.
② ㉡은 입법부가 정기적으로 실시하는 행정부 견제 수단이다.
③ 대통령은 헌법 개정안에 대해서 ㉢을 할 수 있다.
④ △△법 개정안은 ㉣ 이후 국민 투표로 확정된다.
⑤ ㉡은 ㉣과 달리 국회의 입법 권한에 해당한다.

07 | 평가원 기출 |
우리나라 국가 기관 A~C에 대한 설명으로 옳은 것은?

절도죄 혐의로 공소 제기되어 징역 10월을 선고받은 갑은 항소하였고, 항소 법원인 A는 갑에게 형 감경 사유가 있다는 이유로 징역 8월을 선고하였다. 이후 상고한 갑은 상고심 계속 중 사건에 적용된 법률 조항에 대해 위헌 법률 심판 제청 신청을 하였으나 B는 이를 기각하였다. 이에 갑은 해당 법률 조항에 대해 C에 헌법 소원 심판을 청구하였다.

① A가 '지방 법원 합의부'라면 B는 '고등 법원'이다.
② B는 국회 의원 선거의 효력을 다투는 소송의 재판권을 가진다.
③ B의 장(長)은 C의 재판관 3인을 임명한다.
④ B는 직권으로 C에 헌법 소원 심판을 청구할 수 있다.
⑤ C는 A의 법관을 탄핵 소추할 수 있다.

08 | 수능 기출 |
우리나라 헌법 기관 A~E에 대한 설명으로 옳은 것은?

간추린 뉴스입니다. 오늘 A의 주재로 열린 국무 회의에서 ○○ 법률 개정안 제출을 위한 심의를 하였습니다. 한편 B는 국무 위원 임명 제청권자인 C의 출석에 대한 협의와 함께 A 소속의 헌법 기관 D의 장(長)에 대한 임명 동의안을 처리할 예정입니다. 또한 E는 □□ 사건에 대한 상고심에서 원심을 확정하였습니다.

① A는 C와 달리 헌법상 임기가 보장된다.
② B는 예산안에 대한 심의·의결권을, D는 결산 심사권을 가진다.
③ C와 달리 E의 장(長)은 B의 동의를 얻어 A가 임명한다.
④ D는 국정을 감시·통제하는 국정 감사권을 통해 C를 견제한다.
⑤ E는 A와 B 상호 간의 권한 쟁의에 대한 심판권을 가진다.

03 지방 자치의 의의와 과제

1 지방 자치의 의의

1. 지방 자치
(1) **의미** 일정한 지역의 주민들이 자치 단체를 구성하여 해당 지역의 사무를 자율적으로 처리하는 제도
(2) **종류**

단체 자치	지방 자치 단체가 중앙 정부로부터 자치권을 인정받아 스스로 지역 사무를 처리하는 지방 자치
주민 자치	지역 주민들이 해당 지역의 문제에 관한 정책을 스스로 결정하고 집행하는 지방 자치

2. 지방 자치의 의의
(1) **풀뿌리 민주주의❶ 실현에 기여** 지역 주민이 지역 문제를 자주적으로 해결하는 과정에서 민주주의의 경험을 쌓고 정치 의식과 책임 의식을 고양할 수 있음.
(2) **권력 분립의 원리 실현에 기여** 정치 권력이 중앙 정부에 집중되는 것을 막고 이를 각 지방에 분산함. → 중앙 정부와 지방 정부 간 수직적 권력 분립 실현
　　　└ **비교** 국가 기관의 권한을 입법, 행정, 사법으로 나누어 부여하는 것을 수평적 권력 분립이라고 한다.

2 우리나라의 지방 자치

1. 우리나라 지방 자치의 역사
(1) **제헌 헌법(1948)** 지방 자치 제도 규정, 지방 자치법 제정(1949), 지방 의회 구성(1952)
(2) **4·19 혁명(1960) 이후** 모든 자치 단체장을 직선제로 선출
(3) **5·16 군사 정변(1961) 이후** 지방 의회 폐지 및 자치 단체장 임명제 시행
(4) **1990년 이후** 주민 직선의 지방 의회 구성(1991), 지방 자치 단체장 선출(1995)

2. 우리나라의 지방 자치 제도
(1) **지방 자치 단체의 종류** 광역 자치 단체, 기초 자치 단체
(2) **지방 자치 단체의 구성** 자료 01

지방 의회 (의결 기관)	• 주민의 대표 기관, 지역 내 최고 의사 결정 기관, 집행 기관의 견제 및 감시 기관 • 지역 주민이 직접 선출하는 임기 4년의 지방 의회 의원(지역구 의원과 비례 대표 의원)으로 구성 • 조례❷의 제·개정 및 폐지권 자료 02 자료 03, 지방 예산의 심의 및 확정권, 예산 결산 승인권, 기타 주민 부담에 관한 사항의 심의 및 의결권, 지방 행정 사무 전반에 대한 감사권과 특정 사안에 대한 조사권 등 **의의** 지방 자치 단체장을 견제할 수 있는 권한이다. ┘
지방 자치 단체장 (집행 기관)	• 지방 자치 단체를 대표하는 집행 기관　┌ **의의** 우리나라는 단체장을 통한 간접적인 • 지역 주민이 직접 선출하는 임기 4년의 단체장　형태로 주민 발안 제도를 시행한다. • 지역의 행정 사무 총괄, 규칙❸ 제·개정 및 폐지권, 조례안의 지방 의회 제출권, 재의 요구권 등

　　　　└ **의의** 지방 의회의 의결 사항에 대해 이의가 있을 때 행사하며, 지방 의회를 견제할 수 있는 권한이다. ┘

(3) **우리나라 지방 자치법상 지방 자치 단체의 종류**

구분		의결 기관	집행 기관	
			일반 업무	교육·학예 업무
광역 자치 단체	특별시, 광역시, 특별자치시❹, 도, 특별자치도❺	시·도 의회	시장·도지사	교육감❻
기초 자치 단체	시·군·구(자치구)	시·군·구 의회	시장·군수·구청장	–

　　　└ **주의** 교육의 자주성과 전문성을 위해 선거에서 정당의 공천을 받지 않는다. ┘

· 지방 자치의 의미와 의의

의미	일정한 지역의 주민이 자치 단체를 구성하여 해당 지역의 사무를 자율적으로 처리하는 제도
의의	• 지역 주민의 정치 의식과 책임 의식 고양 → 풀뿌리 민주주의 실현 • 정치 권력 분산 → 중앙 정부와 지방 정부 간 수직적 권력 분립 실현

❶ 풀뿌리 민주주의
수많은 국민이 정치를 자신의 문제로 여기고 적극적으로 참여하여 국민 자치가 활발하게 이루어지는 민주주의의 한 형태이다.

❷ 조례
지방 자치 단체가 특정 사무에 관하여 법령의 범위 내에서 지방 의회의 의결을 거쳐 제정한 법규이다.

❸ 규칙
지방 자치 단체의 장이 그 권한에 속하는 사항에 관하여 법령 또는 조례가 위임한 범위 내에서 정하는 법규이다.

❹ 특별자치시
행정 중심 복합 도시를 만들면서 기존의 자치의 규모보다는 작지만 광역 자치 단체로 격상시키기 위해 신설한 자치 단체이다.

❺ 특별자치도
도와 기능적으로 거의 동일하지만, 관련 법률에 의거해 고도의 자치권이 보장되는 자치 단체이다.

❻ 교육감
각 시·도의 교육 및 학예 업무를 집행하는 시·도 교육청의 장으로, 주민이 선출하며, 임기는 4년, 3회에 한해 중임이 가능하다.

셀파 자료 탐구

자료 01 우리나라 지방 자치 단체의 구성

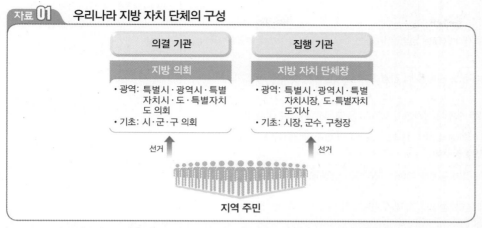

자료 분석 | 우리나라의 지방 자치 단체는 특별시, 광역시, 특별자치시·도, 특별자치도와 같은 광역 자치 단체와 시, 군, 구와 같은 기초 자치 단체로 구분한다. 지방 자치 단체는 의결 기관인 지방 의회와 집행 기관인 지방 자치 단체의 장으로 구성되며, 지방 의회 의원과 지방 자치 단체의 장은 주민의 직접 선거를 통해 선출된다. 지방 자치 단체장의 임기는 4년으로 3선까지만 연임이 가능하다. 지방 의회 의원의 임기는 4년이고, 별도의 연임 제한이 없다.

자료 02 지방 의회의 조례 제정

「〇〇도 청년기본소득 지급 조례」

제1조(목적) 이 조례는 〇〇도 청년에게 청년기본소득을 지급하여 청년층의 사회적 참여 촉진 및 사회적 기본권 보장을 지원하는 동시에 지역 경제 활성화에 이바지함을 목적으로 한다.
제5조(지급 대상) 청년기본소득의 지급 대상은 지급 기준일 현재 경기도에 주민 등록을 두고 있는 만24세 청년으로서 다음 각 호의 어느 하나에 해당하는 경우 지급한다.
　1. 도내 3년 이상 주민 등록을 두고 계속 거주하고 있는 경우
제6조(지급액 및 지급 방법) ① 제4조에 따라 재정 지원을 받은 시·군은 도지사가 정하는 금액을 분기별로 지역 화폐로 지급한다.

자료 분석 | 청년기본소득은 행복 추구, 삶의 질 향상, 건강 수준 향상 등 청년의 사회적 기본권을 보장하기 위해 지방 자치 단체에서 시행하는 사업이다. 해당 지방 자치 단체에 주민 등록을 두고 있는 일정 연령 이상의 청년을 대상으로 해당 지역의 화폐로 지급하여 지역 경제 활성화에도 도움을 줄 수 있는 사업으로 조례 제정을 통해 법적 근거를 마련한 것이다.

자료 03 조례 제정 및 개폐 절차

발의	재적 의원 1/5이상 또는 10인 이상의 연서, 위원회, 지방 자치 단체의 장(시장)
↓	
의결	재적 의원 과반수 출석과 출석 의원 과반수 찬성
↓	
이동	의결된 날로부터 5일이내 시장에게 발송
↓	
공포	20일 이내 시장이 공포

자료 분석 | 조례는 발의, 의결, 이송, 공포의 절차를 거친다. 의회의 의결에 대한 시장의 재의 요구 시 의회는 재의에 붙여 재적 의원 과반수 출석과 출석 의원 2/3 이상의 찬성으로 의결을 하면 그 조례안은 조례로서 확정된다.

1　지방 자치는 지방 정부와 중앙 정부 간 권력 분립을 실현할 수 있다.
(〇 , ✕)

2　지방 자치 단체가 중앙 정부로부터 자치권을 인정받아 스스로 지역 사무를 처리하는 것은 주민 자치이다.
(〇 , ✕)

3　중앙 정부와 지방 정부의 권력 분립을 수평적 권력 분립이라고 한다.
(〇 , ✕)

4　우리나라는 4·19 혁명 이후에 처음으로 지방 자치 제도를 헌법에 규정하였다.
(〇 , ✕)

5　지방 의회는 법률과 명령의 범위 안에서 조례를 제정할 수 있다.
(〇 , ✕)

6　교육감은 기초 자치 단체장으로서 교육의 자주성과 지방 교육의 특수성을 살리기 위해 교육과 학예에 관한 사무를 관장한다.
(〇 , ✕)

7　지방 의회는 예산 심의 및 확정권, 예산 결산 승인권을 가진다.
(〇 , ✕)

8　지방 자치 단체의 장은 지방 업무와 관련한 전반적인 사항을 심의하고 의결하는 최고 의사 결정 기관이다.
(〇 , ✕)

9　지방 의원은 지역 주민이 직접 선출하며, 임기 4년으로 정치적 중립을 지켜야 한다.
(〇 , ✕)

정답 1〇 2✕ 3✕ 4✕ 5〇 6✕
　　　7〇 8✕ 9✕

3 우리나라 지방 자치의 현실과 과제

1. 우리나라의 주민 참여 제도 _{자료}**04**

주민 투표 제도	주민에게 과도한 부담을 주거나 중대한 영향을 미치는 주요 정책 등을 주민의 직접 투표로 결정함.
주민 조례 제정 및 개폐 청구 제도	일정 수 이상의 주민이 정해진 요건을 갖춰 지방 자치 단체장에게 조례의 제정, 개정 및 폐지를 청구함.
주민 소환 제도	선출직 지역 공직자[7]의 직무 수행에 심각한 문제가 있을 때 주민 투표로 해임함.
주민 감사 청구 제도	지방 자치 단체와 그 장의 권한에 속하는 사무의 처리가 법령에 위반되거나 공익을 현저히 해친다고 인정되면 감사를 청구함.
주민 소송 제도	감사를 청구한 주민이 감사 결과 등에 불복하는 경우에는 법원에 소송을 제기함.
주민 참여 예산 제도	주민은 지방 자치 단체의 예산 편성 과정에 참여하여 사업 제안 등 의견을 제시함.
청원[8] 제도	지방 자치 단체가 마련하기를 바라는 정책이나 조치 등을 지방 의회에 문서로 요구함.

— **중요** 주민 참여 제도 중 직접 민주 정치의 요소를 지닌 제도이다.

2. 우리나라 지방 자치의 과제

(1) 지방 자치 단체의 독립성 확보

① 국가 사무의 비중이 높아 실질적인 지방 분권[9]이 이루어지지 못함. _{자료}**05**

② 지방 자치 단체에 대한 중앙 정부의 지도와 감독, 법률을 통한 통제로 지방 자치 단체의 자율적 사무 처리를 저해하는 부작용이 있음.

③ 중앙 정부에 집중된 권한을 줄이고 지방 자치 단체에 입법, 행정 등에 대한 자율성 보장이 필요함.

④ 중앙 정부와 지방 자치 단체의 역할에 대한 합리적 조정이 필요함.

(2) 지방 자치 단체의 재정 확충 _{자료}**06**

① 조세 체계가 국세[10] 중심이어서 대부분의 지방 자치 단체는 독자적 재원이 부족하여 중앙 정부의 지원에 의존함.

② 재정이 열악한 지방 자치 단체에 대한 지방 교부세와 같은 중앙 정부의 재정 지원 강화가 필요함.
— **의미** 지방 재정 조정 및 지방 재원을 확보하기 위해 국가가 지방 자치 단체에 내 주는 세금이다.

③ 지방세[11]의 비중을 높이는 등의 조세 제도 개편이 필요함.

(3) 주민 직접 참여 제도의 활성화

① 주민 투표제, 주민 소환제, 주민 감사 및 소송제, 주민 참여 예산제, 조례 제정 및 개폐 청구권 등이 있으나 참여 요건이 까다로워 형식적으로 운영됨.

② 관련 법규와 제도를 명료하게 정비하고 참여 요건을 완화하여 주민 참여를 확대해야 함.

(4) 지방 자치 단체 간의 협력 체계 강화

① 지역 주민이 사회 전체의 이익을 고려하지 않고 자기 지역의 이익만을 추구[12]하면 사회 갈등이 발생할 수 있음.

② 각 지방 자치 단체가 자기 이익만 우선하여 발생하는 갈등은 양보와 타협을 통해 해결함.

③ 공동의 문제는 관련 지방 자치 단체 간에 협력 체계를 구축하고, 사회 전체의 이익과 지역 발전의 조화를 이루도록 함.

---

[7] 선출직 지역 공직자
선거에 의해 선출된 지방 자치 단체장이나 지방 의회 의원을 의미한다.

[8] 청원
국민이 법률에 정한 절차에 따라 손해의 구제, 법률·명령·규칙의 개정 및 개폐, 공무원의 파면 등의 일을 국회·관공서·지방 의회 등에 청구하는 일을 의미한다.

[9] 지방 분권
국가의 통치권과 행정권의 일부가 각 지방 정부에 위임 또는 부여되어 지방 주민 또는 그 대표자의 의사와 책임 아래에 행사하는 체제를 의미한다.

[10] 국세
중앙 정부에서 걷는 세금으로 소득세, 부가 가치세, 상속세 등이 있다.

[11] 지방세
지방 자치 단체가 걷는 세금으로 주민세, 재산세, 자동차세 등이 있다.

[12] 지역 이기주의
다른 지역의 이익은 고려하지 않고 자기 지역의 이익이나 행복만을 추구하려는 태도나 입장을 의미한다.

자료 04 주민 참여 예산 제도와 청원 제도

(가) ○○도 ○○군의 주민 참여 예산제 한마당 총회가 열렸다. 이날 총회에는 127건의 사업에 14억 3,000만 원의 주민 참여 예산이 상정되었다. 이는 군민을 대상으로 신청받은 161건의 사업, 24억 6,000만 원에 대해 관련 부서 검토와 주민 참여 예산 위원회의 현지 실사 등을 거쳐 결정된 것이다. 최종 대상 사업은 전문 평가 위원의 평가 점수와 289개 마을의 주민 대표 투표 결과를 합산하여 선정된다.

(나) ○○시는 기차가 더 이상 다니지 않는 철길에 공원을 조성하여, 시민의 휴식 공간을 만들었다. 원래 ○○시는 폐선 구간을 경전철 노선으로 활용할 계획이었으나, 시민 단체와 주민들은 공원 조성 운동을 전개하고, ○○시 의회에 청원서를 제출하였다. ○○시는 시민들의 청원을 받아들여 경전철 사업을 접고 공원을 조성하였다.

자료 분석 | (가)는 주민 참여 예산제의 사례이고, (나)는 청원의 사례이다. (가)는 시민 참여를 확대함으로써 재정 운영의 투명성과 공정성을 높이기 위해 도입된 제도이다. (나)는 주민이 지방 자치 단체의 행정에 관한 희망 사항이나 개선 사항을 서면으로 그 해결을 요구하는 제도로서, 지방 행정의 민주성과 책임성을 높이기 위한 제도이다.

자료 05 지방 분권

오늘날 세계적인 추세는 합리적인 기준에 따라 중앙의 사무 및 권한을 적극적으로 지방에 이양하는 '분권화'에서 출발한다. 분권화를 통해 지방 정부의 역량이 강화될 수 있으며, 궁극적으로 국가의 경쟁력 강화로 연결될 수 있다. 분권화의 추진은 중앙과 지방의 적극적인 노력과 실천이 담보되어야 한다. 특히 지방 정부의 자치 사무의 범위를 획기적으로 확대할 수 있는 특별 지방 행정 기관 정비, 자치 경찰 제도 및 교육 자치 제도의 시행과 확대가 필수적이다.

자료 분석 | 사회가 다원화, 다양화됨에 따라 기존의 중앙 집권적 국가 운영 방식은 우리 사회의 다양한 요구에 효과적으로 대응하기 어려워졌다. 최근에는 분권화된 국가 운영 방식을 통해 주권 신장, 지역 주민의 정치 참여와 효능감이 높아질 것으로 기대하고 있다.

자료 06 우리나라의 지방 재정 자립도와 주요국 지방세 비중

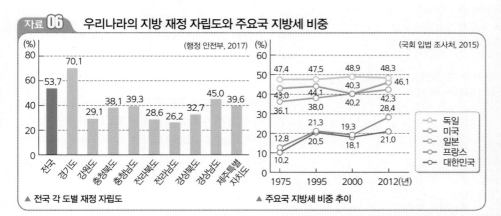

▲ 전국 각 도별 재정 자립도

▲ 주요국 지방세 비중 추이

자료 분석 | 우리나라는 다른 나라에 비해 지방세 비중이 낮고, 수도권을 제외한 대부분의 광역 지방 자치 단체의 재정 자립도가 낮은 편이다. 이로 인해 독자적인 재원이 부족한 지방 자치 단체들이 중앙 정부에 의존하면서 지방 자치 단체의 자율성이 약화될 수 있다.

1 주민 소환 제도는 지방 자치 단체장의 소신 있는 행정 처리 의욕을 제고한다.
(○ , ×)

2 주민 투표 제도는 선거에 의해 선출된 단체장이나 지방 의원을 임기 중에 주민 투표에 의해 해임하는 제도이다.
(○ , ×)

3 주민 참여 예산 제도는 지방 재정 운영의 투명성과 공정성을 높이기 위해 도입된 제도이다.
(○ , ×)

4 주민 투표 제도와 주민 소환 제도는 주민 조례 제정 및 개폐 청구 제도와 달리 직접 민주 정치 요소를 지닌 제도이다.
(○ , ×)

5 우리나라는 국가 사무의 비중이 높아 실질적인 지방 분권이 이루어지고 있다.
(○ , ×)

6 지방 정부의 재정 자립도를 높이기 위해서는 지방세의 비중을 높여야 한다.
(○ , ×)

7 주민 직접 참여의 효과를 높이기 위해서는 관련 법규와 제도를 명료하게 하고, 참여 요건을 완화해야 한다.
(○ , ×)

8 지방 자치 단체 간의 협력 체계를 강화하기 위해서는 지역 이기주의 현상이 나타나지 않도록 해야 한다.
(○ , ×)

9 지방 자치의 발전을 위해서는 지방 의회 및 지방 자치 단체의 권한을 제한해야 한다.
(○ , ×)

정답 1 × 2 × 3 ○ 4 × 5 × 6 ○
7 ○ 8 ○ 9 ×

1 지방 자치

의미	일정한 지역의 주민이 자치 단체를 구성하여 해당 지역의 사무를 자율적으로 처리함.
종류	• 단체 자치: 중앙 정부로부터 자치권을 인정받아 스스로 지역 사무를 처리함. • (❶): 해당 지방의 공공 문제를 지방 주민의 의사에 따라 처리함.
의의	• 풀뿌리 민주주의 실현: 지역 주민이 지역 문제를 자주적으로 해결하는 과정에서 정치 의식과 책임 의식 고양 • 권력 분립의 원리 실현: 중앙 정부로 정치 권력이 집중되는 것을 막고 지방 정부로 분산(수직적 권력 분립)
구성	• (❷): 주민의 대표 기관, 지역 내 최고 의결 기관, 조례의 제정 및 개폐 등 • 지방 자치 단체장: 지역 내 행정 사무를 총괄하는 집행 기관, 규칙 제정, 지방 의회 의결에 대한 재의 요구권 행사

2 우리나라의 지방 자치

변천	• 제헌 헌법(1948): 지방 자치 제도 규정 • 지방 의회 구성(1952): 주민 직선 • 지방 자치 단체장 선거(1960): 주민 직선 • 지방 자치 단체장 임명(1961) • 주민 직선의 지방 의회 구성(1991), 지방 자치 단체장 선출(1995)
자치 단체 종류	• (❸) 자치 단체: 시·도 의회, 시장·도지사, 교육감 • 기초 자치 단체: 시·군·구 의회, 시장·군수·구청장

3 우리나라의 주민 참여 제도와 지방 자치 과제

주민 참여 제도	• 주민 투표: 주요 정책을 주민의 직접 투표로 결정함. • 주민 조례 제정 및 개폐 청구: 지방 자치 단체장에게 조례의 제정, 개정 및 폐지를 청구함. • (❹): 선출직 공무원을 주민 투표로 해임함. • 주민 감사 청구: 법령에 위반되거나 공익을 현저히 해친다고 인정되는 업무 처리에 감사를 청구함. • 주민 소송: 감사 결과 등에 불복하는 경우에는 법원에 소송을 제기함. • 주민 참여 예산: 지방 자치 단체의 예산 편성 과정에 참여하여 사업 제안 등의 의견을 제시함. • (❺): 희망하는 정책이나 조치 등을 지방 의회에 문서로 요구함.
지방 자치 과제	• 지방 자치 단체의 독립성 확보 • 지방 자치 단체의 재정 확충 • 주민 직접 참여 제도의 활성화 • 지방 자치 단체 간의 협력 체계 강화

정답 ❶ 주민 자치 ❷ 지방 의회 ❸ 광역 ❹ 주민 소환 ❺ 청원

1 지방 자치의 의의

01 A의 의의로 옳지 <u>않은</u> 것은?

> A는 일정한 지역의 주민이 스스로 지방 자치 단체를 구성하여 그 지역의 사무를 자율적으로 처리하는 제도이다.

① 국가 행정의 독주와 남용을 억제할 수 있다.
② 국가 전체의 통일적인 정책이 실시될 수 있다.
③ 주민의 정치 의식과 책임 의식을 고양할 수 있다.
④ 지역 행정에 대한 주민의 참여가 활성화될 수 있다.
⑤ 지역 문제를 지역 실정에 적합하게 처리할 수 있다.

02 다음 글에 대한 옳은 설명만을 〈보기〉에서 있는 대로 고른 것은?(단, A, B는 단체 자치, 주민 자치 중 하나이다.)

> 우리나라의 지방 자치는 A, B로 구성되어 있다. A는 중앙 정부로부터 독립된 지위와 권한을 부여받은 지방 정부가 자치를 실행하는 것이고, B는 지역 주민이 스스로의 책임 아래 지방의 공공 문제를 처리하는 것이다.

┤ 보기 ├
ㄱ. A는 수직적 차원의 권력 분립으로 이해하기도 한다.
ㄴ. B는 중앙 정부가 지방 정부를 견제하는 수단이 된다.
ㄷ. A는 B에 비해 주민의 정치적 효능감을 높이는 데 기여한다.
ㄹ. B는 A에 비해 자치의 원리에 충실하여 풀뿌리 민주주의의 실현에 기여한다.

① ㄱ, ㄷ   ② ㄱ, ㄹ   ③ ㄴ, ㄷ
④ ㄱ, ㄴ, ㄹ   ⑤ ㄴ, ㄷ, ㄹ

2 우리나라의 지방 자치

03 그림은 우리나라 지방 자치 단체의 구성을 간략히 나타낸 것이다. 이에 대한 설명으로 옳지 <u>않은</u> 것은?

① ㉠의 의결 기관은 광역 의회이다.

② ㉠에는 특별시, 광역시, 도가 해당한다.

③ ㉡에는 시, 군, 자치구가 해당한다.

④ ㉡의 집행 기관은 시장, 군수, 구청장이다.

⑤ ㉢은 ㉠과 ㉡의 의회 의원과 달리 자치 단체장은 해임할 수 있다.

04 밑줄 친 ㉠~㉣에 대한 설명으로 옳은 것은?

> ㉠ ○○도 ㉡ △△구는 미성년 자녀의 안전한 양육 환경 조성을 목적으로 하는 ㉢ △△구 한시적 양육비 지원에 관한 조례를 제정하였다. 이 조례에 따라 ㉣ △△구청장은 양육비를 지급받지 못하여 미성년 자녀의 복리가 위태롭게 될 우려가 있는 경우 한시적으로 양육비를 지원할 수 있다.

① ㉠은 외교·국방에 관한 사무를 처리한다.

② ㉠은 중앙 정부, ㉡은 지방 정부이다.

③ ㉣은 ㉡의 의사 결정 기관이다.

④ ㉢의 효력은 ㉡의 전체에 미친다.

⑤ ㉣은 헌법과 법률에 근거해서만 ㉢을 제정한다.

05 다음은 우리나라 지방 자치 단체의 구성을 나타낸 것이다. 이에 대한 설명으로 옳은 것은?

구분	의결 기관	일반 집행 업무	교육 학예 업무
광역 자치 단체	㉠	㉡	㉢
기초 자치 단체	㉣	㉤	–

① ㉤에는 '시장·도지사'가 들어간다.

② ㉠과 ㉡은 자치 입법권을 가지고 있다.

③ ㉢과 ㉣은 자치 단체의 행정 기관이다.

④ ㉢의 임명은 ㉡과 달리 ㉠의 동의를 받아야 한다.

⑤ ㉠, ㉡, ㉣, ㉤은 모두 주민이 직접 선출한다.

06 다음 교사의 질문에 옳은 발표를 한 학생은?

> 교사 우리나라의 지방 자치의 역사에 대해서 발표해 볼까요?
> 갑 제헌 헌법을 토대로 자치 단체장 선거를 처음 실시했어요.
> 을 4·19 혁명을 계기로 지방 자치법이 제정되었어요.
> 병 4·19 혁명 이후에 지방 의회를 구성했어요.
> 정 5·16 군사 정변 이후에 지방 의원과 단체장에 대한 임명제가 시행되었어요.
> 무 1995년에 지방 자치 단체장을 주민이 직접 선거로 선출했어요.

① 갑   ② 을   ③ 병   ④ 정   ⑤ 무

3 우리나라 지방 자치의 현실과 과제

07 다음 사례에 나타난 문제점을 해결하기 위해 주민들이 할 수 있는 적절한 행동만을 〈보기〉에서 고른 것은?

> ○○ 시장은 주민의 의견 수렴 과정 없이 지역 발전을 위해 광역 화장장을 유치하겠다고 발표했다. "맞아 죽어도 추진하겠다."라는 ○○ 시장의 발언에서 드러나듯이 일방적·밀어붙이기식 추진을 계속하고 있고, 이에 주민들은 반발하고 있다.

┤ 보기 ├
ㄱ. 주민 소환을 통해 ○○ 시장을 파면한다.
ㄴ. 중앙 정부에 ○○ 시장의 해임을 요청한다.
ㄷ. ○○ 시장의 사무 처리에 대해 주민 감사를 청구한다.
ㄹ. 지방 의회가 ○○ 시장을 탄핵 소추할 수 있도록 청원한다.

① ㄱ, ㄴ   ② ㄱ, ㄷ   ③ ㄴ, ㄷ
④ ㄴ, ㄹ   ⑤ ㄷ, ㄹ

08 다음 교사의 질문에 대한 옳은 답변만을 〈보기〉에서 고른 것은?

> 주민은 어떤 방법으로 지방 자치에 참여할 수 있을까요?

〈학습 주제〉
• 우리나라의 지방 자치
(1) 다양한 주민 참여 방법
  ⋮

┤ 보기 ├
ㄱ. 일정 수 이상의 주민들이 조례를 제정할 수 있어요.
ㄴ. 주민 참여 예산 제도를 통해 예산 편성 과정에 의견을 제시할 수 있어요.
ㄷ. 비리를 저지른 지방 자치 단체장을 임기 중이라도 투표로 해임할 수 있어요.
ㄹ. 주민들은 선거를 통해 지역에 중대한 영향을 미치는 주요 사항을 직접 결정할 수 있어요.

① ㄱ, ㄴ   ② ㄱ, ㄷ   ③ ㄴ, ㄷ
④ ㄴ, ㄹ   ⑤ ㄷ, ㄹ

09 (가), (나) 제도에 대한 옳은 설명만을 〈보기〉에서 고른 것은?

> (가) 지방 자치 단체의 예산 편성 과정에 주민이 직접 참여하는 제도
> (나) 주민이 정해진 요건을 갖춰 지방 자치 단체장에게 조례의 제정, 개정 및 폐지를 청구하는 제도

┤ 보기 ├
ㄱ. (가)는 지방 자치 단체의 예산 운영의 효율성을 높인다.
ㄴ. (나)는 지방 자치 단체의 의사 결정이 민주적으로 이루어지도록 한다.
ㄷ. (나)는 (가)와 달리 직접 민주 정치 요소를 지닌 제도이다.
ㄹ. (가), (나) 모두 주민의 자치 의식과 책임 의식 향상에 기여한다.

① ㄱ, ㄴ   ② ㄱ, ㄷ   ③ ㄴ, ㄷ
④ ㄴ, ㄹ   ⑤ ㄷ, ㄹ

10 다음 사례를 바탕으로 지방 자치가 성공하기 위한 조건으로 가장 적절한 것은?

> ○○시는 기차가 더 이상 다니지 않는 철길에 공원을 조성하여, 시민의 휴식 공간을 만들었다. 원래 ○○시는 폐선 구간을 경전철 노선으로 활용할 계획이었으나, 시민 단체와 주민들은 공원 조성 운동을 전개하고, ○○시 의회에 청원서를 제출하였다. ○○시는 시민들의 청원을 받아들여 경전철 사업을 접고 공원을 조성하였다.

① 주민 참여의 활성화
② 지역 이기주의의 배척
③ 지방 정부의 재정 확충
④ 중앙 정부의 적극적 지원
⑤ 지방 의회와 자치 단체장의 협력

11 (가)에 들어갈 지방 자치의 의의를 쓰시오.

> 단체 자치의 측면에서 지방 자치는 국가 또는 중앙 정부의 권력을 지방으로 분할하는 지방 분권을 의미한다. 지방 분권은 수평적 차원의 삼권 분립과 대비하여 수직적 차원의 ___(가)___ (으)로 이해하기도 한다.

12 (가)에 들어갈 용어를 쓰시오.

> 지방 자치 단체가 그 권한에 속하는 사무에 관하여 법령의 범위 내에서 지방 의회의 의결을 통해 제정하는 자치 규범을 ___(가)___ (라)고 한다. ___(가)___ 은/는 법령이나 상급 지방 자치 단체의 ___(가)___ 에 위반되지 않아야 하고, 지방 자치 단체의 사무에 관한 것이어야 하며, 주민의 권리 제한 및 의무 부과에 관한 사항이나 벌칙을 ___(가)___ 로 규정할 때에는 법률의 위임이 있어야 한다.

13 다음 글을 읽고 물음에 답하시오.

> A는 지방 자치 단체장, 지방 의원 등 선거직 공무원에게 문제가 있을 때 임기 중 주민 투표를 통해 해직시킬 수 있는 제도이다. 지방 자치에 대한 주민의 직접 참여를 통해 선출직 지방 공직자에 대한 통제 장치를 마련하면서, 주민 투표제와 더불어 대의 민주주의 제도의 한계를 보완하는 직접 민주주의 장치이다.

(1) A 제도의 명칭을 쓰시오.

(2) A 제도의 장점과 단점을 서술하시오.

14 다음에서 설명하는 지방 자치 단체장의 권한을 쓰시오.

> • 대통령의 법률안 거부권에 대응한다.
> • 지방 의회의 의결 사항에 대하여 이의가 있을 때 행사한다.
> • 지방 의회의 권력 남용이나 위법 사항의 발생을 방지하고자 한다.

15 다음 사례를 통해 파악할 수 있는 지방 자치의 의의를 서술하시오.

> △△시 주민들은 약 5천 명의 서명을 받아 「△△시 방사능으로부터 안전한 식재료 공급 지원 조례안」을 △△ 시장에게 제출하였다. 이 조례안은 어린이집, 유치원, 학교 등의 급식 식재료 검사를 위한 급식 안전 센터 설치 등의 내용을 담고 있다. △△시의회는 본회의를 열고 표결을 통해 주민들이 제출한 조례안을 통과시켰다.

16 다음 사례에서 파악할 수 있는 우리나라 지방 자치의 문제점을 서술하시오.

> 정부는 지방 자치 단체가 자체적으로 추진하는 저소득층 교육 지원, 노인 장기 요양 본인 부담금 일부 지원 등 1,496개 사업을 정비하고 그 결과를 보고하라는 지침을 내려보냈다. 이에 많은 지방 자치 단체는 지역 주민의 복리를 위한 사업조차도 중앙 정부가 간섭한다며 헌법 재판소에 권한 쟁의 심판을 청구하기로 하였다.

01 | 평가원 기출 |
다음 자료에 대한 설명으로 옳은 것은?

> 우리나라에서는 지방 자치 단체의 예산 편성 과정에 주민이 직접 참여할 수 있으며, 구체적인 운영 방법은 각 지방 자치 단체의 ⊙ 조례를 통해 자율적으로 정하도록 하고 있다. 주민이 지역에 필요한 사업을 제안하면 관련 부서에서 사업의 타당성을 검토하고, 지방 행정 사무를 총괄하는 A가 ⓒ 예산안을 편성한다. 편성 후 제출된 예산안은 B가 심의·의결하고, 의결된 사항은 주민의 선거로 선출된 A가 집행한다.

① 주민은 ⊙의 폐지를 청구할 수 없다.
② ⓒ은 주민 투표를 통해야만 최종 확정된다.
③ A는 중앙 정부에서 위임한 사무를 담당하지 않는다.
④ B의 의원은 지역구 의원과 비례 대표 의원으로 구분된다.
⑤ A는 B와 달리 담당 사무에 관하여 ⊙을 제정할 수 있다.

02 | 수능 기출 |
우리나라 지방 자치 단체의 기관 A, B에 대한 설명으로 옳은 것은?

> □□군 주민들은 노인 복지를 증진하는 내용을 담은 '○○ 조례안'을 적법한 요건을 갖춰 A에게 제출함으로써 조례 제정을 청구하였다. A는 주민이 청구한 조례안을 B에 부의하였다. B는 조례안을 심의·의결하였고, 의결된 조례안은 A에게 이송되었다.

① A는 지방 자치 단체 예산의 심의·확정권을 갖는다.
② B는 집행 기관으로서 법령의 범위 안에서 제정한 조례를 집행한다.
③ B의 장(長)은 지방 자치 단체를 대표하고 행정 사무를 총괄한다.
④ A와 B 간에 수직적 권력 분립이 나타난다.
⑤ B는 지방 자치 단체의 사무에 관한 감사·조사권으로 A를 견제할 수 있다.

03 | 평가원 기출 |
밑줄 친 ⊙, ⓒ에 대한 설명으로 옳은 것은?

> • ○○군 주민들은 재개발 과정에서 인허가와 관련된 비리를 저질렀다는 의혹을 받고 있는 ⊙ ○○ 군수를 임기 중에 주민의 투표에 의해 해임할 수 있는 절차를 밟고 있다.
> • □□시 의회는 △△당 의원이 발의한 시내버스 탑승 시 음식물 섭취를 금지하는 ⓒ 조례 제정을 하였다.

① ⊙은 주민 소환 제도에 해당한다.
② ⊙은 주민의 직접 참여를 제한한다.
③ ⓒ은 주민 투표로 확정된다.
④ ⓒ의 권한은 집행 기관이 독점적으로 가진다.
⑤ ⊙, ⓒ은 모두 중앙 정부와의 수평적 권력 분립에 기여한다.

04 그림은 우리나라 지방 자치 제도를 도식화한 것이다. 이에 대한 설명으로 옳은 것은?

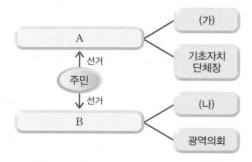

① (가)는 지역구 의원과 비례 대표 의원으로 구성된다.
② (가)는 규칙 제·개정 및 폐지권을 가지고 있다.
③ (나)는 지방 자치 단체 예산에 대한 심의 및 확정권을 가진다.
④ (가)는 (나)와 달리 주민 소환제를 적용할 수 있다.
⑤ A는 의결 기관, B는 집행 기관에 해당한다.

05 그림은 우리나라의 지방 재정 자립도를 나타낸 것이다. 이에 대한 옳은 분석 및 추론만을 〈보기〉에서 고른 것은?

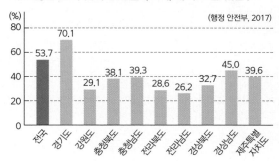

(%)

(행정 안전부, 2017)

전국	경기도	강원도	충청북도	충청남도	전라북도	전라남도	경상북도	경상남도	제주특별자치도
53.7	70.1	29.1	38.1	39.3	28.6	26.2	32.7	45.0	39.6

┤ 보기 ├
ㄱ. 지방 정부의 자율성이 약화될 수 있다.
ㄴ. 지방 정부 예산에서 국세의 비중이 높을 것이다.
ㄷ. 지역 주민의 의사에 충실한 정책 결정이 이루어질 수 있다.
ㄹ. 지방 정부의 정책 결정 시 중앙 정부의 영향이 미미할 것이다.

① ㄱ, ㄴ   ② ㄱ, ㄷ   ③ ㄴ, ㄷ
④ ㄴ, ㄹ   ⑤ ㄷ, ㄹ

06 (가)~(다) 제도에 대한 설명으로 옳은 것은?

제도	내용
(가)	주민에게 과도한 부담을 주거나 중대한 영향을 미치는 주요 정책 등을 주민의 직접 투표로 결정함.
(나)	선출직 지역 공직자의 직무 수행에 심각한 문제가 있을 때 주민 투표로 해임함.
(다)	주민은 지방 자치 단체의 예산 편성 과정에 참여하여 사업 제안 등 의견을 제시함.

① (가)는 헌법에 보장된 청구권의 행사에 해당한다.
② (나)는 지방 의회 의원을 대상으로 하지 않는다.
③ (다)는 지역 주민들의 편의를 위한 사업 추진에 기여할 수 있다.
④ (가)는 (나)와 달리 지방 재정 운용의 투명성을 확보할 수 있다.
⑤ (나)는 (다)와 달리 간접 민주제 요소에 해당한다.

07 다음 헌법 조항을 통해 알 수 있는 내용으로 옳지 <u>않은</u> 것은?

• 제117조 ① 지방 자치 단체는 주민의 복리에 관한 사무를 처리하고 재산을 관리하며, 법령의 범위 안에서 자치에 관한 규정을 제정할 수 있다.
② 지방 자치 단체의 종류는 법률로 정한다.
• 제118조 ① 지방 자치 단체에 의회를 둔다.
② 지방 의회의 조직·권한·의원 선거와 지방 자치 단체의 장의 선임 방법 기타 지방 자치 단체의 조직과 운영에 관한 사항은 법률로 정한다.

① 지방 자치법의 입법 근거가 나타나 있다.
② 지방 자치 단체는 지방 의회와 지방 자치 단체장으로 구성된다.
③ 지방 자치 단체는 주민 소환에 관한 조례나 규칙을 제정할 수 있다.
④ 법률로 현재의 광역 및 기초 자치 단체를 폐지하거나 통폐합할 수 있다.
⑤ 지방 자치 단체의 구성에서는 권력 융합보다 권력 분립의 원리가 적용된다.

08 다음과 같은 상황에 대처할 수 있는 방안만을 〈보기〉에서 고른 것은?

오늘날 세계적인 추세는 합리적인 기준에 따라 중앙의 사무 및 권한을 적극적으로 지방에 이양하는 '분권화'에서 출발한다. 분권화를 통해 지방 정부의 역량이 강화될 수 있으며, 궁극적으로 국가의 경쟁력 강화로 연결될 수 있다. 분권화의 추진은 중앙과 지방의 적극적인 노력과 실천이 담보되어야 한다.

┤ 보기 ├
ㄱ. 교육 자치를 확대 시행해야 한다.
ㄴ. 지방 재정 교부금을 확대해야 한다.
ㄷ. 다양한 주민 참여 제도를 도입해야 한다.
ㄹ. 국가 정책의 능률성과 통일성을 확보해야 한다.

① ㄱ, ㄴ   ② ㄱ, ㄷ   ③ ㄴ, ㄷ
④ ㄴ, ㄹ   ⑤ ㄷ, ㄹ

01. 정부 형태

① 민주 국가의 정부 형태

구분	의원 내각제	대통령제
의미	입법부인 의회에 의해 행정권을 담당하는 내각이 구성되는 정부 형태	행정권을 담당하는 행정부와 입법권을 담당하는 의회가 각각의 선거에 의해 구성되는 정부 형태
특징	• 권력 융합 → 내각이 의회에 의해 구성되므로 의회와 내각이 긴밀한 관계임. • 국가 원수는 국정 운영의 실질적 권한이 없고, 정치적 실권은 행정부 수반인 총리에게 있음.	• 엄격한 권력 분립 • 대통령은 국가 원수인 동시에 행정부 수반으로서의 지위를 가짐.
장점	• 입법부와 행정부 간 협조를 통한 능률적인 국정 운영 • 책임 정치 구현 • 행정부와 입법부 간의 정치적 대립 해결 가능	• 대통령의 임기 동안 정국 안정 및 정책의 계속성 확보 가능 • 법률안 거부권 행사로 의회 다수파의 횡포 견제 → 의회 의결은 다수결로 정하므로 의석이 많은 정당의 의도대로 결정 가능함.
단점	• 다수당의 횡포 우려 • 연립 내각 구성시 정국 불안정 우려	• 국민의 요구에 둔감 • 독재 출현 우려 • 행정부와 입법부 간 대립 시 해결이 어려움.

② 우리나라의 정부 형태의 변화: 대통령제 정부 형태를 기본적으로 유지하면서, 제2차 개정 헌법에서만 의원 내각제를 채택함.

③ 현행 정부 형태: 의원 내각제 요소를 가미한 대통령제 정부 형태

• 우리나라 정부 형태의 대통령제 요소: 국민의 선거로 대통령과 국회 의원 각각 선출, 대통령의 법률안 거부권, 국회의 탄핵 소추권 등

• 우리나라 정부 형태의 의원 내각제 요소: 국무총리, 국무 회의, 국회 의원의 국무 위원 겸직 가능, 행정부의 법률안 제출권 등 → 대통령제의 부통령과 의원 내각제의 총리의 중간 형태로 행정 각부를 통할함.

02. 우리나라의 국가 기관

① 국회

지위	국민의 대표인 국회 의원으로 구성된 대의 기관, 입법 기관, 국정 통제 기관
권한	• 입법권: 헌법 개정권, 법률 제·개정권, 조약 체결 및 비준에 대한 동의권 등 • 국가 기관 구성권: 국무총리·감사원장·대법원장·대법관·헌법 재판소장 임명 동의권, 헌법 재판소의 재판관 3인 선출권 등 • 국정 통제권: 국정 감사 및 국정 조사권, 대통령의 주요 권한 행사에 대한 동의 및 승인권, 탄핵 소추권, 국무총리 및 국무 위원 해임 건의권, 일반 사면에 대한 동의권 등 • 재정에 관한 권한: 조세 결정권, 예산안 심의·확정권, 결산 심사권 등

② 대통령과 행정부

대통령 지위	국가 원수와 행정부 수반의 지위를 동시에 가짐.
대통령 권한	• 국가 원수로서의 권한: 조약 체결 및 비준권, 선전 포고·강화권, 긴급 명령권, 국민 투표 부의권, 국무총리·감사원장·대법원장·대법관·헌법 재판소장에 대한 임명권 등 → 임명과 면직에 대한 권한 • 행정부 수반으로서의 권한: 행정부 지휘·감독권, 공무원 임면권, 국군 통수권, 대통령령 발포권 등
행정부 주요 기구	• 국무총리: 행정 각부 통할, 국무 위원 임명 제청 및 해임 건의, 총리령 발포 등 • 국무 회의: 행정부 최고 심의 기관 → 의결과 자문의 중간 형태로 반드시 심의 절차는 거쳐야 하지만 심의 결과를 반드시 따라야 하는 것은 아님. • 행정 각부: 구체적인 행정 사무 집행, 부령 발포 등 • 감사원: 대통령 직속의 헌법 기관, 국가 세입·세출의 결산 검사, 공무원 직무 감찰 등 → 장관의 명령

③ 법원과 헌법 재판소

사법권 독립	• 목적: 공정한 재판을 실현하여 국민의 기본권 보장 • 실현 방법: 법원의 독립, 법관의 신분상 독립, 법관의 재판상 독립
법원	• 구성: 대법원(대법원장과 대법관), 각급 법원(법관) • 권한: 위헌·위법한 명령·규칙·처분 심사권, 위헌 법률 심판 제청권, 선거 소송 재판권, 일반적인 재판권 등 대통령과 국회 의원 선거 소송은 1심 ← • 심급 제도: 원칙적으로 3심제, 상소 제도 → 항소·상고(판결), 항고·재항고(결정·명령)
헌법 재판소	• 지위: 헌법 수호 기관, 기본권 보장 기관 • 구성: 법관의 자격을 가진 9인의 재판관(국회 선출 3인, 대법원장과 대통령 지명 각각 3인을 포함하여 대통령이 임명) • 권한: 위헌 법률 심판, 헌법 소원 심판, 탄핵 심판, 위헌 정당 해산 심판, 권한 쟁의 심판

03. 지방 자치의 의의와 과제

① 지방 자치

의미	일정한 지역의 주민이 지방 정부를 구성하여 그 지역의 사무를 자율적으로 처리하는 제도
의의	• 풀뿌리 민주주의 실현 → 수직적 권력 분립 • 중앙 정부와 지방 정부의 권력 분립 효과
우리나라의 지방 자치	• 광역 자치 단체: 특별시, 광역시, 도, 특별자치도, 특별자치시 • 기초 자치 단체: 시·군·구(자치구) → 제주 특별 자치도, 세종 특별 자치시 • 지방 의회: 의결 기관 • 지방 자치 단체장: 집행 기관

② 우리나라의 주민 참여 제도

주민 투표 제도	주민에게 과도한 부담을 주거나 중대한 영향을 미치는 주요 정책 등을 주민의 직접 투표로 결정함.
주민 조례 제정 및 개폐 청구 제도	일정 수 이상의 주민이 정해진 요건을 갖춰 지방 자치 단체장에게 조례의 제정, 개정 및 폐지를 청구함.
주민 소환 제도	선출직 지역 공직자의 직무 수행에 심각한 문제가 있을 때 주민 투표로 해임함.
주민 감사 청구 제도	지방 자치 단체와 그 장의 권한에 속하는 사무의 처리가 법령에 위반되거나 공익을 현저히 해친다고 인정되면 감사를 청구함.
주민 소송 제도	감사를 청구한 주민이 감사 결과 등에 불복하는 경우에는 법원에 소송을 제기함.
주민 참여 예산 제도	주민은 지방 자치 단체의 예산 편성 과정에 참여하여 사업 제안 등 의견을 제시함.
청원 제도	지방 자치 단체가 마련하기를 바라는 정책이나 조치 등을 지방 의회에 문서로 요구함.

③ 우리나라 지방 자치의 과제
• 지방 자치 단체의 독립성 확보: 지역 정책을 자율적으로 수립하고 실행할 수 있도록 지방 자치 단체의 권한을 확대해야 함.
• 지방 자치 단체의 재정 확충: 조세 제도를 개편하여 지방 자치 단체의 재정 자립도를 높임.
• 주민 직접 참여 제도의 활성화: 주민 참여 방식을 다변화해야 함.
• 지방 자치 단체 간의 협력 체계 강화: 국가와 지역 사회의 공동 이익을 추구하는 공동체 의식을 함양해야 함.

III

정치 과정과 참여

이 단원의 핵심 포인트

중단원	핵심 포인트	학습일
01 정치 과정과 정치 참여	• 정책 결정 모형 • 정치 참여의 의의와 유형	월 일 ~ 월 일
02 선거와 선거 제도	• 민주 선거 원칙 • 선거구제와 대표 결정 방식 • 우리나라의 선거 제도	월 일 ~ 월 일
03 다양한 정치 주체와 시민 참여	• 정당, 이익 집단, 시민 단체를 통한 정치 참여 • 언론을 통한 정치 참여	월 일 ~ 월 일

셀파와 내 교과서 단원 비교

셀파	천재교과서	지학사	미래엔	비상교육
01 정치 과정과 정치 참여	01 정치과정과 정치 참여	01 정치과정과 정치 참여	01 정치과정과 시민의 정치 참여	01 정치과정과 시민 참여
02 선거와 선거 제도	02 선거와 선거 제도	02 선거와 선거 제도	02 선거와 선거 제도	02 선거 제도
03 다양한 정치 주체와 시민 참여	03 다양한 정치 주체와 시민 참여	03 다양한 정치 주체와 시민 참여의 방법	03 정치 주체와 시민 참여	03 정치 참여의 방법과 한계

01 정치 과정과 정치 참여

1 민주 국가의 정치 과정

1. 정치 과정

(1) **의미** 개인이나 집단의 이익이 표출·집약되고, 이들의 이익에 영향을 미치는 정책[1]이 결정 및 집행되며, 이에 대한 평가를 통해 새로운 참여와 요구를 낳는 일련의 과정

(2) **정치 과정의 단계** 자료 01

① 투입 개인 또는 집단이 정부에 새로운 정책을 요구하거나 기존 정책에 대해 지지·반대 의사를 표시하는 과정

② 산출 정치 체계에 투입된 국민의 요구가 정책으로 형성·조정·집행되는 과정

③ 환류 산출된 정책이 평가를 통해 수정 및 보완되거나 국민의 새로운 요구가 투입되는 과정

④ 환경 경제, 사회, 문화 등 정치 과정에 영향을 주는 정치 외적 요소

(3) **이스턴(Easton, D.)의 정책 결정 모형** 자료 02

> **중요** 민주주의 국가에서는 투입과 환류 기능이 활발하게 이루어지며, 환류 과정이 원활해야 정치 체계가 효과적으로 지속될 수 있다.

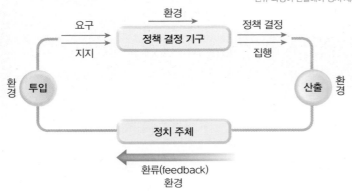

① 투입되는 양이 많고, 요구의 강도가 높으며, 요구 방법이 효율적이면 정책으로 산출될 가능성이 큼. — **중요** 선거는 투입과 환류의 사례에 해당한다.

② 정치적 요구를 투입한 개인 또는 집단 모두를 만족하게 하는 정책이 산출되기는 현실적으로 어려우므로 환류 과정을 통해 정책이 수정되고 보완됨.

③ 정책 결정 기구[2] 입법부, 행정부, 사법부

2. 정치 과정의 중요성

(1) **민주적 정치 과정**[3] 현대 민주 사회의 정치 과정은 시민과 정부 간에 상호 작용이 활발하며 정당, 시민 단체, 이익 집단, 언론 등 다양한 주체들의 역할이 커짐.

> **의미** 사회적 쟁점에 대해 보도나 사설을 통해 정치 과정에 영향을 미치기도 한다.
> **의미** 대표적인 정치적 행위자로서의 집단에 해당한다.

(2) **정치 과정의 중요성** 정치 과정을 통해 사회 갈등이 합리적으로 조정·해결될 수 있으므로 사회의 통합과 발전을 위해 정치 과정은 매우 중요함.

(3) **원활한 정치 과정을 위한 요건**

① 민주적 정당성[4] 갈등을 해소하는 과정이 민주적이고 합리적인 절차에 따라 이루어져야 정당성을 갖출 수 있음. 자료 03

② 시민의 참여 정치 과정에 시민의 의사를 정확히 반영하기 위해서는 시민이 적극적으로 참여해야 함.

❶ **정책**
공공 목적의 달성이나 공공 문제의 해결을 위한 정부의 공식적인 활동 방향을 의미한다.

❷ **정책 결정 기구**
입법부는 사회 구성원의 요구를 반영하여 법을 만들고, 행정부는 법을 집행하며, 사법부는 법을 해석하고 심판(판결문을 통해 정책을 결정)하는 정책 결정 기구이다.

❸ **정치 과정의 변화**
과거에는 시민의 정치 참여가 상대적으로 제한되어 있었으나 현대 사회가 다원화되면서 정당, 이익 집단, 시민 단체 등의 집단들이 정치적 영향력을 행사하게 되었다.

❹ **민주적 정당성의 중요성**
정치 과정이 국가 기관에 의해 일방적으로 이루어져 민주적 정당성을 갖추지 못하면 사회 구성원의 반발을 가져와 정책이 제대로 집행되기 어렵다.

자료 01 「부정 청탁 및 금품 수수의 금지에 관한 법률」로 알아보는 정치 과정

자료 분석 | 국민들이 부정부패 척결을 위한 새로운 정책을 요구하거나 기존 정책에 대해 지지 혹은 반대의 의사를 표시하는 투입 과정과, 정치 체계에 투입된 국민의 요구가 정책으로 형성·조정·집행되는 산출 과정이 나타난다. 그리고 산출된 정책이 평가를 통해 수정 및 보완되거나 국민의 새로운 요구가 투입되는 과정인 환류의 과정이 이어진다.

자료 02 생활 속 정치 과정

 어린이집 아동 학대 사건이 언론을 통해 알려지자 어린이집에 폐회로 텔레비전(CCTV)을 의무적으로 설치하게 해야 한다는 요구가 빗발쳤다. 이에 관련 부처인 보건복지부는 '어린이집 폐회로 텔레비전 설치 의무화'를 포함한 대책을 발표하였다. 국회 역시 공청회를 열어 어린이집 운영자와 종사자 등 이해관계자의 의견을 취합하고, 상임 위원회와 본회의에서의 논의를 거쳐 어린이집 폐회로 텔레비전 설치를 의무화한 영유아 보육법 개정안을 통과시켰다. 그 결과 2015년 12월부터 어린이집 내 폐회로 텔레비전 설치가 의무화되었지만, 보육 교사의 인권 침해 및 실효성 논란은 끊이지 않고 있다.

자료 분석 | 어린이집 아동 학대 사건을 방지하기 위한 방안으로 어린이집에 폐회로 텔레비전을 의무적으로 설치하자는 요구는 투입 단계에 해당한다. 이러한 요구에 대해 보건복지부가 대책을 마련하고 국회가 공청회를 통해 이해관계자들의 의견을 취합하여 어린이집에 폐회로 텔레비전 설치를 의무화하는 정책이 나온 것은 산출 단계에 해당한다. 그러나 어린이집 보육 교사의 인권 침해 가능성, 폐회로 텔레비전이 아동 학대를 근절할 수 있을 것인가에 대한 실효성 논란 등으로 해당 정책은 수정될 수 있는데, 이는 환류 단계에 속한다.

자료 03 민주적 정치 과정의 중요성

○○산은 많은 주민이 이용하는 생태 공원이자 생태 학습장이다. 그런데 시에서 ○○산이 위치한 마을에 배수지 사업 계획을 인가하고 아파트 개발을 추진한다는 계획을 발표하였다. 이에 주민들은 '○○산을 지키는 주민 연대'를 조직하여 시의 개발 계획에 반대하는 운동을 펼쳤다. 주민 연대는 생태 전문가, 환경 시민 단체와 함께 ○○산에 관한 생태 조사를 진행하고 주민들로부터 개발 반대 서명을 받아 내기도 하였다. 시가 기습적으로 공사를 시작한 것에 맞서 천막을 치고 농성을 하는가 하면, 시 의회 의원, 국회 의원, 시장을 방문하여 주민의 뜻을 전달하고, 공청회를 개최하기도 하였다. 이러한 주민들의 노력으로 시는 ○○산 배수지 사업 계획을 유보하였다.

자료 분석 | 희소한 가치를 배분하는 과정에서 발생하는 갈등을 해소하려면 설득·타협·양보하는 일련의 과정이 되풀이되어야 하는데, 이때 그 과정이 민주적이고 합리적인 절차에 따라 이루어져야 정당성을 갖출 수 있다. 제시된 사례는 ○○시가 개발 계획을 발표하기 전에 주민의 요구와 지지를 미리 파악하지 않고 정치 과정이 국가 기관에 의해 일방적으로 이루어진 것으로, 민주적 정당성을 갖추었다고 볼 수 없다.

1 정치 과정은 사회의 다양한 문제를 둘러싼 요구가 정책 결정 기구에 투입되어 정책으로 나타나는 모든 과정을 의미한다.
(O , ×)

2 새로운 정책을 요구하거나 기존 정책에 대해 지지 혹은 반대 의사를 표시하는 과정은 산출이다.
(O , ×)

3 산출된 정책에 대한 사회의 평가가 재투입되는 과정은 환류이다.
(O , ×)

4 입법부와 행정부는 정책 결정 기구의 대표적인 예이다.
(O , ×)

5 시민의 입법 청원 활동은 투입의 예이다.
(O , ×)

6 언론이 일정한 방향으로 여론을 형성하는 것은 산출의 예이다.
(O , ×)

7 민주주의 국가에서는 전체주의 국가에서보다 환류가 활발하게 나타난다.
(O , ×)

8 이익 집단의 활동은 주로 투입보다 산출에서 이루어진다.
(O , ×)

9 갈등을 해결하는 과정에서는 민주적이고 합리적인 절차에 따라 이루어져야 정당성을 갖출 수 있다.
(O , ×)

10 정치 과정이 국가 기관에 의해 일방적으로 이루어지는 경우에는 민주적 정당성을 갖추었다고 볼 수 있다.
(O , ×)

정답 1 O 2 × 3 O 4 O 5 O 6 ×
7 O 8 × 9 O 10 ×

2 정치 참여의 의의와 유형

1. 정치 참여의 의의

(1) **정치 참여** 시민이 정치에 관심을 가지고 정치 과정에 영향력을 행사하려는 모든 활동
→ 오늘날 대부분의 민주 국가에서는 대의제⑤를 실시하고 있으며, 대의제에서는 시민의 의사를 정치 과정에 제대로 반영하는 것이 필수적임. 시민의 의사를 제대로 반영하지 않으면 소수의 권력자나 특정 집단에 유리한 정책이 마련될 수 있음.

(2) **정치 참여의 의의** 자료 **04**

① **국민 주권의 원리⑥ 구현** 정책 결정 과정에 시민의 의사를 전달하여 사회 구성원의 이익을 반영한 정책 결정과 안정적인 정책 집행이 가능함. → 대의 민주 정치의 한계 보완

② **정치권력의 감시 및 통제** 정치권력의 남용을 방지하고 독재 정치를 방지하여 진정한 다수의 지배 원리를 실현함. ┐ [의미] 사회적 사안은 다수가 원하는 방향으로 결정되어야 한다는 원리이다.

③ **정책에 대한 정당성 부여** 적극적인 참여와 지지를 통해 안정적인 정책 집행을 가능하게 함.

④ **정치적 효능감 강화** 자신의 요구가 정책에 반영되면 정치적 효능감이 높아짐. → 국가 기관에 대한 신뢰가 높아져 정치 체제가 안정적으로 유지됨.

2. 정치 참여에 영향을 주는 요소

(1) **시민의 정치 참여를 높이는 요소**

① **정치적 효능감⑦** 자신이 정치 과정에 영향을 줄 수 있고, 정치 체계가 자신의 참여에 반응할 것이라는 기대감 → 정치적 효능감이 높을수록 시민의 정치 참여가 활발해짐.

② **사회 구성원 간의 관계** 사회 구성원 간에 공통의 목표를 공유하고, 신뢰 수준이 높으며, 수평적 관계가 형성되어 있으면 정치 참여가 활발해짐.

(2) **시민의 정치 참여를 위협하는 요소** 정치적 무관심의 증가

① **정치적 무관심의 의미** 정책 결정 과정에 참여하기를 거부하거나 관심을 보이지 않는 태도

② **정치적 무관심의 문제점** 정치 자체에 대한 불신이나 혐오 등으로 이어져 민주주의의 발전을 저해할 수 있음.

3. 정치 참여의 유형 자료 **05**

(1) **개인적 참여와 집단적 참여** ┌ [의미] 민주주의에서 정책 결정자인 대표자는 주권자인 시민에 의해 선출되어 권력을 위임받은 것이므로, 선거 참여는 주권을 행사하고 대의 민주주의를 유지하게 해 주는 중요한 행위이다.

참여 유형	참여 방법	양상
개인적 참여	선거	선거에 후보자로 출마하거나 대표 선출을 위해 후보자에게 투표함.
	독자 투고	자신의 의견을 언론사를 통해 제시함.
	진정⑧ 및 청원	국민이 국가 기관에 일정한 사항에 대한 자신의 의견이나 희망을 문서로 제출함. 자료 **06**
집단적 참여⑨	정당	정치적 견해를 같이하는 사람들과 함께 활동함.
	이익 집단	특수 이익 실현을 위해 정치 과정에 영향력을 행사함.
	시민 단체	공익을 위해 시민들이 자발적으로 모여 시민 운동을 전개함.

(2) **현대 사회의 정치 참여** 누리 소통망 서비스(SNS) 등 정보 통신 매체를 이용한 참여가 증가함.
┌ [예시] 집회나 시위 등을 통해 여론 형성에 참여하는 것도 집단적 참여 방법에 해당한다.

4. 바람직한 정치 참여의 태도

(1) 합법적이고 민주적인 절차를 준수해야 함.

(2) 능동적인 관심과 참여로 정치적 무관심의 확산을 경계해야 함.

(3) 개인적·집단적 이기주의를 지양하고 공동체 의식을 함양해야 함.

(4) 타인의 의견을 존중하고 배려하며, 사익과 공익을 모두 고려해야 함.

고득점을 위한 셀파 Tip

• **정치 참여의 유형**

개인적 참여	• 선거 참여 • 진정 및 청원서 제출 • 독자 투고, 정치 토론회 참가 • 누리 소통망 서비스, 누리방 활용
집단적 참여	정당, 이익 집단, 시민 단체의 구성원으로 참여 → 일반적으로 개인적 참여 방법보다 지속성이 높고 효과적임.

⑤ 대의제
대의제는 국민이 대표자를 통해 정치에 참여하는 정치 제도이다. 현대 국가에서는 고대 그리스나 로마의 민주 정치에서처럼 특정 장소에서 시민들이 다 함께 모일 수 없으므로 국민들이 정치에 참여하려면 자신들을 위해 활동할 소수의 대표자를 뽑아야 한다는 데 대의 정치 이론의 근거가 있다. 현대 정치에서 국민들의 합의에 바탕을 둔 정부를 조직하려면 어떤 형태이든 대의제가 필수적이다.

⑥ 국민 주권의 원리
국가의 주인이 국민이고, 국가의 의사를 결정할 수 있는 주권이 소수의 특정 계층이 아닌 국민 전체에게 있다는 헌법상의 원리이다.

⑦ 효능감
자신이 정치 과정에 영향을 미칠 수 있는 능력이 있다고 생각하는 내적 효능감과 자신의 행위에 정치가 반응할 것이라는 외적 효능감으로 구분된다.

⑧ 진정
국민들이 국가 기관에 대해서 처분 등 특정한 행위를 요구해야 하는 사항으로 인가, 허가, 면허, 등록, 신고 등 고충 민원을 제외한 모든 종류의 민원을 말한다.

⑨ 집단적 참여 방법의 장점
정당이나 이익 집단, 시민 단체의 활동에 참여하는 것 등으로, 같은 목적을 추구하는 사람들이 함께 참여하기 때문에 개인적 참여보다 지속성이 높으며 정치 과정에서 자신이 원하는 것을 더 효과적으로 표현하고 달성할 수 있다.

셀파 자료 탐구

자료 04 우리나라의 정치 참여 문화

우리나라는 외부적 요인에 의해 민주주의를 받아들였으며 권위주의적인 정부가 들어서면서 시민의 민주적 역량이 성장할 기회가 충분하지 않았다. 혈연과 지연을 중시하는 사고방식이 선거에 영향을 미쳤으며, 정치인들은 이를 이용하여 자신들의 정치적 이익을 챙기려고 하였다. 또한 군부 독재를 경험하며 얻은 폭력과 억압의 상처 때문에 정치적 논의를 하거나 정치적 견해를 밝히는 것을 금기시하는 문화도 남아 있다. 따라서 기존의 정치 참여는 매우 제한적이고 수동적이었다. 그러나 세대가 바뀌고 정보 통신 기술이 발달하면서 시민의 정치 참여가 활발해졌다. 시민은 다양한 사회 분야에서 권리를 요구하는 목소리를 냈으며 자신의 정치적 견해를 밝히고 주변을 설득하는 것이 점차 자연스러운 문화로 자리 잡아가고 있다.

자료 분석 | 시민은 환경, 소비, 인권, 보건 등으로 관심 분야를 확대하면서 다양한 분야에 걸쳐 사회적 소수자와 함께 일반 시민의 권리를 요구하는 목소리를 높이고 있다. 또한 시민은 선거일이 되면 투표소 밖에서 찍은 사진을 인터넷에 올리는 등 투표를 독려하기도 하며, 특정 후보에 대한 지지 의사를 밝히는 행동을 하기도 한다. 이런 시민의 활동은 우리 사회의 정치 참여 문화로 자리 잡아가고 있다.

자료 05 정치 참여의 유형

(가)　(나)　(다)　(라)

자료 분석 | (가)는 개인이 선거(투표)에 참여하는 모습으로 선거 참여는 국민의 정치 참여 유형 중 가장 기본적인 방법이며, 개인적 정치 참여 유형에 해당한다. (나)는 국민 신문고를 통해 생활 불편을 해소하기 위한 정책이 제안된 것을 나타내며, 개인적 정치 참여 유형에 해당한다. (다)는 환경 보호를 주장하는 시민 단체의 시위 모습으로, 집단적 정치 참여 유형에 해당한다. (라)는 정당 가입 신청서를 받는 모습으로, 정당을 통한 정치 참여를 의미하며 집단적 정치 참여 유형에 해당한다.

자료 06 시민의 정치 참여를 위한 제도적 장치

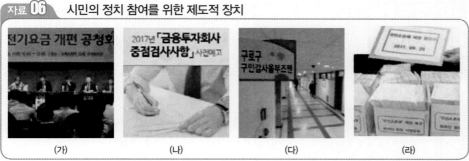

(가)　(나)　(다)　(라)

자료 분석 | (가)는 공청회로 공공 기관이 중요한 안건에 대해 이해 관계자나 해당 분야의 전문가에게 공개 석상에서 의견을 듣는 제도이다. (나)는 사전 예고제로 정부가 정책, 민원 등에 대한 정보를 미리 공고하여 시민들의 참여와 관심을 높이는 제도이다. (다)는 옴부즈맨 제도로 민원 조사관이 정부의 활동이나 공무원의 권한 남용 등을 조사·감시하는 제도이다. (라)는 청원으로 국민이 행정 기관, 국회, 법원 등 국가 기관에 국민의 희망이나 의사를 문서로 요구할 수 있는 제도이다.

1 시민의 정치 참여는 대의 민주주의의 한계를 보완할 수 없다.
(O , ×)

2 시민의 정치적 무관심은 소수의 권력자나 특정 집단에 유리한 정책으로 이어질 수 있다.
(O , ×)

3 정치적 효능감이 낮을수록 시민의 정치 참여가 활발해진다.
(O , ×)

4 정치 참여는 시민의 주권 의식을 신장시키고 정치적 효능감을 제고시킨다.
(O , ×)

5 정치적 무관심의 증가는 시민의 정치 참여를 위협하는 요소가 될 수 있다.
(O , ×)

6 이익 집단은 공익 실현을 위해 정치 과정에 영향력을 행사하는 집단이다.
(O , ×)

7 시민 단체를 통한 정치 참여는 집단적 정치 참여 유형에 해당한다.
(O , ×)

8 진정 및 청원은 집단적 정치 참여 유형에 해당한다.
(O , ×)

9 누리 소통망 서비스(SNS)를 통해 특정 쟁점에 대해 자신의 의견을 개진하는 것은 집단적 정치 참여 유형에 해당한다.
(O , ×)

10 사익과 공익을 조화시키는 것은 바람직한 정치 참여 태도에 해당한다.
(O , ×)

정답　1 ×　2 ○　3 ×　4 ○　5 ○　6 ×
　　　7 ○　8 ×　9 ×　10 ○

1 정치 과정

의미	사회의 다양한 문제를 둘러싼 요구가 정책 결정 기구에 (❶)되어 정책으로 나타나는 모든 과정
단계	• 투입: 개인이나 집단이 새로운 정책을 요구하거나 기존 정책에 대해 지지·반대 의사를 표시하는 과정 • (❷): 정치 체계에 투입된 국민의 요구가 정책으로 형성·조정·집행되는 과정 • (❸): 산출된 정책이 평가를 통해 수정 및 보완되거나 국민의 새로운 요구가 투입되는 과정 • 환경: 정치 과정이 이루어지는 경제, 사회, 문화 등의 배경
정책 결정 모형	환경 투입 →(요구/지지)→ 정책 결정 기구 →(정책 결정/정책 집행)→ 산출 - - - - - - 환류 - - - - - -
원활한 정치 과정을 위한 요건	• 민주적 (❹): 갈등을 해소하는 과정이 민주적이고 합리적인 절차에 따라 이루어져야 함. • 시민의 참여: 정치 과정에 시민의 의사를 정확히 반영하기 위해서는 시민이 적극적으로 참여해야 함.

2 정치 참여의 의미와 의의

의미	시민이 정치에 관심을 가지고 정치 과정에 영향력을 행사하려는 모든 활동
의의	• 국민 주권의 원리 구현: 대의 민주 정치의 한계 보완 • 정치 권력의 감시 및 통제: 다수의 지배 원리 실현 • 정책에 대한 정당성 부여: 안정적인 정책 집행 가능 • 정치적 효능감 강화: 정치 체제가 안정적으로 유지

3 정치 참여의 유형

참여 유형	• (❺ ·) 참여: 선거, 독자 투고, 진정 및 청원서 등 • (❻) 참여: 정당, 이익 집단, 시민 단체의 활동 등
바람직한 정치 참여 태도	• 합법적이고 민주적 절차 준수 • 능동적인 관심과 참여 • 사익과 공익 모두 고려 • 타인의 의견 존중

정답 ❶ 투입 ❷ 산출 ❸ 환류 ❹ 정당성 ❺ 개인적 ❻ 집단적

---

1 민주 국가의 정치 과정

01 다음 중 정치 과정에 대한 설명으로 옳은 것은?

① 원활한 정치 과정을 위해 민주적 정당성과 시민의 참여가 필요하다.

② 현대 민주 사회에서는 정치 과정의 참여 주체가 단일화되어가고 있다.

③ 정치 과정에 시민의 의사를 반영할수록 대의제의 한계는 커지게 된다.

④ 정치 과정에서의 투입은 산출된 정책이 평가를 통해 수정되는 과정이다.

⑤ 정치 과정은 사회 구성원들이 표출하는 다양한 이해관계를 바탕으로 정책을 만들어가는 산출 과정만을 의미한다.

02 다음 정책 결정 과정에 대한 옳은 설명만을 〈보기〉에서 있는 대로 고른 것은?

> 이스턴(Easton, D.)의 정책 결정 모형에 따르면 정치 체계는 국민의 요구와 지지가 ㉠ <u>정책 결정 기구</u>로 전달되는 (가) , 요구와 지지가 정책 결정 기구에 들어가 공공 정책으로 전환되어 나오는 (나) , (나) 가 (가) 에 다시 영향을 미치는 ㉡ <u>환류</u>의 과정으로 이루어진다.

> **보기**
> ㄱ. (가)는 투입, (나)는 산출이다.
> ㄴ. 정치적 효능감이 낮은 사회일수록 (가)가 활발하다.
> ㄷ. 의회와 정당은 모두 ㉠에 해당한다.
> ㄹ. 민주주의 국가에서는 전체주의 국가에서보다 ㉡이 활발하게 나타난다.

① ㄱ, ㄴ   ② ㄱ, ㄹ   ③ ㄴ, ㄷ
④ ㄱ, ㄷ, ㄹ   ⑤ ㄴ, ㄷ, ㄹ

03 그림은 정치 과정을 나타낸 것이다. ㉠~㉣에 대한 설명으로 옳지 <u>않은</u> 것은?

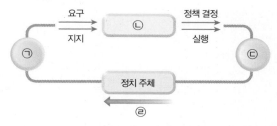

① ㉠은 언론과 이익 집단에 의해서도 가능하다.
② ㉡은 입법부, 행정부 등이 해당된다.
③ 법원의 판결은 ㉡에 해당한다.
④ ㉣은 투입된 요구에 대한 사회의 평가를 말한다.
⑤ 선거는 ㉠, ㉣의 대표적 사례이다.

04 밑줄 친 ㉠~㉣에 대한 설명으로 옳지 <u>않은</u> 것은?

> ㉠ 정치 과정에서 ㉡ 투입은 국민들이 정책에 대해 어떤 요구를 하거나 지지를 하는 것을 의미한다. 이러한 요구와 지지는 정치 체계로 전달되어 어떤 정책이나 결정이 내려지게 되는데, 이것이 ㉢ 산출이다. 산출된 정책이나 결정은 ㉣ 피드백 과정에서 국민들의 반응과 평가를 받아 지지나 새로운 요구로 다시 정치 체계에 투입된다.

① ㉠은 사회의 다양한 문제를 둘러싼 요구가 정책 결정 기구에 투입되어 정책으로 나타나는 모든 과정을 의미한다.
② ㉡의 예로 시민 개개인이 정부에 정책을 요구하거나 정부의 정책에 대한 의사를 표현하는 것을 들 수 있다.
③ ㉢은 정책 결정 기구가 국민의 의견을 반영하여 정책을 마련하고 시행하는 과정을 의미한다.
④ ㉣은 정책 결정 기구에 의해 수립된 정책이 실제로 집행된 이후 이에 대한 정책 결정 기구의 평가가 이루어지는 것이다.
⑤ ㉣을 통해 새로운 정책이 만들어지게 되거나 기존의 정책이 수정될 수도 있다.

05 그림은 정치 과정을 나타낸 것이다. 밑줄 친 ㉠~㉣에 대한 옳은 설명만을 〈보기〉에서 있는 대로 고른 것은?

┌─ 보기 ┐
ㄱ. 시민의 입법 청원 활동은 ㉠의 대표적인 예이다.
ㄴ. 시민 단체와 달리 이익 집단은 ㉡에 해당한다.
ㄷ. 선거를 통해 ㉣이 이루어질 수 없다.
ㄹ. ㉠이 ㉢에 잘 반영될수록 국민의 정치적 효능감이 높아질 수 있다.
└─────┘

① ㄱ, ㄴ　　　② ㄱ, ㄹ　　　③ ㄴ, ㄷ
④ ㄱ, ㄷ, ㄹ　　⑤ ㄴ, ㄷ, ㄹ

2 정치 참여의 의의와 유형

06 ㉠에 해당하는 사람만을 고른 것은?

> 교사 ○○ 지역에서는 작년부터 예산 편성 과정에 주민이 참여하고 있어요. 주민 참여 예산 위원회가 만들어졌고, 주민들의 투표를 통해 예산 편성이 이루어지고 있어요. 이러한 ○○ 지역의 정치적 변화에 대한 추론에 대해 발표해 볼까요?
> 갑 예산 편성 과정의 투명성이 높아졌을 것입니다.
> 을 주민들의 정치적 무관심이 증가하였을 것입니다.
> 병 예산 편성 과정을 통해 지방 재정 자립도가 제고되었을 것입니다.
> 정 예산 편성 과정에서 주민들의 정치적 효능감이 높아졌을 것입니다.
> 교사 ㉠ 두 사람이 옳지 않은 내용을 발표하였네요.

① 갑, 을　　②갑, 병　　　③을, 병
④ 을, 정　　⑤ 병, 정

07 다음 수행 평가의 질문에 대해 옳지 <u>않은</u> 답변을 한 학생은?

질문 다음 신문 기사를 읽고 ○○ 마을의 벽화 마을 사업이 순조로울 수 있었던 이유에 대해 서술하시오.

○○ 마을은 지역 공동체와 주민이 주도하여 마을에 새로운 색을 입히면서 지역의 명소로 자리 잡았다. 마을 협의회를 기반으로 지역 개발과 주민 생활 보호 간에 균형을 맞추어 나감으로써 갈등의 요소를 줄였다. 마을에 시설물을 설치할 때에는 주민이 참여하는 자문 위원회의 결정 과정을 거치도록 하였으며, 아울러 마을 주민이 직접 자원 봉사자로 참여하여 관광객들을 맞이하고 안내하였다. - □□일보, 2014. 9. 18.

① 갑: 지역 주민의 적극적인 참여가 지역 발전을 이끌 수 있었기 때문입니다.

② 을: 주민 참여 과정에서 마을 협의회 등을 통해 주민 간의 갈등 요소를 줄여나갈 수 있었기 때문입니다.

③ 병: 지역 주민의 참여를 통해 벽화 마을 사업이 진행되면서 지역 개발이 순조롭게 진행될 수 있었습니다.

④ 정: 정부 주도로 벽화 마을 사업이 진행되면서 주민 간에 소통하고 이해할 수 있는 제도가 부재하였기 때문입니다.

⑤ 무: 지역 공동체와 주민의 주도로 벽화 마을 사업이 진행되어 행정 기관 주도로 진행하는 것보다 순조로울 수 있었습니다.

08 다음 중 시민의 정치 참여의 기능에 대한 설명으로 옳지 <u>않은</u> 것은?

① 정부의 정책 결정에 신속성과 효율성을 높여준다.

② 정부의 자의적인 결정을 막아 책임 있는 정책 결정이 이루어지도록 한다.

③ 민주 시민 의식의 학습 기회를 제공함으로써 시민의 주권 의식을 신장시킨다.

④ 시민의 의사를 공공의 의사 결정에 반영하게 함으로써 대의 민주 정치를 보완한다.

⑤ 정부에 대한 감시와 공공 정책 결정 과정에 대한 참여를 통해 시민의 이익을 증진시킨다.

09 정치 참여 유형 ⓐ~ⓓ에 대한 옳은 설명만을 〈보기〉에서 있는 대로 고른 것은?

ⓐ 개별적 참여	ⓑ 집단적 참여
ⓒ 일시적 참여	ⓓ 지속적 참여

┤ 보기 ├

ㄱ. 국가 기관에 문서로 제출하는 청원은 ⓐ의 사례이다.

ㄴ. 시민 단체에 가입하여 활동하는 것은 ⓑ의 사례이다.

ㄷ. 같은 목적을 추구하는 사람들이 함께 참여하기 때문에 ⓑ는 ⓐ보다 효과적일 수 있다.

ㄹ. 일반적으로 ⓐ보다 ⓑ는 ⓓ보다 ⓒ 유형이 되기 쉽다.

① ㄱ, ㄷ ② ㄱ, ㄹ ③ ㄴ, ㄹ
④ ㄱ, ㄴ, ㄷ ⑤ ㄴ, ㄷ, ㄹ

10 (가)~(다)에 나타난 시민의 정치 참여와 관련한 공통된 특징으로 가장 적절한 것은?

(가)   (나)   (다)

① 선거를 통한 정치 참여가 나타나고 있다.

② 시민들이 다양한 정치적 요구를 표출하고 있다.

③ 민원 조사관이 정부의 활동이나 공무원의 권한 남용 등을 조사·감시하는 제도를 나타낸다.

④ 국민이 행정 기관, 국회, 법원 등 국가 기관에 국민의 희망이나 의사를 문서로 요구할 수 있는 제도가 시행되고 있다.

⑤ 공공 기관이 중요한 안건에 대해 이해 관계자나 해당 분야의 전문가에게 공개 석상에서 의견을 듣는 제도가 나타나 있다.

11 (가)~(라)에 들어갈 알맞은 용어를 쓰시오.

> ☐ (가) ☐ 은/는 사회 구성원들이 표출하는 다양한 이해관계를 바탕으로 정책을 만들어 가는 일련의 과정을 말한다. ☐ (가) ☐ 은/는 사회의 다양한 요구가 표출되는 ☐ (나) ☐, 정책 결정 기구가 정책을 수립하고 집행하는 ☐ (다) ☐, 집행된 정책에 대한 사회의 평가가 재투입되는 ☐ (라) ☐ 과정을 말한다.

12 다음 글을 읽고 물음에 답하시오.

> 원활한 정치 과정을 위해서는 이것과 시민의 참여가 필요하다. 정치 과정에 시민의 의사를 정확히 반영하기 위해서는 시민이 적극적으로 참여해야 한다.

(1) 밑줄 친 '이것'이 무엇인지 쓰시오.

(2) 밑줄 친 '이것'을 갖추기 위한 조건에 대해 서술하시오.

13 (가), (나)에 나타난 정치 참여 집단이 무엇인지 쓰고, 그 특징을 서술하시오.

> (가) 미국 내 가장 강력한 로비 단체인 미국−이스라엘 공공 정책 위원회(AIPAC)가 하원 의원 3/4의 서명을 받은 공개편지로 백악관을 압박하고 있다.
> (나) 동물 보호를 위해 활동하고 있는 시민 연대는 '과학 포경' 계획을 중단할 것을 요구하기 위해 거리로 나섰다.

14 다음 글을 읽고 물음에 답하시오.

> 시민의 정치 참여는 정책 결정 과정에 시민의 의사를 전달하여 ☐ ㉠ ☐ 의 한계를 보완할 수 있다. 또한 시민의 정치적 효능감을 제고할 수 있으며, 시민의 이익과 공익을 증진하여 정치 발전에 기여할 수 있다. 이 밖에도 ☐ (가) ☐.

(1) ㉠에 들어갈 알맞은 내용을 쓰시오.

(2) (가)에 들어갈 알맞은 내용을 두 가지 서술하시오.

15 다음 글을 읽고 물음에 답하시오.

> 시민의 정치 참여를 높이는 요소에는 원만한 사회 구성원 간의 관계와 높은 ☐ (가) ☐ 이/가 있고, 시민의 정치 참여를 위협하는 요소에는 ☐ (나) ☐ 이/가 있다.

(1) (가)와 (나)가 무엇인지 쓰시오.

(2) (가)와 (나)의 의미를 각각 서술하시오.

16 밑줄 친 ㉠에 비해 ㉡이 일반적으로 갖는 장점을 서술하시오.

> 현대 대의 민주주의에서 시민의 정치 참여는 다양한 형태로 나타나는데, 정치 참여의 유형은 크게 ㉠ 개인적 정치 참여와 ㉡ 집단적 정치 참여로 나눌 수 있다.

| 평가원 기출 |
01 밑줄 친 ㉠~㉣에 대한 설명으로 옳은 것은?

> 정치 과정은 사회 구성원의 요구와 지지가 ㉠ 정책 결정 기구에 ㉡ 투입되어 정책으로 형성·조정·집행되는 ㉢ 산출의 과정을 거친다. 그러나 모두가 만족하는 정책의 산출은 현실적으로 어려우므로 ㉣ 환류 과정을 통해 기존의 정책이 수정·보완되거나 국민의 요구가 재투입되기도 한다.

① 입법부는 ㉠에 해당한다.
② 집단과 달리 개인은 ㉡에 참여할 수 없다.
③ 시민의 입법 청원 활동은 ㉢의 사례에 해당한다.
④ 언론은 ㉣에 참여할 수 없다.
⑤ ㉡~㉣은 모두 정치 외적 요소인 경제, 사회, 문화의 영향을 받지 않는다.

| 평가원 기출 |
02 밑줄 친 ㉠~㉣에 대한 설명으로 옳은 것은?

○○법 개정, 국민의 청원권 대폭 강화

> 그동안 ㉠ 청원을 하려면 해당 기관에 직접 방문하여 서면으로 제출해야 하는 불편함이 있었다. 이에 대한 ㉡ 국민의 개선 요구를 적극 반영하여 ㉢ 온라인 제출도 가능하도록 ○○법이 개정되었다. 또한 청원인이 원하는 경우 온라인 청원 시스템에 청원 내용을 공개하여 국민 의견을 수렴하는 ㉣ 공개 청원 제도도 함께 도입되었다.

① ㉠이 활성화될수록 정치권력에 대한 국민의 감시 기능은 약화된다.
② ㉡은 정치 과정 중 산출에 해당한다.
③ ㉢을 통해 정치 참여의 공간적 제약을 완화할 수 있다.
④ ㉣은 국민의 의견 제시 기회를 축소시킨다.
⑤ ㉢은 ㉣과 달리 국민의 정치적 효능감 향상에 기여할 수 있다.

| 교육청 기출 |
03 다음 자료에 대한 설명으로 옳은 것은? (단, A~C는 각각 시민 단체, 이익 집단, 정당 중 하나에 해당한다.)

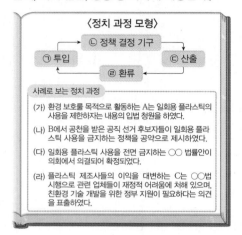

〈정치 과정 모형〉

㉠ 투입 → ㉡ 정책 결정 기구 → ㉢ 산출
㉣ 환류

사례로 보는 정치 과정

(가) 환경 보호를 목적으로 활동하는 A는 일회용 플라스틱의 사용을 제한하자는 내용의 입법 청원을 하였다.
(나) B에서 공천을 받은 공직 선거 후보자들이 일회용 플라스틱 사용을 금지하는 정책을 공약으로 제시하였다.
(다) 일회용 플라스틱 사용을 전면 금지하는 ○○ 법률안이 의회에서 의결되어 확정되었다.
(라) 플라스틱 제조사들의 이익을 대변하는 C는 ○○법 시행으로 관련 업체들이 재정적 어려움에 처해 있으며, 친환경 기술 개발을 위한 정부 지원이 필요하다는 의견을 표출하였다.

① (가)는 ㉠, (나)는 ㉢에 해당한다.
② (다)는 (라)와 달리 ㉣에 해당한다.
③ B는 ㉡에 해당한다.
④ A는 C와 달리 대의제의 한계를 보완하는 역할을 한다.
⑤ B는 A와 달리 정권 획득을 목적으로 한다.

| 교육청 기출 |
04 그림은 정치 참여 방법에 대한 원격 수업 장면이다. 이에 대한 설명으로 옳은 것은?

○○법 개정을 위해 자신이 할 수 있는 정치 참여 방법을 제시해 볼까요? (교사)

선거에서 ○○법 개정을 공약으로 내세운 후보자에게 투표할 수 있습니다. (갑)

시민 단체에 가입하여 ○○법 개정 정책 제안서를 ㉠ 정부에 제출할 수 있습니다. (을)

○○법 개정을 요구하는 입법 청원을 ㉡ 국회에 제출할 수 있습니다. (병)

① ㉠과 달리 ㉡은 정책 결정 기구에 해당한다.
② 갑이 제시한 정치 참여 방법은 선출된 정치권력에 정당성을 부여하는 기능을 한다.
③ 병이 제시한 정치 참여 방법은 정치 과정에서 산출에 해당한다.
④ 병과 달리 을이 제시한 정치 참여 방법은 정치 참여 주체의 정치적 효능감을 향상시키는 기능을 한다.
⑤ 갑, 을, 병이 제시한 정치 참여 방법은 모두 직접 민주 정치 실현을 목적으로 한다.

| 평가원 기출 |

05 밑줄 친 ㉠~㉢에 대한 설명으로 옳은 것은?

- 국민은 정부에서 운영하는 ㉠ 온라인 국민 참여 플랫폼을 통해 정책을 제안할 수 있으며, 해당 제안이 일정 수 이상 국민의 추천을 받으면 정책에 반영되기도 한다.
- 국회 의원 선거 당일 투표가 어려운 유권자는 별도의 신고 없이 선거일 전 5일부터 2일 동안 운영되는 사전 투표소에 가서 ㉡ 사전 투표에 참여할 수 있다.
- 국민은 자신의 정책 아이디어를 ㉢ 정책 선거 관련 홈페이지에 희망 공약으로 제안할 수 있고, 이를 반영하여 공약으로 제시한 후보자가 선거에서 당선되면 해당 제안은 정책으로 실현되기도 한다.

① ㉡은 전체 유권자의 수를 확대하는 효과가 있다.
② ㉡과 달리 ㉢은 정치권력에 정당성을 부여하는 기능을 한다.
③ ㉢과 달리 ㉠은 국민의 정치적 효능감 향상에 기여할 수 있다.
④ ㉠, ㉡ 모두 직접 민주주의를 실현하는 방법이다.
⑤ ㉠, ㉢ 모두 정치 참여의 시·공간적 제약을 완화할 수 있는 방법이다.

| 평가원 기출 |

06 그림은 정치 참여 방법 (가)~(라)를 나타낸 것이다. 이에 대한 옳은 설명만을 〈보기〉에서 고른 것은?

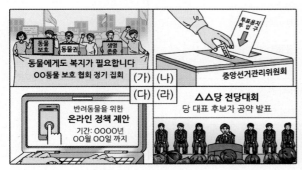

보기

ㄱ. (가)는 (나)와 달리 집단적인 정치 참여 방법이다.
ㄴ. (나)는 (라)와 달리 정치 과정에서 투입 기능을 담당한다.
ㄷ. (다)는 (가), (나), (라)에 비해 시·공간의 제약이 적어 시민의 정치 참여 활성화에 기여할 수 있다.
ㄹ. (라)는 (가), (나), (다)와 달리 정치권력을 감시하고 통제하는 기능을 가진다.

① ㄱ, ㄴ   ② ㄱ, ㄷ   ③ ㄴ, ㄷ
④ ㄴ, ㄹ   ⑤ ㄷ, ㄹ

| 교육청 기출 |

07 (가)~(라)는 시민의 정치 참여 방법을 구분한 것이다. 이에 대한 설명으로 옳은 것은?

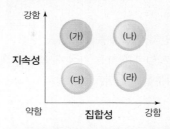

① 환경 단체에 가입하여 활동하는 것은 (라)보다 (가)에 가깝다.
② 종합 병원 설립을 위한 주민 공청회에 한 차례 참여한 것은 (다)보다 (나)에 가깝다.
③ 공공 기관의 홈페이지에 개인적 민원을 일회적으로 제기하는 것은 (나)보다 (다)에 가깝다.
④ 당원으로서 매회 전당 대회에 참여하는 것은 (가)보다 (라)에 가깝다.
⑤ (다)는 (나)보다 정부의 정책 결정에 미치는 영향력이 큰 방법이다.

| 교육청 기출 |

08 (가)~(마)에 대한 설명으로 옳은 것은?

(가) ○○당 당원인 갑은 경제 활성화 정책 제안서를 소속 정당에 제출하였다.
(나) △△시 주민인 을은 △△시장 선거에서 자신이 지지하는 후보자에게 투표하였다.
(다) □□군은 주민들과 사전 협의 없이 의료 폐기물 처리장을 건설하기로 결정하였다.
(라) ◇◇ 인권 단체는 학교 밖 청소년 지원 센터 건립을 위한 온라인 서명 운동을 실시하였다.
(마) ☆☆도는 환경 정책 관련 공청회에서 나온 학생들의 제안을 토대로 플라스틱 줄이기 정책을 수립하였다.

① (가)에서는 시민이 정책을 직접 결정하였다.
② (나)에서는 개인적 정치 참여가 아닌 집단적 정치 참여가 나타났다.
③ (다)에서는 상향식 의사 결정 과정이 나타났다.
④ (라)에서는 시·공간적 제약을 완화할 수 있는 정치 참여가 이루어졌다.
⑤ (마)에서는 권위주의적 정책 결정이 이루어졌다.

02 선거와 선거 제도

1 선거의 의미와 기능

1. 선거의 의미와 의의
(1) **의미** 국정을 담당할 국민의 대표를 투표로 뽑는 행위
(2) **의의** 대의 민주주의를 가능하게 하는 가장 본질적인 제도 → 선거를 통해 선출된 대표에게 권력을 위임함으로써 정부를 구성함.

2. 선거의 기능 자료 01
(1) **대표 선출** 국정을 운영할 대표를 투표[1]로 직접 선출 → 국민 주권의 원리 실현

[왜?] 국민이 선거에 직접 참여함으로써 주권 의식이 향상될 수 있다.

(2) **정치권력에 정당성 부여** 합법적 절차와 국민의 지지를 얻어 구성된 정치권력은 정당성을 가짐.
(3) **정치권력 통제** 대표와 정당을 심판할 수 있는 효과적 수단으로 책임 정치를 보장하는 수단임.
(4) **정치 교육의 장 제공** 선거 과정을 통해 국민은 다양한 현안과 공약을 이해하고 정치 참여의 중요성을 인식하게 됨.

[의미] 국민에 대해 정치적 책임을 진다.

(5) **국민의 의사 반영** 후보들의 공약에 대해 국민은 다양한 의사를 표출하고, 선출된 대표는 이를 정책에 반영함.

3. 민주 선거의 4대 원칙
(1) **보통 선거** 일정한 나이에 달한 모든 국민에게 선거권을 부여하는 원칙 자료 02
(2) **평등 선거** 모든 유권자가 평등하게 같은 수의 표를 행사하고 표의 등가성[2]을 보장하는 원칙
(3) **직접 선거** 유권자가 대리인을 거치지 않고 본인이 직접 투표하는 원칙
(4) **비밀 선거** 유권자가 누구에게 투표하였는지를 다른 사람이 알지 못하도록 하는 원칙

2 선거 제도의 유형

1. 선거구 제도
(1) **선거구** 선거를 통해 대표자를 선출하는 지역적 단위
(2) **선거구 제도**
① **소선거구제** 한 선거구에서 1인의 대표 선출

[왜?] 선거구당 후보 수가 적어 유권자들이 후보자와 공약을 파악하기 쉽다.
[왜?] 정당별 득표율과 의석률 간의 불일치가 크게 나타날 수 있기 때문이다.

장점	선거 운동 비용이 적게 듦, 선거 관리 용이, 유권자의 후보자 파악 용이, 정국 안정
단점	사표[3]가 많이 발생, 군소 정당의 의회 진출 어려움, 과대 대표나 과소 대표의 문제 발생 자료 03

② **중·대선거구제** 한 선거구에서 2인 이상의 대표 선출

장점	사표가 적게 발생, 국민의 다양한 의사 반영
단점	선거 관리가 어려움, 선거 운동 비용이 많이 듦, 유권자의 후보자 파악이 어려움, 정국 불안정, 투표 가치의 차등 문제가 발생할 수 있음.

[왜?] 한 선거구의 지역적 범위가 넓기 때문이다.
[왜?] 군소 정당 후보가 난립하거나 다당제를 형성할 가능성이 크기 때문이다.

(3) **선거구의 획정**

[왜?] 한 선거구에서 득표수가 서로 다른 후보자 여러 명이 당선되었을 때 많은 득표수로 당선된 후보가 얻은 표보다 적은 득표수로 당선된 후보가 얻은 표가 상대적으로 더 높은 가치를 가지게 되기 때문이다.

① **중요성**
- 선거구 획정 방식에 따라 특정 정당이나 후보에게 유리 또는 불리하게 작용함으로써 선거 결과에 영향을 미침.
- 선거구 획정이 잘못 이루어지면 표의 등가성 문제가 발생할 수 있음.

② **게리맨더링**[4] 특정 인물이나 정당에 유리하도록 선거구를 획정하는 것
③ **선거구 법정주의** 법에 따라 선거구를 획정하는 것 → 게리맨더링 방지, 선거의 공정성 확보

고득점을 위한 셀파 Tip

· 선거구 제도

소선 거구제	· 의미: 한 개의 선거구에서 한 명의 대표 선출 · 특징: 선거 운동 비용이 적게 듦, 선거 관리 용이, 인물 파악 용이, 정국 안정, 사표가 많이 발생함, 군소 정당의 의회 진출 어려움.
중·대 선거구제	· 의미: 한 개의 선거구에서 두 명 이상의 대표 선출 · 특징: 선거 관리 어려움, 선거 운동 비용이 많이 듦, 유권자의 후보자 파악 어려움, 정국 불안정, 투표 가치 차등 문제 발생

[1] 투표
선거 과정에서 자신이 지지하는 후보자에게 표를 던지는 것을 의미하며, 선거 외에도 국민 투표처럼 특정 사항에 대해 찬반 표시를 할 때에도 사용한다.

[2] 표의 등가성
한 표가 선거 결과에 기여하는 정도가 동등해야 한다는 원칙이다.

[3] 사표
선거 결과 낙선한 후보에게 던져진 표로서 당선자 결정에 기여하지 못한 표이다.

[4] 게리맨더링

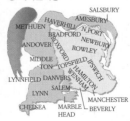

1812년 미국 매사추세츠 주지사 게리(Gerry, E.)가 자신이 속해 있던 공화당에 유리하도록 선거구를 획정한 데서 유래되었다. 일반적으로 특정 인물이나 정당에 유리하도록 자의적으로 선거구를 획정하는 것을 의미한다.

자료 01 선거의 기능

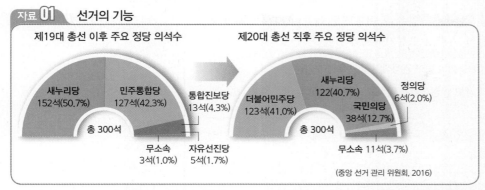

제19대 총선 이후 주요 정당 의석수

새누리당 152석(50.7%) 민주통합당 127석(42.3%) 통합진보당 13석(4.3%)

총 300석

무소속 3석(1.0%) 자유선진당 5석(1.7%)

제20대 총선 직후 주요 정당 의석수

새누리당 122(40.7%) 정의당 6석(2.0%)

더불어민주당 123석(41.0%) 국민의당 38석(12.7%)

총 300석

무소속 11석(3.7%)

(중앙 선거 관리 위원회, 2016)

자료 분석 | 제19대 총선에서는 새누리당과 민주통합당 두 정당이 국회 의석의 93%나 차지함으로써 양당제 구도가 나타났고, 제20대 총선에서는 더불어민주당이 국회 의석의 41%, 새누리당이 40.7%, 국민의당이 12.7%를 차지하여 다당제 구도로 변화하였다. 이로써 국민의 정치적 요구가 보다 다양하게 국회 내에 반영될 수 있게 되었다. 이처럼 선거는 정당 제도의 변화를 통해 국민의 의견이 반영되는 방식을 바꾸기도 하며, 대표와 정당을 심판함으로써 책임 정치가 이루어지도록 한다.

자료 02 보통 선거의 원칙 실현

선거권의 제한은 그 제한을 불가피하게 요청하는 개별적, 구체적 사유가 존재함이 명백할 경우에만 정당화될 수 있다. 막연하고 추상적인 위험이라든지 국가의 노력에 의해 극복될 수 있는 기술상의 어려움이나 장애 등의 사유로는 그 제한이 정당화될 수 없다. 단지 주민 등록이 되어 있는지 여부에 따라 선거인 명부에 오를 자격을 결정하여 그에 따라 선거권 행사 여부가 결정되도록 한다면 주민 등록법상 주민 등록을 할 수 없는 재외 국민의 국정 선거권 행사는 전면적으로 부정된다. 이는 정당한 목적이 없는 행위이며, 재외 국민의 선거권과 평등권을 침해하고 보통 선거 원칙에 위배된다.

자료 분석 | 2007년 헌법 재판소는 대한민국 국적을 가지고 있지만 국내에 주소가 없는 재외 국민에게 선거권을 부여하지 않은 공직 선거법이 보통 선거의 원칙을 위반한다고 보아 헌법 불합치 결정을 내렸다. 이에 따라 2009년 국회에서 공직 선거법이 개정되었고, 2012년 제 19대 국회 의원 선거부터 재외 선거가 실시되었다.

자료 03 소선거구제의 문제점

2000년 총선 당시 경기도 광주군 선거구에서 국회 의원 후보로 출마한 문○○ 후보는 16,672표를 얻었다. 그러나 단 '3표' 차이로 박 후보에게 무릎을 꿇으면서 역대 국회 의원 선거 사상 최소표 차이로 낙선한 사례로 기록되었다. 박 후보를 지지한 16,675명이나 문 후보를 지지한 16,672명 모두 유권자로서 동등한 1표의 주권을 행사하였지만, 문 후보를 지지한 유권자들은 대표 선출에 아무런 영향력을 행사하지 못한 것이다. – 노컷뉴스, 2015. 1. 12

자료 분석 | 제시된 자료는 사표로 인해 유권자의 의사가 정치에 제대로 반영되지 않고 있음을 보여 준다. 근소한 차이로 패배한 후보에게 투표한 모든 표가 사표 처리됨으로써 유권자의 의사가 제대로 반영되지 않고 있으며, 근소한 차이로 당선된 의원은 높은 대표성을 가지기 어렵기 때문에 국정 운영에 추진력을 확보하기 어렵다. 이와 같이 사표가 많이 발생할 경우 유권자는 자신의 표가 사표가 될 것을 우려하여 주요 정당에 투표하려는 경향이 나타날 수 있다.

기출 선택지 ○, ×로 정리하기

1 선거는 대의 민주주의를 가능하게 하는 가장 본질적 제도이다.

(○ , ×)

2 선거는 대표자를 선출하고, 정치권력에 정당성을 부여하는 기능을 한다.

(○ , ×)

3 일정한 나이에 달한 모든 국민에게 선거권을 부여하는 원칙은 평등 선거 원칙이다.

(○ , ×)

4 선거인이 대리인을 거치지 않고 본인이 직접 투표하는 원칙은 직접 선거 원칙이다.

(○ , ×)

5 한 선거구에서 2인의 대표를 선출하는 것은 소선거구제이다.

(○ , ×)

6 소선거구제는 선거 운동 비용이 적게 들고, 선거 관리가 용이하다는 장점이 있다.

(○ , ×)

7 소선거구제는 사표가 많이 발생한다는 단점이 있다.

(○ , ×)

8 중·대선거구제는 인물 파악이 용이하다는 장점이 있다.

(○ , ×)

9 게리맨더링은 특정 인물이나 정당에 유리하도록 선거구를 확정하는 것이다.

(○ , ×)

10 선거구 법정주의는 선거구를 자의적으로 확정하기 위한 제도이다.

(○ , ×)

정답 1 ○ 2 ○ 3 × 4 ○ 5 × 6 ○
7 ○ 8 × 9 ○ 10 ×

2. 대표 결정 방식 자료 04

(1) 다수 대표제[5]
예시 우리나라의 대통령 선거, 지역구 국회 의원 선거 등에서 활용된다.

① **단순 다수 대표제(상대 다수 대표제)** 가장 많은 표를 얻은 후보자 또는 득표한 순서에 따라 일정 수의 후보자를 당선자로 결정하는 방식 → 주로 소선거구제와 결합

의미 두 개의 주요 정당이 권력 획득을 위해 경쟁하며 교대로 집권하는 정당 제도의 유형이다.

장점	단순한 대표 결정 방식, 양당제의 출현 가능성이 높아 안정적인 국정 운영이 가능함.
단점	유권자의 선택 폭이 좁음, 군소 정당의 후보는 당선되기 어려움, 사표가 많이 발생함, 절대 다수 대표제에 비해 당선자의 대표성이 낮을 수 있음.

② **절대다수 대표제** 유효 표의 일정 비율 이상을 획득해야 당선되는 방식(예 선호 투표제[6], 결선 투표제[7] 등) 자료 05

분석 선거에서 당선된 대표가 국민을 대표하는 정도를 말하며, 당선자의 득표율이 높을수록 당선자의 대표성도 높아진다.

장점	당선자의 대표성을 높일 수 있음.
단점	선거 운영이 복잡함, 선거 비용이 많이 듦.

(2) 비례 대표제
각 정당이 획득한 득표율에 의하여 의석수를 배분하고 당선자를 결정하는 방식

장점	유권자의 의사가 의회 의석수에 더 정확하게 반영될 수 있음, 사표가 적게 발생함, 득표율에 따라 의석을 배분하기에 소수당의 의회 진출이 용이함(소수 의견 반영).
단점	정당 후보 결정에 유권자의 의사를 반영하기 어려움, 의석 배분 방식이 복잡함, 군소 정당이 많아질 경우 정국 불안정이 우려됨.

3. 우리나라의 선거 제도

(1) 우리나라의 현행 선거 제도

의미 의회 의원 선거에서 비례 대표 의원을 선출할 때 각 정당이 제출한 후보 명부에 따라 대표를 선출하는 선거 방식, 1인 2표제

대통령 선거(5년마다 실시)		단순 다수 대표제
국회 의원 선거(4년마다 실시)		소선거구제, 단순 다수 대표제(지역구 의원)/정당 명부식 비례 대표제(비례 대표 의원)
지방 선거 (4년마다 실시)	지방 자치 단체장	단순 다수 대표제
	광역 의회 의원	소선거구제, 단순 다수 대표제(지역구 의원)/정당 명부식 비례 대표제(비례 대표 의원)
	기초 의회 의원	중선거구제, 단순 다수 대표제(지역구 의원)/정당 명부식 비례 대표제(비례 대표 의원)
	교육감	광역 자치 단체 단위로 선출, 단순 다수 대표제

(2) 공정한 선거를 위한 제도

선거구 법정주의	특정 정당이나 후보자가 선거구를 자의적으로 획정하는 것을 방지하기 위해 선거구를 국회에서 제정한 법률로 획정함. → 게리맨더링 방지
선거 공영제	선거 과정을 국가 기관이 관리하고 국가나 지방 자치 단체가 선거 비용의 일부를 부담함. → 후보자 간 선거 운동의 기회 균등 보장, 선거 운동의 과열 방지
선거 관리 위원회	각종 선거와 국민 투표의 공정한 관리, 정당 및 정치 자금의 투명한 관리와 사무를 담당하는 헌법상 독립 기관

(3) 우리나라 선거 제도의 문제점과 개선 방향

문제점	개선 방향
지역적 경향에 따라 특정 정당 후보에게 표가 집중되는 지역주의 발생	권역별 비례 대표제[8]의 도입으로 지역주의 완화 등
군소 정당의 후보는 당선이 어려워 국회 진입 어려움.	중·대선거구제 도입 및 비례 대표 의석수 증가 등
금권 선거 및 흑색 선전	불법 선거 감시 등 선거 관리 위원회의 역할 강화

고득점을 위한 셀파 Tip

· 대표 결정 방식

다수 대표제	단순 다수 대표제, 절대다수 대표제
비례 대표제	정당 득표율에 비례하여 의석을 배분함.

[5] 다수 대표제

〈단순 다수제〉

후보	득표율(%)
기호 1번	45
기호 2번	40
기호 3번	15

〈절대다수제〉

후보	득표율(%)
기호 1번	45
기호 2번	40
기호 3번	15

▲ 1차 투표

후보	득표율(%)
기호 1번	45
기호 2번	55

▲ 2차 투표

단순 다수제에서는 45%를 득표한 기호 1번 후보가 당선된다. 절대다수제에서는 2차 투표를 실시하여 기호 2번 후보가 당선된다. 이와 같이 대표 선출 방식에 따라 당선자가 달라질 수 있다.

[6] 선호 투표제

유권자가 모든 후보에게 선호 순위를 매겨 투표하는 방식이다. 과반수 득표자가 없으면 1순위 득표수가 가장 적은 후보를 탈락시키고 그를 1순위로 뽑은 표의 2순위 표를 나머지 후보들에게 나누어 주는 방식으로 최종 당선자를 결정하는 제도이다.

[7] 결선 투표제

1차 투표에서 유효표의 일정 비율 이상을 얻은 후보자가 없으면 1차 투표에서 1, 2위를 차지한 후보들만을 대상으로 결선 투표를 시행하는 제도이다.

[8] 권역별 비례 대표제

인구 비례에 따라 권역별 의석수(지역구 대표+비례 대표)를 먼저 배정하고, 그 의석을 정당 득표율에 따라 나누는 제도이다. 이때 권역별 지역구 당선자 수를 제외한 나머지에는 비례 대표를 배정한다. 이 제도는 지역주의, 사표 문제 등의 완화에 기여한다는 평가를 받고 있다.

자료 04 갑국의 의회 선거 결과 분석

〈자료 1〉 정당 후보자별 득표수

(단위: 백 명)

구분	제1선거구	제2선거구	제100선거구
A당 후보자	600	500 당선	200
B당 후보자	700 당선	400	150
C당 후보자	300	250	250
D당 후보자	150	100	100
E당 후보자	50	150	300 당선
유효 투표수	1,800	1,400	1,000
유권자 수	3,000	2,500	2,000

〈자료 2〉 정당별 의석 분포

(단위: 석)

구분	총의석수	지역구 의석수	비례 대표 의석수	비례 대표 정당 투표 득표율(%)
A당	52	31	21	40
B당	54	39	15	30
C당	30	20	10	20
D당	11	7	4	8
E당	3	3	0	2
합계	150	100	50	100

자료 분석 | 〈자료 1〉에서는 한 선거구에서 최다 득표를 한 한 명의 후보자가 당선되므로 소선거구제, 다수 대표제이 며, 과반수가 되지 않아도 가장 많은 표를 얻으면 당선되므로 상대 다수 대표제이다. 〈자료 2〉에서는 지역 구 선거에서 100명, 비례 대표에서 50명을 선출하여 총 의석수가 150석이다. 하지만 E당의 경우 2% 득표 를 했는데도 의석을 배정받지 못한 것을 보면 의석 배분에 있어서 최저 기준이 있다는 것을 알 수 있다. 또 한 지역구 대표는 소선거구제로서 최다 득표 후보자만 당선되므로 사표가 많이 발생하여 정당의 득표율 과 의석률의 차이가 클 수 있다. 이를 보완한 것이 비례 대표제인데, 비례 대표제는 정당이 획득한 득표율 에 비례하여 의석수를 배분하므로 득표율과 의석률이 일치하게 된다.

자료 05 선호 투표제와 결선 투표제

(가) 선호 투표제

선호 순위 기재

구분	A	B	C	D	E
갑	①	3	2	①	2
을	2	①	3	2	3
병	3	②	①	3	①

투표 결과 집계

(단위: 표)

	1차 계산	2차 계산	최종 결과
갑	2		2
	1 × 제거		
병	2	2+1	3 당선

✓1순위 표 합산

최하위 후보 을을 제거한 뒤 을을 1순위로 기재한 유권자 B가 2순위로 기재한 후보 병에게 표 합산

(나) 결선 투표제

후보	득표율(%)
마크롱	24.01
르펜	21.30
피용	20.01
멜랑숑	19.58

▲ 1차 투표 득표율

후보	득표율(%)
마크롱	66.10
르펜	33.90

▲ 2차 투표 득표율

자료 분석 |
• (가) 선호 투표제는 과반수 득표자가 없을 때 결선 투표를 한 번 더 실시하지 않고 한 번의 투표로 절대다 수(50% + 1표)의 지지를 얻은 후보를 당선시키는 제도이다. 유권자는 지지하는 선호에 따라 출마한 모 든 후보의 순위를 투표 용지에 기재하고, 1순위 표수로 1차 집계를 한 뒤 과반수 득표자가 나오면 당선 자가 확정된다. 과반수 득표자가 없으면 최하위 후보를 제거하고, 최하위 후보의 표에 2순위로 적힌 후 보에게 그 표를 나누어 준다. 이렇게 넘겨준 표를 합산한 결과, 절대다수를 획득한 후보가 당선된다.
• (나) 프랑스는 대통령 선거에서 결선 투표제 방식을 채택하고 있다. 2017년 프랑스 대선 1차 투표에서 앙마르슈 정당의 마크롱 후보는 24.01%를, 국민전선의 르펜 후보는 21.30%를 얻었다. 과반수 득표자 가 없었기 때문에 2차 투표가 진행되었고, 마크롱 후보가 66.10%를 얻어 대통령에 당선되었다.

1 선거의 의미와 기능

의미	국정을 담당할 국민의 대표를 투표로 뽑는 행위
기능	대표 선출, 대표자 및 정치권력에 대한 통제, 정치권력에 (❶) 부여, 정치 교육의 장 제공, 국민의 의사 반영
민주 선거 원칙	• 보통 선거: 일정 연령에 도달한 모든 국민에게 선거권을 부여하는 원칙 • 평등 선거: 모든 유권자가 같은 수의 표를 행사하고 표의 등가성을 보장하는 원칙 • 직접 선거: 유권자가 대리인을 거치지 않고 본인이 직접 투표하는 원칙 • 비밀 선거: 유권자가 누구에게 투표했는지를 다른 사람이 알지 못하도록 하는 원칙

2 선거구 제도

소선 거구제	• 의미: 한 선거구에서 (❷) 인의 대표 선출 • 장점: 선거 운동 비용이 적게 듦, 선거 관리 용이, 유권자의 후보 파악 용이, 정국 안정 • 단점: (❸)가 많이 발생, 군소 정당 의회 진출 어려움, 과대 대표나 과소 대표의 문제 발생
중·대선 거구제	• 의미: 한 선거구에서 2인 이상의 대표 선출 • 장점: 사표가 적게 발생함, 국민의 다양한 의견 반영 • 단점: 선거 관리가 어렵고, 선거 운동 비용이 많이 듦, 유권자의 후보자 파악 어려움, 정국 불안정, (❹)의 차등 문제 발생

3 대표 결정 방식

다수 대표제	• 가장 많은 표를 얻은 후보자가 당선되는 제도 • (❺) 대표제: 다른 후보보다 한 표라도 더 많은 표를 얻은 후보가 당선되는 방식 • (❻) 대표제: 유효 표의 일정 비율 이상을 얻어야 당선되는 방식
비례 대표제	각 정당이 획득한 득표 비율에 따라 의석수를 할당하는 방식

4 우리나라의 선거 제도

특징	• 대부분 선거에서 단순 다수 대표제를 채택함. • 기초 의회 의원 선거는 중선거구제·단순 다수 대표제를 채택함. • 국회 의원, 광역 의회 의원, 기초 의회 의원 선거에서는 정당 명부식 (❼) 병행
공정한 선거를 위한 제도	• 선거구 법정주의: 게리맨더링 방지 • 선거 공영제: 후보자의 균등한 선거 운동 기회 보장, 선거 운동의 과열 방지 • 선거 관리 위원회: 각종 선거와 국민 투표의 공정한 관리를 담당하는 헌법상 독립 기관

정답 ❶ 정당성 ❷ 1 ❸ 사표 ❹ 투표 가치 ❺ 단순 다수 ❻ 절대다수 ❼ 비례 대표제

---

1 선거의 의미와 기능

01 다음 글을 통해 알 수 있는 선거의 기능으로 가장 적절한 것은?

> 국회 의원 선거는 4년마다, 대통령 선거는 5년마다 시행됩니다. 유권자들은 선거에서 현직 의원 또는 대통령이 임기 동안 행한 의정 활동이나 국정 운영 결과 등에 대해 평가합니다. 이 평가에 따라 유권자는 다음 선거에서 계속 지지하거나 지지하지 않거나를 결정하게 되는 것입니다.

① 정치권력을 통제한다.
② 주권 의식을 함양한다.
③ 사회 통합 기능을 수행한다.
④ 사회 구성원 간의 갈등을 해소한다.
⑤ 유권자를 위한 정치 교육이 이루어진다.

02 다음 대화 상황에 대한 옳은 설명만을 〈보기〉에서 있는 대로 고른 것은?

> 교사 지난 수업 시간에 배운 민주 선거 원칙 A에 위배되는 사례에 대해 발표하는 시간을 갖겠습니다.
> 갑 선거구 간 인구 편차에 대한 것인데 현행법상 인구 편차 상하 33.3%, 인구 비례 2:1을 넘어서지 않아야 하는데 인구 비례가 3:1이 되는 경우입니다.
> 을 인종, 신분, 교육 수준, 성별, 재산의 정도 등에 따라 차별하지 않고 일정한 연령에 이르면 선거권을 부여하는 경우입니다.
> 병 _____(가)_____
> 교사 ㉠ 한 사람을 제외하고 모두 옳게 발표했습니다.

┤ 보기 ├
ㄱ. 을은 보통 선거 원칙이 적용된 사례를 발표하고 있다.
ㄴ. (가)에는 "모든 유권자에게 동등한 투표권을 부여하지 않는 경우입니다."가 들어갈 수 없다.
ㄷ. A의 반대 개념은 차등 선거이다.
ㄹ. ㉠은 을이다.

① ㄱ, ㄴ　　　② ㄱ, ㄹ　　　③ ㄴ, ㄷ
④ ㄱ, ㄷ, ㄹ　　⑤ ㄴ, ㄷ, ㄹ

03 (가), (나)에서 위반하고 있는 민주 선거의 원칙을 옳게 연결한 것은?

> (가) 갑국에서는 일정 금액의 세금을 내거나 일정 정도의 교육을 받은 사람에 한해서 투표에 참여할 수 있다.
> (나) 을국에서는 유권자들에게 그 지역의 선거구에서 거주한 기간에 따라 투표권을 달리 부여하여 유권자의 상황에 따라 한 유권자가 최소 1표에서 최대 3표까지를 행사할 수 있다.

	(가)	(나)
①	보통 선거	직접 선거
②	보통 선거	평등 선거
③	직접 선거	평등 선거
④	평등 선거	보통 선거
⑤	평등 선거	직접 선거

04 밑줄 친 ㉠, ㉡에서 각각 위반하고 있는 민주 선거의 원칙을 〈보기〉에서 옳게 연결한 것은?

> 갑국은 총선에서 1인 1표제로 지역구 의원과 비례 대표 의원을 선출한다. 유권자는 지역구 후보자에게 1표를 행사하며 다수 대표제로 지역구 당선자를 결정한다. 그리고 전국적으로 소속 정당의 지역구 후보가 받은 표를 정당별로 합산하고 그에 비례하여 비례 대표 의석을 각 정당에 배분한다. 그러나 이 방식에서는 ㉠ 비례 대표 선거에서 유권자가 지지 정당을 선택할 수 없다는 점, ㉡ 지역구 무소속 후보에게 던진 표가 비례 대표 선거에 반영되지 않는다는 점 등의 문제가 발생한다.

┨ 보기 ┠
> ㄱ. 선거 결과가 유권자의 투표에 따라 직접 결정되어야 한다는 원칙
> ㄴ. 모든 유권자가 동등한 가치를 지닌 표를 행사해야 한다는 원칙
> ㄷ. 일정한 연령에 도달한 국민이라면 누구나 선거권을 부여받아야 한다는 원칙
> ㄹ. 유권자가 어느 후보에게 투표했는지 다른 사람이 알지 못하게 투표하는 원칙

	㉠	㉡			㉠	㉡
①	ㄱ	ㄴ		②	ㄴ	ㄱ
③	ㄷ	ㄴ		④	ㄷ	ㄹ
⑤	ㄹ	ㄱ				

2 선거 제도의 유형

05 (가)에 들어갈 내용으로 옳은 것은?

> 교사 다음 자료를 보고 A와 B에 대해 발표해 보세요.
> • 선거구 제도는 한 선거구에서 1명의 대표를 선출하는 A와 한 선거구에서 2명 이상의 대표를 선출하는 B가 있음.
> • A는 일반적으로 B에 비해 선거 관리가 쉬우며, 선거구당 후보자 수가 적어 유권자들이 후보자와 공약을 파악하기 쉬움.
> • B는 일반적으로 A에 비해 사표가 적게 발생하고, 군소 정당 후보의 당선 가능성이 높아 의회의 입법 과정에 다양한 목소리를 반영하기 쉬움.
>
> 갑 A는 소선거구제, B는 중·대선거구제입니다.
> 을 개별 선거구의 지역적 범위는 A가 B보다 작습니다.
> 병 B가 A보다 다당제를 형성하기에 유리합니다.
> 정 후보자의 난립 가능성은 B보다 A에서 더 높습니다.
> 교사 A와 B에 대한 설명으로 _____ (가)

① 모두 옳게 발표하였습니다.
② 갑과 을만 옳게 발표하였습니다.
③ 을과 병만 옳게 발표하였습니다.
④ 갑, 을, 정이 옳게 발표하였습니다.
⑤ 정을 제외한 세 사람이 옳게 발표하였습니다.

06 (가), (나)의 대표 결정 방식에 대한 설명으로 옳지 <u>않은</u> 것은?

> (가) 후보들 중 다른 후보보다 한 표라도 더 많은 표를 얻은 후보 1인을 당선자로 결정하는 방식
> (나) 각 정당이 획득한 득표율에 따라 정당별 의석수를 할당하여 당선자를 결정하는 방식

① (가)는 주로 소선거구제와 결합한다.
② (가)는 단순 다수 대표제, (나)는 비례 대표제이다.
③ (가)의 방식은 (나)에 비해 유권자가 후보자를 파악하기 쉽다.
④ (나)의 방식은 (가)에 비해 의석 배분 방식이 복잡하다.
⑤ (나)의 방식은 (가)와 달리 정당별 득표율과 의석률이 일치하지 않는다.

07 표는 갑국의 국회 의원 선거 결과이다. 갑국의 국회 의원 선거 방식과 결과에 대한 분석 및 추론으로 옳은 것은?(단, 갑국의 국회는 50개의 선거구에서 선출된 지역구 의원과 전국 단위에서 선출된 비례 대표 의원에 의해 구성된다.)

정당	지역구 의석수	지역구 득표율	비례 대표 의석수
A당	60석	50%	30석
B당	30석	30%	15석
C당	10석	20%	5석

① 선거 결과 A당은 지역구 득표율에 비해 과소 대표되었다.

② 선거 결과 B당은 지역구 득표율에 비해 과다 대표되었다.

③ 비례 대표 의석은 각 정당의 지역구 득표율에 따라 배분되었을 것이다.

④ 지역구 선거에서 국민의 의사를 다양하게 반영할 수 있는 선거구제를 채택하고 있다.

⑤ 거대 정당 후보의 당선 가능성을 높이는 것이 비례 대표 의석 도입의 목적이었을 것이다.

08 다음 갑국의 선거 제도 및 대표 결정 방식에 대한 옳은 설명만을 〈보기〉에서 고른 것은?

갑국 의회는 지역구 의원 100명과 비례 대표 의원 30명으로 구성된다. 지역구 선거에서는 100개의 선거구에서 다른 후보자보다 한 표라도 더 많은 표를 얻은 후보자가 당선된다. 비례 대표 선거에서는 전국을 하나의 선거구로 하여 정당 득표율에 따라 정당별 의석수를 배분한다.

┤ 보기 ├
ㄱ. 의회 의원 선거에서 유권자는 1인 1표를 행사한다.
ㄴ. 지역구 의원 선거에서 소선거구제를 채택하고 있다.
ㄷ. 지역구 선거의 대표 결정 방식은 절대다수 대표제이다.
ㄹ. 비례 대표 선거의 대표 결정 방식은 지역구 선거에 비해 사표 발생 가능성이 낮다.

① ㄱ, ㄴ   ② ㄱ, ㄷ   ③ ㄴ, ㄷ
④ ㄴ, ㄹ   ⑤ ㄷ, ㄹ

09 다음 중 우리나라의 선거 제도에 대한 설명으로 옳지 않은 것은?

① 대통령 선거에서는 결선 투표제를 시행하고 있다.

② 군소 정당의 후보는 국회 진입이 어렵다는 문제점이 있다.

③ 공정한 선거를 치르기 위해 선거구 법정주의를 채택하고 있다.

④ 국회 의원과 기초 의회 의원 선거에서는 정당 명부식 비례 대표제를 병행하고 있다.

⑤ 지역적 경향에 따라 특정 정당 후보에게 표가 집중되는 지역주의가 발생하고 있다.

10 다음 글에 대한 옳은 설명만을 〈보기〉에서 고른 것은?

갑국과 을국의 의회는 각 지역구별로 1명씩 선출된 지역구 의원으로 구성되어 있고, 유권자는 지역구 후보자에게만 1표를 행사한다. 갑국은 각 지역구 의원 선거에서 최다 득표한 1인을 당선자로 결정한다. 이에 비해 을국은 각 지역구 의원 선거에서 유효 득표의 과반수 득표자가 없을 경우 1, 2위 후보자를 대상으로 결선 투표를 실시하여 당선자를 결정한다.

┤ 보기 ├
ㄱ. 갑국과 을국 모두 정당 명부식 비례 대표제를 실시하고 있다.
ㄴ. 갑국과 달리 을국은 지역구 의원 선거에서 소선거구제를 채택하고 있다.
ㄷ. 갑국에 비해 을국의 지역구 의원 결정 방식은 당선자의 대표성을 높이는 데 유리하다.
ㄹ. 지역구 의원 선거에서 갑국은 단순 다수 대표제, 을국은 절대다수 대표제를 채택하고 있다.

① ㄱ, ㄴ   ② ㄱ, ㄷ   ③ ㄴ, ㄷ
④ ㄴ, ㄹ   ⑤ ㄷ, ㄹ

11 다음 글을 읽고 물음에 답하시오.

> 선거는 다음과 같은 기능을 한다.
> 첫째, 선거는 국정을 운영할 대표를 투표로 직접 선출하여 _____(가)_____ 의 원리를 실현한다.
> 둘째, 선거는 정치권력에 정당성을 부여한다.
> 셋째, 선거는 정치에 관한 많은 정보를 접하게 하여 정치 교육의 장을 제공한다.
> 넷째, 선거는 국민의 의사를 반영한다.
> 다섯째, 선거는 _____(가)_____ .

(1) ㉠에 들어갈 용어를 쓰시오.

(2) (가)에 들어갈 알맞은 내용을 서술하시오.

----

12 다음 그림을 보고 물음에 답하시오.

▲ 선거구제 A   ▲ 선거구제 B

(1) 선거구제 A와 B가 무엇인지 쓰시오.

(2) A와 B의 장점과 단점을 각각 한 가지 이상 서술하시오.

----

13 표는 갑국의 국회 의원 선거 결과이다. 이를 보고 물음에 답하시오.(단, 의석수는 총 10석이다.)

선거구 \ 정당	A당	B당	C당	D당
1	310	180	290	110
2	390	240	350	70
3	250	310	90	270
4	360	210	210	190
5	300	330	410	90
6	320	310	280	160
7	370	290	150	190
8	410	240	190	160
9	140	420	210	250
10	170	360	160	320
총 득표수(표)	3,020	2,890	2,340	1,810
득표율(%)	30	28.7	23.3	18
의석수(석)	6	3	1	0
의석률(%)	60	30	10	0

(1) 위 선거에 적용된 대표 선출 방식을 쓰시오.

(2) 위 선거 결과를 토대로 갑국 대표 선출 방식의 문제점과 이를 보완할 수 있는 방안을 서술하시오.

----

14 다음 제도의 명칭을 쓰고, 이 제도를 실시하는 목적을 두 가지 서술하시오.

> 국가 또는 지방 자치 단체가 후보자의 선전 벽보 등 홍보물 첨부, 발송 비용, 선거 공보의 발송 비용 및 점자형 선거 공보의 작성 비용 등을 부담하고 있다. 또한 후보자의 선거 방송 토론 위원회 주관 대담과 토론회 및 정책 토론회의 개최 비용, 투·개표 참관인의 수당과 식비까지도 부담한다.

----

01 | 평가원 응용 |
다음 대화에서 갑, 을의 의견에 대한 추론으로 가장 적절한 것은?

이번 선거에서 투표율이 이전 선거보다 크게 높아졌는데요. 원인이 어디에 있다고 보십니까?

사회자

저는 집권당이 시행한 정책에 대한 유권자의 부정적 인식이 높은 투표 참여로 나타났기 때문이라고 생각합니다.

저는 그렇게 생각하지 않습니다. 정당들의 공약이 매우 차별적으로 제시되어 유권자들이 자신이 지지하는 정책을 제시한 정당에 투표할 이유가 분명해졌기 때문입니다.

갑   을

① 갑은 선거가 기존 정책에 대한 평가의 성격을 가진다고 보지 않는다.
② 을은 투표율과 정당 간 정책 차별성 사이의 상관성이 높다고 본다.
③ 갑은 을과 달리 선거가 국민 의사를 집약하는 기능을 한다고 본다.
④ 을은 갑과 달리 선거가 정당에 대한 통제적 성격을 가진다고 본다.
⑤ 갑, 을 모두 정당 간 경쟁이 국민의 주권 의식을 높이는 데 부정적 영향을 미친다고 본다.

02 | 평가원 기출 |
A, B는 공정한 선거를 위한 제도이다. 이에 대한 옳은 설명을 〈보기〉에서 고른 것은?

- A는 선거구를 법률로 확정함으로써 선거구가 특정 정당이나 인물에 유리하도록 정해지는 것을 방지하기 위한 제도이다.
- B는 국가가 선거 과정을 관리하고 선거 비용의 일부를 중앙 정부 또는 지방 자치 단체에서 부담하게 하는 제도이다.

┤ 보기 ├
ㄱ. A는 선거 비용의 집행·결산을 공적으로 관리하기 위한 제도이다.
ㄴ. A는 선거구별 선거인 수의 차이를 일정 비율 이내로 조정하여 선거구를 획정하는 것을 필요로 한다.
ㄷ. B는 직접 선거, 비밀 선거 원칙을 실현하기 위한 제도이다.
ㄹ. B는 입후보의 기회 보장 및 후보자 간 선거 운동의 기회 균등을 주된 목표로 삼고 있다.

① ㄱ, ㄴ   ② ㄱ, ㄷ   ③ ㄴ, ㄷ
④ ㄴ, ㄹ   ⑤ ㄷ, ㄹ

03 | 평가원 응용 |
다음 자료에 대한 옳은 분석 및 추론을 〈보기〉에서 고른 것은?

현재 갑국의 의회는 지역구 의원으로만 구성되고 의석수는 100석이며 선거구는 총 100개이다. 갑국은 향후 의회의 의석수를 현재 지역구 100석에 비례 대표 100석을 추가해 총 200석으로 변경하고자 한다. 비례 대표 의석은 각 정당의 지역구 후보들 전체가 전국적으로 얻은 득표율에 비례하여 배분된다.

구분	A당	B당	C당
득표율(%)	45	35	20
의석수(석)	70	25	5

┤ 보기 ├
ㄱ. 현행 대표 결정 방식은 다수 대표제이다.
ㄴ. 현행 선거구 제도의 일반적 특징으로 군소 정당의 난립을 들 수 있다.
ㄷ. 최근 선거 결과, 득표율에 비해 의석수를 가장 적게 획득한 정당은 C당이다.
ㄹ. 변경될 선거 제도를 최근 선거 결과에 적용한다면, A당과 달리 B, C당의 득표율과 의석률 간의 격차는 줄어든다.

① ㄱ, ㄴ   ② ㄱ, ㄷ   ③ ㄴ, ㄷ
④ ㄴ, ㄹ   ⑤ ㄷ, ㄹ

04 | 평가원 기출 |
민주 선거의 원칙 (가), (나)에 대한 설명으로 옳은 것은?

- 공직 선거법에서 선거인은 투표한 후보자의 성명이나 정당명을 누구에게도 또한 어떠한 경우에도 진술할 의무가 없다고 규정한 것은 (가)를 실현하기 위한 것이다.
- 헌법 재판소는 단지 해외에 거주한다는 이유만으로 재외 국민에게 선거권을 부여하지 않는 것은 (나)에 위배된다고 보았다.

① 수형자의 선거권에 대한 전면적·획일적 제한은 (가)에 위배된다.
② 기표소 안에서 자신이 기표한 투표지를 촬영하여 외부에 공개하는 행위는 (가)에 위배된다.
③ 유권자가 대리인을 통해 투표하는 것은 (나)에 위배된다.
④ 선거구 간 인구 편차를 줄이려는 노력은 (나)를 실현하기 위한 것이다.
⑤ 한 선거구에 3년 미만 거주한 자에게 2표, 3년 이상 거주한 자에게 3표를 부여하는 것은 (나)에 위배된다.

| 교육청 기출 |
05 다음 사례에 대한 설명 및 추론으로 옳은 것은?

갑국 의회 의원은 300명이며, 200개의 지역 선거구에서 단순 다수 대표제로 선출된 지역구 의원 200명과 전국을 1개의 선거구로 하여 정당별 득표율에 따라 선출된 비례 대표 의원 100명으로 구성된다. 최근 갑국에서는 지역 선거구의 선거구 간 유권자 수 차이가 최대 4배라는 것과 정당 득표율이 5% 이상인 정당에만 비례 대표 의석을 배분한다는 규정이 논란이 되고 있다.

① 지역구 의원 선출 방식은 선거구 간 당선에 기여한 표의 가치 차이를 발생시키지 않는다.
② 비례 대표 의원 선출 방식은 지역구 의원 선출 방식에 비해 양당제를 형성하는 데 유리하다.
③ 선거구 간 유권자 수의 차이가 최대 4배인 것은 민주 선거 원칙 중 직접 선거의 원칙에 위배된다.
④ 군소 정당은 비례 대표 정당 의석 배분 기준의 상향 조정에 찬성할 것이다.
⑤ 갑국의 지역구 의원과 비례 대표 의원 선출 방식 모두 사표가 발생할 수 있다.

| 교육청 기출 |
06 대표 결정 방식 A~C의 일반적인 특징으로 옳은 것은?

A	유권자가 자신이 지지하는 정당에 투표하면, 그 득표율에 따라 각 정당에 의석을 할당한다.
B	유권자가 자신이 속한 선거구에 출마한 후보들 중 지지하는 한 사람에게 투표하고, 그 중 가장 많이 득표한 사람을 당선자로 결정한다.
C	총 유효 투표수의 과반수를 획득한 후보를 당선시키는 방식이다. 첫 번째 투표에서 과반수를 얻은 후보가 없으면 1, 2위 후보를 두고 두 번째 투표를 실시하여 당선자를 결정한다.

① C는 1차 투표의 최다 득표자가 당선되지 않을 수도 있다.
② B는 A에 비해 득표율과 의석률의 비례성이 높게 나타난다.
③ B는 C에 비해 당선자의 대표성은 높지만 선출 절차가 복잡하다.
④ A는 B, C에 비해 의회 다수파가 안정적으로 의석을 확보하기에 유리하다.
⑤ B, C는 A에 비해 당선자가 국민 대표가 아닌 정당 대표로 전락할 우려가 높다.

| 평가원 기출 |
07 갑국~병국 의회의 비례 대표 의석 배분 방식에 대한 분석으로 옳은 것은?

국가	비례 대표 의석 배분 방식
갑국	지역구 선거에서 전국적으로 5석 이상 얻은 정당에 대해 지역구 의석수에 따라 비례 대표 의석 배분 – 지역구 선거에서 전국적으로 5석 미만 얻은 정당 중 3% 이상 득표한 정당에는 최소 1석 보장
을국	정당의 지역구 후보들이 전국적으로 얻은 득표 비율에 따라 비례 대표 의석 배분 – 지역구 선거에서 전국적으로 5석 이상 얻거나 5% 이상 득표한 정당에 그 득표율에 따라 배분
병국	독립적인 정당 명부식 비례 대표 선거에서 얻은 정당 득표 비율에 따라 비례 대표 의석 배분 – 비례 대표 선거에서 3% 이상 얻거나 지역구 선거에서 전국적으로 5석 이상을 얻은 정당에 비례 대표 선거 득표율에 따라 배분

① 갑국의 경우 지역구 선거에서 의석을 얻은 모든 정당은 최소 1석의 비례 대표 의석을 확보한다.
② 을국의 경우 지역구 선거에서 5석 미만을 얻은 정당은 비례 대표 의석을 배분받을 수 없다.
③ 갑국의 비례 대표 의석 배분 방식은 병국에 비해 평등 선거의 원칙에 충실하다.
④ 병국은 을국과 달리 지역구 선거 결과가 비례 대표 의석 배분에 영향을 미치지 않는다.
⑤ 병국의 비례 대표 의석 배분 방식은 갑국과 을국에 비해 직접 선거의 원칙에 충실하다.

| 교육청 기출 응용 |
08 ㉠에 들어갈 선거 제도로 옳은 것은?

교사 오늘 배운 [㉠]에 대해 발표해 보세요.
갑 선거의 공정성을 확보하려는 취지를 갖고 있습니다.
을 돈이 없는 사람도 후보자로 나설 수 있도록 해 줍니다.
병 선거 운동에서 균등한 기회를 보장하기 위한 것입니다.
정 모든 유권자에게 동등한 투표권을 부여하고, 투표 가치를 동등하게 부여합니다.
교사 갑, 을, 병은 맞게 말했지만, 정은 다른 선거 원칙에 대해 언급했어요.

① 평등 선거
② 소선거구제
③ 선거 공영제
④ 비례 대표제
⑤ 선거구 법정주의

09 | 교육청 기출 |
표는 갑국의 대통령 선거 결과이다. 이에 대한 분석으로 옳은 것은?

후보자	득표율(%)	
	1차 투표	2차 투표(결선 투표)
A	31.2	53.1
B	25.9	46.9
C	18.6	
D	10.4	
E	4.1	
계	100	200

*1차 투표의 투표율보다 2차 투표의 투표율이 높음.

① 상대 다수 대표제로 A가 대통령으로 당선되었다.
② 1차 투표의 결과와 상관없이 2차 투표를 실시하였다.
③ 2차 투표는 당선인의 대표성을 높이는 기능을 하였다.
④ 후보자 난립을 방지하기 위한 선거 제도를 활용하였다.
⑤ B는 A보다 1차 투표에서의 사표를 더 많이 흡수하였다.

10 | 교육청 기출 |
자료에 나타난 갑국의 선거 제도에 대한 옳은 설명만을 〈보기〉에서 있는 대로 고른 것은? (단, 각 정당은 한 지역구에서 한 명의 후보자만 공천한다.)

갑국의 의회 의원 선거에서 유권자는 지역구 후보자 1명에게 기표를 한다. 전체 의석수 400석 중 300석은 다수 대표제로, 나머지 100석은 비례 대표제로 선출한다. 비례 대표 의석은 주 단위(30개 주)로 각각 2~5석을 배분한다. 다수 대표제에서 당선된 후보자의 득표를 제외한 후, 선출되지 못한 후보자들의 표를 정당별로 합산해서 득표율에 따라 정당별로 의석을 배분한다.

┤ 보기 ├
ㄱ. 무소속 후보자의 의회 진출이 불가능하다.
ㄴ. 의회 의원 선거에서 유권자는 1표를 행사한다.
ㄷ. 지역구 대표 선출 과정보다 비례 대표 선출 과정에서 직접 선거의 원칙이 충실히 구현된다.
ㄹ. 지역구 대표로 당선된 후보자에 투표한 유권자의 표는 비례 대표 선출에 기여하지 못한다.

① ㄱ, ㄷ   ② ㄱ, ㄹ   ③ ㄴ, ㄹ
④ ㄱ, ㄴ, ㄷ   ⑤ ㄴ, ㄷ, ㄹ

11 | 평가원 기출 |
다음 자료에 대한 분석 및 추론으로 옳은 것은?

갑국 의회는 단순 다수 대표제로 선출된 지역구 의원 10명과 정당 투표 득표율에 따라 결정된 비례 대표 의원 3명으로 구성된다. 비례 대표 의석은 각 정당의 정당 투표 득표율에 비례 대표 의석수를 곱하여 산출된 수의 정수(整數)만큼 의석을 각 정당에 먼저 배분하고, 잔여 의석은 소수점 이하 수가 큰 순서대로 각 정당에 1석씩 배분한다. 표는 최근 갑국 의회 의원 선거 결과를 나타낸다.

〈지역구 의원 선거 결과〉 (단위: %)

구분	A당	B당	C당	D당	E당
지역구 1	20	55	16	5	4
지역구 2	35	34	23	7	1
지역구 3	36	31	23	8	2
지역구 4	12	16	65	2	5
지역구 5	16	38	36	9	1
지역구 6	33	30	25	9	3
지역구 7	39	26	29	4	2
지역구 8	38	34	21	6	1
지역구 9	47	19	28	5	1
지역구 10	32	30	27	8	3

〈정당 투표 결과〉 (단위: %)

구분	A당	B당	C당	D당	E당
득표율	38	27	26	7	2

갑국은 현재의 선거 제도가 ☐ (가) ☐라는 비판을 고려하여 다음과 같은 두 가지 선거 제도 개편 방안을 고려하고 있다.

〈1안〉 현재의 의석 배분 방식을 유지한 채, 비례 대표 의석수를 지역구 의원 의석수와 동일한 10석으로 늘린다.
〈2안〉 현재의 총 의석수를 기준으로 비례 대표 의석 배분 방식에 따라 정당별 의석수를 먼저 할당한다. 각 정당별로 할당된 의석수에서 지역구 의원 의석수를 뺀 만큼 비례 대표 의석을 배정한다. 만일 어떤 정당의 지역구 의원 의석수가 할당된 의석수보다 더 많다면 초과 의석을 인정하되 비례 대표 의석은 배분하지 않는다. 초과 의석으로 인해 갑국의 의회 의원 정수(定數)는 늘어날 수 있다.

*선거 제도 개편 방안 검토 시 위의 표를 기준으로 하여 판단함.
**선거 제도의 비례성은 각 정당의 정당 투표 득표율과 의회 의석률 간 차이의 절댓값의 총합이 작을수록 높음.

① (가)에는 '의원의 지역 대표성이 취약하다.'가 들어갈 수 있다.
② 〈2안〉을 적용했을 때 2개의 정당이 초과 의석을 받게 된다.
③ B당에게는 〈1안〉이 〈2안〉보다 유리하다.
④ 〈1안〉과 〈2안〉 모두에서 C당은 의석률이 정당 투표 득표율보다 낮다.
⑤ 선거 제도의 비례성은 〈1안〉이 〈2안〉보다 높다.

| 평가원 응용 |

12 다음 자료에 대한 옳은 분석을 〈보기〉에서 고른 것은?

전형적인 의원 내각제 정부 형태를 채택하고 있는 갑국의 의회는 지역구 의원 70인과 비례 대표 의원 30인으로 구성되며, 유권자는 지역구 의원 선출을 위해 후보자에 1표, 비례 대표 의원 선출을 위해 정당에 1표를 행사한다. 지역구 의원 선거에서 각 정당은 선거구별로 1인의 후보자만 공천하며 각 선거구별로 선출되는 지역구 의원 수는 같다. 비례 대표 의석은 각 정당이 얻은 정당 득표율에 비례 대표 의원 정수(定數)를 곱하여 산출된 수의 정수(整數)만큼 각 정당에 먼저 배분하고 잔여 의석은 소수점 이하의 수가 큰 순서대로 각 정당에 1석씩 배분한다. 갑국은 현재의 의원 선출 방식과 지역구 의원 수는 유지하되, 비례 대표 의원 수는 늘려서 전체 의원 수를 현재의 1.5배가 되도록 하는 개편안을 검토하고 있다. 그림은 현행 선거 제도에서 실시된 갑국의 최근 의회 의원 선거 결과를 나타낸다.

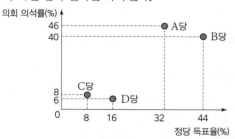

*정당은 A~D당만 존재하고 무소속 후보는 없으며, 투표율은 100%이고 무효표는 없음.

**개편안 적용 시 최근 의회 의원 선거의 정당 득표율과 지역구 의원 선거 결과만을 근거로 판단함.

┤ 보기 ├

ㄱ. 현재 지역구 의원 선거의 선거구 제도는 '선거구 내 당선자 간 표의 등가성 문제'가 발생한다.

ㄴ. 개편안 적용 시 A당의 의회 의석수와 B당의 의회 의석수는 같다.

ㄷ. 개편안 적용 시 C당의 정당 득표율과 C당의 의회 의석률은 일치한다.

ㄹ. 최근 의회 의원 선거 결과 D당의 비례 대표 의석수는 C당의 비례 대표 의석수의 2배이다.

① ㄱ, ㄴ   ② ㄱ, ㄷ   ③ ㄴ, ㄷ
④ ㄴ, ㄹ   ⑤ ㄷ, ㄹ

| 평가원 응용 |

13 다음 자료에 대한 옳은 분석만을 〈보기〉에서 있는 대로 고른 것은?

갑국의 의회는 지역구 의원 선거에서 선출된 200명과 비례 대표 의원 선거에서 선출된 100명으로 구성된다. 지역구 의원 선거의 대표 결정 방식은 1인을 선출하는 단순 다수 대표제이며, 비례 대표 의원 선거에서는 전국을 하나의 선거구로 하여, 정당 명부식 비례 대표제로 당선자를 결정한다. 유권자 1인은 지역구 의원 선거와 비례 대표 의원 선거에 각 1표씩 2표를 행사한다. 갑국에서는 의회 의원 선거 직후 의회 과반수를 확보한 단독 정당이 행정부 수반을 배출한다. 단독 과반수 정당이 없는 경우 복수의 정당이 연합하여 행정부 수반을 배출한다. 아래 표는 최근 실시된 갑국의 의회 의원 선거 결과이다.

〈지역구 의원 선거〉			〈비례 대표 의원 선거〉		
구분	득표율(%)	의석률(%)	구분	득표율(%)	의석률(%)
A당	50	45	A당	33	33
B당	15	20	B당	26	26
C당	25	20	C당	35	35
D당	10	15	D당	6	6

*정당은 A~D당만 존재하고 무소속 출마자는 없으며, 각 선거의 투표율은 100%, 무효표는 없다.

**지역구 의원 선거의 득표율은 각 정당이 전국 모든 지역구 선거구에서 얻은 표를 총투표자 수 대비로 구한 비율이다.

┤ 보기 ├

ㄱ. 지역구 의원 선거에서 득표율 20% 미만인 정당은 과대 대표되었다.

ㄴ. 의회 의원 선거 결과 과반수 의석을 차지한 정당은 A당이다.

ㄷ. 지역구 의원 선거 득표율과 총의석률의 격차가 가장 작은 정당은 C당이다.

ㄹ. A당과 D당의 총의석률의 합은 B당과 C당의 총의석률의 합보다 크다.

① ㄱ, ㄴ   ② ㄱ, ㄹ   ③ ㄴ, ㄷ
④ ㄱ, ㄷ, ㄹ   ⑤ ㄴ, ㄷ, ㄹ

03 다양한 정치 주체와 시민 참여

1 정당을 통한 정치 참여

1. 정당❶의 의미와 기능

(1) **정당의 의미** 공통의 정치적 견해를 가진 사람들이 정치권력의 획득을 목표로 자발적으로 조직한 결사체

(2) **정당의 기능**
　[의미] 정당이 대통령 선거나 국회 의원 선거에 출마할 후보자를 추천하는 것을 '공천'이라고 한다.

① **정치적 충원** 각종 선거에 후보 추천, 시민의 뜻을 대변할 인재 발굴 및 육성 [자료 01]

② **시민의 의사 매개** 시민의 의사와 요구를 담은 정책과 공약 제시, 정부 정책의 수립에 영향력 행사
　[중요] 정당은 공적 이익을 추구하는 단체로서, 국가 기관에 해당하지 않는다.

③ **여론❷의 형성 및 조직** 사회·정치적 논쟁거리에 대해 문제 제기, 정책 방향에 영향을 미치거나 새로운 정책 과제 제시

④ 시민의 **정치 사회화**❸ **촉진** 정책 설명회, 강연회 등을 통해 정치적 현안에 관한 정보 제공, 시민의 관심과 참여 유도

⑤ **정치권력 견제** 정부에 의회의 의견 전달, 정부 정책 비판 및 반대 여론 형성

⑥ **정부와 의회의 매개** 당정 협의회 등을 통해 정부와 의회를 매개함.
　[의미] 정당과 행정부의 대표들이 정기적으로 만나 다양한 국정을 논의하는 회의

2. 정당 제도의 유형 [자료 02]

(1) **일당제** 강력한 정책 추진이 용이하지만 국민의 다양한 의사를 반영하기 어려움.

① **하나의 정당만 활동하는 경우** 전체주의하에서 정당이 독점적인 정치권력을 행사함.

② **하나의 지배적 정당이 있는 경우** 여러 정당이 있기는 하지만 정권 교체의 가능성이 거의 없어 하나의 정당이 계속 정권을 유지함.

(2) **복수 정당제**❹ 두 개 이상의 정당이 경쟁함. → 민주주의 국가의 정당 제도

구분	양당제❺	다당제
의미	실질적으로 두 정당 간에 정권 교체가 일어나는 형태	세 개 이상의 정당이 정치권력의 획득을 위해 경쟁하는 형태
장점	• 정치적 책임 소재가 분명함. → 책임 정치 확립 가능 • 정국이 비교적 안정될 수 있음.	• 국민의 다양한 의사가 반영됨. • 정당 간 대립 시 중재가 용이함.
단점	• 유권자의 정당 선택 범위가 제한되어 다양한 국민의 의견이 정치에 반영되기 어려움. • 다수당의 횡포가 나타날 수 있음.	• 강력한 정책 추진이 어렵고, 정치적 책임 소재가 불분명함. • 군소정당 난립시 정국이 불안정해짐.

3. 정당을 통한 정치 참여 방법과 한계

(1) **정당을 통한 시민 참여**

① **정당에 가입하여 활동하는 경우** 당원으로서의 권리와 의무 행사, 정당 지도부 선출, 공천을 받아 공직 후보자로 출마, 정책 제안에 참여 등

② **정당에 가입하지 않는 경우** 정당이 주최하는 행사나 집회 참여, 정당 정치인과 다양한 경로로 접촉, 정당의 선거 운동에 참여 등

(2) **오늘날 정당 정치의 문제점과 개선 방향**
　[왜?] 정당이 비민주적으로 운영되면 당 내부의 의사 결정 과정이나 공천 과정에서 일반 당원의 의사가 제대로 반영되기 어렵기 때문이다.

① **문제점** 소수의 지도자가 정당의 의사 결정 좌우, 특정 인물이나 지역을 중심으로 이합집산하는 경향, 정당 운영에 필요한 비용을 국가나 후원 단체에 의존 등

② **개선 방향** 정당의 당내 민주주의 실현, 정책 중심의 정당으로 변화, 시민의 지속적인 관심과 참여 등

고득점을 위한 셀파 Tip

• **양당제와 다당제의 장·단점**

구분	양당제	다당제
장점	• 정국이 비교적 안정적으로 운영됨. • 정치적 책임이 분명함.	• 국민의 다양한 의견이 정치에 반영될 수 있음. • 정당 간 대립시 중재가 용이함.
단점	• 국민의 다양한 의견이 정치에 반영되기 어려움. • 다수당의 횡포가 우려됨.	• 정치적 책임 소재가 불분명해질 수 있음. • 군소 정당이 난립할 경우 정국이 불안정해짐.
대표 국가	미국, 영국 등	독일, 노르웨이 등

❶ **정당의 의의**

정당은 국민 의사를 정부 정책으로 연결하는 가장 중요한 정치 조직이다. 정치인의 소속 정당에 따라 국정 운영의 방향이 결정되고, 사회 구성원의 의견을 정치 과정에 반영하며, 사회 구성원 간의 갈등을 조정하는 역할을 한다.

❷ **여론**

여러 가지 사회적인 쟁점이나 문제에 대한 사회 구성원 대다수의 공통된 의견

❸ **정치 사회화**

정치적 쟁점에 대한 가치, 신념, 태도를 습득하여 내면화하는 것

❹ **복수 정당제**

우리나라 헌법은 정당이 국민의 다양한 의사를 반영할 수 있도록 복수 정당제를 보장하고 있으며(헌법 제8조 제1항), 이를 위해 정당 보조금 등 다양한 보호와 지원을 하고 있다(헌법 제8조 제3항).

❺ **양당제**

정당이 세 개 이상 존재하더라도 오랜 기간 두 개의 정당이 번갈아가며 정권을 잡아왔거나 국민의 지지가 두 개의 정당에 집중되어 있다면 양당제라고 할 수 있다.

자료 01 미국의 개방형 예비 선거(오픈 프라이머리)

오픈 프라이머리(open primary)는 완전 국민 경선 방식으로서 대선과 총선, 지방 선거 등에서 후보자 선출권을 당원에게만 국한하지 않고 일반 국민으로 확대하는 것이다. 정당의 후보자를 국민이 직접 뽑을 수 있어 개방형 국민 경선제라고 불린다. 오픈 프라이머리는 폐쇄적인 정당 구조를 민주적으로 변화시킬 수 있고, 높은 지지율을 끌어낼 수 있다는 장점이 있다. 그러나 당원의 역할이 축소되고 인기에 영합하는 공약이 남발되거나 정당 이념에 부합하지 않는 인물이 후보자로 선출되고 선거에서 당선됨으로써 정당 정치의 기반이 약화될 수 있다.

자료 분석 | 오픈 프라이머리는 대통령 등의 공직 후보를 선발할 때 일반 국민이 직접 참여하여 선출하는 방식으로, 국민에게 인기 있고 명망 있는 인물을 후보로 영입하는 데 유리하다. 오픈 프라이머리로 선출하는 후보는 대개 대통령이나 국회 의원으로, 이들은 결국 일반 유권자가 뽑는 것이기 때문에 소속 정당원이 아닌 일반 국민이 경선에 참여하는 것이 좋다. 국민이 직접 뽑는다는 점에서 국민 후보라는 대표성이 있으며, 정당원이 아닌 사람이 개입하면 객관적이고 공정할 것이다.

자료 02 정당 제도의 유형

〈자료 1〉 싱가포르의 정당별 의석수

총선 시기	총 의석수	인민 행동당	기타 정당
1991년	81	77	4
1997년	83	81	2
2001년	84	82	2
2006년	84	82	2
2011년	87	81	6

〈자료 2〉 미국의 집권당

기간(년)	대통령	집권당
1977~1981	지미 카터	민주당
1981~1989	로널드 레이건	공화당
1989~1993	조지 부시	공화당
1993~2001	빌 클린턴	민주당
2001~2009	조지 부시 2세	공화당
2009~2017	버락 오바마	민주당
2017~2021	도널드 트럼프	공화당
2021~	조 바이든	민주당

〈자료 3〉 독일 연방의 정당별 의석수

정당	1998년	2002년	2005년
기독 민주당	198	190	180
기독 사회당	47	58	46
사회 민주당	295	251	222
자유 민주당	43	47	61
민주 사회당	36	2	54
녹색당	47	55	51

*독일은 1948년 독일 연방 공화국 설립 이후 과반수를 차지한 정당이 없어 통상적으로 2~3개 당이 연합하여 집권함.

자료 분석 | 싱가포르에서는 인민 행동당의 강력한 정책 추진이 용이한 일당제, 미국에서는 민주당과 공화당의 양당제, 독일에서는 다당제가 나타나고 있다. 양당제는 주로 거대 정당에 유리한 소선거구 단순 다수제를 채택하는 국가에서 나타나고, 다당제는 주로 군소 정당에 유리한 중·대선거구 다수 대표제나 비례 대표제를 채택하는 국가에서 나타난다.

1 정당은 정치권력의 획득을 목표로 하는 정치 조직이다.
(○ , ×)

2 정당의 정치 사회화 기능은 각종 선거에 후보를 추천하는 것을 의미한다.
(○ , ×)

3 정당은 시민의 의사와 요구를 담은 정책과 공약을 제시하기도 한다.
(○ , ×)

4 정당은 당정 협의회 등을 통해 정부와 의회를 매개하는 역할을 한다.
(○ , ×)

5 일당제는 강력한 정책 추진이 용이하지만, 국민의 다양한 의사를 반영하기 어렵다.
(○ , ×)

6 양당제는 정치적 책임 소재가 분명하고, 정국이 안정될 수 있다는 장점이 있다.
(○ , ×)

7 다당제는 실질적으로 두 정당 간에 정권 교체가 일어나는 형태이다.
(○ , ×)

8 다당제는 정당 간 대립 시 중재가 어려운 단점이 있다.
(○ , ×)

9 우리나라 정당은 소수의 당 지도층이 정당의 의사 결정을 좌우하는 경향이 나타난다.
(○ , ×)

10 정당의 문제점을 개선하기 위해서는 정당의 당내 민주주의가 실현되어야 한다.
(○ , ×)

정답 1 ○ 2 × 3 ○ 4 ○ 5 ○ 6 ○
7 × 8 × 9 ○ 10 ○

2 이익 집단과 시민 단체를 통한 정치 참여

1. 이익 집단 ┌ 예시 노동자 단체, 기업가 단체 등

(1) **의미** 특정한 이해관계나 목표를 같이하는 사람들이 자신들의 특수 이익을 실현하기 위해 만든 단체

> 분석 이익 집단은 정책 결정 과정에 자신들의 이익과 요구가 반영될 수 있도록 압력을 가하기 때문에 압력 단체라고도 한다.

(2) **의의** 의회나 정당이 세분화된 직업적 이익을 제대로 반영하지 못하는 한계를 극복하고 특정한 이해관계를 지닌 시민의 이익이 정치 과정에 반영되도록 함.

(3) **특징⑥** 인적·물적 자원의 조직적 동원, 집단 구성원의 요구를 효과적으로 정치 과정에 반영함.

(4) **순기능과 역기능**

순기능	역기능
• 국민의 다양한 정치적 의사 표출 • 지역 대표제나 기존 정당의 부족한 점 보완⑦ • 구성원의 정치 사회화 • 정부 정책의 감시 및 비판	• 영향력이 큰 집단의 이익이 정책에 반영 • 집단의 특수 이익과 공익의 충돌 우려 • 집단 이기주의로의 변질 우려 • 정치권력과 결탁한 부정부패 발생 가능

2. 시민 단체

(1) **의미** 공익을 추구하기 위해 시민이 자발적으로 참여하여 만든 비영리 단체

(2) **시민 단체와 이익 집단의 비교**

① 공통점 정부 정책의 결정 과정에 영향을 미침.

② 차이점 이익 집단은 집단의 특수한 이익 추구, 시민 단체는 사회 전체의 이익 추구 자료 03

(3) **기능** 사회 문제 부각 및 여론 형성, 정부 정책의 감시 및 비판, 다양한 사회 문제의 대안이나 해결책 제시, 사회 구성원의 정치 사회화 등 자료 04
┌ 중요 정당, 시민 단체, 이익 집단의 공통된 기능이다.

(4) **우리나라 시민 단체의 문제점**

① 낮은 시민 참여도 시민 단체에 대한 시민의 참여도가 낮음.

② 시민 단체의 관료제화 소수 활동가 중심으로 운영, 회원의 의사 결정 참여 기회가 제한됨.

③ 재정의 독립성 부족 시민 단체의 운영 자금을 정부 지원금이나 외부 후원에 의존하여 시민 단체의 자율성이 훼손됨.

④ 시민 단체의 이익 집단화 특수 이익이나 정책을 지지하거나 특정 세력과 결탁함.

(5) **해결 방안** 시민의 적극적 참여를 통한 시민 단체의 의사 결정 구조의 민주화, 회원 회비 중심의 재정 자립 실현, 사회적 책임성 강조 등

3 언론을 통한 정치 참여

1. 언론의 의의와 기능

(1) **언론의 의미** 신문, 방송, 라디오, 인터넷 등의 매체⑧를 통해 어떤 사실을 알리거나 특정 문제에 관해 여론을 형성하는 활동

> 분석 국가 기관은 입법부, 행정부, 사법부의 3부로 구성되는데 언론을 4부라고 부르는 것은 권력을 감시하고 비판함으로써 민주주의를 유지하는 중요한 기능을 수행하고 있다는 점을 강조하는 의의가 있다.

(2) **언론의 의의** 국민과 정치 체계를 연결하는 중요한 통로

(3) **언론의 기능** 국민의 알 권리⑨ 보장, 국가 권력에 대한 비판과 견제 및 감시, 특정 사안에 대한 의제 설정 및 여론 형성 등
┌ 왜? 언론이 특정한 주제를 선택 및 강조하여 보도함으로써 사람들이 그것을 중요한 문제로 인식하도록 만들기 때문이다.

2. 언론을 통한 정치 참여의 방법 독자 투고, 언론사와의 인터뷰, 인터넷 게시판이나 누리 소통망 서비스(SNS) 등을 통해 언론사에 정보 제공 등

3. 언론을 대하는 바람직한 자세 시민은 언론이 전달하는 정보를 비판적으로 평가하여 수용해야 함, 잘못된 언론 보도에 대해 적극적으로 대응해야 함. 자료 05

---

⑥ **이익 집단을 통한 정치 참여**
이익 집단은 대중 매체를 통한 홍보 활동, 합법적인 기부금 제공, 시위, 파업 등의 활동을 하는데, 시민은 이러한 활동에 참여함으로써 정치 과정에 자신의 의견을 적극적으로 표출하고 영향력을 행사할 수 있다.

⑦ **이익 집단과 정당 간의 관계**
이익 집단은 정당을 효율적인 대정부 압력 행사를 위한 매개 집단으로 보고, 정당을 통해 자신의 이익을 실현하고자 한다. 반면 정당은 정치적 지지와 동원을 위해 또는 전문적인 지식과 정보를 얻기 위해 이익 집단과 연계하고 있다.

고득점을 위한 셀파 Tip

• **이익 집단과 시민 단체**

이익 집단	자신들의 이익을 실현하기 위하여 국회와 정부에 정책 수립을 요구하는 압력을 행사함.
시민 단체	공공의 문제 해결에 참여하는 한편 사회 문제에 대한 비판과 대안을 제시함.
공통점	• 정책의 결정 과정에 영향력을 행사함. • 다양한 의견을 표출하여 대의제의 한계를 보완함.

⑧ **다양한 언론 매체**
과거에는 신문, 라디오, 텔레비전 등이 주요 언론 매체였지만 인터넷이 발달한 오늘날에는 개인 방송, 팟캐스트 등 언론 매체가 더욱 다양해지고 있다.

⑨ **알 권리**
국민 개개인이 정치·사회 현실 등에 관한 정보를 자유롭게 알 수 있는 권리

자료 03 이익 집단, 시민 단체, 정당의 특징

구분	이익 집단	시민 단체	정당
목적	특수 이익 추구	공적 이익 추구	
특징	• 공직 획득을 목표로 하지 않음. • 정치적 책임을 지지 않음.		• 공직 획득을 목표로 함. • 정치적 책임을 짐.
공통점	정부의 정책 결정 과정에 영향력 행사		

자료 분석 | 시민 단체는 공적 이익을 추구하고, 이익 집단은 특수 이익(사익)을 추구한다는 점에서 차이가 있다. 정당은 광범위한 분야에 걸쳐 공익을 추구하는 데 비해 이익 집단은 특정 분야에서 특수 이익을 추구한다는 점에서 차이가 있다. 또한 정당은 공직 활동을 목표로 하고 정치적 책임을 지지만, 이익 집단과 시민 단체는 공직 획득을 목표로 하지 않고 정치적 책임도 지지 않는다. 그러나 정당, 시민 단체, 이익 집단은 정치 과정에서 여론을 형성하고 정부의 정책 결정 과정에 영향력을 행사한다는 공통점이 있다.

자료 04 시민 단체의 정치적 중립

우리나라의 시민 단체는 오랫동안 정치적 중립을 지키고 정치에 관여하지 않는다는 원칙을 유지해 왔다. 1990년대 시민 단체들은 공정 선거 운동, 정책 선거 운동 등을 벌이며 선거 과정에 필요한 공정한 규칙을 확립하고자 노력하였다. 이 과정에서 시민 단체는 선거의 규칙 제정에만 참여하였을 뿐 실제 선거에서는 정치적 중립을 지켰고, 사회적으로도 정치적 중립을 요구받았다. 그러나 2000년 시민 단체들은 총선 시민 연대를 결성하여 낙선 대상자를 선정하였고, 해당 후보에 대한 낙선 운동도 벌였다. 그 결과 해당 후보들이 수도권에서만 90% 이상 낙선하였다. 그러자 일부 언론에서 총선 시민 연대의 낙선 운동을 정치적 중립성 훼손이라며 비판하기 시작하였고, 이후 보수적인 시민 운동이 출현하는 등 시민 운동이 세분화하였다.

자료 분석 | 자료는 우리나라 시민 단체의 오랜 전통이었던 정치적 중립과 이에 대한 변화가 시작되었던 총선 시민 연대의 활동을 소개하고 있다. 1990년대 우리나라의 시민 단체는 민주화 이행기에 시민의 실질적 요구를 담은 정책들을 제시하면서 우리 사회의 주목할 만한 대안 세력으로 영향력을 확대하였다. 이 과정에서 시민 단체는 기존 정치권과 차별화된 집단이라는 점을 강조하였고, 정치적 중립을 통해 시민의 지지를 확보하였다. 하지만 총선 시민 연대의 활동과 같은 정치 개혁 캠페인을 펼치게 되면서 시민 단체에 정치적 중립을 요구하는 것은 어렵게 되었다.

자료 05 언론을 대하는 자세

2017년 대통령 선거에서 제기된 중요한 쟁점 중 하나는 가짜 뉴스의 등장이었다. 가짜 뉴스란 기사의 형태를 갖추고 있지만 조작된 내용과 허위 사실로 이루어져 인터넷 등을 통해 유포되는 것을 말한다. 이러한 가짜 뉴스는 그 사실 여부에 대한 검증 없이 각종 누리 소통망 서비스(SNS) 등을 통해 급속도로 퍼지면서 유권자들에게 혼란을 주었다. 가짜 뉴스는 그 피해의 회복이 어렵고, 훗날 사실이 확인되더라도 결과를 돌이킬 수가 없다는 점에서 문제가 되고 있다.

– 중앙 선거 관리 위원회 누리집(www.nec.go.kr)

자료 분석 | 가짜 뉴스는 정치적 혹은 경제적 이익을 얻기 위해 대중 매체나 소셜 미디어에서 유포되는 잘못된 정보를 말한다. 가짜 뉴스는 여론 형성 과정을 왜곡함으로써 선거와 같은 정치 과정에 잘못된 영향력을 미칠 수 있다. 또한 가짜 뉴스는 공론장으로서 언론의 기능을 왜곡한다는 점에서 공익을 저해한다. 이와 같은 가짜 뉴스에 대처하기 위해서는 대중 매체와 소셜 미디어가 가짜 뉴스 전담팀을 설치하여 가짜 뉴스를 규제하는 조치를 취하는 등 자율적 규제를 실시할 수 있다. 또한 시민을 대상으로 미디어 교육을 실시해 가짜 뉴스에 대응하는 것도 필요하며, 가짜 뉴스 유포자와 이를 유통한 매체들에 벌금을 물리는 방안도 있을 수 있다.

---

1 정당을 통한 정치 참여

의미	정치적 견해를 같이하는 사람들이 (❶)의 획득을 목표로 자발적으로 조직한 결사체
기능	정치적 충원, 시민의 의사 매개, 여론의 형성 및 조직, 시민의 정치 사회화 촉진, 정치권력 견제, 정부와 의회 매개 등
정당 제도 유형	일당제와 (❷)(양당제와 다당제)
정치 참여	• 정당의 당원으로 활동 • 정당 주최 토론회 참여 및 정당 지지 표명 • 정당 경선에 참여 등

2 이익 집단과 시민 단체를 통한 정치 참여

의미	• (❸): 자신들만의 특수한 이익을 실현하기 위해 결성한 집단 • (❹): 공익을 추구하기 위해 시민이 자발적으로 참여하여 만든 비영리 단체
기능	• 이익 집단: 국민의 다양한 정치적 의사 표출, 지역 대표제나 기존 정당의 부족한 점 보완, 구성원의 (❺) 기능 수행, 정부 정책의 감시 및 비판 등 • 시민 단체: 사회 문제 부각 및 여론 형성, 정부 정책의 감지 및 비판, 사회 문제의 대안 및 해결책 제시, 구성원의 (❺) 기능 수행 등
정치 참여 방법	• 이익 집단: 정치 후원금, 소송, 언론 보도, 파업 등을 통해 다양한 이익들을 집단적으로 표출함. • 시민 단체: 정부나 지방 자치 단체의 활동을 감시하여 정치 권력을 견제함, 사회 문제에 대한 비판과 대안을 제시함.

3 언론을 통한 정치 참여

기능	• 국민의 (❻) 보장 • 국가 권력에 대한 비판과 견제 및 감시 • 특정 사안에 대한 의제 설정 및 여론 형성
정치 참여 방법	• 독자 투고 • 사건 정보를 언론에 제보함. • 언론 매체에 사회적 쟁점에 관한 자신의 정치적 견해를 밝힘.
언론을 대하는 태도	언론 매체가 제공하는 정보를 (❼) 적으로 검토하고 평가해야 함.

정답 ❶ 정치권력 ❷ 복수 정당제 ❸ 이익 집단 ❹ 시민 단체 ❺ 정치 사회화 ❻ 알 권리 ❼ 비판

1 정당을 통한 정치 참여

01 다음 중 정당 제도에 대한 설명으로 옳은 것은?

① 양당제는 대부분의 권위주의 국가에서 나타난다.
② 일당제에서는 정당이 권력 획득을 위해 경쟁한다.
③ 일당제가 양당제에 비해 정권 교체 가능성이 높다.
④ 다당제보다 양당제에서 정치적 책임 소재가 명확하다.
⑤ 다당제는 다수당의 횡포로 소수의 의견이 무시되기 쉽다.

★02 갑국과 을국의 정치 상황에 대한 옳은 추론만을 〈보기〉에서 고른 것은?

〈갑국의 집권당〉

기간(년)	대통령	집권당
1977~1981	지미 카터	민주당
1981~1989	로널드 레이건	공화당
1989~1993	조지 부시	공화당
1993~2001	빌 클린턴	민주당
2001~2009	조지 부시 2세	공화당
2009~2017	버락 오바마	민주당
2017~2021	도널드 트럼프	공화당
2021~	조 바이든	민주당

〈을국 연방의 정당별 의석수〉

정당	1998년	2002년	2005년
기독 민주당	198	190	180
기독 사회당	47	58	46
사회 민주당	295	251	222
자유 민주당	43	47	61
민주 사회당	36	2	54
녹색당	47	55	51

보기

ㄱ. 갑국과 달리 을국에서는 민주주의 원리에 부합하는 정당 제도가 형성될 것이다.
ㄴ. 갑국에 비해 을국에서는 다양한 소수 의견을 반영하기 어려운 정당 제도가 형성될 것이다.
ㄷ. 을국에 비해 갑국에서는 정국이 안정적으로 운영될 가능성이 높은 정당 제도가 형성될 것이다.
ㄹ. 을국에 비해 갑국에서는 정책 추진에 따른 정치적 책임 소재가 분명한 정당 제도가 형성될 것이다.

① ㄱ, ㄴ   ② ㄱ, ㄷ   ③ ㄴ, ㄷ
④ ㄴ, ㄹ   ⑤ ㄷ, ㄹ

03 다음 글에 나타난 정당의 기능으로 가장 적절한 것은?

> 당정 협의회는 정당과 행정부의 대표들이 정기적으로 만나 다양한 국정을 논의하는 회의이다. 정부와 집권 여당은 당정 협의회를 개최하여 경제 정책 방향을 논의하기도 하고, 세법 개정에 대해 논의하기도 한다.

① 정치적 충원
② 여론의 형성
③ 시민의 정치 사회화
④ 정부와 의회의 매개
⑤ 대의 민주주의의 한계 보완

2 이익 집단과 시민 단체를 통한 정치 참여

05 ㉠, ㉡에 대한 옳은 설명만을 〈보기〉에서 있는 대로 고른 것은? (단, ㉠, ㉡은 각각 이익 집단, 시민 단체 중 하나이다.)

> 내년도 최저 임금을 결정하기 위한 논의가 시작되자 ㉠ 행복 노동자 연맹은 외국의 최저 임금 전문가를 초청하여 간담회를 열고 내수 증진과 고용 증가를 위해 최저 임금을 인상할 것을 정부에 요구하였다. ㉡ 참여 시민 연합은 시민의 안전한 보행을 위해 횡단보도를 더 많이 설치해야 한다는 주장을 펼쳤다. 아울러 시민에게는 안전하게 보행할 권리가 있다며 시에 보행권의 보장을 명문화하는 조례의 제정도 촉구하였다.

┤ 보기 ├
ㄱ. ㉠은 자신들의 특수 이익을 추구한다.
ㄴ. ㉡은 정치권력의 획득을 목적으로 한다.
ㄷ. ㉠은 의회와 정부를 매개하는 기능을, ㉡은 정치 사회화의 기능을 수행한다.
ㄹ. ㉠, ㉡ 모두 목적 달성을 위해 정치 과정에 영향력을 행사한다.

① ㄱ, ㄴ ② ㄱ, ㄹ ③ ㄴ, ㄷ
④ ㄱ, ㄷ, ㄹ ⑤ ㄴ, ㄷ, ㄹ

04 표는 정당 제도의 일반적 특징을 비교하여 나타낸 것이다. 이에 대한 옳은 설명만을 〈보기〉에서 고른 것은? (단, A, B는 각각 양당제와 다당제 중 하나이다.)

특징	비교
유권자의 정당 선택 범위	A > B
소수 의사 반영 가능성	A > B
(가)	A > B
(나)	B > A

┤ 보기 ├
ㄱ. A는 B와 달리 자유 민주주의 원리를 실현할 수 있다.
ㄴ. A는 B보다 정당 간 대립 시 중재가 용이하다.
ㄷ. (가)에는 '정치적 책임 소재의 명확성'이 들어갈 수 있다.
ㄹ. (나)에는 '다수당의 횡포 가능성'이 들어갈 수 있다.

① ㄱ, ㄴ ② ㄱ, ㄷ ③ ㄴ, ㄷ
④ ㄴ, ㄹ ⑤ ㄷ, ㄹ

06 표는 정치 참여 주체 A~C를 질문에 따라 분류한 것이다. 이에 대한 옳은 설명만을 〈보기〉에서 고른 것은? (단, A~C는 각각 정당, 이익 집단, 시민 단체 중 하나이다.)

질문	A	B	C
정치적 책임을 지는가?	아니요	아니요	예
특수 이익을 추구하는가?	아니요	예	아니요

┤ 보기 ├
ㄱ. A는 다양한 사회 문제의 해결을 위해 자발적으로 결성된 집단이다.
ㄴ. A, B는 정치 사회화 기능을 수행한다.
ㄷ. C는 대의 민주주의의 한계를 보완하기 위해 등장한 집단이다.
ㄹ. C는 A와 달리 정부의 정책 결정 및 집행 과정에 영향력을 행사한다.

① ㄱ, ㄴ ② ㄱ, ㄷ ③ ㄴ, ㄷ
④ ㄴ, ㄹ ⑤ ㄷ, ㄹ

★**07** 밑줄 친 ㉠~㉢에 대한 설명으로 옳지 <u>않은</u> 것은?

> 현대 민주 정치에서 정치 참여의 수단과 방법은 더욱 다양해지고 있다. 국민의 다양한 목소리가 정책에 반영되고 집행될 수 있도록 하는 정치 참여의 사례에는 어떤 것이 있을까? ㉠ 시민 단체는 부정부패 방지를 위한 법률의 제정을 촉구하는 ㉡ 입법 청원과 더불어 이와 관련된 ㉢ 토론회를 개최할 수 있다. ㉣ 정당은 부정부패 방지를 위한 다양한 대책들을 제시할 수 있고, ㉤ 이익 집단은 자신들의 특수한 이익을 실현하기 위해 의견을 표출할 수 있다.

① ㉠은 공익 추구를 목적으로 활동한다.
② ㉡은 대의 민주 정치의 한계를 보완하는 기능을 한다.
③ ㉢은 시민들에게 정치 과정에 참여할 기회를 제공한다.
④ ㉣은 정책을 결정하고 집행하는 권한을 갖는다.
⑤ ㉤은 자신들의 행위에 대해서 정치적 책임을 지지 않는다.

08 (가), (나)에 해당하는 정치 참여 주체에 대한 설명으로 옳은 것은? (단, (가), (나)는 각각 정당, 시민 단체 중 하나이다.)

(가)   (나)

▲ 국회 의원 후보자를 선출하기 위한 당원들의 투표   ▲ 환경 단체 회원들의 거리 홍보

① (가)는 자신들의 특수 이익을 실현하고자 한다.
② (나)는 국민에 대해 정치적 책임을 진다.
③ (가)는 (나)와 달리 정부에 대한 감시와 비판의 기능을 수행한다.
④ (나)는 (가)와 달리 정치적 충원 기능을 수행한다.
⑤ (가), (나) 모두 정치 사회화 기능을 수행한다.

3 언론을 통한 정치 참여

09 다음은 수업 상황이다. 이에 대한 옳은 설명만을 〈보기〉에서 있는 대로 고른 것은?

> 교사 언론이 정치 과정에서 하는 역할에 대해 발표해 볼까요?
> 갑 정치 과정에서 쟁점이나 사건의 정보를 제공합니다.
> 을 쟁점과 관련한 여론을 형성하여 이를 정책 결정 기구에 투입하지요.
> 병 정치인의 행위에 대한 정보를 제공하여 일반 시민이나 단체들이 부정부패를 감시하도록 합니다.
> 정 항상 중립을 지키면서 객관적으로 정치적·사회적 현상들을 해석합니다.
> 무 최근 누리 소통망 서비스(SNS)의 활성화로 손쉽게 정치에 참여할 수 있는 환경을 형성합니다.
> 교사 ㉠ 옳게 발표한 사람의 수와 ㉡ 옳지 않게 발표한 사람의 수는 _____ (가)

┤ 보기 ├
ㄱ. ㉠은 갑, 을, 병, 무이다.
ㄴ. ㉡은 정이다.
ㄷ. (가)에는 "서로 다르다."가 들어갈 수 없다.
ㄹ. (가)에는 "각각 두 명으로 서로 같다."가 들어갈 수 있다.

① ㄱ, ㄴ   ② ㄱ, ㄹ   ③ ㄴ, ㄷ
④ ㄱ, ㄷ, ㄹ   ⑤ ㄴ, ㄷ, ㄹ

10 다음 글을 통해 추론할 수 있는 언론의 기능에 대한 진술로 가장 적절한 것은?

> 우리 사회에는 수많은 사건 사고가 일어난다. 하지만 이 모든 내용이 다 언론에 보도되는 것은 아니다. 우리의 일상에서 나타나는 여러 현상 중 언론은 특정한 내용을 선택하여 집중적으로 전달하게 된다. 이렇게 함으로써 프레임(Frame)이 만들어지고, 우리는 특정한 방식으로 세상을 바라보는 사고의 틀이 형성되게 되는 것이다.

① 국가 권력을 감시하고 정부 정책을 비판한다.
② 시민들이 자유롭게 의사를 표현할 수 있게 된다.
③ 정보를 신속하게 전달하여 국민의 알 권리를 충족시킨다.
④ 사회 현상을 선별적으로 보도함으로써 여론 형성에 영향을 미친다.
⑤ 여러 관점에서 사회 현상을 보도함으로써 시민들이 자신의 관점으로 정보를 분석할 수 있게 해 준다.

11 다음 글을 통해 알 수 있는 정당의 기능을 서술하시오.

○○당은 총선에 출마할 지역구 후보와 비례 대표 후보에 대한 공천 심사를 시작한다고 발표하였다. 공천 관리 업무를 위해 구성된 공천 관리 위원회는, 총선에서 승리할 수 있도록 경쟁력 있는 후보를 공천하기 위한 심사 기준을 마련하여 곧 밝힐 예정이다.

12 다음 자료를 읽고 물음에 답하시오.

(가)	(나)
제2조 목적 복지 사회를 구현하는 데 필요한 시민으로서의 역할을 다하여 사회 통합에 기여한다. **제4조 사업** – 성숙한 시민 사회 발전을 위한 캠페인 활동 및 시민 교육과 참여 활동 – 소외된 이웃을 위한 모금 및 봉사 활동 … (후략) …	**제2조 목적** ○○법에 의한 대한민국의 ○○들의 직업적 이익을 보호하고 직업 윤리를 확립하여 복지 증진에 기여한다. **제4조 사업** – 회원의 권익 보호를 위한 정책 추진 및 국민의 인식 개선을 위한 직업 홍보 활동 – 회원의 우호 증진을 위한 친목 활동 … (후략) …

(1) (가), (나)에 해당하는 정치 참여 주체를 쓰시오.

(2) (가), (나)에 해당하는 정치 참여 주체의 공통점과 차이점을 각각 한 가지 이상 서술하시오.

13 그림은 정치 참여 주체인 A~C를 특징에 따라 구분한 것이다. A~C가 무엇인지 쓰고, 그 이유에 대해 서술하시오. (단, A~C는 정당, 이익 집단, 시민 단체 중 하나이다.)

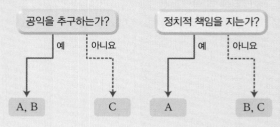

14 다음 글을 읽고 물음에 답하시오.

오늘날 대부분의 시민 단체가 소수의 명망가나 변호사 등의 전문가 위주로 운영된다. 시민이 단체의 회원으로 참여한다고 해도 수동적으로 회비를 내는 데 그치고 시민 운동의 현장에는 나타나지 않는 경우가 대부분이다. 그래서 다수의 회원 의견으로 제기되는 주장도 사실상 소수 의견이나 다름없으며, 공익을 대표하는 성격이 부족하다는 비판을 받는다.

(1) 윗글과 같은 현상에 따라 나타날 수 있는 시민 단체의 문제점을 서술하시오.

(2) 윗글에 제시된 현상 이외에 나타나는 시민 단체의 문제점을 <u>두 가지</u> 이상 서술하시오.

01 | 평가원 기출 |

그림은 정당 제도의 일반적인 특징을 비교한 것이다. 이에 대한 옳은 설명을 〈보기〉에서 고른 것은? (단, A, B는 각각 양당제, 다당제 중 하나임.)

* O에서 멀수록 그 정도가 높거나 강함.

┤ 보기 ├

ㄱ. A는 B에 비해 군소 정당이 난립하여 정국이 불안정할 가능성이 높다.
ㄴ. B는 A에 비해 이념적 정체성이 다양한 정당이 존재하여 유권자의 정당 선택 범위가 넓다.
ㄷ. 의원 내각제 정부 형태에서 연립 정부가 구성될 가능성은 B보다 A에서 높게 나타난다.
ㄹ. (가)에는 '다수당의 횡포 가능성', (나)에는 '소수 의견 반영 가능성'이 적절하다.

① ㄱ, ㄴ   ② ㄱ, ㄷ   ③ ㄴ, ㄷ
④ ㄴ, ㄹ   ⑤ ㄷ, ㄹ

02 | 평가원 기출 |

그림은 정당 제도의 일반적인 특징을 비교한 것이다. 이에 대한 옳은 설명을 〈보기〉에서 고른 것은? (단, A, B는 각각 양당제, 다당제 중 하나임.)

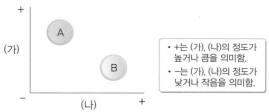

• +는 (가), (나)의 정도가 높거나 큼을 의미함.
• −는 (가), (나)의 정도가 낮거나 작음을 의미함.

┤ 보기 ├

ㄱ. (가)가 '다양한 민의 반영 용이성'이라면 B는 다당제이다.
ㄴ. (나)가 '다수당의 횡포가 나타날 가능성'이라면 A는 다당제이다.
ㄷ. A가 양당제라면, (가)에는 '군소 정당 난립 가능성'이 들어갈 수 있다.
ㄹ. B가 양당제라면, (나)에는 '정치적 책임 소재의 명확성'이 들어갈 수 있다.

① ㄱ, ㄴ   ② ㄱ, ㄷ   ③ ㄴ, ㄷ
④ ㄴ, ㄹ   ⑤ ㄷ, ㄹ

03 | 평가원 기출 |

표는 두 정당의 공천 방식을 나타낸 것이다. A당과 비교한 B당 공천 방식의 특징을 〈보기〉에서 고른 것은?

구분	A당	B당
공천 신청 자격	6개월 이상 당비를 납부한 당원	피선거권이 있는 국민
공직 선거 후보자 결정 방식	당 대표가 구성한 공천 심사 위원회의 결정	당원 투표(50%) + 일반 국민 투표(50%)

┤ 보기 ├

ㄱ. 정당의 정체성 유지에 유리하다.
ㄴ. 유권자들의 정치 참여 기회를 증진한다.
ㄷ. 상향식 의사 결정 방식으로 공천을 한다.
ㄹ. 능력 있는 외부 인사가 공천을 받기 어렵다.

① ㄱ, ㄴ   ② ㄱ, ㄷ   ③ ㄴ, ㄷ
④ ㄴ, ㄹ   ⑤ ㄷ, ㄹ

04 | 평가원 기출 |

A~C에 대한 설명으로 옳은 것은? (단, A~C는 각각 정당, 이익 집단, 시민 단체 중 하나에 해당하는 집단이다.)

학교에서 '고카페인 함유' 표시가 있는 모든 음료의 판매를 금지하는 정책이 필요하다는 학부모들의 주장이 제기되고 있다. 이에 대해 식품업계 종사자들로 구성된 A는 해당 정책이 소속 회원들의 이익을 침해하고 식품 산업 발전을 저해할 것이라며 반대 의사를 표명하였다. 반면, 청소년의 건강한 식생활 실천을 위한 공익 캠페인을 추진해 온 B는 해당 정책이 청소년의 건강권 보호에 필요하다며 찬성 입장을 밝혔다. 이에 C는 A와 B의 의견을 수렴하여 다가오는 총선을 위해 공약을 개발하고 관련 전문가를 후보자로 공천하였다.

① A는 사적 이익을 추구하며 국민에 대해 정치적 책임을 진다.
② B의 활동은 정치 과정에서 산출에 해당한다.
③ C는 여론을 반영하여 의회와 정부를 매개하는 역할을 한다.
④ A와 달리 B는 대의 정치의 한계를 보완하는 역할을 한다.
⑤ C와 달리 A, B는 정책 결정 과정에서 정치 사회화 기능을 수행한다.

05 | 교육청 기출 |
자료의 A, B에 해당하는 정치 참여 집단의 일반적인 특징으로 옳은 것은? (단, A, B는 각각 정당, 시민 단체 중 하나이다.)

> • ○○법 제6조 ① 행정자치부장관 또는 시·도지사는 규정에 의하여 등록된 A에 대하여 …(중략)… 공익 활동을 추진하기 위한 사업에 대한 소요 경비를 지원할 수 있다.
> • ◎◎법 제27조 ① 경상 보조금과 선거 보조금은 국회법 규정에 의하여 …(중략)… 교섭 단체를 구성한 B에 대하여 그 100분의 50을 균등하게 분할하여 배분·지급한다.

① A는 의회와 행정부를 연결하는 역할에 중점을 둔다.
② B는 공직 선거에 후보자를 추천하고, 공약을 제시한다.
③ A는 B와 달리 사회 구성원들의 의견을 집약하여 여론을 형성한다.
④ B는 A와 달리 정부 정책에 대한 감시와 비판의 기능을 한다.
⑤ A, B는 모두 정책 결정에 대한 정치적 책임을 진다.

06 | 평가원 기출 |
A~C에 대한 설명으로 옳은 것은? (단, A~C는 각각 시민 단체, 이익 집단, 정당 중 하나에 해당하는 집단이다.)

> A는 총선을 앞두고 국민의 선택에 도움을 주고자 B의 보건 의료 정책에 관련된 공약의 평가를 발표하였다. 발표 자료에서 A는 신종 감염병의 피해를 최소화하기 위한 B의 정책 의지를 확인했다고 밝혔다. 한편 소상공인들로 조직된 C는 B를 방문하여 신종 감염병 유행으로 인해 어려움을 겪는 조합원들을 위한 제도를 마련해 달라고 요청하였다. 이에 B는 정부가 특별 지원금을 조속히 지급할 수 있도록 협력할 것을 약속하였다.

① A는 구성원의 이익을 공익보다 우선시한다.
② B는 시민의 여론을 수렴하여 법률안을 발의한다.
③ C는 정권 획득을 목적으로 선거에서 후보자를 공천한다.
④ A는 B, C와 달리 대의 정치의 한계를 극복하기 위해 등장하였다.
⑤ B는 A, C와 달리 행정부와 의회를 매개하며 정치적 책임을 진다.

07 | 평가원 기출 |
정치 참여 집단 A~C에 대한 설명으로 옳은 것은? (단, A~C는 각각 정당, 이익 집단, 시민 단체 중 하나에 해당하는 집단이다.)

> ○○ 국립공원 주변 관광업 종사자들로 구성된 A는 B를 찾아가 관광 업계의 숙원 사업인 ○○ 국립공원 케이블카 설치 사업이 하루 빨리 시작될 수 있도록 관련 제도 마련을 요구하는 입장문을 전달하였다. 한편 100여 개국의 시민들이 연대한 환경 보호 운동 단체인 C는 ○○ 국립공원 케이블카 설치 반대 시위를 벌였다. 이와 관련하여 B는 더 많은 유권자의 의견을 반영할 수 있는 방향으로 선거 공약을 수립하고자 공청회를 열었다.

① A는 정권을 획득하여 정강을 실현하고자 한다.
② B는 공직 선거에서 후보자를 공천한다.
③ A는 B와 달리 정치 사회화 기능을 수행한다.
④ C는 A와 달리 소속 구성원의 이익을 공익보다 우선시한다.
⑤ C는 B와 달리 자신들의 활동에 대해 정치적 책임을 진다.

08 | 교육청 기출 |
갑, 을의 견해에 대한 설명으로 옳지 않은 것은?

SNS를 통한 실시간 정보와 의견의 공유는 진정한 참여 민주주의를 만들고 있어. 이제 특정 세력이 기존 매체로 여론을 조작하는 시대는 끝날 거야.

하지만 SNS는 클릭 한 번으로 검증되지 않은 정보를 급속도로 확산시키고 있어서 큰 문제야. 많은 사람들이 이렇게 확산된 루머를 마치 사실인 것처럼 믿게 되지.

갑   을

* SNS(Social Network Service): 사람들 사이에 관계망을 구축해 주는 온라인 서비스

① 갑은 SNS를 활용한 대중의 정치 참여를 긍정적으로 본다.
② 갑은 특정 세력에 의한 언론의 통제가 있었을 것이라고 본다.
③ 을은 SNS를 통해 왜곡된 사실이 확산될 가능성을 우려하고 있다.
④ 을은 SNS에서 확산되는 정보에 대한 비판적 수용의 필요성을 중시할 것이다.
⑤ 갑은 을과 달리 SNS가 갖는 사회적 영향력을 인정한다.

01. 정치 과정과 정치 참여

①민주 국가의 정치 과정

• 이스턴(Easton, David)의 정책 결정 모형

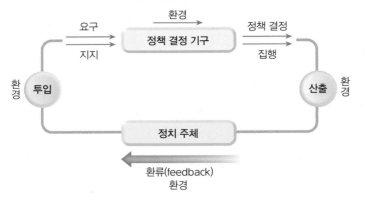

투입	새로운 정책을 요구하거나 기존 정책에 대해 지지·반대 의사를 표시하는 과정
산출	정책 결정 기구(입법부, 행정부, 사법부)가 정책을 수립하고 집행하는 과정
환류	산출된 정책에 대한 사회의 평가가 재투입되는 과정

• 원활한 정치 과정을 위한 요건: 민주적 정당성, 시민의 참여

②정치 참여의 의의와 유형

• 의의: 국민 주권의 원리 구현, 정치권력의 감시 및 통제, 정책에 대한 정당성 부여, 정치적 효능감 강화

• 정치 참여의 유형 → 개인적 참여 유형과 집단적 참여 유형을 구분하는 문제가 출제될 수 있다.

개인적 참여	선거, 독자 투고, 진정 및 청원 등
집단적 참여	정당이나 이익 집단, 시민 단체에 가입 등

02. 선거와 선거 제도

①선거의 의미와 기능 및 민주 선거 원칙

의미	국정을 담당할 국민의 대표를 투표로 뽑는 행위
기능	대표 선출, 정치권력에 정당성 부여, 정치권력 통제, 정치 교육의 장 제공, 국민의 의사 반영
민주 선거 원칙	• 보통 선거: 일정한 나이에 달한 모든 국민에게 선거권을 부여하는 원칙 • 평등 선거: 모든 유권자가 평등하게 같은 수의 표를 행사하고 표의 등가성을 보장하는 원칙 • 직접 선거: 유권자가 대리인을 거치지 않고 본인이 직접 투표하는 원칙 • 비밀 선거: 유권자가 누구에게 투표하였는지를 다른 사람이 알지 못하도록 하는 원칙

②선거구 제도

• 선거구 제도의 유형

소선거구제	한 선거구에서 1인의 대표 선출
중·대선거구제	한 선거구에서 2인 이상의 대표 선출
선거구의 획정	• 선거 결과에 영향을 미치며, 선거구 획정이 잘못 이루어지면 표의 등가성 문제가 발생할 수 있음 • 게리맨더링 : 특정 인물이나 정당에 유리하도록 선거구를 획정하는 것 • 선거구 법정주의: 법에 따라 선거구를 획정하는 것 → 게리맨더링 방지, 선거의 공정성 확보

• 대표 결정 방식

다수 대표제	• 가장 많은 표를 얻은 후보자가 당선되는 제도 • 단순 다수 대표제: 가장 많은 표를 얻은 후보자 또는 득표한 순서에 따라 일정 수의 후보자를 당선자로 결정하는 방식 • 절대다수 대표제: 유효 표의 일정 비율 이상을 획득해야 당선되는 방식(결선 투표제, 선호 투표제)
비례 대표제	각 정당이 획득한 득표율에 의하여 의석수를 배분하고 당선자를 결정하는 방식

③ 우리나라의 선거 제도

대통령 선거	단순 다수 대표제
국회 의원 선거	지역구 의원(소선거구제, 다수 대표제), 비례 대표 의원(정당 명부식 비례 대표제) → 1인 2표제
지방 선거	• 지방 자치 단체장(단순 다수 대표제) • 광역 의회 의원(소선거구제, 다수 대표제), 기초 의회 의원(중선거구제, 다수 대표제) → 정당 명부식 비례 대표제 병행(1인 2표제)
공정한 선거를 위한 제도	• 선거구 법정주의: 선거구를 법률로 획정함 • 선거 공영제: 선거 과정을 국가 기관의 관리하에 두고 선거 비용의 일부를 국가 또는 지방 자치 단체에서 부담하는 제도 • 선거 관리 위원회: 선거 관리 및 정당 관리, 정치 자금에 관한 사무 관리, 국민에 대한 선거 홍보 및 계도 활동 등

03. 다양한 정치 주체와 시민 참여

① 정당을 통한 정치 참여

→ 정치 사회화 기능은 정당, 이익 집단, 시민 단체의 공통점이다.

정당의 의미	정치권력의 획득을 목표로 자발적으로 조직한 결사체
정당의 기능	정치적 충원, 시민의 의사 매개, 여론의 형성·조직, 정치 사회화, 정치 권력 견제, 정부와 의회 매개
정당 제도 유형	일당제와 복수 정당제(양당제와 다당제)
정치 참여 방법	정당에 가입하여 활동, 정당 주최 공청회나 정책 토론회 등에 참가 등

② 이익 집단과 시민 단체를 통한 정치 참여

의미	• 이익 집단: 자신들의 특수 이익을 실현하기 위해 결성한 집단 • 시민 단체: 공익을 추구하기 위해 시민들이 자발적으로 구성한 비영리 단체
이익 집단과 시민 단체의 순기능	• 정책 결정 과정에 영향력 행사 → 시민 단체와 정당의 공통점이다. • 정부 정책에 대한 시민들의 관심을 높여 정치 참여 활성화 • 정치 사회화 기능 수행
이익 집단의 역기능	영향력이 큰 집단의 이익이 정책에 반영, 집단의 특수 이익과 공익 충돌 우려, 집단 이기주의로 변질, 정치권력과 결탁한 부정부패 발생 가능 등
시민 단체의 문제점	낮은 시민 참여도, 시민 단체의 관료제화, 재정의 독립성 부족, 시민 단체의 이익 집단화

③ 언론을 통한 정치 참여

언론의 기능	• 국민의 알 권리 보장 • 특정 사안에 대한 의제 설정 및 여론 형성 주도 • 국가 권력에 대한 비판과 견제 및 감시
언론을 통한 정치 참여 방법	• 독자 투고 및 언론사와의 인터뷰 • 사건 정보를 언론에 제보
언론을 대하는 자세	시민은 언론 매체가 제공하는 정보를 비판적으로 검토하고 평가해야 함.

IV

개인 생활과 법

이 단원의 핵심 포인트

중단원	핵심 포인트	학습일
01 민법의 기초	• 민법의 의의와 기능 • 민법의 기본 원칙	월　일　～　월　일
02 재산 관계에 관련된 법	• 계약의 성립과 미성년자 계약 • 불법 행위와 손해 배상	월　일　～　월　일
03 가족 관계에 관련된 법	• 혼인과 이혼 • 친자 관계와 유언 및 상속	월　일　～　월　일

셀파와 내 교과서 단원 비교

셀파	천재교과서	지학사	미래엔	비상교육
01 민법의 기초	01 민법의 기초	01 민법의 의의와 기본 원리	01 민법의 이해	01 민법의 의의와 기본 원리
02 재산 관계에 관련된 법	02 재산 관계에 관련된 법	02 계약과 불법 행위	02 재산 관계와 법	02 재산 관계와 법
03 가족 관계에 관련된 법	03 가족 관계에 관련된 법	03 가족 관계와 법	03 가족 관계와 법	03 가족 관계와 법

01 민법의 기초

1 민법의 개념

1. 법이 규율하는 생활 관계의 성격에 따른 법의 분류 자료 01

구분	사법(私法)	공법(公法)
의미	개인과 개인 간의 사적인 생활 관계를 규율하는 법	국가 기관과 개인 간, 국가 기관 간의 공적인 생활 관계를 규율하는 법
적용 사례	매매 계약, 혼인과 이혼 등	범죄인에게 형벌 부과, 위헌 법률 심판 제청 등
종류	민법, 상법 등	헌법, 형법, 형사 소송법 등

2. 민법의 의미와 기능

(1) **의미** 개인과 개인 간의 법률관계❶에서 발생하는 권리와 의무의 종류 및 내용을 다루는 대표적인 사법

(2) **민법의 구성** 총론(제1편 총칙), 재산법(제2편 물권, 제3편 채권), 가족법(제4편 친족, 제5편 상속)

총론	• 민법 전반에 적용되는 기본 원칙을 제시함. • 권리 능력, 행위 능력, 법인,❷ 법률 행위 등 • 적용 사례: 19세가 된 갑은 성년이 되었다. 분석 권리와 의무의 주체가 될 수 있는 자격을 의미하며, 자연인이나 법인에게 권리 능력이 있다.
재산법	• 물권법: 소유권, 점유권, 저당권❸ 등 물건에 대한 권리의 개념과 대상을 규정함. • 채권법: 계약 관계, 불법 행위 등으로 인해 발생하는 채권과 채무❹에 대한 내용을 규정함. • 적용 사례: 친구를 폭행한 을은 친구에게 손해 배상을 해 주었다.
가족법	• 친족법: 혼인, 친자 관계, 제한 능력자에 대한 후견, 친족 간의 권리와 의무에 관한 내용 등을 규정함. • 상속법: 상속인의 재산이 일정한 사람에게 승계되는 법률관계를 규율함. • 적용 사례 – 병은 정과 혼인을 하였다. – 무가 유언 없이 사망을 하자, 그의 배우자와 자녀들에게 법정 상속이 개시되었다.

(3) **민법의 규율 대상**

① **재산 관계** 재산과 관련된 권리와 의무 관계로, 재산권의 종류, 계약의 종류, 계약 위반 시의 배상 문제 등이 해당됨(예 개인과 개인 간의 매매 계약 체결 등).

② **가족 관계** 가족과 관련된 권리와 의무 관계로, 혼인, 이혼, 유언 상속 등이 해당됨(예 유언 없이 사망한 경우 법정 상속 개시 등).

(4) **민법의 기능** ── 의미 민법도 다른 법률과 마찬가지로 행위 규범과 재판 규범의 기능을 한다.

① **재산 관계의 규율** 소유권,❺ 임차권❻ 등 법적으로 보호받는 재산권의 개념과 대상에 관련된 규정뿐만 아니라 계약, 불법 행위 등으로 발생하는 권리와 의무의 성격과 내용을 규정함. → 개인의 경제 활동과 경제적 권리를 둘러싼 이익과 손해를 합리적으로 조정하는 기능을 함.

② **가족 관계의 규율** 출생, 혼인, 입양 등 가족과 친족의 형성과 역할에 관한 규정, 유언과 상속 등 친족 간의 재산 관계 등에 관한 내용을 규정함. → 우리 사회의 가족 관계를 안정적으로 지속할 수 있도록 가족과 친족의 문화와 질서를 유지하는 기능을 함. 사례 8촌 이내의 혈족, 4촌 이내의 인척, 배우자

③ **법의 일반 원칙 제시**

• 법질서 전체에 적용될 수 있는 일반 원칙을 제시함. → 사법적 생활 관계의 행위 기준 제시

• **신의 성실의 원칙**: 사회 구성원의 한 사람으로서 상대방의 신뢰를 헛되이 하지 않도록 성의를 가지고 행동할 것을 요구하는 원칙(민법 제2조 ① 권리의 행사와 의무의 이행은 신의에 좇아 성실히 하여야 한다.) 자료 02

• **권리 남용 금지의 원칙**: 공공의 복리에 반하는 지나친 권리의 행사는 정당한 것으로 볼 수 없다는 원칙(민법 제2조 ② 권리는 남용하지 못한다.) 자료 03

❶ **법률관계**
법 규범에 의해 규율되는 생활 관계를 의미하며, 기본적으로 권리와 의무의 관계로 나타난다.

❷ **법인**
자연인이 아니면서 법에 의하여 권리 능력이 부여되는 사단과 재단으로, 법률상 권리와 의무의 주체가 될 수 있다.

❸ **저당권**
돈을 빌려 준 사람이 돈을 빌린 사람의 부동산을 담보로 받아 일반 채권자에 우선하여 돈을 받을 수 있는 권리이다.

❹ **채권과 채무**
채권은 특정인 채무자에 대해 급부를 청구할 수 있는 권리를 말하며, 채무는 채권 관계에서 어떤 급부를 이행해야만 하는 의무를 말한다.

❺ **소유권**
물건을 사용·수익·처분할 수 있는 권리이다.

❻ **임차권**
임대차 계약에 의하여 목적물을 사용·수익하는 임차인의 권리를 말한다.

자료 01 법의 분류

```
                    국내법                      국제법

        공법        사법        사회법

     헌법,         민법,        노동법,          조약,
     형법,         상법         경제법,          국제 관습법,
     행정법,        등          사회            법의 일반
     소송법 등                  보장법 등         원칙 등
```

자료 분석 | 법은 법의 제정 주체와 관할 범위에 따라 국내법과 국제법으로 구분할 수 있으며, 주로 규율하는 생활 관계에 따라 공법, 사법, 사회법으로 구분할 수 있다. 이 중 사회법은 사법의 영역에 공법적 규제를 가할 수 있도록 제정된 법으로, '제3의 법'이라고도 한다.

자료 02 신의 성실의 원칙

• A 병원에서 출입자를 통제하는 의무를 소홀히 하여 환자의 물품이 도난당했다면, A 병원은 환자가 통상적으로 기대하는 보호 의무에 대한 신뢰를 위반한 것이므로 신의 성실의 원칙에 위배되어 그로 인한 손해 배상의 책임을 져야 한다.

• 아파트 분양자가 아파트 단지 인근에 쓰레기 매립장이 건설될 예정인 사실을 알리지 않고 분양 계약을 체결했다면 분양 계약자는 분양 계약을 취소하거나 손해 배상을 청구할 수 있다.

자료 분석 | 신의 성실의 원칙은 사회 공동 생활의 일원으로서 서로 상대방의 신뢰에 어긋나지 않도록 성실하게 행동해야 한다는 원칙이다. 이 원칙에 따르면, 법률 관계에 참여한 모든 자는 상대방의 정당한 이익을 배려하여야 하고, 형평에 어긋나거나 신뢰를 저버리는 내용 또는 방법으로 권리를 행사하거나 의무를 이행하면 안 된다. 특히 계약 관계에서 상대방에게 중요한 사실을 알려야 할 의무와 상대방의 권리를 보호해야 할 의무가 있다. 만약 상대방의 신뢰에 반하는 법률 행위가 이루어지면 그 법률 행위는 정당한 법률 행위로서 인정받을 수 없다.

자료 03 권리 남용 금지의 원칙

권리 남용 금지의 원칙은 겉으로 보기에는 권리 행사처럼 보이지만 실제로는 공공의 복리에 반하기 때문에 정당한 권리 행사로 볼 수 없는 경우 그에 따른 법률 효과도 발생하지 않는다는 원칙을 말한다. 예를 들어 악취가 난다는 이유로 축산 농가의 차량이 다니지 못하도록 자기 소유의 도로를 파헤쳐 두고, 이는 소유권을 행사한 것이므로 위법성이 없다고 항변하더라도 이 주장은 권리 남용 금지의 원칙에 따라 인정되지 않는다. ─「매일경제」, 2017. 9. 7.─

자료 분석 | 권리 남용 금지의 원칙은 권리 행사 자유의 원칙을 수정한 원칙이다. 권리 행사의 자유와 더불어 공공성·사회성이 강조됨에 따라 "권리는 남용하지 못한다."라는 규정을 따르게 되었다. 따라서 권리 남용으로 인정되면 권리 행사의 효력이 발생하지 않는다.

1 사인(私人)을 주체로 하여 대등한 법률관계를 다루는 법을 공법이라 한다.
(○ , ✕)

2 민법은 대표적인 사법이다.
(○ , ✕)

3 우리나라 민법은 총론, 재산법, 가족법으로 구성되어 있다.
(○ , ✕)

4 재산법은 친족법, 상속법으로 구성되어 있다.
(○ , ✕)

5 물건에 대한 권리의 개념과 대상을 규정한 법은 물권법이다.
(○ , ✕)

6 상속인의 재산이 일정한 사람에게 승계되는 법률관계를 규율한 법은 가족법이다.
(○ , ✕)

7 민법은 출생, 혼인 등의 가족 관계를 규율한다.
(○ , ✕)

8 민법은 재산 관계에 관한 권리만 규정되어 있다.
(○ , ✕)

9 신의 성실의 원칙은 계약 관계에서 상대방에게 중요한 사실을 알려야 할 의무와 관련된다.
(○ , ✕)

10 권리 남용으로 인정된 법률 행위는 효력이 발생하지 않는다.
(○ , ✕)

정답 1 ✕ 2 ○ 3 ○ 4 ✕ 5 ○ 6 ○
7 ○ 8 ✕ 9 ○ 10 ○

2 근대 민법의 기본 원칙

1. 근대 민법의 기본 이념 개인주의와 자유주의[7]를 기본으로 함.

2. 근대 민법의 기본 원칙

사유 재산권 존중의 원칙 자료 04	• 민법은 개인 소유의 재산에 대해 사적 지배를 인정하고 국가나 다른 개인은 이를 함부로 간섭하거나 제한하지 못한다는 원칙 • 소유권 침해자의 고의나 과실[8]의 여부와 상관없이 소유권자는 그 침해를 배제할 수 있음. • 사유 재산권 중 핵심 내용이라 할 수 있는 소유권을 강조하므로 '소유권 절대 원칙'이라고도 함.
사적 자치의 원칙 자료 05	• 개인은 자신의 의사에 따라 타인과 자유롭게 계약을 맺음으로써 권리를 취득하거나 의무를 부담하는 법률관계를 형성할 수 있다는 원칙 • 개인 간의 법률관계 중 가장 대표적인 것이 계약이기 때문에 '계약 자유의 원칙'이라고도 함.
과실 책임의 원칙	• 타인에게 손해를 입힌 사람은 원칙적으로 자신의 고의 또는 과실로 위법하게 타인에게 가한 손해에 대해서만 책임을 진다는 원칙 • 타인에게 재산상 손실이나 기타의 불이익이 발생한 경우라 하더라도 가해자의 고의나 과실이 없다면 그 결과에 대한 책임을 지울 수 없음. • 다른 사람의 행위에 대해서는 책임을 지지 않기 때문에 '자기 책임의 원칙'이라고도 함.

└─ **주의!** 행위자에게 고의나 과실이 없으면 손해 배상 책임이 없다.

3 근대 민법의 기본 원칙에 대한 수정·보완

1. 수정·보완 배경

(1) **자본주의 발달 과정에서의 문제점** 19세기 말경부터 빈부 격차 심화, 환경 오염, 독과점[9] 기업의 횡포 등이 심각한 사회 문제로 등장함.

(2) **근대 민법의 원칙에 따른 법 적용의 문제점** 사유 재산권 존중의 원칙과 사적 자치의 원칙이 경제적 강자가 경제적 약자를 지배하는 수단으로 악용되었고, 과실 책임의 원칙은 사회적 강자의 책임 회피 수단으로 악용됨.

(3) **권리의 사회성과 공공성 고려** 권리의 불가침성과 절대성을 강조하던 근대 민법의 기본 원칙에서 나아가 권리의 사회성과 공공성까지 고려하는 방향으로 수정·보완됨.

2. 근대 민법의 기본 원칙을 수정·보완하는 원칙 ─ **의의** 근대 민법의 기본 원칙은 현대에서도 여전히 기본 이념으로 적용이 된다.

소유권 공공 복리의 원칙	• 개인의 소유권이 공공의 이익에 부합하도록 행사되어야 한다는 원칙 • 개인의 소유권도 공공의 이익을 위해서라면 경우에 따라 제한될 수 있는 상대적 권리임을 의미함.
계약 공정의 원칙 자료 05	• 계약의 내용이 사회 질서에 반하거나 공공의 이익을 침해할 경우 법적 효력이 인정되지 않는다는 원칙 ── **분석** 법률 행위가 무효라는 것을 의미한다. • 계약 당사자 간의 현실적인 불평등 관계에 따라 발생할 수 있는 불공정한 계약을 방지함.
무과실 책임의 원칙 자료 06	• 자신에게 직접적인 고의나 과실이 없어도 타인에게 피해를 준 경우에는 일정 요건에 따라 손해 배상 책임을 져야 한다는 원칙 • 사업자의 환경 침해나 제조물 책임[10] 등 특수한 경우에는 고의 또는 과실이 없어도 무과실 책임의 원칙을 적용하여 사업자나 제조사에 책임을 물을 수 있도록 함.

❼ 개인주의와 자유주의
• 개인주의: 국가나 사회보다 개인이 우선한다는 사상으로 개인의 독립성과 자유에 높은 가치를 둔다.
• 자유주의: 개인의 자유를 가장 중요한 가치로 여기고 존중하며, 사유 재산권을 강조한다.

❽ 고의와 과실
• 고의: 자신의 행위에 따른 결과를 인식하면서도 이를 행하는 심리 상태
• 과실: 자신의 행위에 따른 결과를 예견할 수 있었으면서도 부주의로 말미암아 인식하지 못한 심리 상태

❾ 독과점
자본주의 경제하에서 하나 또는 소수의 기업이 시장을 지배하여 경쟁이 결여된 상태를 의미한다.

❿ 제조물 책임
제조물의 결함으로 소비자 등에게 생명·신체·재산상의 손해가 발생한 경우 제조업자나 그 유통 관여자 등이 손해 배상의 책임을 지는 것이다.

자료 04 사유 재산권 존중의 원칙과 소유권 공공복리의 원칙

제2차 세계 대전 중 독일의 폭격으로 영국 런던의 도심은 대부분 파괴되었다. 영국은 이를 재건하는 과정에서 런던 시가지의 팽창을 막기 위해 런던 외곽 8 km에 달하는 지역을 녹지로 지정하여 개발을 제한하였다. 한편 우리나라도 도시의 무질서한 확산을 막고 자연 환경과 생태계를 보호하려는 공익적 목적에서 개발 제한 구역을 설정하고 있다. 하지만 개발 제한 구역 안에 땅을 소유하고 있는 사람들은 공익을 위한 개발 제한으로 그 땅을 제대로 활용할 수도 없고 땅값도 떨어지는 등 직접적인 피해를 보고 있다. 이에 따라 개발 제한 구역 주민의 반발이 끊이지 않고 있다.

자료 분석 | 개인의 재산권은 기본적으로 보장이 되지만 공익적 목적을 위해서 제한이 될 수도 있다. 개발 제한 구역을 설정하는 목적은 무질서한 개발을 제한하여 자연 환경과 생태계를 보호하려는 것이고, 이는 소유권 공공복리의 원칙에 따라 개인의 사유 재산권도 제한될 수 있다고 보고 있다. 하지만 개발 제한 구역 내 토지를 가지고 있는 사람들은 사유 재산권 존중의 원칙에 따라 자신들이 피해를 입지 않아야 한다고 주장한다.

자료 05 계약 자유의 원칙과 계약 공정의 원칙

셰익스피어의 작품인 "베니스(베네치아)의 상인"에서 안토니오는 친구 바사니오로부터 포샤에게 구혼하기 위한 여비를 마련해 달라는 부탁을 받는다. 이에 안토니오는 가지고 있는 배를 담보로 하여 유대인 고리대금업자 샤일록으로부터 돈을 빌려 여비를 마련해 준다. 이때 샤일록에게는 돈을 갚지 못하면 심장 근처의 살 1파운드를 제공한다는 증서를 써 준다. 이후 안토니오는 배가 돌아오지 않아 생명을 잃을 위기에 처한다. 그러나 남장을 한 포샤가 베니스 법정의 재판관이 되어, "살은 주되 피를 흘려서는 안 된다."라고 선언함으로써 샤일록은 패소하여 전 재산을 몰수당한다.

자료 분석 | 샤일록은 안토니오와의 계약이 강요나 협박 없이 자유로운 상태에서 계약에 합의했으므로 계약 자유의 원칙에 따라 정당한 계약이라고 주장하였다. 하지만 포샤는 아무리 자유로운 의사에 의한 계약이라고 하더라도 사람의 생명을 계약의 대상으로 삼을 수 없으므로 계약 공정의 원칙에 따라 두 사람의 계약은 사회적으로 용납될 수 없는 계약이라고 주장하였다.

자료 06 무과실 책임의 원칙

2017년 3월 30일, 「제조물 책임법」 개정안이 의결되었다. 개정된 법에서는 제조물 대부분이 고도의 기술을 바탕으로 제조되고, 제조물에 관한 정보를 제조업자만 갖고 있어 피해자가 제조물의 결함 여부 등을 과학적·기술적으로 입증한다는 것은 지극히 어려운 일임을 고려하였다. 이에 따라 피해자가 '제조물이 정상적으로 사용되는 상태에서 손해가 발생하였다는 사실' 등 일정 사실을 증명하면, 공급 당시 존재한 제조물의 결함으로 인하여 손해가 발생한 것으로 추정하도록 함으로써 소비자의 입증 책임을 경감할 수 있도록 하였다. 또한 제조업자가 제조물의 결함을 알면서도 필요한 조치를 취하지 아니한 결과로 생명 또는 신체에 중대한 손해를 입은 자가 있는 경우 제조업자에게 그 손해의 3배를 넘지 아니하는 범위에서 손해 배상 책임을 지도록 하는 징벌적 손해 배상제를 도입함으로써 국민 생활의 안전 향상과 국민 경제의 건전한 발전에 이바지하도록 하였다.

자료 분석 | 제조물 책임법은 물품을 제조하거나 가공한 자에게 그 물품의 결함으로 인하여 발생한 생명, 신체의 손상 또는 재산상의 손해에 대하여 무과실 책임에 의한 손해 배상 의무를 지우게 하고 있다.

1 근대 민법의 기본 원칙은 오늘날에는 적용되지 않는다.

(O , ×)

2 계약 공정의 원칙은 계약 자유의 원칙으로 수정·보완되었다.

(O , ×)

3 과실 책임의 원칙은 고의가 아닌 과실의 경우에만 책임을 진다는 원칙이다.

(O , ×)

4 계약 내용이 현저하게 불공정할 경우 법적 효력이 발생하지 않을 수 있다.

(O , ×)

5 사적 자치의 원칙은 계약 자유의 원칙이라고도 한다.

(O , ×)

6 제조물 책임법상 제조물 책임은 무과실 책임의 원칙에 해당한다.

(O , ×)

7 근대 민법의 기본 원칙은 개인주의, 자유주의를 바탕으로 한다.

(O , ×)

8 개인의 소유권 행사라도 공공복리를 위해 필요한 경우 제한할 수 있다는 원칙은 계약 공정의 원칙이다.

(O , ×)

9 소유권 공공복리의 원칙에 따라 개인의 재산에 대해 국가나 다른 개인이 함부로 간섭하지 못한다.

(O , ×)

정답 1× 2× 3× 4○ 5○ 6○
7○ 8× 9×

1 법이 규율하는 생활 관계의 성격에 따른 법의 분류

구분	사법(私法)	공법(公法)
의미	개인과 개인 간의 사적인 생활 관계를 규율하는 법	국가 기관과 개인 간, 국가 기관 간의 공적인 생활 관계를 규율하는 법
사례	(❶), 상법 등	헌법, 형법 등

2 민법

의미	개인과 개인 간의 법률관계에서 발생하는 권리와 의무의 종류 및 내용을 다루는 대표적인 사법
규율 대상	재산 관계, 가족 관계 등
기능	재산 관계 규율, 가족 관계 규율, 법의 일반 원칙 제시(신의 성실의 원칙, 권리 남용 금지의 원칙)

3 근대 민법의 기본 원칙

(❷) 존중의 원칙	• 개인 소유의 재산에 대한 사적 지배를 인정하고 국가나 다른 개인이 이를 함부로 간섭하거나 제한하지 못한다는 원칙 • 소유권 절대 원칙이라고도 함.
사적 자치의 원칙	• 개인은 자신의 의사에 따라 타인과 자유롭게 계약을 맺음으로써 권리를 취득하거나 의무를 부담하는 법률관계를 형성할 수 있다는 원칙 • (❸)의 원칙이라고도 함.
과실 책임의 원칙	• 타인에게 손해를 입힌 사람은 원칙적으로 자신의 고의 또는 과실로 위법하게 타인에게 가한 손해에 대해서만 책임을 진다는 원칙 • 자기 책임의 원칙이라고도 함.

4 수정·보완된 민법의 기본 원칙

소유권 공공복리의 원칙	• 개인의 소유권이 공공의 이익에 부합하도록 행사되어야 한다는 원칙 • 개인의 소유권도 공공의 이익을 위해서라면 경우에 따라 제한될 수 있는 상대적 권리임을 의미함.
(❹)의 원칙	• 계약의 내용이 사회 질서에 반하거나 공공의 이익을 침해할 경우 법적 효력이 인정되지 않는다는 원칙 • 계약 당사자 간의 현실적인 불평등 관계에 따라 발생할 수 있는 불공정한 계약을 방지함.
무과실 책임의 원칙	자신에게 직접적인 (❺)나 과실이 없어도 타인에게 피해를 준 경우 일정 요건에 따라 책임을 져야 한다는 원칙

정답 ❶ 민법 ❷ 사유 재산권 ❸ 계약 자유 ❹ 계약 공정 ❺ 고의

1 민법의 개념

01 (가)에 들어갈 내용으로 옳지 <u>않은</u> 것은?

교사: A법에 대해 설명해 볼까요?

갑: 사인(私人)을 주체로 하여 대등한 법률관계를 다루는 법입니다.

을: 총론에는 A법 전반에 적용되는 기본 원칙을 제시하고 있습니다.

병: (가)

교사: 모두 옳게 발표했습니다.

① 가족법은 친족법과 상속법으로 구성되어 있습니다.

② 물권법은 물건에 대한 권리의 개념과 대상을 규정하고 있습니다.

③ 소유권, 임차권 등 법적으로 보호받는 재산 관계를 규율하고 있습니다.

④ 가족 관계 규율을 통해 가족과 친족의 문화와 질서를 유지하는 기능을 합니다.

⑤ 개인이 불법 행위로 타인에게 손해를 입혔을 경우 국가가 직접 제재할 수 있는 내용이 규정되어 있습니다.

02 A법의 옳은 사례만을 〈보기〉에서 고른 것은?

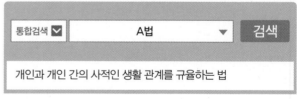

통합검색 | A법 | 검색

개인과 개인 간의 사적인 생활 관계를 규율하는 법

| 보기 |

ㄱ. 갑은 재산세를 납부하였다.

ㄴ. 을은 법에 정한 요건에 따라 자필로 유언장을 작성하였다.

ㄷ. 병은 친구로부터 중고 카메라를 구입하는 계약을 체결하였다.

ㄹ. 국가에 의해 기본권이 침해되었다고 판단한 정은 헌법 재판소에 헌법 소원 심판을 청구하였다.

① ㄱ, ㄴ　　② ㄱ, ㄷ　　③ ㄴ, ㄷ

④ ㄴ, ㄹ　　⑤ ㄷ, ㄹ

03 밑줄 친 '이 법'에서 규정하고 있는 조항만을 〈보기〉에서 고른 것은?

> 이 법은 계약과 같은 법률관계를 통해 개인 간에 어떤 권리와 의무가 발생하는지, 그리고 이렇게 발생한 권리와 의무가 어떻게 변경되거나 소멸하는지 등을 규정하고 있다. 따라서 이 법은 사적인 법률관계에서 발생하는 권리와 의무의 종류 및 내용을 다루는 가장 대표적인 사법(私法)이다.

┤ 보기 ├
ㄱ. 모든 국민은 직업 선택의 자유를 가진다.
ㄴ. 미성년자가 혼인을 한 때에는 성년자로 본다.
ㄷ. 권리의 행사와 의무의 이행은 신의에 좇아 성실히 하여야 한다.
ㄹ. 타인의 재물을 절취한 자는 6년 이하의 징역 또는 1천만 원 이하의 벌금에 처한다.

① ㄱ, ㄴ   ② ㄱ, ㄷ   ③ ㄴ, ㄷ
④ ㄴ, ㄹ   ⑤ ㄷ, ㄹ

04 표는 민법의 규율 대상을 정리한 것이다. (가), (나)에 들어갈 내용만을 〈보기〉에서 옳게 연결한 것은?

구분	재산 관계	가족 관계
적용 사례	(가)	(나)

┤ 보기 ├
ㄱ. 갑은 자동차 구매 계약을 체결하였다.
ㄴ. 을은 배우자와 재판상 이혼을 하였다.
ㄷ. 병은 친구의 휴대폰을 파손하여 손해 배상을 해 주었다.
ㄹ. 정은 자신의 전 재산을 아들에게 증여하겠다는 적법한 유언장을 작성하였다.

   (가)   (나)   (가)   (나)
① ㄱ, ㄴ   ㄷ, ㄹ   ② ㄱ, ㄷ   ㄴ, ㄹ
③ ㄱ, ㄹ   ㄴ, ㄷ   ④ ㄴ, ㄷ   ㄱ, ㄹ
⑤ ㄴ, ㄹ   ㄱ, ㄷ

2 근대 민법의 기본 원칙 ~ 3 근대 민법의 기본 원칙에 대한 수정·보완

05 ㉠에 들어갈 민법의 기본 원칙으로 옳은 것은?

> 갑이 운영하는 식당은 큰길에서 골목을 따라 들어와야 하는 안쪽 건물에 있는데 몇 년 전 길가 쪽 상가 건물의 주인이 을로 바뀌면서 골목길도 자신의 소유이니 매달 일정 금액의 통행료를 내라고 요구하였다. 이 진입로는 30여 년 동안 누구나 자유롭게 이용하는 통행로였는데, 을은 자신의 사유지라는 이유로 통행을 제한하는 방벽 등을 설치하고 길을 막았다. 이에 갑은 ○○ 지방 법원에 을의 재산권 행사를 제한해달라는 소송을 제기하였고, 법원은 민법의 기본 원칙인   ㉠   에 따라 갑의 소송을 인용하는 판결을 하였다.

① 사적 자치의 원칙
② 계약 공정의 원칙
③ 무과실 책임의 원칙
④ 소유권 공공복리의 원칙
⑤ 사유 재산권 존중의 원칙

06 다음 사례에서 위반한 민법의 기본 원칙에 대한 설명으로 옳은 것은?

> 대형 연예 기획사들이 연예인 지망생들에게 불공정한 노예 계약을 강요하였다. 연예 기획사인 A사는 연습생 귀책 사유로 계약 해지 시 일률적으로 투자 비용의 2~3배 금액을 위약금으로 배상하도록 하였다. 또한 연습생 계약 기간이 만료된 이후에도 현재 소속된 A사와 전속 계약 체결 의무를 강제하거나, 전속 계약 체결을 거부할 시 투자 비용의 2배를 반환하도록 하였다.

① 개인 소유 재산에 대한 사적 지배를 인정한다는 원칙이다.
② 소유권은 공공복리에 적합하도록 행사해야 한다는 원칙이다.
③ 불평등한 관계에 있는 계약 당사자들 간의 부당한 계약을 방지하기 위한 원칙이다.
④ 가해자에게 고의나 과실이 없더라도 일정한 요건하에 손해 배상 책임을 진다는 원칙이다.
⑤ 개인이 자신의 의사에 기초하여 상대방과 자유롭게 법률관계를 형성할 수 있다는 원칙이다.

07 민법의 기본 원칙 (가), (나)에 대한 설명으로 옳은 것은?

> 고의 또는 과실로 다른 사람의 권리를 침해하여 손해가 발생한 경우에만 (가)에 따라 책임을 져야 해.

> 아니야. 고의나 과실이 없더라도 다른 사람에게 피해를 주었다면 (나)에 따라 책임을 져야 해.

① (가)는 경제적 강자가 자신의 책임을 회피하는 수단으로 악용되기도 하였다.
② (나)는 사유 재산에 대한 절대적 지배권을 인정하는 근거가 된다.
③ (가)는 (나)와 달리 현대 사회에서는 적용되지 않는다.
④ (나)는 (가)와 달리 개인주의, 자유주의를 바탕으로 한다.
⑤ (가), (나) 모두 근대 시민 사회에서 주요 원리로 적용되었다.

08 민법의 기본 원칙 (가), (나)에 대한 옳은 설명만을 〈보기〉에서 고른 것은?

> 자본주의가 발달함에 따라 부익부 빈익빈, 독과점 등 여러 가지 결함과 폐해가 나타났다. 이러한 문제점을 해결하기 위해서 현대 민법에서는 근대 민법의 원리가 소유권 영역에서는 (가)로, 계약 영역에서는 (나)로 수정·보완되었다.

┤ 보기 ├
ㄱ. (가)는 소유권 공공복리의 원칙, (나)는 계약 공정의 원칙이다.
ㄴ. (가)를 적용한 사례로 우리나라의 제조물 책임법을 들 수 있다.
ㄷ. (나)에 따라 사회 질서에 반하고 공공의 이익을 위협하는 계약은 무효이다.
ㄹ. (가), (나) 모두 국가나 사회보다 개인이 우선한다는 사상을 기본 이념으로 한다.

① ㄱ, ㄴ   ② ㄱ, ㄷ   ③ ㄴ, ㄷ
④ ㄴ, ㄹ   ⑤ ㄷ, ㄹ

09 민법의 기본 원칙 (가)에 대한 설명으로 옳은 것은?

> 갑은 을의 건물을 임차하여 식당을 운영하고 있었다. 어느 날 유리창이 떨어져 지나가던 행인이 맞아 크게 다쳤다. 갑은 건물의 손해가 발생하지 않도록 주의를 다하였음이 증명이 되어 책임이 면제되었고, 이에 따라 소유자 을이 (가)에 의해 손해 배상 책임을 지게 되었다.

① 자기 책임의 원칙이라고도 한다.
② 국가는 개인 소유의 재산에 함부로 간섭하지 못한다.
③ 사회적 강자가 사회적 약자를 강제하는 수단으로 악용될 수 있다.
④ 계약 내용이 사회 질서에 반하거나 현저하게 공정성을 잃으면 법적 효력이 인정되지 않는다.
⑤ 타인의 손해에 대하여 고의나 과실이 없더라도 일정한 요건에 따라 법적 책임을 질 수 있다.

10 A~D에 대한 설명으로 옳은 것은?

〈근대 민법의 원칙〉	〈수정·보완된 민법의 원칙〉
A	➡ 소유권 공공복리의 원칙
B	➡ C
과실 책임의 원칙	➡ D

① A에 따라 개인의 재산권은 상대적 성격의 권리로 본다.
② B에 따라 국가나 타인의 간섭을 받지 않고 자기의 법률관계를 스스로 정할 수 있다.
③ B와 달리 C는 자유로운 의사를 바탕으로 한 개인 간의 계약을 인정하지 않는다.
④ D의 사례로 개발 제한 구역의 지정을 들 수 있다.
⑤ C, D는 모두 사회·경제적 강자가 약자를 지배하는 수단으로 악용될 수 있다.

11 (가)에 들어갈 법을 <u>두 가지</u> 쓰시오.

> 수업 주제: 법의 분류
>
> 1. 기준: 법이 규율하는 생활 관계의 성격에 따라 분류함.
> 2. 의미: 개인과 개인 간의 사적인 생활 관계를 규율하는 법
> 3. 종류: _____ (가)

12 밑줄 친 ㉠, ㉡에 해당하는 민법의 기본 원칙을 쓰시오.

> 사람들은 살아가면서 다른 사람들과 많은 법률관계를 맺게 된다. 주택 매매나 돈을 빌리는 일, 혼인하고 자녀를 출산하는 일 등은 모두 개인의 삶과 관련된 것으로, 이는 사법(私法)의 영역에 해당한다. 이러한 개인의 삶에 관련된 부분들은 다른 사람에게 피해를 주지 않는 한 ㉠ 자신의 의사에 따라 자유롭게 결정할 수 있고, 만약 ㉡ 잘못이 있으면 그 책임도 스스로 지는 것이 원칙이다.

13 (가)에 해당하는 민법의 기본 원칙을 쓰시오.

우리 공장 폐수 때문이라는 증거 있어?

A사의 폐수 방류 때문에 저희 어장이 피해를 입었다는 개연성이 있으므로 (가)에 따라 A사가 고의나 과실이 없어도 손해 배상 책임을 져야 합니다.

A 사업주

14 (가)~(다)에 해당하는 근대 민법 원칙의 기본 이념을 서술하시오.

> (가) 개인 소유 재산에 대한 사적 지배를 인정하고 국가나 다른 개인이 이를 함부로 간섭하거나 제한하지 못한다.
> (나) 개인은 자율적인 판단에 기초하여 자유롭게 법률관계를 형성할 수 있다.
> (다) 자신의 고의 또는 과실로 위법하게 타인에게 가한 손해에 대해서만 책임을 진다.

15 (가)에 들어갈 법의 일반 원칙을 쓰시오.

> 갑이 주택 신축을 위하여 토지 경계를 측량한 후, 이웃한 을이 거주하는 2층 주택이 갑 소유의 토지 0.2평방미터를 차지하고 있다면서 을의 건물 전체를 철거하여 해당 토지 부분을 인도하라고 청구하는 것은 ___(가)___ 에 위배되어 인정받지 못한다.

16 밑줄 친 '법 적용의 문제점'에 대해 서술하시오.

> 근대 민법의 기본 원칙은 개인의 경제적 자유를 최대한 보장함으로써 사회 전체의 부를 늘리는 데 이바지하였다. 그런데 권리의 불가침성과 절대성을 강조하다 보니 빈부 격차, 환경 오염, 독점 기업의 횡포 등의 문제가 발생하였다. 이러한 이유로 근대 민법의 기본 원칙에 따른 <u>법 적용의 문제점</u>이 발생하였고, 이에 따라 사회적 약자의 <u>보호 필요성</u>이 대두되었다.

| 평가원 응용 |

01 다음은 근대 민법의 수정·보완 원칙 (가), (나)에 대한 적용 사례를 나타낸 것이다. 이에 대한 설명으로 옳은 것은?

(가)	정부는 자연 환경 보전과 건전한 생활 환경 확보라는 공익을 목적으로 관련 법에 근거하여 개인의 토지를 개발 제한 구역으로 지정하였다.
(나)	제조물 제조상의 결함으로 생명·신체·재산상의 손해가 발생한 사안에서 법원은 제조업자에게 고의나 과실이 없음에도 제조물 책임법에 따른 책임을 인정하였다.

① (가)는 무과실 책임의 원칙, (나)는 소유권 공공복리의 원칙이다.

② (가)에 따르면 행위자는 자신에게 과실이 있는 경우에만 손해 배상 책임을 진다.

③ (가)는 개인이 국가의 간섭 없이 자신의 의사에 기초하여 상대방과 자유롭게 법률관계를 형성할 수 있다는 원칙이다.

④ (나)에 따라 개인의 사유 재산권에 대한 절대적 지배가 인정된다.

⑤ (나)는 고의나 과실이 없는 경우에도 타인에게 피해를 준 경우 일정한 요건에 따라 책임을 져야 한다는 원칙이다.

| 교육청 기출 |

02 다음 자료에 대한 설명으로 옳은 것은? (단, A~D는 각각 서로 다른 민법의 원칙에 해당한다.)

> 교사: 근대 민법의 기본 원칙의 변화에 대해 발표해 볼까요?
> 갑: A는 ⊙ 소유권 공공복리의 원칙으로 수정되었습니다.
> 을: ⓒ 계약 자유의 원칙은 B로 수정되었습니다.
> 병: 그리고 C는 D에 의해 보완되었습니다.
> 교사: 모두 옳게 이해하고 있네요.

① ⊙은 개인의 소유권을 상대적 권리로 간주한다.

② ⓒ은 경제적 약자의 보호를 목적으로 한다.

③ 환경 보전을 위한 개발 제한 구역 지정은 A에 부합한다.

④ B로 인해 개인 간의 자유로운 계약 체결은 인정되지 않는다.

⑤ D는 C와 달리 과실에 의한 경우에도 배상 책임을 인정한다.

| 수능 기출 |

03 다음 자료에서 □□위원회의 판단에 나타난 민법의 기본 원리에 대한 진술로 가장 적절한 것은?

> **△△신문**
>
> 온라인 강의 해지, 보다 수월해져 …
>
> 수강 기간이 1개월을 넘는 온라인 강의는 앞으로 언제든지 계약을 해지하고 남은 금액을 돌려받을 수 있게 되었다. □□위원회는 최근 온라인 강의 수강 계약의 중도 해지를 제한한 온라인 강의 학원의 이용 약관 조항이 고객의 권리를 과도하게 제한하여 무효라고 판단하였다. 이에 따라 해당 학원에 시정 명령을 내렸다.

① 개인은 자신이 소유하는 재산을 배타적으로 사용·수익 또는 처분할 권리를 가진다.

② 계약 내용이 사회 질서에 반하거나 현저하게 공정성을 잃으면 법적 효력이 인정되지 않는다.

③ 법률관계를 형성하는 것은 개인의 자유로운 의사에 맡겨야 하고 국가가 개입해서는 안 된다.

④ 개인은 자신이 소유하는 재산을 공공의 이익에 부합하도록 사용·수익 또는 처분하여야 한다.

⑤ 타인의 손해에 대하여 직접적인 고의나 과실이 없더라도 일정한 요건에 따라 법적 책임을 질 수 있다.

04 표는 민법의 기본 원칙 A, B에 해당되는 법률 조항이다. 이에 대한 설명으로 옳은 것은?

구분	법률 조항
A	민법 제104조 당사자의 궁박, 경솔 또는 무경험으로 인하여 현저하게 공정을 잃은 법률 행위는 무효로 한다.
B	제조물 책임법 제3조 ① 제조업자는 제조물의 결함으로 생명·신체 또는 재산에 손해를 입은 자에게 그 손해를 배상하여야 한다.

① A에 따라 행위자는 자신에게 고의나 과실이 있는 경우에만 책임을 진다.

② B는 고의나 과실이 없는 경우에도 일정한 요건에 따라 배상 책임을 진다는 원칙이다.

③ A는 B와 달리 사회적 약자의 보호 필요성이 대두되면서 등장하였다.

④ B는 A와 달리 소유권을 절대적 권리로 강조한다.

⑤ A, B는 모두 근대 민법에서부터 강조된 원칙이다.

05 | 교육청 응용 |
민법의 기본 원칙 (가), (나)에 대한 설명으로 옳은 것은?

> 신혼여행을 가기 위해 □□ 여행사와 계약을 체결한 갑은 여행 출발 10일 전에 5주간의 치료가 필요한 상해를 입게 되자 환불을 요구하였다. 하지만 여행사는 계약 내용 중 '출발 14일 전부터 출발 당일까지 계약을 취소하면 취소 사유를 불문하고 환불을 받지 못한다.'는 조항을 들어 각자의 자율적인 판단에 기초하여 법률관계를 형성하였으므로 (가)에 따라 해당 계약 조항은 유효하고 따라서 환불을 할 수 없다고 주장하고 있다. 이에 대해 갑은 (나)에 따르면 계약 내용이 사회 질서에 반하거나 공정하지 못한 경우 법적 효력이 발생하지 않을 수 있으므로 해당 계약 조항은 무효라고 주장하고 있다.

① (가)는 소유권을 행사함에 있어서 공공복리에 적합해야 한다는 원칙이다.

② (가)는 개인 간의 법률관계의 형성에 국가가 개입해서는 안 된다는 원칙이다.

③ (나)는 개인의 재산에 대한 절대적 지배를 인정하는 원칙이다.

④ (나)는 개인의 고의나 과실이 없는 경우에도 일정한 요건에 따라 배상 책임을 질 수 있다는 원칙이다.

⑤ (가), (나)는 모두 근대 민법의 기본 원칙이 수정·보완된 원칙이다.

06
민법의 기본 원칙 A에 대한 진술로 가장 적절한 것은?

> 근대 민법에서는 사적 문제에 관하여 당사자 간에 자유스럽게 이루어져야 한다고 규정되어 있다. 이에 따라 자유주의 시장 경제를 지향하는 국가들은 개인의 자유로운 경제 활동을 보장하였다. 그러나 이러한 자유로운 경제 활동이 시간이 지날수록 점차 일방이 지속적으로 상당히 열악한 계약 조건을 강요받는 경우가 많아졌다. 따라서 자유주의 시장 경제의 문제점을 수정하고 사적 영역에 대한 제한을 가하는 A가 등장하였다.

① 개인의 소유권을 절대적으로 보장해야 한다.

② 소유권을 행사함에 있어 공공복리에 적합해야 한다.

③ 사회 질서에 반하고 공공의 이익을 위협하는 계약을 무효로 한다.

④ 개인은 자율적인 판단에 기초하여 법률관계를 형성해 나갈 수 있다.

⑤ 다른 사람의 행위에 대해서는 책임을 지지 않는다는 의미에서 자기 책임의 원칙이라고도 한다.

07 | 평가원 기출 |
A~C는 근대 민법의 수정 원칙이다. 이에 대한 옳은 설명만을 〈보기〉에서 고른 것은?

구분	관련 법규
A	약관의 규제에 관한 법률 제6조 ① 신의성실의 원칙을 위반하여 공정성을 잃은 약관 조항은 무효이다.
B	환경정책기본법 제44조 ① 환경오염 또는 환경훼손으로 피해가 발생한 경우에는 해당 환경오염 또는 환경훼손의 원인자가 그 피해를 배상하여야 한다.
C	헌법 제23조 ② 재산권의 행사는 공공복리에 적합하도록 하여야 한다.

보기

ㄱ. A에 의하면, 계약 당사자는 자신의 법률관계를 형성할 때 국가의 간섭을 받아서는 안 된다.

ㄴ. 임대 건물의 하자로 인한 행인의 부상에 대하여 임차인과 달리 건물 소유자가 면책되지 않는 것은 B가 적용된 것이다.

ㄷ. C에 의하면, 소유권은 사유 재산권의 대표적인 것이지만 경우에 따라 제한될 수 있는 상대적 권리이다.

ㄹ. 근대 민법의 기본 원리는 A, B, C로 인해 현대의 사법 관계에 적용되지 않는다.

① ㄱ, ㄴ ② ㄱ, ㄷ ③ ㄴ, ㄷ

④ ㄴ, ㄹ ⑤ ㄷ, ㄹ

08 | 평가원 기출 |
변호사의 조언에 나타난 민법의 기본 원리에 대한 설명으로 가장 적절한 것은?

> 질문: 제 동생이 거래 경험도 전혀 없으면서 터무니 없는 가격에 토지 매매 계약을 체결해 버렸어요. 매수인이 계약 이행을 요구하고 있는데, 어떻게 해야 하나요?
>
> 변호사: 매수인이 동생의 경솔 또는 무경험을 이용하여, 현저히 균형을 잃은 내용으로 계약을 체결한 경우일 수 있습니다. 이 경우 그 계약은 무효입니다.

① 국가는 개인 소유의 재산에 함부로 간섭하지 못한다.

② 개인은 각자의 자율적인 판단에 기초하여 법률관계를 형성할 수 있다.

③ 개인의 소유권 행사가 공공의 이익을 침해한다면 경우에 따라 제한될 수 있다.

④ 계약의 내용이 사회 질서에 반하거나 공정하지 못한 경우에는 법적 효력이 발생하지 않는다.

⑤ 타인의 손해에 대하여 직접적인 고의나 과실이 없더라도 일정한 요건에 따라 법적 책임을 질 수 있다.

02 재산 관계에 관련된 법

1 계약의 의미와 성립

1. 계약의 의미와 효력

(1) **계약** 일정한 법률 효과를 발생시킬 목적으로 사람들 간에 이루어지는 합의(예 물품 매매, 근로 계약, 통장 개설 등)

(2) **효력** 계약이 이루어지면 체결 당사자 간에는 일정한 권리와 의무가 발생함.

2. 계약의 성립과 발생 요건

(1) **계약의 성립 시점** 계약은 청약과 승낙❶의 의사 표시의 합치로 성립함. 자료 01

> 중요 계약의 성립 시점은 계약 당사자들이 계약서를 작성한 때가 아니라 계약 내용에 대해 합의한 때이다.

(2) **계약의 효력 발생 요건**

① 계약 자유의 원칙에 따라 각자가 원하는 방식과 내용으로 계약을 체결할 수 있음. 자료 02

② 계약의 성립 요건

> 비교 행위 능력이 제한되는 사람을 제한 능력자라고 한다.

- 계약 당사자는 계약 당시 의사 능력❷과 행위 능력❸을 갖추어야 함.
- 의사 표시는 계약 당사자의 자유로운 판단으로 이루어져야 함.
- 계약 내용이 실현 가능하고 적법해야 하며, 선량한 풍속, 기타 사회 질서에 반하지 않아야 함.

> 예시 도박 등의 행위는 선량한 풍속에 어긋난 행위이다.

③ 계약의 무효와 취소❹

계약의 무효	의사 무능력자의 법률 행위, 계약 내용을 실현할 수 없는 계약, 선량한 풍속과 사회 질서를 위반한 계약, 한쪽 당사자에게 지나치게 불공정한 계약
계약의 취소	법정 대리인의 동의를 얻지 않은 미성년자의 법률 행위, 사기나 강요 또는 착오에 의해 맺은 계약

(3) **계약의 이행과 채무 불이행**

① **계약의 이행** 계약이 성립하면 당사자 간 계약에 따른 의무를 성실히 이행해야 함.

② **채무 불이행** 채무자가 계약에 따른 의무를 이행하지 않아 상대방에게 손해를 끼치는 것 → 채무 불이행 시 손해를 본 당사자는 손해를 입힌 상대방에게 계약의 강제 이행이나 손해 배상을 청구할 수 있음.

> 의미 채무자가 채무 이행을 하지 않을 경우 법원에 신청해 채무를 이행시키는 것이다.

2 미성년자의 계약

1. 미성년자의 의미와 법률 행위

(1) **의미 및 법적 지위** 19세 미만인 자로 민법상 제한 능력자에 해당하여 행위 능력이 제한됨.

(2) **법률 행위** 자료 03

> 분석 확정적으로 유효한 법률 행위를 단독으로 할 수 없다.

① 원칙적으로 법정 대리인❺의 동의를 얻어 법률 행위를 해야 함. → 법정 대리인의 동의를 얻지 않은 단독적 법률 행위는 미성년자 본인이나 법정 대리인이 취소할 수 있음.

② 미성년자가 단독으로 할 수 있는 법률 행위 단순히 권리만을 얻거나 의무만을 면하는 행위, 법정 대리인이 범위를 정하여 처분을 허락한 재산(예 용돈)의 처분 행위, 법정 대리인에 의해 허락된 영업에 관한 행위, 임금 청구 행위

2. 미성년자와 거래한 상대방 보호

> 왜? 미성년자와 계약했다는 이유로 아무런 보호 조치를 하지 않으면 거래 상대방이 일방적으로 불리하기 때문이다.

확답 촉구권	미성년자와 거래한 상대방은 일정 기간을 정하여 미성년자의 법정 대리인에게 취소할 수 있는 행위를 유효로 할지 여부를 확정하도록 촉구할 수 있음.
철회권	미성년자와 거래한 상대방은 추인❻이 있을 때까지 미성년자나 법정 대리인에게 계약 체결의 의사 표시를 철회할 수 있음. (단, 거래 당시 미성년자임을 몰랐을 경우에만 가능함.)
취소권 배제	미성년자가 거래 상대방을 속여 성인인 것처럼 행동하거나 법정 대리인의 동의를 받은 것처럼 믿게 한 경우에 취소권이 배제됨.

> 중요 미성년자의 법정 대리인이 아무런 답변이 없으면 법률 행위를 추인한 것으로 보고 확정적으로 유효하게 된다.

고득점을 위한 셀파 Tip

계약 체결 과정

계약의 성립
청약 ⇄ 승낙

계약의 효력
권리(채권)와 의무(채무) 발생

계약 이행 / 계약 불이행

❶ 청약과 승낙
- 청약: 일정한 내용의 계약을 체결할 것을 목적으로 하는 의사 표시
- 승낙: 청약의 상대방이 청약을 받아들여 계약을 성립시킬 것을 목적으로 하는 청약자에 대하여 행하는 의사 표시

❷ 의사 능력
자신이 하는 행동의 의미나 결과를 판단하여 정상적인 의사 결정을 할 수 있는 정신 능력이다.

❸ 행위 능력
단독으로 완전하고 유효하게 법률 행위를 할 수 있는 지위 또는 자격이다.

❹ 무효와 취소

무효	법률 행위에 어떤 흠이 있어서 법률 행위의 효력이 처음부터 발생하지 않는 것
취소	법적으로 효력이 있는 법률 행위에 대해 일정한 사유를 근거로 하여 소급하여 효력을 잃게 하는 것

❺ 법정 대리인
법에 따라 당사자의 행위를 대리할 권한을 가진 사람을 의미한다. 미성년자의 경우 친권자가 법정 대리인이 되며, 친권자가 없을 때는 후견인이 법정 대리인이 된다.

❻ 추인
요건을 갖추지 않은 불완전한 법률 행위를 사후에 보충하여 요건을 갖춤으로써 확정적으로 유효하게 만드는 의사 표시이다.

자료 01 계약의 성립과 권리·의무

(가)   (나)   (다)   (라)

자료 분석 | 계약은 청약과 승낙에 의해서 성립한다. (나)에서 물품에 대한 구매 의사 표시를 하였으므로 청약이 나타나며, (다)에서 청약의 내용을 받아들이겠다는 의사 표시를 하였으므로 승낙이 나타난다. 이렇게 계약이 성립하면, 판매자와 구매자는 일정한 권리와 의무가 발생하게 되는데, 이를 각각 채권과 채무라고 한다.

자료 02 계약서 작성

일반적으로 계약서에는 계약 내용뿐만 아니라 계약한 사람과 계약한 날짜, 계약한 당사자들의 서명이나 날인이 들어간다. 계약서를 작성할 때에는 계약 내용을 최대한 상세하게 적는 것이 좋다. 계약서를 작성하는 대표적인 계약으로는 부동산 매매나 임대차 계약, 소비 대차 계약 등이 있다. 부동산을 신중하고 안전하게 거래하기 위해서는 계약서로 내용을 명확하게 작성하는 것이 필요하다. 돈을 빌려주고 빌리는 소비 대차의 경우에도 주고받는 금액이나 방법, 시기, 이율 등을 구체적으로 적어야 추후의 분쟁을 예방할 수 있다.

자료 분석 | 일반적으로 계약을 할 때 계약서 작성은 의무 사항이 아니다. 하지만 이후 분쟁이 생길 경우 거래의 안정을 위해서는 거래의 내용을 명확히 하기 위해서 계약서를 작성하게 되면 증거 자료로 활용할 수 있다.

자료 03 미성년자의 계약

(가)   (나)   (다)

18세 갑은 삼촌에게서 값비싼 자전거를 선물로 받았다.   17세 을이 용돈으로 5만 원 상당의 가방을 구매하였다.   17세 병이 값비싼 어학용 교재를 구매하였다.

자료 분석 | (가)에서 갑은 권리만을 얻는 행위에 해당하며, (나)에서 을은 법정 대리인이 범위를 정하여 처분을 허락한 재산을 임의로 처분하는 행위에 해당하므로 둘 다 법정 대리인의 동의 없이 단독으로 할 수 있는 법률 행위에 해당한다. (다)의 경우 병은 원칙적으로 법정 대리인의 동의를 얻어야 하며, 법정 대리인의 동의가 없었다면 병 또는 병의 법정 대리인이 교재 구매 계약을 취소할 수 있다.

---

1 계약은 계약 자유의 원칙을 바탕으로 이루어진다.
(○ , ×)

2 계약은 청약과 승낙의 합치로 성립한다.
(○ , ×)

3 계약이 성립하기 위해서는 반드시 계약서를 작성해야 한다.
(○ , ×)

4 계약 당사자는 계약 당시 의사 능력과 행위 능력을 갖추어야 한다.
(○ , ×)

5 의사 무능력자의 법률 행위는 취소할 수 있다.
(○ , ×)

6 법률 행위에 어떤 흠이 있어서 법률 행위의 효력이 처음부터 발생하지 않는 것을 무효라고 한다.
(○ , ×)

7 사기나 강박에 의한 의사 표시를 한 경우는 무효에 해당한다.
(○ , ×)

8 미성년자와 거래한 상대방은 확답 촉구권을 미성년자에게 행사할 수 있다.
(○ , ×)

9 미성년자가 단순히 권리만을 얻는 행위를 할 경우에는 법정 대리인의 동의가 필요하지 않다.
(○ , ×)

정답 1 ○ 2 ○ 3 × 4 ○ 5 × 6 ○
7 × 8 × 9 ○

3 불법 행위와 손해 배상

1. 불법 행위

(1) **의미** 타인에게 고의나 과실로 위법하게 손해를 끼치는 행위 ┤**사례** 다른 사람의 물건을 훼손하는 행위, 타인의 생명, 신체에 위협을 가하는 행위 등

(2) **불법 행위의 성립 요건** [자료 04]

가해 행위	가해자가 피해자에게 손해를 발생시키는 행위를 해야 함.
고의 또는 과실	가해자의 행위가 일부러 한 행동이거나 실수로 저지른 행위이어야 함.
책임 능력	가해자가 자신의 행위가 불법 행위로서 법률상 책임이 발생한다는 것을 판단할 수 있는 능력이 있어야 함.
위법성	가해자의 행위가 법이 보호할 가치가 있는 이익을 위법하게 침해해야 함. → 정당방위[7]나 긴급 피난[8] 등이 인정되면 위법성이 조각[9]되어 불법 행위가 성립하지 않음.
손해 발생	• 가해자의 행위 때문에 피해자의 손해가 발생해야 함. • 손해에는 재산적인 손해뿐만 아니라 생명, 신체, 자유, 명예 등 정신적인 손해도 포함됨.
인과 관계	가해 행위와 피해자의 손해 사이에 상당 인과 관계[10]가 있어야 함.

┤**주의** 범죄는 원칙적으로 고의가 있는 경우만 규정하지만, 불법 행위는 고의나 과실을 구분하지 않는다.

2. 손해 배상

(1) **의미** 위법한 행위로 발생한 손해를 보전해 주는 것 [자료 05]

(2) **손해 배상 책임이 발생하는 행위** 불법 행위, 채무 불이행 등

(3) **손해 배상 방식** ┤**왜?** 사람의 신체를 훼손하거나 골동품을 파손한 경우는 원상 회복이 현실적으로 불가능하기 때문이다.

① 금전 배상이 원칙이며 재산적 손해뿐만 아니라 정신적 손해도 배상해야 함.

② 명예 훼손의 경우 금전 배상 외에도 명예를 회복하는 적당한 처분으로 배상받을 수 있음.

③ 합의 이후에 발생한 손해(후발 손해)에 대해서도 합의 당시 예상할 수 없었던 중대한 손해의 경우 추가로 배상 청구가 가능함.

3. 특수 불법 행위 [자료 06]

(1) **의미** 다른 사람이 저지른 행위나 공동으로 저지른 행위, 사람 또는 물건의 관리·감독 소홀 등에 대해서 책임을 지는 것

(2) **유형** ┤**비교** 책임 능력이 있는 미성년자의 불법 행위는 미성년자 본인이나 법정 감독 의무자가 일반 불법 행위 책임을 진다. ┤**사례** 부모, 유치원 교사 등

책임 무능력자의 감독자 책임	• 책임 능력이 없는 미성년자나 심신 상실자[11]가 타인에게 손해를 가한 경우 이를 감독할 의무가 있는 자가 손해 배상 책임을 짐. • 감독 의무자가 감독 의무를 게을리하지 아니한 경우에는 책임이 면제됨.
사용자의 배상 책임	• 피용자가 업무와 관련하여 타인에게 손해를 가한 경우 사용자는 피용자의 선임 및 사무·감독상의 과실에 대한 배상 책임을 짐. • 사용자가 피용자의 선임 및 그 사무 감독에 상당한 주의를 다하였음을 증명하면 책임이 면제됨.
공작물 등의 점유자·소유자 책임	• 공작물[12] 등의 설치 또는 보존상의 하자로 타인에게 손해를 가한 경우 점유자가 1차적 배상 책임을 짐. ┤**주의** 점유자가 책임을 질 때는 과실 책임을 진다. • 점유자가 손해 방지를 위한 주의를 다하였음을 입증하면 책임이 면제되고, 소유자가 배상 책임을 짐. → 소유자는 과실 여부와 관계없이 무과실 책임을 짐.
동물 점유자의 책임	• 점유하는 동물이 타인에게 손해를 가한 경우 동물 점유자가 배상 책임을 짐. • 동물 점유자가 동물의 종류와 성질에 따라 그 보관에 상당한 주의를 다하였음을 증명하면 책임이 면제됨. ┤**주의** 소유자의 경우 일반 불법 행위 책임이 인정될 만한 특별한 사유가 있을 경우 '동물의 점유자 책임'과는 별도로 추가적인 책임을 질 수도 있다.
공동 불법 행위자의 책임	• 여러 사람이 공동으로 타인에게 손해를 가한 경우 연대하여 손해 배상 책임을 짐. • 누구의 가해 행위로 인해 피해자가 손해를 입었는지 정확하지 않은 때에도 가해자들이 연대하여 손해 배상 책임을 짐.

고득점을 위한 셀파 Tip

불법 행위

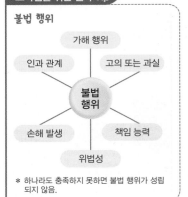

* 하나라도 충족하지 못하면 불법 행위가 성립되지 않음.

[7] 정당방위
다른 사람의 불법 행위로부터 자기 또는 제삼자의 이익을 지키기 위하여 부득이 그 다른 사람에게 손해를 입히는 행위이다.

[8] 긴급 피난
급박한 위난을 피하기 위해 부득이하게 다른 사람의 신체나 재산에 손해를 입히는 행위이다.

[9] 조각
불법 행위라도 일정한 사유에 해당할 경우 위법성이나 책임을 배제하여 불법 행위를 구성하지 않게 하는 것이다.

[10] 상당 인과 관계
어떤 원인이 있으면 그러한 결과가 발생하리라고 보통 인정되는 관계를 말한다.

[11] 심신 상실자
의사 능력은 있으나 정신 장애의 정도가 심하여 자신의 행위 결과를 합리적으로 판단할 능력을 갖지 못한 사람을 말한다. 민법에서 심신 상실자는 책임 능력이 결여된 것으로 보아 손해 배상의 책임을 지지 않는다.

[12] 공작물
인공적 작업에 의해 제작된 물건 예 건물, 담장, 굴뚝, 도로, 광고탑, 철탑 등

자료 04 불법 행위의 성립 요건

[사실 관계] △△시에 거주하는 갑이 자동차 배기가스 때문에 자신의 천식이 발병 또는 악화하였다고 주장하면서 국가와 △△시 및 국내 자동차 판매 회사인 ○○ 회사 등을 상대로 손해 배상을 청구하였다.

[판결] 대법원 2014. 9. 4. 선고 2011다7437판결

　대기 오염 물질과 갑의 천식 사이의 인과 관계를 인정하기 어려우므로 손해 배상 청구를 기각한다.

자료 분석 | 불법 행위가 성립하기 위해서는 가해 행위, 고의 또는 과실, 책임 능력, 위법성, 손해 발생, 인과 관계가 모두 성립해야 한다. 제시된 사례는 대기 오염 물질과 갑의 천식 사이의 인과 관계를 인정하기 어려워 불법 행위가 성립하지 않는다고 보았다.

자료 05 손해 배상의 범위

　연예인 갑이 ○○ 언론사를 상대로 명예 훼손에 대한 손해 배상과 사죄 광고를 요구하며 소를 제기하였다. 그러자 ○○ 언론사는 "사죄 광고는 양심의 자유를 침해한다."라며 헌법 소원 심판을 청구하였다.

헌법 재판소의 위헌 결정		헌법 재판소 결정에 대한 반론
양심의 자유에는 널리 사물의 시시비비나 선악과 같은 윤리적 판단에 국가가 개입해서는 안 되는 내심적 자유는 물론, 이와 같은 윤리적 판단을 국가 권력에 의해 외부에 표명하도록 강제당하지 않을 자유(윤리적 판단 사항에 관한 침묵의 자유)까지 포괄한다.	VS	• 이름이나 신분, 사회적 지위, 인격 등에 해를 끼쳐 사회생활을 어렵게 하였으므로 금전적인 보상만으로 충분한 회복이 이루어질 수 없다. • 사죄 광고를 하는 사람의 굴욕감만을 강조한 것은, 명예 훼손으로 고통을 당한 피해자의 모욕감과 아픔을 고려하지 않은 것으로 형평에 어긋난다.

자료 분석 | 민법은 불법 행위로 인한 손해 배상은 금전으로 하는 것을 원칙으로 하고 있지만, 명예 훼손의 경우 손해 배상과 함께 명예 회복에 적당한 처분을 명할 수 있다고 규정하고 있다. 일반적으로 사과나 사죄 광고를 싣도록 하는 처분을 내리게 되는데, 이에 대해 사과하고 싶은 마음이 없는데 법으로 사과를 강요하는 것은 양심의 자유를 침해하는 것이라는 의견도 있다.

자료 06 특수 불법 행위

〈사례 1〉

Q. 공원에서 개에게 물렸는데, 개를 데리고 있던 사람은 친구의 개를 잠시 산책시켜 주던 중이었다며 치료비를 못 주겠다고 합니다.

〈사례 2〉

Q. 우리 아이가 같은 반 친구들로부터 집단 폭행을 당했어요. 그런데 서로 책임이 없다며 손해 배상을 안 해주려고 합니다.

자료 분석 |
• 〈사례 1〉 동물의 점유자와 소유자가 다를 경우 동물을 점유하고 있는 사람이 동물을 관리할 책임이 있으므로 점유자로서 손해 배상 책임을 진다.
• 〈사례 2〉 '공동 불법 행위'에 대해 때리도록 부추긴 사람이나 망을 보면서 때리는 행위를 도운 사람까지 포함하여 폭행에 가담한 모든 사람들은 공동 불법 행위자로서 손해 배상 책임을 져야 한다.

개념 완성

1 계약의 의미와 효력

계약	일정한 법률 효과를 발생시킬 목적으로 사람들 간에 이루어지는 합의
성립 요건	• (❶)과 (❷)에 의해서 성립함. • 계약 당사자가 의사 능력과 행위 능력이 있어야 함. • 계약 내용이 실현 가능하고 적법해야 함. • 선량한 풍속, 기타 사회 질서에 반하지 않아야 함.

2 미성년자와 거래한 상대방의 보호

확답 촉구권	미성년자와 거래한 상대방은 미성년자의 (❸)에게 취소할 수 있는 행위를 유효로 할지 여부를 확정하도록 촉구할 수 있음.
철회권	미성년자와 거래한 상대방이 거래 당시 미성년자라는 것을 몰랐다면 계약 체결의 의사 표시를 철회할 수 있음.
취소권 배제	미성년자가 거래 상대방을 속여 성인인 것처럼 행동하거나 법정 대리인의 동의를 받은 것처럼 믿게 한 경우에는 취소권이 배제됨.

3 불법 행위의 성립 요건

가해 행위	가해자가 피해자에게 손해를 발생시키는 행위를 해야 함.
(❹) 또는 과실	가해자의 행위가 일부러 한 행동이거나 실수로 저지른 행동이어야 함.
책임 능력	가해자가 자신의 행위가 불법 행위로서 법률상 책임이 발생한다는 것을 판단할 수 있는 능력이 있어야 함.
위법성	가해자의 행위가 법이 보호할 가치가 있는 이익을 위법하게 침해해야 함.
손해 발생	가해자의 행위로 인해 피해자의 손해가 발생해야 함.
인과 관계	가해 행위와 피해자의 손해 사이에 상당 인과 관계가 있어야 함.

4 특수 불법 행위 유형

책임 무능력자의 감독자 책임	책임 능력이 없는 미성년자나 심신 상실자가 타인에게 손해를 가한 경우 이를 감독할 의무가 있는 자가 손해 배상 책임을 짐.
사용자의 배상 책임	피용자가 업무와 관련하여 타인에게 손해를 가한 경우 사용자는 피용자의 선임 및 사무·감독상의 과실에 대한 배상 책임을 짐.
공작물 등의 점유자·소유자 책임	공작물 등에 의해서 타인에게 손해를 가한 경우에 점유자가 1차적 책임을 지며, 점유자의 책임이 면제된 경우에는 소유자가 (❺)을 짐.
동물 점유자의 책임	점유하는 동물이 타인에게 손해를 가한 경우 동물 점유자가 배상 책임을 짐.
공동 불법 행위자의 책임	여러 사람이 공동으로 타인에게 손해를 가한 경우 (❻)하여 손해 배상 책임을 짐.

정답 ❶ 청약 ❷ 승낙 ❸ 법정 대리인 ❹ 고의 ❺ 무과실 책임 ❻ 연대

---

1 계약의 의미와 성립

01 다음 사례에 대한 법적 판단으로 옳은 것은?

> 갑: 최신형 ○○ 휴대폰을 구입하려고 하니, ○○ 휴대폰 주세요.
> 을: 여기 있습니다. 먼저 ⊙ 계약서를 작성해 주세요.

① 을의 계약서 작성 요구는 청약에 해당한다.
② 갑과 을의 계약이 성립하기 위해서는 ⊙이 있어야 한다.
③ 계약 당시 갑이 의사 능력이 없었다면 위 계약은 무효이다.
④ ⊙ 작성 이후 갑, 을 모두 채권은 발생하지만, 채무는 발생하지 않는다.
⑤ 계약 성립 이후 을이 일정 기간 안에 휴대폰을 지급하지 않으면 갑은 을에게 불법 행위에 의한 손해 배상을 청구할 수 있다.

02 (가), (나)에 해당하는 사례만을 〈보기〉에서 옳게 연결한 것은?

구분	의미
(가)	법률 행위에 어떤 흠이 있어서 법률 행위의 효력이 처음부터 발생하지 않는 것
(나)	법적으로 효력이 있는 법률 행위에 대해 일정한 사유를 근거로 하여 소급하여 효력을 잃게 하는 것

보기
ㄱ. 갑(25세)은 A의 협박에 못이겨 A로부터 오토바이를 구입하였다.
ㄴ. 을(30세)은 도박을 할 목적으로 B와 금전 대차 계약을 체결하였다.
ㄷ. 병(17세)은 법정 대리인의 동의 없이 용돈으로 문제집을 구매하였다.
ㄹ. 정(35세)은 C로부터 부동산을 구입하면서 계약서를 작성하지 않았다.

	(가)	(나)		(가)	(나)
①	ㄱ	ㄴ	②	ㄱ	ㄴ, ㄹ
③	ㄴ	ㄱ	④	ㄴ	ㄱ, ㄷ
⑤	ㄱ, ㄷ	ㄴ, ㄹ			

2 미성년자의 계약

03 (가)에 들어갈 법적 조언으로 옳은 것은?

> 질문: 저(갑)는 16세인데 부모님이 학원비 내라고 주신 50만 원으로 고가의 게임기를 을로부터 구입했습니다. 부모님이 아시면 큰 일인데 어떻게 하면 좋을까요?
> 답변: _____ (가) _____

① 갑이 직접 계약한 것이므로 갑은 취소할 수 없습니다.

② 을과의 계약은 단순히 권리만을 얻는 것이므로 취소할 수 없습니다.

③ 부모님이 을과의 계약에 대해 추인을 하면 계약은 유효하게 됩니다.

④ 학원비 내라고 준 돈은 처분이 허락된 재산이므로 유효한 계약이 됩니다.

⑤ 갑이 계약 당시 성인인 것처럼 을을 속였다면 계약을 취소할 수 있습니다.

04 (가)에 들어갈 내용으로 옳은 것은?

> _____ (가) _____ 미성년자가 법률 행위를 할 경우 원칙적으로 법정 대리인의 동의를 얻어야 한다. 만약 미성년자가 법정 대리인의 동의를 얻지 않고 한 법률 행위에 대해서는 미성년자 본인 또는 법정 대리인이 그 법률 행위를 취소할 수 있도록 하고 있다.

① 미성년자는 책임 무능력자에 해당하므로

② 미성년자는 법률 행위의 주체가 되지 못하므로

③ 미성년자와의 계약은 선량한 풍속에 어긋나므로

④ 미성년자는 정상적인 의사 결정을 할 수 있는 능력이 없으므로

⑤ 미성년자는 단독으로 유효한 행위를 할 수 없는 제한 능력자에 해당하므로

★**05** 다음 사례에 대한 옳은 법적 판단만을 〈보기〉에서 고른 것은?

> 고등학생인 갑은 법정 대리인인 부모 을의 동의를 얻지 않고 고가의 게임기를 구매하는 계약을 병과 체결하였다. 병은 갑과의 계약 당시 갑이 미성년자라는 것을 알고 있었다.

┤ 보기 ├

ㄱ. 갑은 게임기 구매 계약을 취소할 수 없다.

ㄴ. 을은 게임기 구매 계약을 취소할 수 있다.

ㄷ. 병은 갑과의 계약에 대해 의사 표시를 철회할 수 없다.

ㄹ. 병은 갑에게 게임기 매매 계약을 취소할 것인지 여부에 대해 확답을 촉구할 수 있다.

① ㄱ, ㄴ   ② ㄱ, ㄷ   ③ ㄴ, ㄷ

④ ㄴ, ㄹ   ⑤ ㄷ, ㄹ

3 불법 행위와 손해 배상

06 다음 갑의 질문에 대한 답변으로 옳은 것은?

> 저(갑)는 길을 가던 도중에 을(8세)이 낙하 실험을 한다고 던진 골프공을 맞아 다쳤습니다. 그런데 저는 을에게 불법 행위에 따른 손해 배상 책임을 물을 수 없다고 하네요. 왜 그런가요?

① 갑의 손해가 크지 않기 때문입니다.

② 을의 책임 능력이 없기 때문입니다.

③ 을의 행위가 고의가 없기 때문입니다.

④ 을의 행위가 위법성이 없기 때문입니다.

⑤ 을의 행위가 갑의 손해 사이에 상당 인과 관계가 없기 때문입니다.

07 다음에서 설명하고 있는 특수 불법 행위 유형으로 옳은 것은?

> 일반적인 불법 행위는 자신이 타인에게 고의나 과실로 위법하게 손해를 끼쳤을 때 책임을 지게 된다. 그런데 자신이 직접적인 가해자는 아니지만 자신과 특수한 관계에 있는 자가 한 행위에 대해서 감독 의무를 게을리한 것에 대한 책임을 지게 할 수 있다. 감독을 게을리하지 않았을 때 면책이 되는데, 이 경우 직접적인 가해자가 불법 행위 책임을 지게 된다.

① 사용자의 배상 책임
② 동물의 점유자 책임
③ 공동 불법 행위자의 책임
④ 책임 무능력자의 감독자 책임
⑤ 공작물 등의 점유자·소유자 책임

09 다음 사례에 대한 법적 판단으로 옳은 것은?

> • 갑의 피자 가게에서 아르바이트를 하던 을(22세)은 오토바이로 배달을 하던 중 신호 위반을 하여 병을 크게 다치게 하였다.
> • A(27세)가 해외 출장을 가게 되어 자신의 개를 잠시 B(26세)에게 맡겼다. B가 개를 데리고 산책을 하던 중 개가 행인을 물어 크게 다치게 하였다.

① 갑과 을이 연대하여 손해 배상 책임을 진다.
② 을의 불법 행위 책임이 인정되면 갑은 원칙적으로 병의 손해에 대해 원상으로 회복시켜 주어야 한다.
③ B의 행위가 고의가 없으면 손해 배상 책임을 지지 않는다.
④ B가 상당한 주의를 기울였음을 증명하면 책임이 면제된다.
⑤ 갑, A는 모두 특수 불법 행위 책임을 진다.

08 다음 질문에 대한 답변을 모두 만족시키는 사례로 가장 적절한 것은?

질문	답변	
	예	아니요
특수 불법 행위에 해당하는가?	✓	
자신의 행위에 고의나 과실이 없더라도 책임을 지는가?	✓	

① 심신 상실 상태인 갑이 친구 A의 지갑을 훔친 경우
② 을(17세)이 친구 B와 함께 같은 반 친구를 심하게 폭행한 경우
③ 병의 건물 창문이 떨어져 행인이 다쳤는데, 임차인 C의 책임이 면책된 경우
④ 정의 자녀 D(8세)가 친구를 때려 다치게 하였지만 정이 감독을 게을리하지 아니한 경우
⑤ 무(23세)의 맹견이 행인을 물어 크게 다쳤는데, 잠시 돌봐주고 있던 E의 책임이 면제된 경우

10 다음 사례에 대한 법적 판단으로 옳은 것은?

> 미성년자인 갑은 부(父)인 을과 함께 놀이터에서 공놀이를 하고 있었다. 그런데 을이 잠깐 자리를 비운 사이에 갑이 던진 공이 병에게 맞았고, 이에 놀란 병이 들고 있던 휴대폰을 떨어뜨려 완전히 파손되었다.

① 갑의 책임 능력이 인정되면, 을은 손해 배상 책임을 지지 않는다.
② 갑의 책임 능력이 인정되면, 갑과 을이 연대하여 손해 배상 책임을 진다.
③ 갑의 책임 능력이 인정되지 않으면, 을은 무과실 책임을 진다.
④ 갑의 책임 능력이 인정되지 않고, 을은 갑에 대한 감독 의무를 게을리하였다면 불법 행위 책임을 진다.
⑤ 갑의 책임 능력 유무와 상관 없이 을은 병에게 정신적 손해에 대한 책임을 지지 않는다.

11 ㉠, ㉡에 들어갈 법률 용어를 쓰시오.

> 법률 행위를 함에 있어 기본적으로 계약 당사자는 계약 당시 의사 능력과 행위 능력을 갖추고 있어야 한다. 따라서 의사 무능력자의 법률 행위는 ㉠ 이(가) 되며, 법정 대리인의 동의를 얻지 않은 제한 능력자의 단독적 법률 행위는 제한 능력자 본인 또는 법정 대리인이 ㉡ 할 수 있다.

12 (가)에 들어갈 법률 용어를 쓰시오.

> 계약이 성립하면 당사자 사이에는 계약에서 정한 권리와 의무가 발생한다. 당사자들은 계약에 따른 의무를 성실히 이행하여야 한다. 계약에 따른 의무를 이행하지 않아 상대방에게 손해를 끼치는 것을 (가) (이)라고 하는데, (가) 시 손해를 본 당사자는 손해를 입힌 상대방에게 계약의 강제 이행이나 손해 배상을 청구할 수 있다.

13 다음 판결문에서 불법 행위가 성립되지 <u>않는다</u>고 판단한 근거가 무엇인지 서술하시오.

> ○○ 법원
>
> 원고: 갑
> 피고: A 회사
> 주문: 원고의 청구를 기각한다.
> 이유: 피고가 제조한 담배가 이전부터 국내에서 소비되어 온 담배와는 다른 특별한 위해성이 있다거나 피고가 위해성을 증대시키는 행위를 했다고 볼만한 증거가 없다.
> (후략)

14 (가)에 들어갈 용어를 쓰시오.

> 일반적으로 불법 행위가 성립하면 과실 책임의 원칙에 따라 가해자는 피해자에게 그 손해를 배상해야 한다. 우리나라 민법에서는 손해에 대해 (가) (으)로 배상하는 것을 원칙으로 정하고 있다. 이는 손해가 발생하기 전의 상태로 원상 회복하는 것이 현실적으로 어렵기 때문이다.

15 (가)에 들어갈 법적 조언을 서술하시오.

16 다음 사례에서 을에게 손해 배상 책임이 <u>없는</u> 경우를 서술하시오.

갑: 을이 운영하는 학원의 간판에 의해 다쳤으니 손해 배상을 해 주세요.

을: 점유자인 저에게는 손해 배상 책임이 없습니다. 건물 소유자에게 손해 배상을 청구하세요.

| 평가원 기출 |

01 다음 사례에 대한 법적 판단으로 옳은 것은?

> 갑(19세)은 을(35세)이 운영하는 결혼 사진 촬영 업체에서 촬영 아르바이트를 하였다. 어느 날 병(30세)이 을에게 자신의 결혼식 사진 촬영을 의뢰하였고, 갑은 그 촬영을 위해 오토바이를 직접 운전하여 결혼식장으로 가던 중 운전 부주의로 정(47세)을 크게 다치게 하였다. 그리고 사고 처리 때문에 병의 결혼식 사진은 촬영되지 못했다.

① 갑의 병에 대한 채무 불이행 책임이 성립한다.
② 갑의 정에 대한 채무 불이행 책임이 성립한다.
③ 을의 병에 대한 채무 불이행 책임이 성립하지 않는다.
④ 을의 정에 대한 특수 불법 행위 책임이 성립하지 않는 경우에도 갑의 정에 대한 일반 불법 행위 책임이 성립한다.
⑤ 정이 입은 재산적 손해는 정신적 손해와 달리 금전으로 배상하는 것을 원칙으로 한다.

| 교육청 기출 |

02 다음 사례에 대한 법적 판단으로 옳은 것은?

> • 갑(17세)은 법정 대리인 을의 동의 없이 전자 기기 판매점을 운영하는 병(40세)으로부터 고가의 노트북을 구입하는 계약을 체결하였다. 병은 계약 당시 갑이 미성년자임을 알고 있었다.
> • 정(47세)은 만취하여 의사 능력이 없는 상태에서 자신의 주택을 시세보다 지나치게 싼 가격으로 무(50세)에게 매도하는 계약을 체결하였다.

① 갑과 달리 을은 계약을 취소할 수 있다.
② 병은 갑에게 계약 체결의 의사 표시를 철회할 수 없다.
③ 정이 일정 기간 이내에 취소의 의사 표시를 하지 않으면 계약은 유효한 것으로 확정된다.
④ 무는 정에게 계약을 취소할 것인지의 확답을 촉구할 권리가 있다.
⑤ 갑과 달리 정은 법률상 행위 능력에 제한을 받는 자에 해당한다.

| 교육청 기출 |

03 A~C에 대한 옳은 법적 판단만을 〈보기〉에서 고른 것은?

> 갑(17세)은 고가의 노트북을 매매하는 계약을 판매자 을과 체결하였다. 그런데 계약 당시 갑은 법정 대리인인 부모의 동의를 얻지 않았다. 한편 _____(가)_____

〈(가)에 들어갈 수 있는 상황 A~C〉

A	B	C
을(17세)은 법정 대리인인 부모의 동의를 얻어 계약을 체결하였다.	을(30세)은 계약 체결 당시 갑이 미성년자임을 알지 못했다.	을(30세)은 갑이 위조한 부모 동의서를 보고 계약을 체결하였다.

| 보기 |

ㄱ. A의 경우에 을의 부모는 갑의 부모와 달리 노트북 매매 계약을 취소할 수 없다.
ㄴ. B의 경우에 을은 노트북 매매 계약 체결의 의사 표시를 철회할 수 있다.
ㄷ. C의 경우에 갑의 부모는 노트북 매매 계약을 취소할 수 있다.
ㄹ. B와 달리 C의 경우에 을은 갑의 부모에게 노트북 매매 계약의 취소 여부를 확답해 줄 것을 촉구할 수 있다.

① ㄱ, ㄴ   ② ㄱ, ㄷ   ③ ㄴ, ㄷ
④ ㄴ, ㄹ   ⑤ ㄷ, ㄹ

04 다음 사례에 대한 법적 판단으로 옳은 것은?

> 갑(17세)과 을(16세)은 고가의 오토바이를 구매하기 위해서 각각 A와 계약을 맺었다. A는 갑과 계약을 할 때 갑의 법정 대리인인 병의 동의서를 확인하였다. 을은 법정 대리인인 정의 동의를 받지 않았는데, A는 을과 계약 당시 을이 미성년자라는 것을 알고 있었지만 오토바이 매매 계약을 맺었다.

① 병의 동의서가 위조된 경우라면, 병은 갑과 A의 계약을 취소할 수 있다.
② 병의 동의서가 위조되지 않았다면, A는 병에게 오토바이 매매 계약을 취소할지 여부에 대한 확답을 촉구할 수 있다.
③ 정은 을과 A의 계약을 취소할 수 없다.
④ A는 을이 미성년자인 것을 알았으므로 정에게 확답 촉구권을 행사할 수 없다.
⑤ A는 갑, 을 모두에게 계약 체결의 의사 표시를 철회할 수 없다.

| 교육청 기출 |

05 다음 자료에 대한 설명으로 옳은 것은?

갑(17세)은 을이 운영하는 게임기 판매점에서 고가의 게임기를 구매하는 계약을 부모의 동의 없이 을과 체결하였다.
• (가) 상황: 계약 당시 을은 갑이 미성년자임을 알았다.
• (나) 상황: 갑은 부모 동의서를 위조해 계약을 체결하였다.

① (가) 상황에서 갑의 부모는 계약을 취소할 수 없다.
② (가) 상황에서 을은 계약 체결의 의사 표시를 철회할 수 있다.
③ (가) 상황에서 을은 갑에게 계약을 취소할 것인지에 대한 확답을 요구할 수 있다.
④ (나) 상황에서 갑과 갑의 부모는 모두 계약을 취소할 수 없다.
⑤ 갑은 미성년자이므로 (가), (나) 상황과 관계없이 계약은 무효이다.

| 수능 응용 |

06 (가) 사례를 (나)에 적용했을 경우에 대한 옳은 법적 판단만을 〈보기〉에서 고른 것은?

(가) 갑(17세)은 평소 사고 싶었던 고가의 오토바이를 을(30세)로부터 구입하는 계약을 하였다. 한편 갑의 법정 대리인은 병이다.

(나)

질문	상황	
계약 당시 병의 동의가 있었는가?	㉠ 예	㉡ 아니요
계약 당시 을은 갑이 미성년자임을 알았는가?	㉢ 예	㉣ 아니요

| 보기 |
ㄱ. ㉠, ㉢의 상황에서 을은 병에게 계약을 취소할 것인지에 대한 확답을 촉구할 권리가 있다.
ㄴ. ㉠, ㉢의 상황에서 갑이 을의 사기에 의하여 계약을 하였다면 병은 그 계약을 취소할 수 있다.
ㄷ. ㉡, ㉢의 상황에서 을은 병에게 계약 체결의 의사 표시를 철회할 수 없다.
ㄹ. ㉡, ㉣의 상황에서 을은 갑이 미성년자임을 이유로 계약을 취소할 수 있다.

① ㄱ, ㄴ ② ㄱ, ㄷ ③ ㄴ, ㄷ
④ ㄴ, ㄹ ⑤ ㄷ, ㄹ

| 교육청 기출 |

07 (가), (나)에 들어갈 법적 판단으로 옳은 것은?

• 갑이 운영하는 음식점에서 일하고 있는 을(22세)은 뜨거운 음식을 엎지르는 바람에 손님 병에게 화상을 입혔다. 이 경우 병은 [(가)]
• A는 B가 소유한 주택의 세입자인데, 어느 날 A가 살고 있는 주택의 창틀이 떨어져 행인 C가 전치 4주의 상해를 입었다. 이 경우 C는 [(나)]

① (가) – 을의 부모에게 특수 불법 행위 책임을 물을 수 있다.
② (가) – 을의 불법 행위가 성립해야 갑에게 사용자의 배상 책임을 물을 수 있다.
③ (가) – 을의 행위에 고의가 있을 경우에만 을에게 손해 배상 책임을 물을 수 있다.
④ (나) – A에게 특수 불법 행위 책임을 물을 수 없다.
⑤ (나) – A의 면책 여부와 상관없이 B에게 무과실 책임을 물을 수 있다.

08 (가)에 들어갈 내용만을 〈보기〉에서 고른 것은?

질문: 제 아들 갑이 을로부터 아파트를 구매하는 계약을 체결했습니다. 갑은 아파트 구매 대금을 지불할 능력이 없는데 어떻게 하면 좋을까요?
변호사: [(가)], 갑과 을의 계약은 무효이므로 지불하지 않아도 됩니다.

| 보기 |
ㄱ. 을의 단순한 속임수에 의해 이루어진 계약이라면
ㄴ. 갑이 을과의 계약 당시에 의사 능력이 없었다면
ㄷ. 갑이 매우 불공정한 상황에서 이루어진 계약이라면
ㄹ. 17세의 갑이 계약 당시 법정 대리인의 동의를 받지 않았다면

① ㄱ, ㄴ ② ㄱ, ㄷ ③ ㄴ, ㄷ
④ ㄴ, ㄹ ⑤ ㄷ, ㄹ

| 교육청 기출 |

09 다음 사례에 대한 법적 판단으로 옳은 것은?

> A는 B가 소유한 건물을 임차하여 식당을 운영하고 있다. 어느 날 손님 C가 파손된 식당 바닥으로 인해 넘어져 전치 4주의 상해를 입었다. 한편, A의 식당 종업원인 D는 뜨거운 음식을 나르다가 실수로 엎질러 손님 E에게 전치 6주의 상해를 입혔다. C, E는 자신들이 입은 손해에 대해 A에게 배상을 요구하고 있다.

① C가 입은 손해에 대해 A는 무과실 책임을 진다.
② C는 자신이 입은 손해에 대해 A가 아닌 B에게 배상을 청구해야 한다.
③ D에게는 고의가 없었으므로 D는 E가 입은 손해에 대한 배상 책임이 없다.
④ D의 불법 행위 책임이 인정되어야 E는 A에게 손해 배상 책임을 물을 수 있다.
⑤ E는 A와 D에게 특수 불법 행위 중 공동 불법 행위자의 책임을 물을 수 있다.

| 수능 응용 |

10 다음 사례에 대한 옳은 법적 판단만을 〈보기〉에서 고른 것은?

> • A(14세)는 B(A의 법정 감독 의무자) 몰래 다른 사람의 자동차를 운전하다가 횡단보도에서 길을 건너던 C를 부주의로 다치게 하였다.
> • 대학생인 갑(19세)은 학비를 벌기 위하여 을이 운영하는 식당에서 아르바이트를 하던 중 식사를 하던 손님 병을 부주의로 다치게 하였다.

┤ 보기 ├

ㄱ. 사고 당시 A의 책임 능력이 인정되지 않는다면 B가 A에 대한 감독 의무를 게을리하지 않았더라도 B는 C에 대하여 특수 불법 행위 책임을 진다.
ㄴ. 사고 당시 A의 책임 능력이 인정되면 C의 부상이 B의 A에 대한 감독 의무 위반으로 인한 경우라도 B는 C에 대하여 특수 불법 행위 책임을 지지 않는다.
ㄷ. 을의 병에 대한 특수 불법 행위 책임이 성립하는 경우에도 갑의 병에 대한 불법 행위 책임이 인정된다.
ㄹ. 을의 병에 대한 사용자 배상 책임이 성립하는 경우 갑과 을의 병에 대한 공동 불법 행위자의 책임이 인정된다.

① ㄱ, ㄴ   ② ㄱ, ㄷ   ③ ㄴ, ㄷ
④ ㄴ, ㄹ   ⑤ ㄷ, ㄹ

11 다음 사례에 대한 법적 판단으로 옳은 것은?

> 갑은 을 소유의 건물을 임차하여 식당을 운영하고 있다. 갑은 건물 외벽에 문제가 있어 을에게 여러 번 수리를 요청하였지만, 을은 계속 수리를 미루고 있었다. 어느 날 건물 외벽에 있던 간판이 떨어져 병이 맞아 크게 다쳤다.

① 갑과 을이 연대하여 손해 배상 책임을 진다.
② 을이 손해 방지에 주의를 다하였음을 증명하면 책임이 면제된다.
③ 갑이 손해 방지를 위한 주의를 다하였음을 증명하면, 을은 병의 손해에 대해 과실 책임을 진다.
④ 갑이 손해 방지를 위한 주의를 다하였음을 증명하지 못하면, 갑은 병의 손해에 대해 과실 책임을 진다.
⑤ 갑이 책임을 질 경우 일반 불법 행위 책임을, 을이 책임을 질 경우 특수 불법 행위 책임을 진다.

| 교육청 기출 |

12 밑줄 친 (가)에 들어갈 옳은 내용만을 〈보기〉에서 고른 것은?

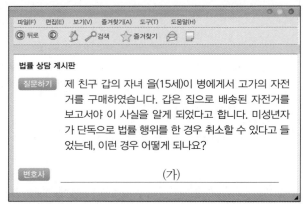

법률 상담 게시판

질문하기 제 친구 갑의 자녀 을(15세)이 병에게서 고가의 자전거를 구매하였습니다. 갑은 집으로 배송된 자전거를 보고서야 이 사실을 알게 되었다고 합니다. 미성년자가 단독으로 법률 행위를 한 경우 취소할 수 있다고 들었는데, 이런 경우 어떻게 되나요?

변호사 _____(가)_____

┤ 보기 ├

ㄱ. 법정 대리인 갑은 을의 동의 없이 계약을 취소할 수 있습니다.
ㄴ. 병은 을에게 계약의 취소 여부에 대한 확답을 요구할 수 있습니다.
ㄷ. 병이 거래 당시 을이 미성년자임을 몰랐을 경우 병은 계약 체결의 의사 표시를 철회할 수 있습니다.
ㄹ. 계약 당시 을이 속임수로써 병으로 하여금 성인으로 믿게 했다면 계약은 무효이므로 대금을 지급하지 않아도 됩니다.

① ㄱ, ㄴ   ② ㄱ, ㄷ   ③ ㄴ, ㄷ
④ ㄴ, ㄹ   ⑤ ㄷ, ㄹ

| 딱풀 p. 40

13 법률 상담 사이트에 게시된 질문에 대한 답변으로 옳은 것은?

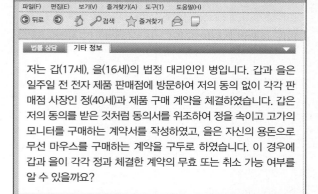

| 파일(F) | 편집(E) | 보기(V) | 즐겨찾기(A) | 도구(T) | 도움말(H) |

뒤로 | 검색 | 즐겨찾기

법률 상담 | 기타 정보

저는 갑(17세), 을(16세)의 법정 대리인 병입니다. 갑과 을은 일주일 전 전자 제품 판매점에 방문하여 저의 동의 없이 각각 판매점 사장인 정(40세)과 제품 구매 계약을 체결하였습니다. 갑은 저의 동의를 받은 것처럼 동의서를 위조하여 정을 속이고 고가의 모니터를 구매하는 계약서를 작성하였고, 을은 자신의 용돈으로 무선 마우스를 구매하는 계약을 구두로 하였습니다. 이 경우에 갑과 을이 각각 정과 체결한 계약의 무효 또는 취소 가능 여부를 알 수 있을까요?

① 갑이 정을 속이고 체결한 모니터 구매 계약은 무효입니다.

② 갑과 병은 모두 모니터 구매 계약을 취소할 수 없습니다.

③ 을의 무선 마우스 구매 계약은 계약서를 작성하지 않았으므로 무효입니다.

④ 을은 미성년자이므로 무선 마우스 구매 계약을 취소할 수 있습니다.

⑤ 병은 무선 마우스 구매 계약을 취소할 수 있습니다.

14 다음 사례에 대한 법적 판단으로 옳은 것은?

• 갑(17세)과 을은 동갑내기 친구 사이로 평소 사이가 좋지 않던 병을 하교 후에 만나 심하게 폭행하여 4주 정도 치료를 요하는 상해를 입혔다.

• A가 운영하는 회사에 근무하는 B(30세)는 친구 C(28세)를 퇴근 후 식당에서 만나 저녁 식사를 같이 하였다. 식사 도중 옆자리에 앉은 D와 시비가 붙었고, B, C는 D를 심하게 폭행하여 3주 정도 치료를 요하는 상해를 입혔다.

① 갑과 을의 법정 대리인은 책임 무능력자의 감독자 책임을 진다.

② 갑과 을은 병에게 재산적 손해에 대해서만 손해 배상책임이 있다.

③ A는 사용자의 배상 책임을 진다.

④ B와 C는 D의 손해에 대해 무과실 책임을 진다.

⑤ 갑과 을, B와 C는 각각 공동 불법 행위자의 책임을 진다.

15 다음 사례에 대한 옳은 법적 판단만을 〈보기〉에서 고른 것은?

출장을 가게 된 A는 반려견 호텔을 운영하는 B와 출장 기간 동안 본인의 개를 안전하게 관리해 줄 것을 내용으로 하는 계약을 체결하였다. 계약 내용대로 B가 A의 개를 데리고 산책을 나가던 중, 건물 입구로 들어오고 있던 음식 배달원 C와 마주쳤다. 이때 B가 실수로 목줄을 놓치는 바람에 A의 개가 C의 다리를 물어 깊은 상처를 입혔고, 계속 공격하려는 개를 피할 방법이 없었던 C는 A의 개를 발로 차서 상처를 입혔다.

보기

ㄱ. B는 실수로 목줄을 놓쳤으므로 불법 행위 책임을 지지 않는다.

ㄴ. A는 채무 불이행을 이유로 B에게 손해 배상을 청구할 수 있다.

ㄷ. A의 개에 대한 C의 행위가 긴급 피난에 해당할 경우 C는 불법 행위 책임을 면할 수 있다.

ㄹ. A, B가 연대하여 C에게 손해를 배상하여야 한다.

① ㄱ, ㄴ ② ㄱ, ㄷ ③ ㄴ, ㄷ
④ ㄴ, ㄹ ⑤ ㄷ, ㄹ

16 다음 자료에 대한 법적 판단으로 옳은 것은?

책임 능력이 있는 갑이 오토바이를 타고 가다가 행인 A를 치어 전치 5주의 상해를 입혔다.

〈상황 1〉 갑의 나이가 17세이며, 친구를 만나기 위해 오토바이를 탄 경우

〈상황 2〉 갑의 나이가 30세이며, 을이 운영하는 과일 가게에서 근무하던 중 과일 배달을 위해 오토바이를 탄 경우

① 〈상황 1〉에서 갑은 미성년자이므로 A에게 일반 불법 행위 책임을 지지 않는다.

② 〈상황 1〉에서 갑의 법정 대리인이 갑에 대한 감독 의무를 게을리 하였다면 갑의 법정 대리인은 A에게 특수 불법 행위 책임을 진다.

③ 〈상황 2〉에서 갑과 을은 A에게 공동 불법 행위자의 책임을 진다.

④ 〈상황 2〉에서 을이 갑의 선임 및 그 사무 감독에 대한 상당한 주의를 하지 않은 경우 을은 A에게 특수 불법 행위 책임을 진다.

⑤ 〈상황 1〉에서의 갑과 달리 〈상황 2〉에서의 갑은 A에게 특수 불법 행위 책임을 진다.

03 가족 관계에 관련된 법

1 혼인과 이혼

1. 혼인

(1) **의미** 두 남녀가 부부 관계를 맺기로 하는 법률상의 합의

(2) **혼인의 성립 요건** 자료 01

실질적 요건	• 당사자 모두 혼인할 의사가 있어야 함. • 법적으로 혼인 가능한 연령에 해당해야 함. • 법적으로 혼인할 수 없는 친족 관계가 아니어야 함. • 중혼(重婚)❶이 아니어야 함.
형식적 요건	혼인 신고를 할 것 → 법률상 부부로 인정이 됨.

주의! 성년자(19세 이상)는 자신의 의사에 따라 혼인을 할 수 있지만, 18세 이상의 미성년자는 부모의 동의를 얻어 혼인할 수 있다.

중요 혼인의 실질적 요건을 갖추었으나 혼인 신고를 하지 않은 사실혼은 친족 관계나 상속권이 발생하지 않는다(법률혼주의).

(3) **혼인의 법적 효과**

① **친족 관계 발생** 배우자 및 배우자의 가족과 인척 관계가 형성됨.

예시 혼인으로 맺어진 친척으로 혈족의 배우자, 배우자의 혈족, 배우자 혈족의 배우자가 해당된다.

② 부부 간 동거, **부양 및 협조의 의무**가 발생함.

③ 일상의 가사에 대해 상대방을 대리할 수 있는 **일상 가사 대리권**이 발생함.

④ **부부 별산제 적용** 부부가 각자의 재산을 따로 소유·관리·처분하는 것을 원칙으로 함.

⑤ **성년 의제**❷ 18세인 미성년자가 부모의 동의를 얻어 법적으로 유효한 혼인을 하게 되면 민법상 성년으로 간주하여 **단독으로 유효한 법률 행위를 할 수 있음.**

분석 생활 필수품 구매, 자녀의 양육, 세금 납부 등

예시 부동산 거래 등

주의! 누구의 재산인지 분명하지 않은 재산은 부부 공동의 것으로 추정하고, 혼인 중 부부가 공동으로 취득한 재산은 명의가 남편이나 아내 중 한쪽으로 되어 있어도 부부 공동 재산으로 본다.

2. 이혼

→ 일상 가사와 관련하여 배우자가 진 빚에 대해 다른 배우자가 이를 갚아야 할 의무가 있다.

(1) **의미** 부부가 혼인 관계를 인위적으로 해소시키는 것

(2) **유형** 자료 02

협의상 이혼	• 당사자 간의 합의로 이루어지는 이혼 — 비교 협의상 이혼은 재판상 이혼과 달리 이혼 사유에 제한이 없다. • 절차: 법원에 이혼 의사 확인 신청 → **이혼 숙려 기간**❸ → 법원의 이혼 의사 확인 → 이혼 신고 • 효력 발생: 법률이 정한 절차에 따라 **이혼 신고를 하면 이혼의 효력이 발생함.**
재판상 이혼	• 민법이 정한 사유❹가 있는 경우에 법원의 판결로써 강제로 이루어지는 이혼 • 절차: 재판상 이혼 청구 → **이혼 조정** → **이혼 소송** → **이혼 판결** → **이혼 신고** • 효력 발생: 소송을 통해 **이혼 판결이 확정되면 이혼의 효력이 발생함.**

(3) **이혼의 법적 효과** 재산 분할 청구권 발생, 손해 배상 청구권 발생, 자녀를 양육하지 않는 부 또는 모와 그 자녀 상호 간에 면접 교섭권 발생, 혼인에 의해 발생한 친족 관계 소멸

주의! 혼인 중에 형성된 재산에 대해 청구하는 것이므로 이혼에 대해 책임이 있는 사람도 재산 분할 청구를 할 수 있다.

2 부모와 자녀 관계

1. 친자 관계 부모와 자녀 간의 법률관계

(1) **친생자** 혼인 중의 부부 또는 혼인 외의 관계를 통해 출생한 자녀 → 혼인 외의 관계에서 태어난 자녀는 인지❺ 절차를 거쳐야 부모와 관련된 법적인 권리를 보장받을 수 있음.

(2) **양자** 혈연관계가 없으나 입양을 통해 친자 관계가 형성된 자녀 → **양부모의 친생자와 같은 지위를 가지며, 친생 부모와 양부모 모두 상속 관계가 존속함.**

주의! 일반 입양도 미성년자가 양자일 경우 가정 법원의 허가를 받아야 한다.

왜? 일반 입양은 양자의 입양 전 친족 관계에 영향을 미치지 않기 때문이다.

(3) **친양자 제도**❻ 자료 03

① 가정 법원에 미성년자에 대한 친양자 입양을 청구하여 받아들여지면 **양부모의 혼인 중 출생자로 간주됨.**

주의! 성인에 대해서는 친양자 입양을 할 수 없다.

② 양부모의 성(姓)과 본(本)을 따르고, 특별한 경우를 제외하고는 **입양 전 친족 관계가 종료됨.**

중요 친생 부모와의 친족 관계는 소멸된다.

고득점을 위한 셀파 Tip

양자와 친양자

양자	친양자
• 양부모의 친생자와 같은 지위를 가짐. • 친생 부모와의 친족 관계가 유지됨. • 양부모의 성과 본을 따르지 않음.	• 양부모의 혼인 중의 출생자로 간주됨. • 친생 부모와의 친족 관계가 소멸됨. • 양부모의 성과 본을 따름.

❶ **중혼(重婚)**
다른 사람과 이미 혼인한 상태

❷ **성년 의제**
미성년자가 결혼하여 성년으로 의제되면 그 후 이혼이나 배우자의 사망 등으로 혼인 관계가 해소되더라도 성년 의제의 효과는 소멸되지 않는다.

❸ **이혼 숙려 기간**
협의상 이혼의 당사자는 일정 기간이 지난 후에 가정 법원으로부터 이혼 의사를 확인받을 수 있다. 양육하여야 할 자녀가 있는 때에는 3개월, 그렇지 않은 때에는 1개월의 이혼 숙려 기간을 둔다.

❹ **재판상 이혼 사유**
• 배우자가 부정한 행위를 했을 때
• 배우자가 악의로 다른 일방을 유기한 때
• 배우자 또는 그 직계 존속으로부터 심히 부당한 대우를 받았을 때
• 자기의 직계 존속이 배우자로부터 심히 부당한 대우를 받았을 때
• 배우자의 생사가 3년 이상 분명하지 아니한 때
• 기타 혼인을 계속하기 어려운 중대한 사유가 있을 때

❺ **인지**
생부나 생모가 자신의 자녀임을 인정함으로써 법률상의 친자 관계를 형성하는 것

❻ **친양자 입양 절차**

가정 법원에 친양자 입양 청구
↓
가정 법원의 친양자 입양 심사
↓
행정 관청에 친양자 입양 신고

자료 01 혼인의 요건

(가) 갑은 이성 친구인 을을 좋아했지만, 을은 갑의 마음을 받아 주지 않았다. 짝사랑으로 괴로워하던 갑은 을 모르게 둘의 혼인 신고를 하였다. 몇 달 후 을은 가족 관계 증명서를 보았고 그제야 갑과의 혼인 사실을 알게 되었다.

(나) 18세 동갑내기인 병과 정은 결혼을 하기로 약속을 했지만 자신들의 부모님이 허락을 해 주지 않자 부모 도장을 몰래 찍어 혼인 신고를 하였다. 한 달 뒤 병의 부모가 두 사람의 혼인 사실을 알게 되었고, 병과 정의 부모 모두 둘의 혼인을 인정할 수 없다고 한다.

자료 분석 ┃ 혼인을 하기 위해서는 양 당사자 모두 혼인의 의사가 있어야 하고, 일정한 연령에 이르러야 하는 등의 요건을 갖추어야 한다. (가)의 경우처럼 을의 동의 없이 이루어진 혼인은 자유로운 의사가 존재하지 않은 혼인이므로 무효가 된다. 미성년자의 경우 혼인을 하기 위해서는 법정 대리인, 즉 부모의 동의가 있어야 하는데 (나)의 경우처럼 부모의 동의가 없는 혼인은 취소를 할 수 있다.

자료 02 이혼 절차

협의 이혼	부부 쌍방 이혼 합의	→	관할 법원 서류 접수	→	숙려 기간 (1개월 또는 3개월)	→	판사 앞에서 확인	→	이혼 확인서 등본을 교부 또는 송달받은 날로부터 3개월 내 행정 관청에 이혼 신고

이혼 소송	소 제기 (소장 제출)	→	가사 조사	→	조정 절차	→	조정 불성립	→	이혼 재판	→	판결 선고에 의한 이혼	→	판결 확정 후 1개월 내 이혼 신고

조정
성립 → 이혼
신고

자료 분석 ┃ 이혼을 하기 위해서는 협의상 이혼과 재판상 이혼 중 하나로 진행을 하면 된다. 협의상 이혼의 경우 원칙적으로 1개월 또는 3개월의 이혼 숙려 기간을 거쳐야 하며, 행정 관청에 이혼 신고를 해야만 이혼의 효력이 발생한다. 재판상 이혼은 정식 재판이 진행되기 전에 조정 절차를 거쳐야 하며, 조정이 성립되거나 판결이 확정되면 이혼의 효력이 발생한다.

자료 03 친양자 제도

△ 남자 ── 혼인 관계
○ 여자 │ 친자 관계

김△△ ─이혼─ 이○○ ─혼인─ 박△△
김○○

김△△와 이○○이 혼인을 한 후 자녀를 출산하였다. 이후 둘의 관계가 좋지 않아 이혼을 하였고, 자녀 김□□는 이○○이 양육하기로 하였다. 1년 후 이○○은 박◇◇와 재혼을 하였고, 자녀의 성(姓)과 본(本)은 부(夫)의 성과 본으로 하기로 하였다. 박◇◇는 김□□를 친양자로 입양을 하였다.

자료 분석 ┃ 친양자로 입양을 하게 되면 친생 부모와의 친족 관계는 소멸된다. 다만 제시된 사례처럼 박◇◇가 혼인하면서 배우자 이○○의 자녀인 김□□를 친양자로 입양할 경우, 이○○와 김□□는 친자 관계는 유지된다. 김□□는 박◇◇와 이○○의 혼인 중 출생자로 간주되며, 김□□의 성(姓)과 본(本)은 박◇◇의 성(姓)과 본(本)으로 변경하게 된다.

1 19세의 성인이 되어야만 혼인할 수 있다. (○ , ×)

2 협의상 이혼을 하기 위해서는 3개월의 이혼 숙려 기간을 거쳐야 한다. (○ , ×)

3 혼인을 하게 되면 배우자의 부모와 인척 관계가 형성된다. (○ , ×)

4 혼인을 하게 되면 모든 가사에 대해 부부가 서로 대리할 수 있는 일상 가사 대리권이 발생한다. (○ , ×)

5 재판상 이혼은 행정 관청에 이혼 신고를 함으로써 이혼의 효력이 발생한다. (○ , ×)

6 부부가 이혼을 하면 자녀를 양육하지 아니하는 부모 일방에 대한 면접 교섭권이 발생한다. (○ , ×)

7 적법한 절차를 거쳐 입양된 자는 양부모의 친생자와 같은 지위를 가진다. (○ , ×)

8 친양자로 입양된 자는 양부모의 성(姓)과 본(本)을 따른다. (○ , ×)

9 혼인 중에 태어난 자녀에 대해 부모가 인지 절차를 거쳐야 친자 관계가 형성된다. (○ , ×)

정답 1× 2× 3○ 4× 5× 6○
7○ 8○ 9×

2. 친권

의미	부모가 미성년 자녀에 대해 가지는 권리와 의무
성격	친권은 자녀에 대한 권리보다는 미성년 자녀를 보호하고 양육해야 하는 의무로서의 성격이 강함.
행사 방식 자료 04	• 부모가 공동으로 행사하는 것이 원칙임. → 어느 한쪽이 행사할 수 없을 때에는 다른 한쪽이 행사함. • 부모 이혼 시 부모가 협의하여 친권 행사자를 지정함. → 합의가 이루어지지 않으면 가정 법원에서 지정할 수 있음. • 친권을 남용하여 자녀의 복리를 해칠 우려가 있을 경우 친권이 상실되거나 일시 정지될 수 있음.

주의! 친권이 상실되더라도 친자 관계가 소멸되는 것은 아니다.

3 출생과 사망에 관련된 법

1. 출생과 사망

(1) **출생의 시점** 민법에서는 태아가 살아 있는 상태로 완전히 모체로부터 나온 때로 봄.

(2) **사망의 시점**

① **심폐 기능 정지설** 심장과 폐의 기능이 다하는 시점, 일반적으로는 심폐 기능 정지설을 인정함.

② **뇌사설** 뇌의 기능이 돌이킬 수 없는 손상으로 정지되는 시점, 우리나라에서는 엄격한 법의 조건에 따라 제한적으로 인정함.

2. 유언

(1) **의미** 유언자가 자신의 사망과 동시에 일정한 법률 효과를 발생시킬 목적으로 행하는 단독 행위

주의! 유효한 유언이 여러 개일 때는 가장 최근의 유언만 효력이 있다.

(2) **유언의 효력** 법에서 정한 형식이나 절차에 맞게 한 유언만 법적 효력이 인정됨. → 요식주의

(3) **유언의 방법** 자필 증서, 녹음, 공정 증서, 비밀 증서, 구수 증서[7] 자료 05

3. 상속

비교 사망 전에 재산을 주는 것은 증여라고 한다.

(1) **의미** 피상속인이 사망함으로써 그가 남긴 재산에 대한 권리와 의무가 상속인에게 승계되는 것 → 피상속인의 재산뿐만 아니라 빚도 상속됨.

(2) **방식** 유언이 있을 경우에는 유언의 내용을 따르되 법정 상속인들은 일정한 조건하에 유류분 반환을 청구할 수 있으며, 유언이 없을 경우에는 민법에서 정한 비율대로 법정 상속이 이루어짐.

(3) **유류분 제도[8]** 유언을 통해 피상속인의 유산이 특정인에게 모두 주어지는 것을 방지하여 상속인을 보호하기 위해 상속인에게 법정 상속분의 일정 비율을 법적으로 보장해 주는 제도

주의! 자신의 상속 순위일 경우에만 유류분 반환을 청구할 수 있다. 만약 상속 제1순위 직계 비속이 존재하면 제2순위는 피상속인에게 유류분 반환을 청구할 수 없다.

(4) **법정 상속**

① 법정 상속 순위 자료 06
• 제1순위: 피상속인의 직계 비속
• 제2순위: 피상속인의 직계 존속[9]
• 제3순위: 피상속인의 형제자매
• 제4순위: 피상속인의 4촌 이내 방계 혈족[10]

② 선순위의 상속인이 있을 경우에 후순위 상속인은 상속을 받을 수 없음.

③ 같은 순위의 상속인 간에는 균등하게 상속을 받음.

④ 피상속인의 배우자

중요 직계 비속의 경우 혼인 중의 출생자, 혼외자, 양자를 구분하지 않는다.

• 배우자는 피상속인의 직계 비속이나 직계 존속이 있을 경우에는 공동으로 상속을 받으나, 피상속인의 직계 비속이나 직계 존속이 없을 경우에는 단독으로 상속을 받음.

• 배우자는 공동 상속인의 상속분에 50%를 가산하여 상속을 받음.

---

7 구수 증서

질병 등 기타 급박한 사유로 다른 방식이 불가능한 경우에 유언자가 2인 이상의 증인이 참여한 상태에서 그 1인에게 유언의 취지를 말로 전하고 이를 필기·낭독하여 유언자와 증인이 그 정확함을 승인한 후 각자 서명 또는 기명 날인하는 방식이다. 일반적으로 병원 등에서 사망이 임박한 경우에 환자가 말로써 행하는 유언 방식이다.

8 유류분 제도

상속인을 보호하기 위하여 상속 재산 중 일정 비율을 법적으로 보장해 주는 제도이다. 피상속인의 직계 비속과 배우자는 법정 상속분의 1/2, 피상속인의 직계 존속과 형제자매는 법정 상속분의 1/3의 유류분을 보장한다. 상속인은 실제 상속분이 유류분보다 적을 경우 피상속인의 유언을 받은 자에게 유류분 반환 청구를 할 수 있다.

고득점을 위한 셀파 Tip

법정 상속 순위

제1순위	피상속인의 직계 비속 및 배우자
제2순위	피상속인의 직계 존속 및 배우자
제3순위	피상속인의 형제자매
제4순위	피상속인의 4촌 이내 방계 혈족

9 직계 비속, 직계 존속

자기를 기준으로 수직으로 아래로 내려가는 혈족(자녀, 손자녀 등)을 직계 비속이라고 하고, 자기를 기준으로 위로 올라가는 혈족(부모, 조부모 등)을 직계 존속이라고 한다.

10 방계 혈족

자신의 형제자매, 형제자매의 직계 비속, 직계 존속의 형제자매, 그 형제자매의 직계 비속을 의미한다. 4순위 상속인인 방계 혈족에는 삼촌, 고모, 4촌 형제자매 등이 있다.

자료 04 친권 상실

부모가 미취학 초등학생을 부적절하게 학교에 보내지 않는 교육적 방임 사례가 확인되었다. A씨는 딸(8)이 초등학교에 입학해야 했지만 가정에서 교육하겠다는 이유로 단 하루만 학교에 보냈다. 경찰 조사에서 A씨는 집에서 딸이 학습지를 풀도록 놓아두기만 하는 등 정상적인 가정 교육도 이루어지지 않은 것으로 드러났다. 경찰이 딸을 학교에 보내도록 하였으나 A씨는 이를 거부하였다. – 연합뉴스, 2016. 4. 25.

자료 분석 | 부모가 미성년 자녀에 대해 갖는 신분, 재산상의 권리와 의무를 친권이라고 하는데, 오늘날에는 자녀를 양육하기 위한 부모의 의무라는 측면이 강조되고 있다. 부모가 친권을 남용하여 자녀의 복리를 현저히 해치거나 해칠 우려가 있는 경우에 일정한 절차를 거쳐 친권을 상실시키거나 정지시킬 수 있다.

자료 05 자필 증서에 의한 유언

> **유언장**
> ● 유언 내용
> 전 재산을 어려운 이웃을 위해 △△ 복지 재단에 기부합니다.
> ● 작성 일자 : 2017년 8월 8일
> ● 유언자 : 홍길동(1970년 1월 1일생) (날인)
> ● 주소 : ○○도 ○○시 하늘로 15

민법 제 1066조(자필 증서에 의한 유언)
① 자필 증서에 의한 유언은 유언자가 그 전문과 연월일, 주소, 성명을 자서하고 날인하여야 한다.
② 전항의 증서에 문자의 삽입, 삭제 또는 변경을 함에는 유언자가 이를 자서하고 날인하여야 한다.

자료 분석 | 자필 증서에 의한 유언이 효력을 인정받기 위해서는 자필로 유언 내용, 유언자의 성명과 주소, 유언한 날짜를 적고, 반드시 유언자 본인의 도장을 찍어야 한다. 즉 이 내용 중 하나라도 결여되면 유언은 무효가 된다.

자료 06 법정 상속 순위와 상속분

대학교 교수인 갑은 주말에 지방 강연을 다녀오는 길에 교통사고를 당하여 현장에서 사망하였다. 갑은 아무런 준비도 없이 갑작스럽게 사망한 관계로 유언을 남기지 못했다. 유족으로는 아내와 두 자녀(아들 1명, 딸 1명), 노모가 있고, 재산은 14억 원이다.

자료 분석 | 사람이 사망한 경우 법적으로 유효한 유언이 있다면 유언에 따라 상속이 개시된다. 그런데 유언을 남기지 않은 경우에는 법률에서 정한 방식에 따라 법정 상속이 이루어진다. 직계 비속이 1순위가 되며, 직계 비속이 없으면 직계 존속이 2순위가 된다. 배우자는 직계 비속, 직계 존속과 공동 상속인이 된다. 같은 순위 상속인 간에는 균등하게 상속을 받기 때문에 갑의 아들과 딸은 동일한 금액으로 상속을 받게 된다. 배우자인 아내는 아들, 딸 상속분에 50%을 가산하여 상속을 받으므로, 갑의 재산 14억 원을 아들 : 딸 : 아내가 각각 1 : 1 : 1.5의 비율로 상속받게 된다. 따라서 상속 금액은 아내 6억 원, 아들 4억 원, 딸 4억 원이 된다.

1 혼인의 성립 요건

실질적 요건	• 당사자 모두 혼인할 의사가 있어야 함. • 법적으로 혼인 가능한 연령이 되어야 함. • 법적으로 혼인할 수 없는 친족 관계가 아니어야 함. • 중혼이 아니어야 함.
형식적 요건	(❶)를 할 것 → 법률상 부부로 인정이 됨.

2 이혼

협의상 이혼	• 당사자 간의 합의로 이루어지는 이혼 • 법원에 이혼 의사 확인 신청 → (❷) → 법원의 이혼 의사 확인 → 이혼 신고 • 이혼 신고를 하면 이혼의 효력이 발생함.
재판상 이혼	• 민법이 정한 사유가 있는 경우에 법원의 판결로써 강제로 이루어지는 이혼 • 재판상 이혼 청구 → 이혼 조정 → 이혼 소송 →이혼 판결 → 이혼 신고 • 소송을 통해 법원 (❸)이 확정되면이혼의 효력이 발생함.

3 양자와 친양자

양자	• 양부모의 (❹)와 같은 지위를 가짐. • 친생 부모와의 친족 관계가 유지됨.
친양자	• 양부모의 혼인 중 출생자로 간주됨. • 친생 부모와의 친족 관계는 소멸됨. • 양부모의 성과 본을 따름.

4 유언 및 상속

유언	• 유언자가 자신의 사망과 동시에 일정한 법률 효과를 발생시킬 목적으로 행하는 단독 행위 • 요식주의: 법에서 정한 형식이나 절차에 맞게 한유언만 법적 효력이 인정됨.
상속	• 유언이 없으면 법정 상속 순위대로 상속됨. • 법정 상속 순위 　－제1순위: (❺) 　－제2순위: 직계 존속 　－제3순위: 형제자매 　－제4순위: 4촌 이내 방계 혈족 • 배우자는 피상속인의 직계 비속이나 직계 존속과 공동으로 상속을 받음, 공동 상속인의 상속분에 50%를 가산하여 상속을 받음.

정답 ❶ 혼인 신고 ❷ 이혼 숙려 기간 ❸ 판결 ❹ 친생자 ❺ 직계 비속

1 혼인과 이혼

01 (가)~(다)에 대한 법적 판단으로 옳은 것은?

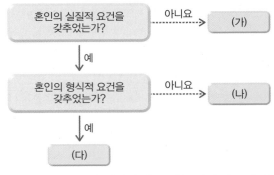

① 18세인 자가 법정 대리인의 동의를 얻어 유효한 혼인을 한 경우는 (가)에 해당한다.
② 당사자의 자유로운 혼인 의사의 합치가 없는 경우는 (나)에 해당한다.
③ (가), (나)는 모두 혼인의 무효에 해당한다.
④ (나)는 (다)와 달리 친족 관계가 발생하지 않는다.
⑤ (나), (다)는 모두 배우자의 사망 시 상속을 받을 수 있다.

02 다음 사례에 대한 옳은 법적 판단만을 〈보기〉에서 고른 것은?

> 18세의 동갑 내기 친구인 갑(남)과 을(여)은 서로 사랑하는 사이이다. 갑과 을은 양가 부모의 동의하에 혼인을하였고, 행정 관청에 혼인 신고서도 제출하였다.

| 보기 |

ㄱ. 갑과 을은 미성년자이므로 사실혼 관계가 된다.
ㄴ. 갑과 을 간에는 동거 및 부양의 의무가 발생한다.
ㄷ. 갑과 을은 모든 법률 행위에 대해 성년 의제가 적용된다.
ㄹ. 을이 생활비를 위하여 진 채무에 대해 갑도 변제할책임이 있다.

① ㄱ, ㄴ　　　② ㄱ, ㄷ　　　③ ㄴ, ㄷ
④ ㄴ, ㄹ　　　⑤ ㄷ, ㄹ

03 그림은 이혼의 유형을 질문에 따라 구분한 것이다. 이에 대한 설명으로 옳은 것은?

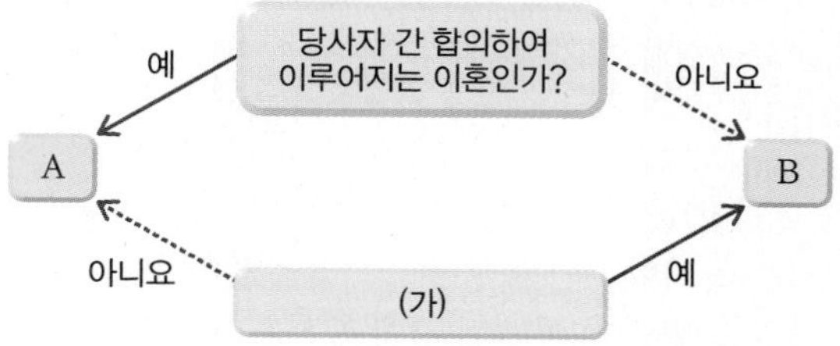

① A는 재판상 이혼, B는 협의상 이혼이다.
② A는 원칙적으로 이혼 숙려 기간을 거쳐야 한다.
③ B는 행정 관청에 이혼 신고를 하면 이혼의 효력이 발생한다.
④ A는 B와 달리 손해 배상 청구권이 발생한다.
⑤ (가)에는 '재산 분할 청구권이 발생하는가?'가 들어갈 수 있다.

04 밑줄 친 ㉠~㉥에 대한 설명으로 옳지 않은 것은?

- 2016. 3. 5. 갑과 을, ㉠ 결혼식을 치름.
- 2016. 3. 8. 행정 관청에 ㉡ 혼인 신고서를 제출함.
- 2017. 4. 5. 갑과 을 사이에 ㉢ 병이 출생함.
- 2022. 1. 3. 갑과 을은 이혼하기로 합의한 후 법원에 ㉣ 이혼 의사 확인 신청서를 제출함.
- 2022. 4. 5. ㉤ 법원의 이혼 의사 확인 및 ㉥ 이혼 신고서를 제출함.

① ㉠은 혼인의 형식적 요건에 해당한다.
② ㉡을 통해서 갑과 을은 법률혼 관계가 된다.
③ ㉢을 통해서 병은 갑과 을의 혼인 중 출생자가 된다.
④ ㉣과 ㉤ 사이에 이혼 숙려 기간을 거쳐야 한다.
⑤ ㉥으로 인해 이혼의 효력이 발생한다.

05 다음 사례에 대한 법적 판단으로 옳지 않은 것은?

> 갑(남)과 을(여)은 혼인 생활을 지속하던 중 서로 간의 성격이 맞지 않아 이혼하기로 합의하였다. 이혼을 하면서 갑과 을의 혼인 중 출생한 자녀 병(5세)의 친권과 양육권은 을이 갖기로 하였다. 갑과 을에게는 혼인 중 형성한 갑의 명의로 된 아파트 한 채가 있었다.

① 갑은 병에 대한 면접 교섭권이 발생한다.
② 을은 갑에게 재산 분할 청구권을 행사할 수 있다.
③ 갑과 을이 이혼하더라도 갑과 병의 친족 관계는 유지된다.
④ 을과 달리 병은 갑의 사망 시 갑의 재산을 상속받을 수 있다.
⑤ 갑과 을이 이혼하기 위해서는 민법에서 정한 이혼 사유가 있어야 한다.

2 부모와 자녀 관계

06 다음 사례에 대한 옳은 법적 판단만을 <보기>에서 고른 것은? (단, 사례에 제시된 모든 혼인은 법률혼이며, 혼인 시 자녀의 성(姓)과 본(本)은 부(父)의 성과 본을 따르기로 함.)

- 갑(남)과 을(여)은 혼인 중 자녀가 없자 병(남)과 정(여)의 자녀 무(5세)를 양자로 입양하였다.
- A(남)와 B(여)는 혼인한지 4년이 되는 해에 C(남)와 D(여)의 자녀 E(4세)를 친양자로 입양하였다.

보기
ㄱ. 병의 사망 시 무는 상속을 받을 수 없다.
ㄴ. 무는 갑과 을의 친생자와 같은 지위를 가진다.
ㄷ. E는 C, D와의 친족 관계가 종료된다.
ㄹ. 무와 E는 각각 갑과 A의 성(姓)과 본(本)을 따라야 한다.

① ㄱ, ㄴ ② ㄱ, ㄷ ③ ㄴ, ㄷ ④ ㄴ, ㄹ ⑤ ㄷ, ㄹ

07 (가)에 들어갈 옳은 설명만을 〈보기〉에서 고른 것은?

부모가 미성년 자녀에 대해 가지는 권리와 의무입니다.

A에 대해 발표해 볼까요?

사회자

(가)

┤ 보기 ├

ㄱ. 부모가 공동으로 행사하는 것이 원칙입니다.

ㄴ. 부 또는 모가 A를 남용하는 경우에는 상실될 수 있습니다.

ㄷ. 자녀를 보호하고 양육해야 할 의무보다 권리로서의 성격이 더 강합니다.

ㄹ. 부모가 이혼하는 경우에 협의가 되지 않으면, 부가 행사하는 것이 원칙입니다.

① ㄱ, ㄴ   ② ㄱ, ㄷ   ③ ㄴ, ㄷ

④ ㄴ, ㄹ   ⑤ ㄷ, ㄹ

08 다음 사례에 대한 옳은 법적 판단만을 〈보기〉에서 고른 것은?

갑과 을은 혼인 후 병을 출산하여 살고 있었다. 하지만 갑의 부정 행위가 있자 을은 법원에 이혼 소송을 제기하여 갑과 을은 이혼을 하였다. 이혼하면서 병의 친권과 양육권은 을이 행사하기로 하였다. 얼마 후 을은 정과 재혼을 하였고, 2년이 지난 후에 정은 병을 친양자로 입양하였다.

┤ 보기 ├

ㄱ. 갑과 을은 이혼 숙려 기간을 거쳐야 하는 이혼을 하였다.

ㄴ. 병은 을과 정의 혼인 중의 출생자로 간주된다.

ㄷ. 병은 갑의 사망 시 갑의 재산을 상속받을 수 없다.

ㄹ. 정이 병을 친양자로 입양하더라도 갑의 병에 대한 면접 교섭권은 유지된다.

① ㄱ, ㄴ   ② ㄱ, ㄷ   ③ ㄴ, ㄷ

④ ㄴ, ㄹ   ⑤ ㄷ, ㄹ

3 출생과 사망에 관련된 법

★09 다음 사례에 대한 옳은 법적 판단만을 〈보기〉에서 고른 것은?

갑과 을은 혼인을 하였지만 혼인 신고를 하지 않고 살고 있었다. 혼인 중에 병(남)과 정(여)을 출산하였고, 무(남)를 친양자가 아닌 양자로 입양을 하였다. 정은 결혼을 하여 분가한 상태이고, 갑은 홀어머니 A를 모시고 살고 있었다. 어느 날 갑이 출장을 가던 중 교통 사고로 사망하였고, 사망 당시 갑의 유언은 없었다.

┤ 보기 ├

ㄱ. 을은 자녀의 상속분보다 50%를 가산하여 상속받을 수 있다.

ㄴ. A는 갑의 재산을 상속받을 수 없다.

ㄷ. 정보다 병의 상속분이 많다.

ㄹ. 병과 무의 상속분은 같다.

① ㄱ, ㄴ   ② ㄱ, ㄷ   ③ ㄴ, ㄷ

④ ㄴ, ㄹ   ⑤ ㄷ, ㄹ

10 다음 자료에 대한 옳은 법적 판단만을 〈보기〉에서 고른 것은?

> **유언장**
>
> 전 재산을 장남 갑에게 증여한다.
> • 작성일자: ㉠ 2022년 1월 5일
> • 유언자: 을
> • 주소: ……

* 유언장의 모든 내용은 을의 자필로 작성되었다.

┤ 보기 ├

ㄱ. 을의 날인이 없다면 유언은 무효이다.

ㄴ. 유언이 무효라면 상속인은 법정 상속대로 상속을 받을 수 있다.

ㄷ. 유언이 유효라면 상속 제2순위는 을에게 유류분 반환을 청구할 수 있다.

ㄹ. ㉠ 이전에 작성된 을의 유언장이 있다면 상속인은 유언장을 선택할 수 있다.

① ㄱ, ㄴ   ② ㄱ, ㄷ   ③ ㄴ, ㄷ

④ ㄴ, ㄹ   ⑤ ㄷ, ㄹ

11 다음 글에서 설명하는 제도를 쓰시오.

> 2007년 개정된 민법에서는 협의상 이혼 당사자가 일정 기간이 경과한 후 가정 법원으로부터 이혼 의사 확인을 받아야만 이혼이 가능하도록 하였다. 양육하여야 할 자가 있는 경우에는 3개월, 그렇지 아니하는 경우에는 1개월이다.

12 다음 대화에서 밑줄 친 ㉠의 명칭을 쓰시오.

이런 경우를 대비하기 위해 민법에서는 상속인에게 일정 비율을 법적으로 보장해 주는 ㉠ 제도가 있습니다. 이 제도를 활용해 보세요.

변호사

저희 아버지가 전 재산을 ○○ 재단에 기부한다는 적법한 유언장을 남기고 돌아가셨습니다. 저희 가족들이 아버지의 유산을 전혀 받을 수 없는지요?

13 다음 사례에서 갑의 법정 상속인과 각각의 법정 상속분을 쓰시오.

> 갑과 을에게는 혼인 중에 출생한 A(여)가 있다. 갑과 을은 아들을 낳으려고 했지만 아들을 낳지 못하자 B(남)를 양자로 입양하였다. 어느 날 갑은 평소 앓고 있던 지병으로 사망을 하였다. 갑의 사망 당시 유언은 없었으며, 재산은 21억 원이고, 채무는 없었다. 갑에게는 아버지 병과 형 정이 있었다.

14 (가)에 들어갈 법적 조언을 서술하시오.

> 질문: 저는 갑과 2년째 혼인 생활을 하고 있습니다. 해외 출장이 잦은 갑은 틈만 나면 값비싼 명품 가방과 시계를 사서 귀국하는 등 사치스러운 생활을 하였습니다. 결국 갑은 사채까지 사용하였습니다. 그런데 갑이 빚을 갚지 않자 사채업자들이 저에게 배우자인 갑의 빚을 갚으라고 매일 독촉하고 있는데, 저는 갑의 빚을 갚아야 하나요?
>
> 변호사: _____ (가)

15 다음 자료를 보고 C의 법적 지위와 친자 관계에 대해 서술하시오.

〈친양자 신고서〉		
양친	양부	양모
	A	B
친양자	C	
친양자의 친생 부모	부	모
	D	E
재판 확정일자	2022년 1월 4일	
	○○법원	

16 A가 무엇인지 쓰고, (가)에 들어갈 내용을 서술하시오.

> • 수업 주제: A
> • 성격: _____ (가)
> • 행사
> – 부모가 공동으로 행사하는 것이 원칙임.
> – 부모 이혼 시 부모가 협의하여 A 행사자를 지정함 → 협의가 이루어지지 않으면 가정 법원에서 지정할 수 있음.

| 교육청 기출 |

01 ⊙, ⓒ에 대한 설명으로 옳은 것은?

> • 갑은 성격 차이를 이유로 을에게 이혼을 요구하였고, 이에 동의한 을과 협의를 통해 ⊙ 이혼을 하였다. 갑과 을의 혼인 중 출생한 A(2세)는 갑이 키우기로 하였다.
> • 병은 정으로부터 심히 부당한 대우를 받아 소송을 통해 정과 ⓒ 이혼을 하였다. 병과 정의 혼인 중 출생한 B(6세)는 병이 키우기로 하였다.

① ⊙의 경우 법에 정해진 이혼 사유가 있어야만 가능하다.

② ⓒ의 경우 이혼에 책임이 있는 자의 재산 분할 청구권은 인정되지 않는다.

③ ⊙과 달리 ⓒ의 경우 자녀를 양육하지 않는 부모의 일방에게 면접 교섭권이 인정되지 않는다.

④ ⓒ과 달리 ⊙의 경우 이혼 숙려 기간을 거쳐야 한다.

⑤ ⊙, ⓒ의 경우 모두 행정 기관에 이혼 신고서를 제출해야 이혼의 효력이 발생한다.

02 다음 사례에 대한 법적 판단으로 옳은 것은? (단, 사례에 나타난 혼인은 모두 법률혼임.)

> • 갑(남)과 을(여)은 혼인을 한 후 자녀 병을 출산하였다. 이후 딸을 낳고 싶었지만 여의치 않자 정(남)의 자녀 무를 양자로 입양하였다.
> • A(여)는 전 남편 B와 이혼 후 C(남)와 재혼을 하였다. 재혼하면서 전 남편과 사이에서 낳은 D와 같이 살고 있으며, 2년이 지난 후 C는 D를 친양자로 입양하였다.

① 무는 갑과 을의 친생자와 같은 지위를 가진다.

② 갑이 유언 없이 사망한다면, 병은 갑의 재산을 상속받을 수 있지만 무는 상속받을 수 없다.

③ D는 C의 친양자 입양 후 A와의 친족 관계가 소멸된다.

④ B가 유언 없이 사망한다면, D는 B의 재산을 상속받을 수 있다.

⑤ C가 D를 입양하기 위해서는 가정 법원의 심판을 필요로 하지 않는다.

| 평가원 기출 |

03 다음 사례에 대한 법적 판단으로 옳은 것은?

> 갑(남)과 을(여)은 법률상 혼인하였고 그 사이에서 A와 B가 태어났다. 그 후 갑과 을은 협의 이혼하면서 A는 갑이, B는 을이 양육하기로 하였다. 한편 갑은 병과, 을은 정과 법률상 혼인하였고 을과 정 사이에서 C가 태어났다. 그 후 ⊙ 병은 A를 친양자가 아닌 양자로 입양하였고, ⓒ 정은 B를 친양자로 입양하였다.
>
> *A~C는 모두 미성년자이고, 미혼이며 자녀가 없다.
> **갑~정의 성(姓)과 본(本)은 모두 다르다.

① 갑과 을의 이혼은 가정 법원에서 이혼 의사를 확인받는 즉시 그 효력이 발생한다.

② ⊙ 이후에도 병은 A의 친권자가 될 수 없다.

③ ⊙ 이후 A가 유언 없이 사망하였다면 병은 을과 달리 A의 재산을 상속받을 수 있다.

④ ⓒ 이후 B가 유언 없이 사망하였다면 정은 갑과 달리 B의 재산을 상속받을 수 없다.

⑤ C가 정의 성(姓)과 본(本)을 따른 경우, ⓒ으로 인해 B는 정의 성과 본을 따른다.

| 교육청 기출 |

04 다음 사례에 대한 법적 판단으로 옳은 것은?

> 갑은 을과 혼인하여 A를 출산하였다. 이후 갑의 부정한 행위를 알게 된 을은 A가 12세가 되던 해에 갑과 재판상 이혼하였다. 당시 ○○ 가정 법원은 갑은 을에게 위자료 및 A의 양육비를 지급하라고 판결하였다. 이후 몇 년이 지나 을은 병과 재혼하였고 병은 A를 친양자 입양하였다. A는 23세가 되던 해에 B와 결혼식을 올리고 신혼여행을 가던 중 교통사고로 사망하였다. A의 사망 당시 A와 B는 아직 혼인 신고를 하지 않았고 A는 유언을 남기지 않았으며 A에게는 재산이 있었다.

① 갑과 을은 이혼 숙려 기간을 거쳐 이혼하였다.

② ○○ 가정 법원은 갑의 A에 대한 면접 교섭권을 인정하지 않았다.

③ 이혼 당시 을은 갑과 달리 혼인 중 형성한 공동 재산에 대해 재산 분할을 청구할 수 있다.

④ 친양자로 입양된 A는 을과 병의 혼인 외의 출생자로 본다.

⑤ 갑과 B는 모두 A의 재산을 상속받을 수 없다.

| 수능 기출 |

05 다음 사례에 대한 옳은 법적 판단만을 〈보기〉에서 고른 것은?

> A를 입양하여 함께 살고 있던 갑(남)은 을(여)과 법률상 혼인을 하였고 그 사이에서 B가 태어났다. 이후 갑과 을은 이혼하고 갑은 A를, 을은 B를 양육하였다. 2년 후, 갑과 병은 법률상 혼인을 하였고 그 사이에서 C가 태어났다. 한편 을과 정은 법률상 혼인을 하였고 그 사이에서 D가 태어났으며 정은 B를 친양자로 입양하였다. 그 후 을과 정은 이혼하면서 을은 B를, 정은 D를 양육하기로 하였다.

┤ 보기 ├
ㄱ. 갑이 유언 없이 사망한다면, A는 갑의 재산을 상속받을 수 있으나 B는 상속받을 수 없다.
ㄴ. 을이 유언 없이 사망한다면, D는 을의 재산을 상속받을 수 있으나 B는 상속받을 수 없다.
ㄷ. 병이 유언 없이 사망한다면, C는 병의 재산을 상속받을 수 있으나 A는 상속받을 수 없다.
ㄹ. 정이 유언 없이 사망한다면, D는 정의 재산을 상속받을 수 있으나 B는 상속받을 수 없다.

① ㄱ, ㄴ　　② ㄱ, ㄷ　　③ ㄴ, ㄷ
④ ㄴ, ㄹ　　⑤ ㄷ, ㄹ

| 교육청 기출 |

06 다음 사례에 대한 법적 판단으로 옳은 것은?

> 갑과 을은 법률상 혼인을 하였고 그 사이에서 A와 B가 태어났다. 이후 갑과 을은 이혼하였고, 갑은 A를, 을은 B를 양육하였다. 3년 후 갑과 병은 법률상 혼인을 하였고, 병은 미성년자인 A를 ⎿ (가) ⏌로 입양하였다.

① 갑이 유언 없이 사망한다면, B는 갑의 재산을 상속받을 수 없다.
② (가)가 양자라면, A는 병의 혼인 외의 출생자로 본다.
③ (가)가 양자이고 병이 유언 없이 사망한다면, A는 병의 재산을 상속받을 수 없다.
④ (가)가 친양자이고 을이 유언 없이 사망한다면, A는 을의 재산을 상속받을 수 없다.
⑤ (가)가 양자인 경우와 달리 (가)가 친양자라면 입양을 위해 법원의 허가를 거쳤을 것이다.

07 다음 자료에 대한 옳은 설명만을 〈보기〉에서 있는 대로 고른 것은?

> 갑과 을은 혼인을 한 후 자녀가 없이 갑의 노모인 병을 모시고 살고 있었다. 혼인 생활을 하던 중 갑이 전재산 10억 원을 ○○ 재단에 기부한다는 유언을 남기고 사망하였다. 표의 ㉠~㉣은 상황에 따른 상속의 경우를 나타낸 것이다.

갑과 을의 혼인	㉠ 법률혼임	㉡ 사실혼임
갑의 유언장 효력 유무	㉢ 갑의 유언장은 법적으로 유효함.	㉣ 갑의 유언장은 법적으로 유효하지 않음.

┤ 보기 ├
ㄱ. ㉠, ㉢의 경우 병은 ○○ 재단을 상대로 유류분 반환을 청구할 수 있다.
ㄴ. ㉠, ㉣의 경우 을의 법정 상속액은 5억 원이다.
ㄷ. ㉡, ㉢의 경우 을은 ○○ 재단을 상대로 유류분 반환을 청구할 수 있다.
ㄹ. ㉡, ㉣의 경우 병의 법정 상속액은 10억 원이다.

① ㄱ, ㄷ　　② ㄱ, ㄹ　　③ ㄴ, ㄷ
④ ㄱ, ㄴ, ㄹ　　⑤ ㄴ, ㄷ, ㄹ

| 교육청 기출 |

08 다음 사례에 대한 법적 판단으로 옳은 것은?

> 갑은 을과 ㉠ 협의 이혼을 하면서 혼인 중에 출생한 A(17세)에 대한 친권자 및 양육자로 지정받았다. 홀어머니 정을 모시는 갑은 병과 법률혼을 하였다. A는 적법한 절차를 거쳐 병의 ㉡ 친양자로 입양되었고, 그 이듬해에 갑과 병은 B를 출산하였다. 그런데 갑이 퇴근길에 교통사고로 사망하였다. 사망 후 자신의 전재산을 정에게 남긴다는 갑의 유언장이 발견되었다.

① ㉠은 법원의 판결을 통해 혼인 관계를 해소시키는 것이다.
② ㉠은 법원을 거치지 않아도 되며, 이혼 신고가 없더라도 이혼의 효력이 발생한다.
③ ㉡으로 인해 을과 A의 친자 관계는 소멸된다.
④ 유언장이 무효이면 A, B, 병, 정이 갑의 상속인이 된다.
⑤ 유언장이 무효이고 A가 상속을 포기하면 B가 단독으로 상속을 받을 수 있다.

01. 민법의 기초

① 민법의 개념

• 법이 규율하는 생활 관계의 성격에 따른 법의 분류

사법	개인과 개인 간의 사적인 생활 관계를 규율하는 법 예 민법, 상법 등
공법	국가 기관과 개인 간, 국가 기관 간의 공적인 생활 관계를 규율하는 법 예 헌법, 형법, 형사 소송법 등

• **민법**: 개인과 개인 간의 법률관계에서 발생하는 권리와 의무의 종류 및 내용을 다루는 대표적인 사법

총론	권리 능력, 행위 능력, 법인, 법률 행위 등과 같은 민법 전반에 적용되는 기본 원칙을 제시함.
재산법	소유권, 점유권, 저당권 등 물건에 대한 권리의 개념과 대상을 규정한 물권법과, 계약 관계, 불법 행위 등으로 인해 발생하는 채권과 채무에 대한 내용을 규정한 채권법으로 구성됨.
가족법	혼인, 친자 관계, 제한 능력자에 대한 후견, 친족 간의 권리와 의무에 관한 내용 등을 규정한 친족법과, 상속인의 재산이 일정한 사람에게 승계되는 법률관계를 규율한 상속법으로 구성됨.

② 민법의 기본 원칙

• **근대 민법의 기본 원칙**: 개인주의와 자유주의를 기본 이념으로 함.

사유 재산권 존중의 원칙	• 개인 소유의 재산에 대해 사적 지배를 인정하고 국가나 다른 개인은 이를 함부로 간섭하거나 제한하지 못한다는 원칙 • 소유권 절대 원칙이라고도 함.
사적 자치의 원칙	• 개인은 자신의 의사에 따라 타인과 자유롭게 계약을 맺음으로써 권리를 취득하거나 의무를 부담하는 법률관계를 형성할 수 있다는 원칙 • 계약 자유의 원칙이라고도 함.
과실 책임의 원칙	• 타인에게 손해를 입힌 사람은 원칙적으로 자신의 고의 또는 과실로 위법하게 타인에게 가한 손해에 대해서만 책임을 진다는 원칙 • 자기 책임의 원칙이라고도 함.

→ 사례와 연관된 원칙을 묻는 문항이 자주 출제된다.

• 근대 민법의 기본 원칙을 수정·보완하는 원칙

소유권 공공 복리의 원칙	• 개인의 소유권이 공공의 이익에 부합하도록 행사되어야 한다는 원칙 • 개인의 소유권도 상대적 권리임을 의미함.
계약 공정의 원칙	• 계약의 내용이 사회 질서에 반하거나 공공의 이익을 침해할 경우 법적 효력이 인정되지 않는다는 원칙 • 불공정한 계약을 방지함.
무과실 책임의 원칙	• 자신에게 직접적인 고의나 과실이 없어도 타인에게 피해를 준 경우 일정한 요건에 따라 손해 배상 책임을 져야 한다는 원칙임. • 사용자의 환경 책임이나 제조물 책임 등

02. 재산 관계와 관련된 법

① 계약의 의미와 성립

• **계약**: 일정한 법률 효과를 발생시킬 목적으로 사람들 간에 이루어지는 합의로, 청약과 승낙에 의해 이루어짐.

• **계약의 성립 요건**: 계약 당사자는 계약 당시 의사 능력과 행위 능력을 갖추어야 하며, 일정한 요건을 갖추지 못한 계약은 무효이거나 취소할 수 있음.

② 미성년자의 계약

• 미성년자의 법률 행위는 원칙적으로 법정 대리인의 동의를 얻어야 하며, 법정 대리인의 동의를 얻지 못한 법률 행위는 본인이나 법정 대리인이 취소할 수 있음.

• 미성년자와 거래한 상대방을 보호하기 위한 제도

확답 촉구권	미성년자와 거래한 상대방은 일정 기간을 정하여 미성년자의 법정 대리인에게 취소할 수 있는 행위를 유효로 할지 여부를 확정하도록 촉구할 수 있음.
철회권	미성년자와 거래한 상대방은 거래 당시 미성년자인 것을 몰랐다면 철회권을 행사할 수 있지만, 미성년자인 것을 알았다면 철회권을 행사할 수 없음.
취소권 배제	미성년자가 거래 상대방을 속여 성인인 것처럼 행동하거나 법정 대리인의 동의를 받은 것처럼 믿게 한 경우에 미성년자 측에서는 계약을 취소할 수 없음.

③ 불법 행위와 손해 배상

불법 행위	• 의미: 타인에게 고의나 과실로 위법하게 손해를 끼치는 행위 • 성립 요건: 가해 행위, 고의 또는 과실, 책임 능력, 위법성, 손해 배상, 인과 관계
손해 배상	위법한 행위로 발생한 손해를 보전해 주는 것으로, 금전 배상이 원칙임.
특수 불법 행위	책임 무능력자의 감독자 책임, 사용자의 배상 책임, 공작물 등의 점유자·소유자 책임, 동물 점유자의 책임, 공동 불법 행위자의 책임 →피용자가 배상을 못할 경우를 대비하기 위한 것으로, 만일 피용자가 배상하면 사용자는 배상할 책임이 없어진다.

03. 가족 관계에 관련된 법

① 혼인과 이혼

• **혼인:** 두 남녀가 부부 관계를 맺기로 하는 법률상의 합의

실질적 요건	당사자 모두 혼인할 의사가 있어야 하며, 법적으로 혼인 가능한 연령에 해당해야 하며, 혼인할 수 없는 친족 관계가 아니어야 하며, 중혼이 아니어야 함.
형식적 요건	혼인 신고를 해야 함. → 법률상 부부로 인정됨.

• **이혼:** 부부가 혼인 관계를 인위적으로 해소시키는 것

협의상 이혼	• 당사자 간 이혼에 합의하여 이루어지는 이혼 • 이혼 숙려 기간을 거쳐야 하며, 행정 관청에 이혼 신고를 해야 이혼의 효력이 발생함.
재판상 이혼	• 민법이 정한 사유가 있는 경우에 법원의 판결로써 강제로 이루어지는 이혼 • 이혼 판결이 확정되면 이혼의 효력이 발생함.

② 친자 관계 →상속과 연관되어 자주 출제된다.

친생자	혼인 중의 부부 또는 혼인 외의 관계를 통해 출생한 자녀
양자	• 양부모의 친생자와 같은 지위를 가짐. • 친생 부모와의 친족 관계가 소멸되지 않아 친생 부모와 양부모 모두 상속 관계가 존속함.
친양자	• 양부모의 혼인 중의 출생자로 간주됨. • 양부모의 성과 본을 따르며, 입양 전 친족 관계가 종료되어 친생 부모와의 친족 관계는 소멸됨.

③ 친권: 부모가 미성년 자녀에 대해 가지는 권리와 의무로서, 오늘날에는 의무로서의 성격이 강함.

④ 유언: 유언자가 자신의 사망과 동시에 일정한 법률 효과를 발생시킬 목적으로 행하는 단독 행위

⑤ 상속: 피상속인이 사망함으로써 그가 남긴 재산에 대한 권리와 의무가 상속인에게 승계되는 것

방식	유언이 있을 경우에는 유언의 내용을 따르고, 유언이 없을 경우에는 민법에서 정한 비율대로 법정 상속이 이루어짐.
법정 상속 순위	• 피상속인의 직계 비속, 피상속인의 직계 존속, 피상속인의 형제자매, 피상속인의 4촌 이내의 방계 혈족 순으로 이루어짐. • 같은 순위의 상속인 간에는 균등하게 상속을 받음.
피상속인의 배우자	• 배우자는 피상속인의 직계 비속이나 직계 존속이 있을 경우에는 공동으로 상속을 받으며, 없으면 단독으로 상속을 받음. • 배우자는 공동 상속인의 상속분에 50%를 가산하여 상속을 받음.

V

사회생활과 법

이 단원의 핵심 포인트

중단원	핵심 포인트	학습일
01 형법의 의의와 기능	• 죄형 법정주의 • 범죄의 성립 요건 • 형벌의 종류와 의의	월 일 ~ 월 일
02 형사 절차와 인권 보장	• 형사 절차와 인권 보장 제도 • 소년 사건과 국민 참여 재판	월 일 ~ 월 일
03 근로자의 권리	• 근로자의 권리 보장 제도 • 청소년의 근로 보호	월 일 ~ 월 일

셀파와 내 교과서 단원 비교

셀파	천재교과서	지학사	미래엔	비상교육
01 형법의 의의와 기능	01 형법의 의의와 기능	01 형법의 이해	01 형법의 이해	01 형법의 이해
02 형사 절차와 인권 보장	02 형사 절차와 인권 보장	02 형사 절차와 인권 보장	02 형사 절차와 인권 보장	02 형사 절차와 인권 보장
03 근로자의 권리	03 근로자의 권리	03 근로자의 권리 보호	03 근로자의 권리 보호	03 근로자의 권리

01 형법의 의의와 기능

1 형법과 죄형 법정주의

1. 형법의 의의

(1) **일반적 의미** 범죄❶와 그에 대한 형벌❷을 규정하고 있는 법률

(2) **형식적 의미** '형법'이라는 명칭의 법률(형법전만을 의미)

(3) **실질적 의미** 법의 명칭과 형식에 관계없이 범죄와 그에 대한 형사 제재를 규율하고 있는 모든 법 규범(예 군형법, 특정범죄 가중처벌 등에 관한 법률, 노동조합 및 노동관계조정법, 도로 교통법 등) ┌─ 사례 형벌 또는 보안 처분

2. 형법의 기능

(1) **형법의 필요성** 형법을 통해 범죄 행위자에게 형벌이라는 공적인 제재를 내림으로써 사적인 응징과 보복으로 인해 발생할 수 있는 타인에 의한 인권 침해와 사회적 혼란을 방지함.

(2) **형법의 기능**

보호적 기능	개인이나 공동체의 존립을 해치거나 위협하는 행위를 범죄로 규정하여 형벌을 부과함으로써 사회적 근본 가치를 보호함.
보장적 기능	국가가 행사할 형벌권의 내용과 한계를 명확히 하여 국가 권력의 자의적인 형벌권 남용을 방지함으로써 국민의 자유와 권리를 보장함.

3. 죄형 법정주의

(1) **의미와 등장 배경**

① 의미 범죄의 종류와 그 처벌의 내용은 범죄 행위 이전에 미리 성문의 법률❸에 규정되어 있어야 한다는 원칙 → 근대 형법의 기본 원리 [자료 01]
　　　　　　　　　　　　┌─ 왜? 법률이 국민의 대표라는 민주적 정당성을 가지는 의회에서 제정하는 법 규범이기 때문이다.

② 등장 배경 국가의 자의적인 형벌권 행사로부터 시민의 자유와 권리를 보호하려는 근대 인권 사상의 요청 ┌─ 왜? 근대 이전에는 국왕이 자의적으로 형벌권을 행사하여 국민의 인권이 침해되었기 때문이다.

③ 죄형 법정주의의 의미 변천 ┌─ 분석 법치주의의 발전 과정과 연관된다.

근대적 의미	"법률이 없으면, 범죄도 없고 형벌도 없다." → 어떤 행위가 범죄가 되고 그 범죄에 대해 어떤 처벌을 할 것인지 성문의 법률에 미리 규정되어 있어야 함.
현대적 의미	"적정한 법률이 없으면, 범죄도 없고 형벌도 없다." → 법률 내용의 적정성까지 확보하여 법관 또는 입법자의 자의적인 판단으로부터 국민의 자유와 권리를 보장함.

(2) **죄형 법정주의의 내용(파생 원칙)❹** [자료 02]

관습 형법 금지의 원칙	범죄와 형벌은 의회에서 제정한 성문의 법률에 따라 규정되어 있어야 한다는 원칙(관습법❺은 그 내용과 범위가 명백하지 않아 이를 근거로 처벌하면 안 됨.)
명확성의 원칙	어떤 행위가 범죄이며 각각의 범죄에 대해 어떤 형벌이 부과되는지가 법률에 구체적이고 명확하게 규정되어 있어야 한다는 원칙
적정성의 원칙	범죄와 형벌 간에 적정한 균형이 유지되어야 하며, 그 내용도 헌법 등에 규정된 사회적 가치에 부합되어야 한다는 원칙(비례성의 원칙 또는 과잉 금지의 원칙이라고도 함)
소급효 금지의 원칙	범죄와 형벌은 행위 시의 법률에 따라 결정해야 하고, 행위 후에 법률을 제정해 해당 행위에 소급 적용하지 못한다는 원칙(단, 행위자에게 유리한 경우 예외)
유추 해석 금지의 원칙	어떤 사항을 직접 규정한 법률이 없을 때 그와 비슷한 사항을 규정한 법률을 행위자에게 불리하게 적용하지 못한다는 원칙(단, 행위자에게 유리한 경우 예외)

의미 과거에까지 거슬러 올라가서 효력을 미치게 함.

사례 이 외에도 소급 입법이 정의에 부합하는 경우, 심히 중대한 공익상의 사유가 있는 경우에 소급효가 적용된다.

죄형 법정주의의 파생 원칙

관습 형법 금지의 원칙	범죄와 형벌은 성문의 법률에 규정되어 있어야 함.
명확성의 원칙	범죄와 형벌의 내용이 법률에 명확하게 규정되어야 함.
적정성의 원칙	범죄와 형벌의 질과 양은 비례해야 함.
소급효 금지의 원칙	행위 후에 제정한 법률로 이전의 행위를 소급하여 처벌하면 안 됨.
유추 해석 금지의 원칙	법률에 규정이 없는 사항에 대해 유사한 내용의 법률을 적용하면 안 됨.

❶ 범죄
사회에 유해하거나 법익을 침해하는 반사회적 행위 중에서 형법에 의하여 형벌을 부과함으로써 금지하는 행동을 의미한다.

❷ 형벌
국가가 범죄 행위를 저지른 사람에게 가하는 형사 제재를 의미한다.

❸ 성문의 법률(성문법)
문서의 형식으로 표현되고 일정한 절차와 형식을 거쳐서 공포된 법으로, 문서의 형식으로 표현되지 않은 불문법에 대응되는 개념이다.

❹ 우리나라의 죄형 법정주의 규정
• 헌법 제12조 ① …… 법률과 적법한 절차에 의하지 아니하고는 처벌·보안 처분 또는 강제 노역을 받지 아니한다.
• 헌법 제13조 ① 모든 국민은 행위 시의 법률에 의하여 범죄를 구성하지 아니하는 행위로 소추되지 아니하며, ……
• 형법 제1조 ① 범죄의 성립과 처벌은 행위 시의 법률에 의한다.

❺ 관습법
사회생활에서 반복되어 나타나는 관습 중에서 사회 구성원들에게 법과 같은 강력한 구속력이 있다는 확신으로 자리 잡은 것을 의미한다.

자료 01 죄형 법정주의 – 장 칼라스 사건과 베카리아의 『범죄와 형벌』

1760년대 프랑스 툴루즈에서는 유럽을 뒤흔든 장 칼라스 사건이 일어났다. 어느 날 장 칼라스 집안의 장남이 목을 맨 채 시체로 발견되었는데, 신교도였던 가족들이 구교도인 그를 종교 문제로 살해했다는 주장이 제기되었다. 근거 없는 말이었지만 신교도에게 적대적이던 마을에서는 아버지인 장 칼라스가 범인이라는 의혹이 증폭되었고, 툴루즈 당국은 칼라스 가족을 체포하였다. 장 칼라스는 완강히 범행을 부인하였지만, 재판관들은 증거가 불충분함에도 장 칼라스를 수레바퀴에 매달아 고문한 후 처형했다. 그 후 이 사건은 계몽 사상가들로부터 국가 권력의 야만성과 권력의 남용을 보여 주는 사례라는 비판을 받았고, 결국 계몽주의 학자였던 볼테르(Voltaire, F.)의 노력 끝에 그의 아들은 자살한 것으로 결론이 났다. 이탈리아의 학자 베카리아(Beccaria, C.)는 이 사건에 주목하여 형벌이 남용되는 당시의 상황을 비판하는 『범죄와 형벌』이라는 책을 썼다. 형벌은 입법자에 의하여 법률로 엄밀히 규정되어야 하고, 범죄의 경중과 형벌이 비례해야 한다는 내용을 담은 이 책은 형법을 근대화하고 죄형 법정주의의 기초를 마련했다는 평가를 받고 있다.

– 인권 오름 사람방, 『인권 오름』

자료 분석| 장 칼라스 사건은 권력자가 자의적으로 형벌권을 행사했기 때문에 발생한 사건이다. 이와 같이 국가의 자의적인 형벌권 행사로부터 시민의 자유와 권리를 보호하기 위해 죄형 법정주의 원칙이 확립되었다. 형벌은 입법자에 의하여 법률로 엄밀히 규정되어야 하고, 범죄의 경중과 형벌이 비례해야 한다는 베카리아의 주장은 관습 형법 금지의 원칙이나 적정성의 원칙 등 죄형 법정주의의 핵심적인 내용을 담고 있다.

자료 02 죄형 법정주의의 내용

(가) 헌법 재판소는 '가려야 할 곳을 내놓아 다른 사람에게 부끄러운 느낌이나 불쾌감을 준 사람'을 처벌하는 「경범죄 처벌법」 조항에 관해 법 조항의 용어가 사람마다 평가의 기준이 다르고 의미를 확정하기도 곤란하다며 위헌 결정을 내렸다.

(나) 대법원은 흑염소도 양에 해당한다고 보아, 흑염소를 도살한 사람에게 소, 돼지, 말, 양을 위생 처리 시설이 아닌 장소에서 도축하면 처벌하는 법 규정을 적용하여 처벌하는 것은 죄형 법정주의의 원칙에 위배된다고 보았다.

(다) 헌법 재판소는 반국가 행위자가 검사의 소환에 2회 이상 불응하면 전 재산을 몰수하는 법 규정은 행위에 비해 지나치게 무거운 형벌을 정하고 있으므로 형벌 체계상 정당성과 균형을 벗어난다고 보아 위헌 결정을 내렸다.

(라) 대법원은 게임 머니의 환전, 환전 알선, 재매입 영업 행위를 처벌하는 법규를 그 시행일 이전에 한 행동에까지 적용하여 처벌하는 것은 죄형 법정주의의 원칙에 위배된다고 보았다.

자료 분석| (가)에서 헌법 재판소는 '가려야 할 곳'의 의미가 명확하지 않고, '부끄러운 느낌이나 불쾌감'도 사람마다 다르게 평가될 수밖에 없으므로 죄형 법정주의의 명확성의 원칙에 위배된다고 보았다. (나)에서 대법원은 흑염소에 대한 명시적 규정이 없는데, 이와 유사한 소, 돼지, 말, 양에 대한 규정을 적용하여 처벌하는 것은 죄형 법정주의의 유추 해석 금지의 원칙에 위배된다고 보았다. (다)에서 헌법 재판소는 검사의 소환에 2회 이상의 불응이라는 행위에 대해 전 재산의 몰수라는 제재를 부과하는 것은 지나치므로 죄형 법정주의의 적정성의 원칙에 위배된다고 보았다. (라)에서 대법원은 새로이 제정된 처벌 법규를 그 시행일 이전에 한 행동에까지 적용하여 처벌하는 것은 죄형 법정주의의 소급효 금지의 원칙에 위배된다고 보았다.

2 범죄의 성립 요건

1. 범죄의 성립과 불성립 구성 요건 해당성, 위법성, 책임의 요건이 모두 충족되어야 범죄 성립
→ 어느 한 요소라도 충족되지 않는 경우 범죄 불성립 분석 구성 요건에 해당해야 위법성 여부를 판단하고, 위법성까지 존재해야 책임 여부를 판단한다.

2. 구성 요건 해당성
(1) **범죄의 구성 요건** 법률로 정해 놓은 범죄 행위의 유형 자료13
(2) **의미** 범죄가 성립되기 위해서는 어떤 행위가 범죄의 구성 요건에 해당해야 함.

3. 위법성
(1) **의미** 범죄의 구성 요건에 해당하는 행위가 법질서 전체의 관점에서 부정적이라는 판단
(2) **위법성 조각 사유** 범죄의 구성 요건에 해당하는 행위의 위법성을 배제하는 특별한 사유
→ 이에 해당할 경우 범죄가 성립되지 않음. 자료04 의미 국가 질서의 존엄성을 기초로 한 국민 일반의 건전한 도의감 또는 공정하게 사유하는 일반인의 건전한 윤리 감정

정당 행위	법령에 의한 행위 또는 업무로 인한 행위, 기타 사회 상규에 위배되지 않는 행위
정당방위	자기 또는 타인의 법익⁶에 대한 현재의 부당한 침해를 방위하기 위한 상당한 이유가 있는 행위
긴급 피난	자기 또는 타인의 법익에 대한 현재의 위난을 피하기 위한 상당한 이유가 있는 행위
자구 행위	법정 절차에 의해 청구권을 보전하기 불가능한 경우에 그 청구권의 실행 불능 또는 현저한 실행 곤란을 피하기 위한 상당한 이유가 있는 행위
피해자의 승낙	처분할 수 있는 자의 승낙에 의하여 그 법익을 훼손한 행위로서 법률에 특별한 규정이 없는 한 처벌되지 않는 행위

4. 책임
(1) **의미** 위법 행위를 하였다는 데 대하여 행위자에게 가해지는 법적 비난 가능성
(2) **책임 조각 및 감경 사유** 의미 의식은 있으나 심신 장애의 정도가 심하여 자신의 행위 결과를 합리적으로 판단할 능력을 갖지 못한 사람

책임 조각 사유	범죄 불성립 → 형사 미성년자(14세 미만) 또는 심신 상실자의 행위, 폭력이나 협박 등으로 강요된 행위 등
책임 감경 사유	범죄 성립, 형 감경 가능 → 심신 미약자 또는 청각 및 언어 장애인의 행위 등

3 형벌의 의의와 종류

1. 형벌의 의의
(1) **의미** 범죄인의 생명, 자유, 명예, 재산 등을 박탈하는 것
(2) **주체** 국가 → 국가가 아닌 개인이 제재를 가하게 되면 그 자체가 범죄 행위임(사적 제재 금지).

2. 형벌의 종류

생명형	사형
자유형	징역(1개월 이상 수감, 정역 부과), 금고(1개월 이상 수감, 정역 부과하지 않음), 구류(1일 이상 30일 미만 수감, 정역 부과하지 않음)
명예형	자격 상실(공무 담임권, 선거권 등 박탈), 자격 정지(공무 담임권, 선거권 등 일정 기간 정지)
재산형	벌금(5만 원 이상), 과료(2천 원 이상 5만 원 미만), 몰수(범죄 행위에 이용했거나 범죄 행위로 취득한 물건 등을 압수하여 국고에 귀속)

의미 교도소 내에서 강제적으로 종사시키도록 정해진 작업

3. 형벌과 구분되는 제재
(1) **행정 질서벌** 행정 단속 법규의 위반 행위 등에 대한 과태료 부과
(2) **보안 처분** 범죄자의 사회 복귀와 사회 질서의 보호라는 목적 달성을 위한 대안적 제재 수단
→ 형벌 보완(예 치료 감호,⁷ 보호 관찰,⁸ 수강 명령,⁹ 사회봉사 명령¹⁰) 자료05
중요 보안 처분은 예방적 성격의 제재로 형벌과 함께 부과할 수 있다.

고득점을 위한 셀파 Tip

범죄의 성립과 불성립

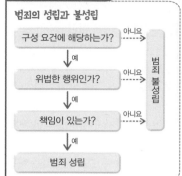

⑥ 법익
법으로 보호되는 이익으로서 침해가 금지되는 개인이나 공동체의 이익 또는 가치

⑦ 치료 감호
심신 장애 상태, 마약류·알코올이나 그 밖의 약물 중독 상태 등에서 범죄 행위를 한 자로서 재범의 위험성이 있고 특수한 교육·개선 및 치료가 필요하다고 인정되는 자에 대해 치료 감호 시설에서 적절한 보호와 치료를 받도록 하는 보안 처분이다.

⑧ 보호 관찰
범죄인 또는 소년법상 소년을 교도소나 소년원 등 수용 시설에 구금하지 않고, 가정과 학교 및 직장에서 정상적인 생활을 하도록 하되, 보호 관찰관의 지도·감독을 통해 준수 사항을 지키도록 하여 범죄성을 개선하도록 하는 보안 처분이다.

⑨ 수강 명령
정신적·심리적 원인이나 잘못된 문제 인식과 행동 습관으로 인해 동종의 범행을 반복하게 될 우려가 큰 마약, 음주 운전, 가정 폭력, 성폭력 등의 범죄인에 대해 전문 기관에서 일정 시간 동안 범죄성 개선을 위한 진단, 상담, 교육을 받도록 하는 보안 처분이다.

⑩ 사회봉사 명령
유죄가 인정되거나 보호 처분 등의 필요성이 인정된 사람에 대하여 일정 시간 무보수로 사회에 유익한 근로를 하도록 명하여 사회에 대한 봉사 활동을 통해 속죄하도록 하는 보안 처분이다.

자료 03 범죄의 구성 요건

갑은 새로 나온 운동화를 사고 싶은데 돈이 없었다. 갑이 친구 을에게 그 이야기를 하니, 을은 병의 게임기를 훔쳐서 팔면 되지 않겠느냐고 제안하였다. 을은 병이 학교에 게임기를 가져오는 행위가 교칙에 어긋나는 것이므로 게임기가 없어져도 하소연할 수 없을 것이라고 갑을 설득하였다. 아울러 갑이 병의 게임기를 훔치는 동안 다른 친구들이 오는지 망도 봐 주겠다고 하였다. 어느 날 체육 시간이 되어 반 친구들이 모두 운동장에 나가자, 화장실에 가는 척했던 갑과 을은 교실로 돌아왔다. 갑은 병의 가방을 뒤졌고, 그동안 을은 교실 입구에서 망을 보았다. 그런데 갑이 병의 게임기에 손을 대는 순간 을이 다급한 목소리로 학생 지도 선생님이 온다고 알렸다. 결국 갑은 게임기를 훔치지 못한 채 교실을 빠져나왔다.

자료 분석 | 갑은 병의 게임기를 훔치려고 하였으므로 절도죄의 구성 요건을 충족한다. 다만 갑이 의도한 결과가 발생하지 않았으므로 미수범에 해당하여 기수범보다 가벼운 형벌이 부과된다. 한편 주도적으로 범죄를 저지른 갑은 정범, 갑의 범죄를 교사하고 방조한 을은 공범에 해당한다.

자료 04 위법성 조각 사유

(가) 편의점 종업원인 갑은 편의점에서 물건을 훔치고 있는 남자를 붙잡았다.
(나) 을은 집에 들어온 강도에게 폭행을 당하고 있는 아버지를 구하기 위해 강도를 때려 상해를 입혔다.
(다) 병은 자신에게 돌진하는 맹견을 피하기 위해 근처에 있는 가정집으로 뛰어들었다.
(라) 정은 음식점에서 저녁 식사를 하던 중 화재가 발생하여 생명이 위급한 상황에 처하자 2층에서 뛰어내려 주차되어 있던 남의 차를 부득이하게 파손하였다.
(마) 무는 거액의 빚을 갚지 않고 이민을 가려는 채무자가 비행기에 탑승하지 못하도록 붙잡았다.

자료 분석 | 갑의 행위는 현행범을 체포한 것으로 정당 행위, 을의 행위는 현재의 부당한 침해를 방위하기 위한 것이므로 정당방위, 병과 정의 행위는 현재의 위난을 피하기 위한 것이므로 긴급 피난, 무의 행위는 청구권을 보전하기 위한 것이므로 자구 행위에 각각 해당한다. 정당 행위, 정당 방위, 긴급 피난, 자구 행위, 피해자의 승낙 등은 위법성 조각 사유에 해당한다.

자료 05 보안 처분의 적용

갑: 저는 성범죄를 저질러 교도소에 있습니다. 그런데 「성폭력범죄의 처벌 등에 관한 특례법」이 제정되자 법원이 교도소에 있는 저에게 위치 추적 전자 장치 부착과 신상 공개를 명령하였습니다. 저는 이미 확정 판결을 받았으므로 저의 범죄 행위를 다시 판단하여 보안 처분을 새롭게 부과하는 것은 명백히 위헌입니다.

법원: 보안 처분은 범죄 행위자의 장래 위험성을 예방하기 위하여 부과하는 것이지만 반드시 행위자에게 유리하게 해석되는 것은 아닙니다. 그러므로 형벌에 관한 죄형 법정주의나 일사부재리의 원칙 또는 소급효 금지의 원칙은 원칙적으로 보안 처분에는 적용되지 않습니다. 즉 범죄 행위 이후에 범죄자에게 불리하게 제정되거나 개정된 보안 처분 관련 법률을 적용하여도 무방하며, 이미 확정 판결을 받은 사람에게 다시 부과해도 됩니다. 따라서 법원이 이미 확정 판결을 받은 갑에게 판결 이후 제정된 보안 처분 관련 법을 소급해서 다시 적용하여도 헌법에 위반되지 않습니다.

자료 분석 | 보안 처분은 범죄자의 사회 복귀와 사회 질서의 보호를 위한 대안적인 제제 수단으로, 형벌이 아니기 때문에 원칙적으로 죄형 법정주의의 대상이 아니다. 따라서 법률의 소급 적용이 가능하며, 확정 판결을 받은 행위에 대해 추가적으로 부과하는 것도 가능하다.

---

1 경찰관이 적법한 절차에 따라 현행범을 체포하였다면, 범죄가 성립하지 않는다.
(O , ×)

2 '저항할 수 없는 폭력에 의해 강요된 행위'는 책임이 조각되는 사유에 해당한다.
(O , ×)

3 '형사 미성년자의 행위'는 위법성이 조각되는 사유에 해당한다.
(O , ×)

4 아들의 수술비를 마련하기 위해 은행에서 현금을 탈취한 행위는 범죄에 해당하지 않는다.
(O , ×)

5 심신 상실의 상태에서 타인에게 상해를 가한 행위는 책임이 조각된다.
(O , ×)

6 12세인 갑이 친구의 승낙을 얻어 그 친구 아버지의 지갑을 훔친 행위는 구성 요건에 해당하지 않는다.
(O , ×)

7 사회 상규에 위배되지 않는 행위를 했다면, 구성 요건에 해당하더라도 위법성이 인정되지 않는다.
(O , ×)

8 위법성이 인정되지 않아 무죄 선고를 받은 자에게도 치료 감호 처분은 가능하다.
(O , ×)

9 음주 운전으로 인한 운전 면허 취소는 자격 상실의 사례로 볼 수 없다.
(O , ×)

10 형벌은 보안 처분과 달리 범죄 예방을 목적으로 하지 않는다.
(O , ×)

정답 1 O 2 O 3 × 4 × 5 O 6 ×
7 O 8 × 9 O 10 ×

1 죄형 법정주의의 내용

관습 형법 금지	범죄와 형벌은 의회에서 제정한 (❶)의 법률에 따라 규정되어 있어야 함.
명확성	범죄와 형벌의 내용은 법률에 구체적이고 명확하게 규정되어 있어야 함.
적정성	범죄와 형벌 간에 적정한 균형 유지, 사회적 가치에 부합되어야 함.
소급효 금지	범죄와 형벌은 행위 시의 법률에 따라 결정되어야 함(행위자에게 유리한 경우는 예외).
유추 해석 금지	유사 사항을 규정한 법률의 자의적 적용은 금지되어야 함(행위자에게 유리한 경우는 예외).

2 범죄의 성립 요건

구성 요건 해당성	어떤 행위가 법률로 정해 놓은 범죄 행위의 유형에 해당하는지의 여부
(❷)	범죄의 구성 요건에 해당하는 행위가 법질서 전체의 관점에서 부정적이라는 판단
(❸)	위법 행위를 하였다는 데 대하여 행위자에게 가해지는 법적 비난 가능성

3 위법성 조각 사유

정당 행위	법령에 의한 행위 또는 업무로 인한 행위, 기타 사회 상규에 위배되지 않는 행위
(❹)	현재의 부당한 침해를 방위하기 위한 상당한 이유가 있는 행위
(❺)	현재의 위난을 피하기 위한 상당한 이유가 있는 행위
자구 행위	청구권의 실행 불능 또는 현저한 실행 곤란을 피하기 위한 상당한 이유가 있는 행위
피해자의 승낙	처분할 수 있는 자의 승낙에 의하여 그 법익을 훼손한 행위

4 형벌의 종류

생명형	사형
자유형	• 징역: 1개월 이상 수감, 정역을 부과함. • (❻): 1개월 이상 수감, 정역이 없음. • 구류: 1일 이상 30일 미만 수감, 정역이 없음.
명예형	• 자격 상실: 공무 담임권, 선거권 등 박탈 • 자격 정지: 공무 담임권, 선거권 등 일정 기간 정지
재산형	• 벌금: 5만 원 이상 • 과료: 2천 원 이상 5만 원 미만 • 몰수: 범죄와 관련된 물건 등 압수

정답 ❶ 성문 ❷ 위법성 ❸ 책임 ❹ 정당방위 ❺ 긴급 피난 ❻ 금고

---

1 형법과 죄형 법정주의

01 (가), (나)에 대한 설명으로 옳은 것은?

> (가) 형법 제329조(절도) 타인의 재물을 절취한 자는 6년 이하의 징역 또는 1천만 원 이하의 벌금에 처한다.
> (나) 식품위생법 제93조(벌칙) ① 다음 각 호의 어느 하나에 해당하는 질병에 걸린 동물을 사용하여 판매할 목적으로 식품 또는 식품 첨가물을 제조·가공·수입 또는 조리한 자는 3년 이상의 징역에 처한다.
> 　1. 소해면상뇌증(광우병)
> 　　　⋮

① (가)는 형식적 의미와 실질적 의미의 형법에 해당한다.
② (나)는 형식적 의미의 형법에 해당한다.
③ (가)와 달리 (나)는 죄형 법정주의의 적용을 받지 않는다.
④ (나)와 달리 (가)를 위반한 경우에는 자유형을 선고받을 수 있다.
⑤ (가), (나) 모두 어떤 경우에도 제정 전의 행위에는 적용할 수 없다.

02 죄형 법정주의의 의미가 (가)에서 (나)로 변화함에 따라 나타난 사실로 옳은 것은?

> (가) 법률이 없으면, 범죄도 없고 형벌도 없다.
> (나) 적정한 법률이 없으면, 범죄도 없고 형벌도 없다.

① 어떤 행위가 범죄가 되는지 미리 규정하게 되었다.
② 법률 제정 절차의 합법성을 확보할 수 있게 되었다.
③ 범죄와 형벌을 의회에서 제정한 성문의 법률에 따라 규정하게 되었다.
④ 사회적으로 큰 비난을 받는 행위들을 관습법을 통해 처벌할 수 있게 되었다.
⑤ 입법자의 자의적인 판단으로부터 국민의 자유와 권리를 보장할 수 있게 되었다.

03 (가)에 들어갈 죄형 법정주의의 파생 원칙으로 가장 적절한 것은?

> 헌법 재판소는 반국가 행위자가 검사의 소환에 2회 이상 불응하면 전 재산을 몰수하는 법 규정은 행위에 비해 지나치게 무거운 형벌을 정하고 있으므로 형벌 체계상 정당성과 균형을 벗어난다고 보아 위헌 결정을 내렸다. 즉 해당 법 규정이 죄형 법정주의에서 파생되는 ____(가)____의 원칙에 위배된다고 본 것이다.

① 명확성 ② 적정성
③ 소급효 금지 ④ 관습 형법 금지
⑤ 유추 해석 금지

★04 밑줄 친 'A 원칙'에 대한 설명으로 옳은 것은?

> 2020년 4월 23일 헌법 재판소는 공무원의 정치 운동을 금지하고 있는 국가공무원법 제65조 중 '그 밖의 정치 단체' 부분이 청구인들의 정치적 표현의 자유 및 결사의 자유를 침해하고, 이를 위반한 경우 형벌이 부과되는 만큼 죄형 법정주의에서 파생되는 <u>A 원칙</u>에도 위배되므로 헌법에 위반된다고 결정(2018헌마551)하였다. 헌법 재판소는 결정문을 통해 민주 국가의 모든 단체는 국가 정책에 찬성·반대하거나, 특정 정당이나 후보자의 주장과 우연히 일치하기만 하여도 정치적인 성격을 가진다고 볼 여지가 있으므로 심판 대상 조항의 정치 단체와 비정치 단체를 구별하는 것은 사실상 불가능하다고 판단하였다.

① 범죄와 처벌이 균형을 갖추어야 함을 의미한다.
② 범죄의 성립과 형벌의 정도는 법관이 결정해야 함을 의미한다.
③ 재판 시의 형벌 법규를 재판의 기준으로 삼아야 함을 의미한다.
④ 성문법에 규정되지 않은 범죄나 형벌을 관습법에 의해 인정할 수 없음을 의미한다.
⑤ 범죄 행위가 어떤 것인지 누구나 예측 가능하도록 법률로 명확히 규정해야 함을 의미한다.

2 범죄의 성립 요건

05 빈칸 ㉠~㉤에 들어갈 수 있는 용어로 옳지 <u>않은</u> 것은?

> 범죄가 성립하기 위해서는 우선 해당 행위가 범죄의 ____㉠____에 해당해야 하고, 다음으로 ____㉡____이/가 있어야 하며, 끝으로 행위자에게 ____㉢____이/가 있어야 한다. 한편, ____㉣____은/는 ____㉡____ 조각 사유에 해당하고, ____㉤____은/는 ____㉢____ 조각 사유에 해당한다.

① ㉠ - 구성 요건 ② ㉡ - 위법성
③ ㉢ - 고의 또는 과실 ④ ㉣ - 자구 행위
⑤ ㉤ - 강요된 행위

★06 A~D와 해당 사례의 적절한 연결만을 〈보기〉에서 고른 것은?

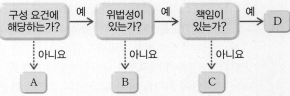

> **보기**
> ㄱ. A - 갑은 교실 복도에 떨어진 돈을 몰래 주워 왔으나, 그것은 얼마 전 자신이 떨어뜨린 돈이었다.
> ㄴ. B - 을은 야구 경기 중 강한 타구를 때렸고, 이 타구에 상대 팀 투수가 맞아 골절상을 입었다.
> ㄷ. C - 병은 심신 미약자로서 친구들의 꼬임에 빠져 친구들이 보석 상점에서 물건을 훔치는 동안 망을 봐 주었다.
> ㄹ. D - 정은 가족을 해치겠다는 협박에 못 이겨 자신이 관리하는 회사의 기밀 문서를 넘겨 주었다.

① ㄱ, ㄴ ② ㄱ, ㄷ ③ ㄴ, ㄷ
④ ㄴ, ㄹ ⑤ ㄷ, ㄹ

07 다음은 (가), (나) 사례를 질문에 따라 구분한 것이다. ㉠~㉣에 들어갈 대답으로 옳은 것은?

> (가) 심신 상실 상태에서 행인을 폭행한 행위
> (나) 주인이 집을 비운 사이 화재가 발생한 이웃집 대문을 부수고 들어가 불을 끈 행위

질문	(가)	(나)
위법성이 있는가?	㉠	㉡
범죄가 성립하는가?	㉢	㉣

	㉠	㉡	㉢	㉣
①	예	예	예	예
②	예	예	예	아니요
③	예	예	아니요	아니요
④	예	아니요	아니요	아니요
⑤	아니요	아니요	아니요	아니요

08 위법성 조각 사유 A, B에 대한 설명으로 옳은 것은?

> • 강도가 흉기로 찌르려는 것을 피하려고 근처에 있던 몽둥이로 강도를 때려 강도의 팔을 부러뜨린 행위는 A에 해당하여 상해죄가 성립하지 않는다.
> • 산책 중 갑자기 멧돼지가 나타나 공격하자 어쩔 수 없이 집주인의 허락을 받지 않고 남의 집으로 피신한 행위는 B에 해당하여 주거 침입죄가 성립하지 않는다.

① 행위자에게 책임이 없다면, A의 해당 여부는 판단할 필요가 없다.
② 지나가던 행인이 소매치기범을 현장에서 체포한 것은 A의 사례에 해당한다.
③ 범죄의 구성 요건에 해당하지 않더라도 B의 해당 여부에 대한 판단은 필요하다.
④ 건물에 매달려 있는 사람을 구하기 위해 창문을 깨뜨린 것은 B의 사례에 해당한다.
⑤ 어떤 행위가 A 또는 B에 해당한다고 인정되면 행위자의 형은 감경된다.

3 형벌의 의의와 종류

09 다음은 형법의 일부 조항이다. 밑줄 친 ㉠~㉤에 대한 설명으로 옳은 것은?

> 제62조의2 ① 형의 집행을 유예하는 경우에는 ㉠ 보호 관찰을 받을 것을 명하거나 사회봉사 또는 수강을 명할 수 있다.
> 제283조 사람을 협박한 자는 3년 이하의 ㉡ 징역, 500만 원 이하의 ㉢ 벌금, ㉣ 구류 또는 ㉤ 과료에 처한다.
> 제311조 공연히 사람을 모욕한 자는 1년 이하의 징역이나 ㉥ 금고 또는 200만 원 이하의 벌금에 처한다.

① 형이 확정된 사람에게 ㉠을 다시 부과할 수 없다.
② ㉡에는 ㉥과 달리 정역이 부과된다.
③ ㉤은 ㉢과 달리 범죄와 관련된 물건을 압수하여 국고에 귀속하는 형벌이다.
④ ㉠, ㉡, ㉥은 모두 자유형에 해당한다.
⑤ ㉢, ㉣, ㉤은 모두 재산형에 해당한다.

10 (가), (나)에 대한 설명으로 옳은 것은?

> (가) 범죄자의 사회 복귀와 사회 질서의 보호라는 목적 달성을 위한 대안적 제재 수단을 의미한다.
> (나) 국가가 범죄 행위를 저지른 사람에게 가하는 형사 제재로서 범죄인의 생명, 자유, 명예, 재산 등을 박탈하는 것을 의미한다.

① (나)는 (가)를 보완하는 성격을 갖는다.
② (가)와 (나)를 동시에 부과하는 것은 원칙적으로 허용되지 않는다.
③ (가)에는 (나)와 달리 원칙적으로 죄형 법정주의가 적용되지 않는다.
④ (나)에는 (가)와 달리 원칙적으로 일사부재리의 원칙이 적용되지 않는다.
⑤ 보호 관찰은 (가)의 대표적 사례이고, 치료 감호는 (나)의 대표적 사례이다.

11 다음 그림을 보고 빈칸 ㉠에 해당하는 용어를 쓰시오.

공공장소에서 과도하게 노출하시면 안 됩니다!

상의만 벗었는데, 경범죄라니 인정 못해. 법원에 재판을 청구해야겠어!

『경범죄 처벌법』 법 조항에서 금지된 행위가 무엇인지 알기 어렵군.

『경범죄 처벌법』 중 알몸을 '지나치게 내놓는' 것이 무엇인지 판단 기준을 제시하지 않고 '가려야 할 곳'의 의미도 구체화하지 않아 죄형 법정주의의 □ ㉠ □의 원칙에 위배됩니다. 『경범죄 처벌법』 제3조를 위헌 결정합니다.

12 (가), (나)는 죄형 법정주의 파생 원칙이다. 이를 읽고 물음에 답하시오.

> (가) 범죄와 형벌은 행위 시의 법률에 따라 결정해야 하고, 행위 후에 법률을 제정해 해당 행위에 소급 적용하지 못한다는 원칙
> (나) 어떤 사항을 직접 규정한 법률이 없을 때 그와 비슷한 사항을 규정한 법률을 행위자에게 불리하게 적용하지 못한다는 원칙

(1) (가), (나)에 해당하는 죄형 법정주의 파생 원칙을 구분하여 쓰시오.

(2) (가), (나) 원칙의 적용에서 공통적으로 예외가 인정되는 경우를 쓰시오.

(3) 죄형 법정주의의 목적을 서술하시오.

13 (가), (나)에 해당하는 위법성 조각 사유를 구분하여 쓰시오.

(가)

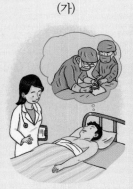
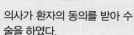

(나)

의사가 환자의 동의를 받아 수술을 하였다.

경찰이 영장을 제시하고 피의자를 체포하였다.

14 (가), (나)는 모두 범죄가 성립하지 않는 사례에 해당한다. 그 이유를 구분하여 서술하시오.

> (가) 총을 들고 협박하는 은행 강도로부터 자신을 방어하기 위해 그 강도를 넘어뜨려 상해를 입혔다.
> (나) 어린 딸의 생명을 해치겠다는 협박을 받아 불가피하게 의뢰인의 비밀을 상대 변호사에게 알려주었다.

15 다음과 같은 제도들을 지칭하는 용어를 쓰고, 이 제도의 시행 목적을 서술하시오.

> • 유죄가 인정된 사람에게 일정 시간 무보수로 사회에 유익한 근로를 하도록 한다.
> • 동종의 범행을 반복할 우려가 큰 범죄인에 대해 일정한 시간 동안 범죄성 개선을 위한 진단, 상담, 교육을 받도록 한다.
> • 범죄인을 교도소 등 수용 시설에 구금하지 않고 정상적인 사회 생활을 하도록 하되, 보호 관찰관의 지도, 감독을 받도록 한다.

| 수능 기출 |

01 밑줄 친 'A 원칙'에 대한 옳은 설명만을 〈보기〉에서 있는 대로 고른 것은?

> 갑은 을의 컴퓨터에 저장된 전자 파일을 자신의 이동식 저장 장치에 몰래 복사한 행위와 관련하여 절도죄로 고소 제기되었다. 갑은 1심 재판에서, 컴퓨터 파일과 같은 전자 정보를 복사하는 행위는 절도죄의 구성 요건에 해당하지 않음에도 절도 행위와 유사하다는 이유만으로 절도죄의 규정을 그대로 적용하는 것은 죄형 법정주의의 A 원칙에 위반된다고 주장하였다.

| 보기 |
ㄱ. 범죄의 성립과 형벌에 모두 적용된다.
ㄴ. 범죄와 처벌이 균형을 갖추어야 한다는 원칙이다.
ㄷ. 적용할 형법 규정이 없는 경우 법관의 자의적인 판단만으로 처벌할 수 없는 것을 의미한다.
ㄹ. 범죄 행위가 어떤 것인지를 누구나 예측할 수 있게 법률로 명확하게 규정하여야 한다는 것을 의미한다.

① ㄱ, ㄷ
② ㄴ, ㄷ
③ ㄴ, ㄹ
④ ㄱ, ㄴ, ㄹ
⑤ ㄱ, ㄷ, ㄹ

| 평가원 기출 |

02 다음 글에서 도출할 수 있는 죄형 법정주의의 구체적인 원칙에 대한 설명으로 가장 적절한 것은?

> 법정형의 종류와 범위를 정하는 것이 기본적으로 입법자의 권한에 속하는 것이라고 하더라도, 형벌은 죄질과 책임에 상응하도록 적절한 비례성이 지켜져야 한다. 그러나 ○○ 법률 조항은 범죄의 중대성 정도에 비하여 과중한 형벌을 규정함으로써 죄질과 그에 따른 행위자의 책임 사이에 비례 관계가 준수되지 않아 인간의 존엄과 가치를 존중하고 보호하려는 법치 국가의 이념에 어긋나고, 형벌 체계상 정당성을 상실한 것이다.

① 범죄와 형벌은 관습법에 의해 규정할 수 없다.
② 범죄의 성립과 그 처벌은 행위 당시의 법률에 의해야 한다.
③ 범죄와 형벌이 법률에 구체적이고 명확하게 규정되어야 한다.
④ 범죄 행위의 경중과 행위자가 부담해야 할 형벌의 정도는 서로 균형을 이루어야 한다.
⑤ 법률에 규정이 없는 사항에 대해서 그것과 유사한 성질을 가지는 사항에 관한 법률을 적용하여 처벌해서는 안 된다.

| 평가원 기출 |

03 다음 자료에 대한 법적 판단으로 옳은 것은?

> 범죄가 성립하기 위해서는 우선 행위가 A에 해당하여야 한다. A는 형벌을 부과하는 근거가 되는 행위 유형을 법률에 기술해 놓은 것을 말한다. A는 국회에서 제정한 성문의 법률로 명확하게 규정되어야 한다. 만약 그 내용이 지나치게 추상적이거나 모호한 경우에는 국가 형벌권의 자의적인 행사가 가능하게 되어 죄형 법정주의의 구체적 원리 중 B에 반한다. 죄형 법정주의의 다른 구체적 원리인 C는 관련 사안에 대한 명문 규정이 없는데도 유사한 사안을 규정한 법률을 적용해서는 안 된다는 것을 의미한다.

① A의 유형화를 통해 형법의 보장적 기능이 구현된다.
② A에 해당하면 심신 상실자의 행위라도 범죄는 성립한다.
③ B는 형벌까지 명확하게 규정할 것을 요구하지는 않는다.
④ C는 B와 달리 입법자에게 적용되는 원칙이다.
⑤ B, C 모두 실질적 의미의 형법에는 적용되지 않는다.

| 수능 기출 |

04 다음 사례에 대한 법적 판단으로 옳은 것은?

> • 경찰관 갑은 절도범을 적법하게 긴급 체포하였다.
> • 을의 범죄 후 그 범죄를 가중 처벌하도록 형법이 개정되었다.
> • 병은 이틀 전 자신의 물건을 파손한 A를 길거리에서 우연히 발견하고 손해를 배상받기 위해 A를 붙잡으면서 부득이하게 폭행하였다.
> • 정의 종업원 퇴직금 미지급으로 인한 ○○법 위반 행위에 대하여, 법원은 객관적 법질서에 반하지만 정에게 부득이한 사정이 있어 법적 비난 가능성이 없다며 무죄를 선고하였다.
> • 무가 전화상으로 단순히 고성을 지른 행위에 대하여, 법원은 폭행죄의 폭행 개념인 '사람의 신체에 대한 유형력의 행사'에 해당하지 않는다며 폭행죄로 기소된 무에게 무죄를 선고하였다.

① 갑의 체포는 범죄 구성 요건에 해당하지 않는다.
② 을은 개정된 형법으로 처벌해도 소급효 금지 원칙 위반이 아니다.
③ 병의 폭행은 정당방위로서 위법성이 조각된다.
④ 정의 행위는 위법성이 인정되나 책임이 조각된다.
⑤ 무의 행위는 범죄 구성 요건에 해당하나 위법성이 조각된다.

05 | 평가원 기출 | 다음 자료에 나타난 법원의 판단으로 옳은 것은?

△△신문

갑은 길에서 버스를 기다리고 있었다. 이때 을이 갑으로부터 가방을 훔치기 위하여 갑의 가방을 잡아당겼다. 이를 저지하기 위하여 갑은 가방을 잡아당기는 을의 손을 뿌리쳐 을에게 3주간의 치료를 요하는 상처를 입혔다. 이에 대해 법원은 "갑의 행위는 을의 불법적인 공격 행위로부터 벗어나기 위한 본능적인 소극적 방어 행위에 지나지 아니하므로 사회 상규에 위반되지 아니한다."라고 판단하였다.

① 갑의 행위는 구성 요건에 해당하고 위법하다.
② 갑의 행위는 피해자의 승낙에 의한 행위에 해당한다.
③ 갑의 행위는 범죄의 성립 요건을 충족하지 않는다.
④ 을의 행위는 구성 요건에 해당하지 않는다.
⑤ 을의 행위는 정당방위에 해당한다.

06 | 평가원 기출 | 다음 자료에 대한 법적 판단으로 옳은 것은?

범죄 성립 여부는 일반적으로 다음 세 가지 요소를 고려하여 결정된다. A, B는 행위를 판단 대상으로 삼는 데 반해 C는 행위자를 판단 대상으로 삼는다. A는 법률에서 범죄로 정해 놓은 일정한 행위로서 A에 해당하면 대개 B는 인정되지만, 법질서 전체의 관점에서 볼 때 부정적이라는 가치 판단이 불가능하다면 B가 인정되지 않을 수도 있다. 한편 C는 행위자에 대해 가해지는 비난 가능성을 의미한다.

① 경찰관이 적법한 절차에 따라 현행범을 체포하였다면, A에 해당하지 않아 범죄가 성립하지 않는다.
② B가 인정되지 않아 무죄 선고를 받은 자에게도 치료 감호 처분은 가능하다.
③ 저항할 수 없는 폭력에 의해 강요된 절도 행위를 하였다면, B가 인정되지 않아 범죄가 성립하지 않는다.
④ 심신 장애로 인하여 사물을 변별할 능력이 없는 자라도 방화를 하였다면, C가 인정되어 범죄가 성립한다.
⑤ 사회 상규에 위배되지 않는 행위를 하였다면, A에 해당하더라도 B가 인정되지 않아 범죄가 성립하지 않는다.

07 | 평가원 기출 | 다음 자료에 대한 설명으로 옳은 것은?

(가)~(다)는 범죄 성립 요건인 구성 요건 해당성, A, B 중 어느 하나가 갖춰지지 않아 해당 범죄가 성립하지 않는 사례이다. 단, A와 B는 각각 위법성과 책임 중 하나이다.
(가) 갑(22세)이 장난으로 친구의 애완견을 발로 걷어찬 경우는 구성 요건 해당성이 인정되지 않아 폭행죄가 성립하지 않는다.
(나) 경찰관 을(43세)이 적법한 절차에 따라 현행범인을 체포한 경우는 A가 인정되지 않아 체포죄가 성립하지 않는다.
(다) 병(51세)이 심신 상실 상태에서 아무런 이유 없이 타인에게 상해를 입힌 경우는 B가 인정되지 않아 상해죄가 성립하지 않는다.

① (가)는 행위자에 대한 법적 비난 가능성이 인정되지 않아 범죄가 성립하지 않는 사례이다.
② (나)는 법질서 전체의 관점에서 볼 때 부정적으로 판단되지 않아 범죄가 성립하지 않는 사례이다.
③ (다)는 법률로 정해 놓은 범죄 행위 유형에 해당하지 않아 범죄가 성립하지 않는 사례이다.
④ 저항할 수 없는 폭력에 의하여 강요된 행위로 타인에게 상해를 입힌 경우는 A가 인정되지 않아 범죄가 성립하지 않는 사례이다.
⑤ 자신의 집에 침입하여 생명을 위협하는 강도를 제압하는 과정에서 강도에게 상해를 입힌 경우는 B가 인정되지 않아 범죄가 성립하지 않는 사례이다.

02 형사 절차와 인권 보장

1 형사 절차와 인권 보장 제도

1. 형사 절차 국가가 수사와 재판을 통해 범죄 사실과 범죄자에 관한 사건의 실체적 진실을 밝혀 내어 형벌이나 보안 처분을 부과하고 형을 집행하기 위해서 거쳐야 하는 절차 〔자료 01〕

(1) 수사

① **의미** 범인을 발견·확보하고 증거를 수집·보전하는 수사 기관의 활동

　　〔사례〕 법률상 범죄 수사의 권한이 인정되는 국가 기관으로, 검사, 사법 경찰관 등이 해당된다.

② **절차**

수사 개시	고소·고발,**❶** 현행범 체포, 긴급 체포,**❷** 자수, 인지 등에 의해 수사 절차 시작
수사	〔의미〕 형사 사건으로 범죄의 혐의가 있어 수사를 받고 있는 사람 • 피의자를 체포·구속하지 않고 수사하는 것이 원칙(불구속 수사 원칙) → 필요한 경우 법관으로부터 영장을 발부받아 체포·구속·압수·수색 가능 • 검찰 송치: 검찰로 피의자와 관련 서류를 보내는 것 ─ 판사
수사 종결	• 기소(공소 제기): 검사가 일정한 형사 사건에 대해 법원의 심판을 구하는 것 • 불기소 처분**❸**: 검사가 기소하지 않고 사건을 종결하는 처분 〔중요〕 우리나라에서는 원칙적으로 검사만 기소할 수 있다(기소 독점주의).

(2) 형사 재판(공판)

① **의미** 공소 제기 이후 법원에서 진행되는 공판 절차로서, 피고인의 형사 책임 유무와 그 정도를 판단하는 일련의 소송 절차

　　〔의미〕 수사 결과 검사에 의해 기소되어 재판을 받는 사람

② **형사 재판의 당사자** 검사, 피고인

　　〔중요〕 피해자는 형사 재판의 당사자가 아니다.

③ **절차**

모두 절차	• 재판장의 피고인에 대한 진술 거부권 고지 및 인정 신문(연령, 성명 등 본인 확인) • 모두 진술: 검사(공소 사실, 죄명, 적용 법조문) 및 피고인(공소 사실 인정 여부)
심리 절차	서증 ─ 물증 ─ 인증 • 증거 조사(서류나 물건 제출), 피고인과 증인에 대한 신문 및 변론 • 검사의 의견 진술(구형), 피고인과 변호인의 최후 진술
판결 선고	• 법원의 선고: 피고인의 유죄가 입증되면 유죄 판결, 그렇지 않으면 무죄 판결 • 1심 또는 2심 판결에 불복할 경우 검사나 피고인은 상급 법원에 상소 가능

(3) 형의 선고와 집행

① **형의 선고** 〔자료 02〕

　　〔의미〕 범죄를 저지른 사람이 사회에 바로 복귀할 수 있는 길을 열어주는 제도이다.

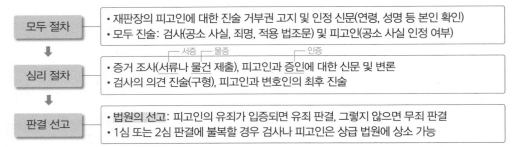

유죄 선고	실형	법원의 선고를 받아 실제로 집행되는 형벌
	집행 유예	형을 선고하면서 그 집행을 일정 기간 미루는 것 → 일정한 범죄를 저지르지 않고 유예 기간을 경과한 때에는 형 선고의 효력을 상실시키는 제도
	선고 유예	피고인의 유죄를 인정하면서도 정상을 참작하여 형의 선고를 미루는 것 → 유예를 받은 날로부터 일정 기간을 경과한 때에는 면소**❹**된 것으로 간주하는 제도 ─ 〔분석〕 보안 처분과 함께 부과 가능하다.
무죄 선고		기소한 사건에 대해 유죄를 인정할 만한 증거가 없거나 범죄 성립이 되지 않는 경우에 내리는 선고

② **판결에 대한 불복(상소)**

항소	1심 법원의 판결에 불복할 경우 2심 법원의 재판을 요청하는 것
상고	2심 법원의 판결에 불복할 경우 대법원의 재판을 요청하는 것

③ **형의 집행** 법원 판결에 의하여 선고된 형이 확정될 경우 검사의 지휘에 따라 집행함.

④ **가석방** 수형자가 개전의 정이 현저하여 재범의 위험성이 없다고 판단되는 때에 형기 만료 전에 일정한 요건을 갖추면 조건부로 석방되는 제도

　　〔의미〕 징역이나 금고 등의 판결이 확정되어 교도소에 수감된 사람

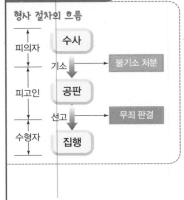

형사 절차의 흐름

수사 → 기소 → 불기소 처분
공판 → 선고 → 무죄 판결
집행

피의자 / 피고인 / 수형자

❶ 고소와 고발

고소는 범죄 피해자 또는 그와 일정한 관계에 있는 고소권자가 수사 기관에 직접 범인의 처벌을 요청하는 것이고, 고발은 제3자가 수사 기관에 범죄 사실을 신고하여 처벌을 요청하는 것이다.

❷ 긴급 체포

범죄가 무겁고 긴급한 사정이 있어서 영장을 발부받을 시간적 여유가 없을 때 그 사유를 알리고 피의자를 영장 없이 체포하는 것이다.

❸ 불기소 처분

피의 사실이 인정되지만 여러 가지 상황을 고려하여 기소하지 않는 기소 유예 처분, 피의자의 사망이나 공소 시효의 만료 등 소송을 위한 조건이 결여되어 기소하지 않는 공소권 없음 처분, 피의자에 대한 범죄 혐의가 없어 기소하지 않는 혐의 없음 처분, 범죄의 구성 요건에 해당하지만 위법성이나 책임이 조각되어 기소하지 않는 죄가 안 됨 처분 등이 이에 해당한다.

❹ 면소

형사 소송에서 소송 조건이 결여되어 소송 절차를 종결시키는 재판을 의미한다. 공소 시효가 만료된 경우, 해당 범죄의 형이 폐지된 경우, 사면이 있는 경우 등이 그 대상이 된다.

셀파 자료 탐구

자료 01 형사 절차

원칙 불구속

③ 체포
수사 기관은 죄를 범하였다고 의심할 만한 상당한 이유가 있는 피의자를 수사 관서 등 일정한 장소에 가둔다(단기간).

② 입건
수사 기관에 비치된 사건 접수부에 기재하고 사건 번호를 부여받아 사건을 접수한다.

① 수사 개시
수사 기관은 범죄의 발생 사실을 알게 되면 범인을 발견·확보하고 증거를 수집하여 보전하는 활동(수사)을 시작한다.

④ 구속
피의자의 주거가 일정하지 않거나 증거 인멸, 도망의 염려가 있다면 피의자를 일정한 장소에 가둔다.

범죄의 혐의가 인정되지 않을 때, 범죄의 혐의는 인정되는데 공소시효가 지났을 때는 기소하지 않는다.

원칙 불구속

⑤ 송치 ▶▶ 불기소
수사가 마무리되면 경찰은 검찰로 피의자와 관련 서류를 보낸다.

신분 변화 피의자에서 피고인으로!

⑥ 기소
검사는 피의자가 형사 재판을 받는 것이 마땅하다고 판단되면 법원에 재판을 신청한다.

⑦ 재판 ▶▶ 무죄
재판부는 검사의 주장과 피고인의 반박을 듣고 범죄의 성립 여부를 판단해 선고를 내린다.

⑧ 형의 집행
유죄 선고와 함께 부과된 형의 내용을 실행한다.

자료 분석 | 수사 개시(①)부터 검사의 기소(⑥) 전까지가 수사 절차이고, 기소(공소 제기) 후부터 형의 선고(⑦) 전까지가 공판(형사 재판) 절차이며, 형의 선고 후부터 형의 집행(⑧)까지가 집행 절차이다. 수사 절차는 검사, 사법 경찰관 등 수사 기관에 의해 이루어지고, 공판 절차는 법원에 의해 이루어지며, 집행 절차는 검사의 지휘에 의해 이루어진다. 따라서 검사는 형사 절차에 모두 관여한다.

자료 02 형의 선고와 집행

〈자료 1〉 갑은 상습적으로 취객의 지갑을 훔쳐 오다가 경찰에게 적발되어 구속되었다. 사건 기록을 검토한 검사는 절도 액수를 다 합쳐도 금액이 많지 않고, 형편이 어려운 갑이 아기 분윷값을 마련하려다 범행을 저지르게 되었다는 사정이 있었으며, 피해자들에게 배상하였고 피해자들이 처벌을 원치 않는다는 점을 참작하여 기소를 유예하였다.

〈자료 2〉 불법 스포츠 도박 사이트를 운영하다 경찰에 체포·구속되어 재판을 받았고, 1심 법원은 을에게 징역 6월에 집행 유예 1년을 선고하였다. 재판부는 범행을 시인하고 깊이 뉘우치고 있는 점, 범죄 전력이 없고 다시는 범죄를 저지르지 않겠다고 다짐한 점 등을 참작했다며 이 같은 판결 이유를 설명하였다. 을은 항소하지 않기로 하였다.

자료 분석 |
• 〈자료 1〉에서 갑은 절도죄(형법 제329조)를 저질러 오다가 경찰에 적발되어 구속 수사를 받았다. 관련 자료를 송치받은 검사는 갑의 피의 사실이 인정되지만 여러 가지 상황을 고려하여 기소하지 않는 기소 유예 처분을 내려 수사를 종결하였다. 기소 유예 처분은 불기소 처분의 일종이다. 따라서 갑은 수사 절차만 거치고 공판 절차와 집행 절차는 거치지 않았다.
• 〈자료 2〉에서 을은 도박개장죄(형법 제247조)를 저질러 경찰에서 구속 수사를 받은 후 기소되었으며, 1심 법원에서는 그 정상에 참작할 만한 사유가 있다고 보아 징역 6월에 집행 유예 1년을 선고하였다. 이에 을이 항소하지 않아 형은 확정되었다. 따라서 을은 수사 절차와 공판 절차를 거쳐 유죄를 선고받았지만, 그 형의 집행이 유예되어 집행 절차는 거치지 않았다.

1 수사는 검사의 기소를 통해서 개시된다.
(O , X)

2 사건을 목격한 피해자의 친구가 고소할 수 있다.
(O , X)

3 기소로 인해 범죄 혐의자는 피의자 신분이 된다.
(O , X)

4 기소 후 진행된 형사 재판의 당사자는 피고인과 검사이다.
(O , X)

5 징역 6월에 집행 유예 2년을 선고받은 경우 징역 6월을 복역한 후 2년이 지나면 형 선고의 효력이 상실된다.
(O , X)

6 검사가 구속 전 피의자 심문을 한 후 구속 여부를 결정한다.
(O , X)

7 피의자의 범죄 혐의가 인정되면 검사는 공소를 제기할 수 있다.
(O , X)

8 수형자의 인권 보호를 위해 판사의 지휘로 형을 집행한다.
(O , X)

9 폭행 피해자가 수사 기관에 가해자를 고발해야만 수사가 개시된다.
(O , X)

10 검사는 수사, 기소, 공판, 집행의 형사 절차에 모두 관여한다.
(O , X)

정답 1× 2× 3× 4○ 5× 6× 7○ 8× 9× 10○

2. 형사 절차의 인권 보장 제도
중요 수사 절차와 재판 절차 전반에 보장되는 원칙들이다.

(1) 형사 절차 단계에서의 인권 보호 원칙 자료 03

변호인의 조력을 받을 권리	수사 기관과 대등한 방어권 보장(국선 변호인 제도 활용 가능)
진술 거부권	피의자, 피고인이 불리한 진술을 강요당하지 않을 권리 → 수사 기관과 법원의 고지 의무
무죄 추정의 원칙	유죄 판결의 확정 전까지 무죄로 추정된다는 원칙 → 불구속 수사, 불구속 재판이 원칙
적법 절차의 원칙	공권력에 의한 기본권 제한은 법에 정해진 절차에 의한 경우에만 유효하다는 원칙

(2) 수사 절차에서의 인권 보장 제도

영장주의	피의자에 대한 체포·구속·압수·수색 시 검사의 청구에 의해 법관이 발부한 영장 제시 필요 → 현행범의 체포, 긴급 체포 시 영장 없이 체포 가능(체포 후 48시간 이내 구속 영장 청구 또는 석방)
구속 영장 실질 심사 (구속 전 피의자 심문 제도)	검사가 구속 영장을 청구하면, 판사가 피의자를 대면 심문하여 발부 여부를 판단함.
구속 적부 심사 제도	체포되거나 구속된 피의자가 법원에 구속의 적법성과 필요성 심사 요구 가능 → 영장 발부에 대한 재심사 기회 부여

분석 주거가 일정하지 않거나 증거 인멸 및 도주 우려가 존재할 때이다.

중요 구속 후 기소 전에 가능하다.

(3) 재판 절차에서의 인권 보장 제도

보석 제도	보증금 납부 등을 조건으로 법원이 구속의 집행을 정지함으로써 피고인을 석방하는 제도
증거 재판주의	법원은 피고인의 유무죄를 판단할 때 위법하게 수집된 증거는 유죄의 증거로 인정하지 않음, 피고인의 자백만이 유일한 증거인 때에는 이를 유죄의 증거로 삼지 않음.
상소 제도	피고인이 판결에 불복할 때에는 상급 법원에 다시 재판 청구 가능함.
재심 제도	확정된 판결이라도 재판에 중대한 오류가 있는 경우 다시 재판 청구 가능함.

(4) 형사 피해자 등의 인권 보장 제도
왜? 민사 소송은 시간과 노력이 많이 들기 때문에 배상 명령 제도로 피해자가 입은 피해를 신속하고 간편하게 보상받도록 하기 위해서이다.

형사 절차 참여권	피해자에게 수사 진행 상황 및 판결 내용 제공, 재판에서의 의견 진술 기회를 부여함.
범죄 피해자 구조 제도	생명 또는 신체의 피해에 대한 가해자의 배상이 불충분한 경우 국가가 구조금을 지급할 수 있음.
피해자 신변 보호 제도	보복을 당할 우려가 있는 피해자에게 보호 시설이나 위치 확인 장치 등을 제공함으로써 피해자의 신변을 보호하는 제도
배상 명령 제도	일정한 사건의 형사 재판 과정에서 피해자의 신청 절차만으로 민사적 손해 배상 명령까지 받을 수 있음.
형사 보상 제도	피의자나 피고인이 억울하게 구금된 경우 물질적·정신적 피해 보상 청구가 가능함.
명예 회복 제도	무죄 판결이 확정된 피고인이 청구하면 법무부 인터넷 홈페이지에 재판서를 게재함.

분석 범죄 행위로 인한 생명 또는 신체의 피해인 경우에만 적용된다.

예시 피의자로서 미결 구금된 사람이 무죄 취지의 불기소 처분을 받은 경우, 피고인으로서 미결 구금되었던 사람이 무죄 판결이 확정된 경우, 판결이 확정되어 형의 집행을 받았거나 받았던 사람이 재심을 통해 무죄 판결이 확정된 경우 등 무죄 판결이 확정된 경우에 청구할 수 있다.

2 소년 보호 사건과 국민 참여 재판

1. 소년 보호 사건
(1) **대상** 10세 이상 19세 미만의 소년
(2) **처리** 자료 04
① 경찰 가정(지방) 법원 소년부 송치 또는 검사에게 사건 송치
② 검사 가정(지방) 법원 소년부 송치, 조건부 기소 유예 처분, 공소 제기
③ 가정(지방) 법원 소년부 소년법상 보호 처분을 내리거나 검사에게 사건 송치

2. 국민 참여 재판
국민이 배심원으로 재판에 참여하는 형사 재판 제도 → 사법의 민주적 정당성 및 재판의 투명성 제고 자료 05

자료 03 미란다 원칙

1963년 미국 애리조나주 피닉스시 경찰은 미란다라는 청년을 납치와 강간 등의 혐의로 체포하였다. 경찰서로 연행된 미란다는 처음에는 무죄라고 주장하였으나 변호사도 없는 상태에서 조사를 받은 후 범행을 인정하는 구두 자백을 하고, 범행 자백 진술서를 썼다. 자백 진술서는 배심원 평결의 결정적인 증거가 되어 미란다는 중형을 선고받았다. 미란다는 헌법에 보장된 '불리한 증언을 하지 않아도 될 권리'와 '변호사의 조력을 받을 권리'를 침해당하여 유죄 판결 자체가 잘못되었다면서 연방 대법원에 상고를 청원하였다. 1966년 미국 연방 대법원은 수사 과정에서 미란다가 진술 거부권과 변호인 선임권 등을 고지받지 못했다는 것을 이유로 무죄를 선고하였다.

자료 분석 | 피의자와 피고인은 형사상 자기에게 불리한 진술을 거부할 수 있는 권리인 진술 거부권과 검사와 대등한 관계에서 자신을 방어할 수 있도록 변호인의 도움을 받을 권리를 가진다. 수사 기관은 피의자에게 진술 거부권이 있음을 알려야 하고, 이러한 고지 없이 진술 거부권을 침해하여 얻은 진술은 재판에서 증거 능력을 인정받지 못한다. 이와 같이 경찰이나 검찰 등 수사 기관이 범죄 용의자를 연행할 때 그 이유와 변호인의 조력을 받을 권리, 진술 거부권 등을 미리 알려 주어야 한다는 원칙을 미란다 원칙이라고 한다.

자료 04 소년 보호 사건의 처리 절차

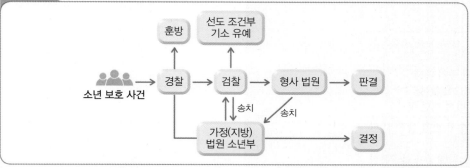

자료 분석 | 10세 이상 14세 미만 소년은 형벌은 부과할 수 없고 소년법상 보호 처분의 대상이므로 경찰이 직접 선도하거나 가정(지방) 법원 소년부에 송치할 수 있다. 14세 이상 19세 미만 소년은 형벌 또는 소년법상 보호 처분의 대상이므로 원칙적으로 검찰에 송치한다. 송치받은 검찰은 사안에 따라 해당 소년에게 일정 기간 준수 사항을 따르거나 교육 등을 받을 것을 조건으로 검사가 기소 유예 처분을 하는 조건부 기소 유예 처분을 내릴 수도 있고, 가정(지방) 법원 소년부에 송치하거나 기소할 수도 있다. 송치받은 가정(지방) 법원 소년부는 해당 소년에게 소년법상 보호 처분을 내리거나 다시 검찰에 송치할 수 있다. 한편, 형사 법원에서는 해당 소년에 대해 판결을 내리거나 가정(지방) 법원 소년부에 송치할 수 있다.

자료 05 국민 참여 재판

국민 참여 재판이란 국민이 배심원으로서 참여하는 형사 재판을 말한다. 우리나라에서는 재판의 공정성과 신뢰를 높이기 위해 2008년부터 일반 국민이 재판에 참여하고 있다. 배심원으로 선정된 국민은 평의에 참가하여 피고인의 유무죄에 관해 평결을 내리고, 유죄 평결이 내려진 피고인에게 선고할 적정한 형벌을 토의하는 등 재판에 참여하는 기회를 얻는다.

자료 분석 | 국민 참여 재판은 지방 법원 합의부의 1심 사건을 대상으로 하며, 원칙적으로 피고인이 희망하는 경우에 실시한다. 20세 이상 대한민국 국민이면 누구나 배심원이 될 수 있지만, 특정 전과가 있거나 변호사, 경찰관 등 일정한 직업을 가진 사람 등은 배심원이 될 수 없다. 한편, 우리나라의 국민 참여 재판에서 배심원의 평결과 양형에 관한 의견은 권고적 효력을 지니므로 법원의 판결을 기속하지 못한다. 그러나 법원이 배심원의 평결과 다른 판결을 내릴 때에는 판결문에 그 이유를 기재하여야 한다.

1 검사는 피의자에 대한 구속 영장을 발부할 수 있다.

(○ , ×)

2 구속 적부 심사가 기각된 피의자에게도 무죄 추정의 원칙이 적용된다.

(○ , ×)

3 유죄가 확정된 자는 피의자, 피고인과 달리 무죄 추정의 원칙이 적용되지 않는다.

(○ , ×)

4 피의자는 검사의 구속 영장 청구에 따라 구속 적부 심사를 받게 된다.

(○ , ×)

5 구속된 피의자는 영장 실질 심사를 통해 구속 상태에서 벗어날 수 있다.

(○ , ×)

6 징역 10월에 집행 유예 2년의 판결이 확정되면 피고인은 형사 보상을 청구할 수 있다.

(○ , ×)

7 법원의 심사를 통해 구속의 필요성이 없다고 판단될 경우 구속된 피의자는 석방된다.

(○ , ×)

8 17세인 고등학생은 형벌을 받지는 않지만 소년법상 보호 처분을 받을 수 있다.

(○ , ×)

9 국민 참여 재판은 피고인의 신청을 요건으로 한다.

(○ , ×)

10 국민 참여 재판에서 배심원이 유죄 평결을 하더라도 재판부는 무죄 판결을 할 수 있다.

(○ , ×)

정답 1× 2○ 3○ 4× 5× 6×
7○ 8× 9○ 10○

1 형사 절차

수사	• 개시: 고소, 고발, 체포, 자수, 인지 등 • 수사: 불구속 수사 원칙, 체포·구속·압수·수색 시 영장 필요, 검찰 송치 • 종결: 기소(공소 제기) 또는 불기소 처분
공판	• 모두 절차: (❶) 고지, 인정 신문 • 심리 절차: 증거 조사, 신문 및 변론, 구형, 최후 진술 • 판결 선고: 유죄 또는 무죄, 불복 시 상소
집행	형이 확정되면 (❷)의 지휘에 따라 집행

2 형사 절차의 인권 보장 제도

형사 절차 전체	• 변호인의 조력을 받을 권리: 방어권 보장 • 진술 거부권: 수사 기관과 법원의 고지 의무 • 무죄 추정의 원칙: 불구속 수사·재판 원칙 • (❸)의 원칙: 법에 정해진 절차 준수
수사 절차	• (❹): 검사의 청구로 법관이 발부 • 구속 영장 실질 심사: 구속 전 • 구속 적부 심사 제도: 구속 후
재판 절차	• (❺) 제도: 보증금 납부 등을 조건으로 석방 • 증거 재판주의: 위법하게 수집된 증거 배제 • 상소 제도: 항소(1심 불복), 상고(2심 불복) • 재심 제도: 확정된 판결에 대해 다시 재판 청구
형사 피해자	• 형사 절차 참여권: 피해자에게 수사 진행 상황 및 판결 내용을 제공함. • 범죄 피해자 구조 제도: 가해자의 배상이 불충분하면 국가가 구조금을 지급함. • 피해자 신변 보호 제도: 피해자에게 보호 시설이나 위치 확인 장치 등을 제공함. • 배상 명령 제도: 피해자가 형사 재판에서 민사적인 손해 배상 명령까지 받을 수 있음. • 형사 보상 제도: 억울하게 구금되면 물질적·정신적 피해 보상 청구가 가능함. • 명예 회복 제도: 무죄 판결을 법무부 인터넷 홈페이지에 게재함.

3 소년 보호 사건과 국민 참여 재판

소년 보호 사건의 처리	10세 이상 19세 미만의 소년이 저지른 범죄에 대해서 형사 처벌 또는 형사 처분에 대한 특별 조치를 적용하거나 가정(지방) 법원 소년부에서 보호 처분을 받도록 함.
국민 참여 재판	국민이 (❻)으로 재판에 참여하는 형사 재판 제도 → 사법의 민주적 정당성 및 재판의 투명성 제고

정답 ❶ 진술 거부권 ❷ 검사 ❸ 적법 절차 ❹ 영장주의 ❺ 보석 ❻ 배심원

---

1 형사 절차와 인권 보장 제도

01 (가)~(마)는 갑에 대한 형사 절차에서 나타난 사실들을 제시한 것이다. 이를 순서대로 옳게 나열한 것은?

> (가) 형이 확정되어 갑은 교도소에 수감되었다.
> (나) 법원은 갑에게 징역 2년의 실형을 선고하였다.
> (다) 경찰은 갑을 구속 수사한 후 검찰에 송치하였다.
> (라) 검사는 갑을 을에 대한 상해 혐의로 기소하였다.
> (마) 갑은 을에게 상해를 가한 혐의로 경찰에 체포되었다.

① (다) – (라) – (마) – (나) – (가)
② (다) – (마) – (라) – (가) – (나)
③ (라) – (마) – (다) – (가) – (나)
④ (마) – (다) – (라) – (나) – (가)
⑤ (마) – (라) – (다) – (나) – (가)

02 그림은 형사 절차의 흐름을 나타낸 것이다. 이에 대한 설명으로 옳은 것은?

① A는 경찰이 청구하고 검사가 발부한 영장에 의하여 이루어져야 한다.
② B에서 징역형이 선고되더라도 그 집행이 유예되면 피고인은 석방된다.
③ ㉠은 범죄자의 자수나 피해자의 고소에 의해서만 개시될 수 있다.
④ ㉡이 진행되는 동안 구속된 피고인은 구속 적부 심사를 신청할 수 있다.
⑤ ㉢은 법관의 지휘 아래 검사가 실시한다.

03 (가), (나) 제도의 공통점으로 옳은 것은?

> (가) 검사가 피의자에 대한 구속 영장을 청구하면 판사가 피의자를 대면하여 심문하면서 구속 영장 발부 여부를 판단하는 제도
>
> (나) 구속된 피의자가 구속의 적법성과 필요성을 심사하여 자신을 석방해 줄 것을 법원에 신청하는 제도

① 검사의 청구에 의해서만 진행된다.
② 검사의 기소 후에는 진행될 수 없다.
③ 피의자의 신청이 있어야만 진행된다.
④ 공판 절차에서의 인권 보장 제도이다.
⑤ 형사 피해자를 보호하기 위한 제도이다.

★**04** 다음 사례에 대한 옳은 법적 판단만을 〈보기〉에서 있는 대로 고른 것은?

> 선거법 위반 혐의로 구속·기소된 ○○도지사 갑에게 1심 법원이 징역 1년에 집행 유예 2년을 선고하였으며, 같은 혐의로 불구속·기소된 갑의 보좌관 을에게는 무죄를 선고하였다. 한편, 갑은 자신의 결백을 주장하며 항소하겠다는 뜻을 내비쳤고, 을은 재판부의 현명한 판단에 감사하다는 짧은 소감을 밝히고 법정을 떠났다.

┤ 보기 ├
ㄱ. 1심 판결이 확정되면 갑에게는 더 이상 무죄 추정의 원칙이 적용되지 않는다.
ㄴ. 1심 판결이 확정되더라도 검사는 수사를 보강하여 을을 같은 혐의로 기소할 수 있다.
ㄷ. 1심 판결에 따라 을은 갑과 달리 법원에 형사 보상을 청구할 수 있다.
ㄹ. 1심 판결에 따라 갑과 을은 모두 석방된다.

① ㄱ, ㄴ   ② ㄱ, ㄹ   ③ ㄴ, ㄷ
④ ㄱ, ㄷ, ㄹ   ⑤ ㄴ, ㄷ, ㄹ

05 밑줄 친 ㉠~㉣에 대한 설명으로 옳지 않은 것은?

> 1,400억 원대 횡령·배임 혐의로 ㉠ 1심에서 실형을 선고받고, ㉡ 항소심 재판을 진행 중인 ○○ 그룹 회장 갑의 ㉢ 보석 신청이 허가되었다. 항소심 재판부는 갑의 건강 상태와 간 이식 수술의 필요성 등을 고려하여 보석을 허가한다면서 거주지를 자택과 병원으로 제한하고 ㉣ 보증금 10억 원을 납부하도록 하였다.

① ㉠으로 갑의 신분은 피의자에서 수형자로 변동된다.
② ㉡에서의 판결에 불복할 경우 갑은 대법원에 상고할 수 있다.
③ ㉢으로 갑은 석방된다.
④ 재판부가 제시한 조건을 준수하면 유죄가 확정되더라도 갑은 ㉣을 돌려받을 수 있다.
⑤ ㉠~㉣은 모두 공판 절차에서 이루어졌다.

★**06** 그림은 갑에 대한 형사 절차 관련 서류이다. 이에 대한 설명으로 옳은 것은?

> **○○지방 검찰청**
>
> 2021. 7. 31.
>
> 사건번호   2021년 형제0000
> 수 신 자   ○○ 지방 법원
> 제   목   공소장
>   아래와 같이 공소를 제기합니다.
> 피 고 인   갑(이하 생략)
> 죄   명   절도죄
> 적용법조   형법 제329조

① 본 서류는 갑의 변호인이 작성한다.
② 본 서류의 제출로 갑은 피의자의 신분이 된다.
③ 본 서류의 내용에 이의가 있는 경우 갑은 항소할 수 있다.
④ 본 서류의 제출 후에도 갑은 구속 적부 심사를 신청할 수 있다.
⑤ 본 서류의 제출 전에도 갑은 변호인의 조력을 받을 권리를 갖는다.

07 다음 사례에서 갑에게 적용될 수 있는 인권 보장 제도로 가장 적절한 것은?

> 갑은 어두운 골목에서 을이 휘두른 칼에 여러 군데를 찔려 쓰러졌고 병원으로 옮겨져 수술을 받아 가까스로 목숨은 건졌다. 하지만 을은 치료비를 변상할 능력이 없고 갑 역시 일용직으로 일하면서 살아온 터라 당장 병원비와 생계비가 없어 막막한 상태이다.

① 보석 제도
② 재심 제도
③ 형사 보상 제도
④ 명예 회복 제도
⑤ 범죄 피해자 구조 제도

08 밑줄 친 'A 제도'를 통해 구제받을 수 있는 사례만을 〈보기〉에서 있는 대로 고른 것은?

> 갑은 살인 사건 피의자로 지목되어 혹독한 고문을 견디다 못해 허위 자백을 하였다. 결국, 갑은 살인 혐의로 기소되어 무기 징역을 선고받고 형이 확정되어 교도소에 수감되었다. 20년을 복역하고 가석방되어 출소한 갑은 얼마 전 해당 사건의 진범이 검거되었다는 소식을 듣고 재심을 청구하여 무죄 선고를 받았다. 이에 갑은 A 제도를 통해 20년간 자신을 구금한 것에 대해 정당한 보상을 해 줄 것을 국가에 요청하였다.

┌ 보기 ┐
ㄱ. 구속 수사를 받던 피의자가 기소 유예 처분을 받은 경우
ㄴ. 구속 수사를 받던 피의자가 무죄 취지의 불기소 처분을 받은 경우
ㄷ. 구속 재판을 받던 피고인이 무죄 판결을 받고 판결이 확정된 경우
ㄹ. 구속 재판을 받던 피고인이 선고 유예 판결을 받고 판결이 확정된 경우

① ㄱ, ㄴ
② ㄱ, ㄹ
③ ㄴ, ㄷ
④ ㄱ, ㄷ, ㄹ
⑤ ㄴ, ㄷ, ㄹ

2 소년 보호 사건과 국민 참여 재판

09 다음 사례에 대한 법적 판단으로 옳은 것은?

> 갑(13세), 을(17세), 병(19세)은 같은 동네에서 형제처럼 자라왔다. 그런데 얼마 전 병이 갑, 을에게 동네 마트에서 같이 물건을 훔치자고 제안하였고, 세 명은 함께 영업이 종료된 마트에 들어가 현금 50만 원과 여러 가지 상품들을 훔쳐 달아났다. 하지만 CCTV로 인해 범행이 발각되었고, 현재 경찰에서 조사를 받고 있다.

① 경찰은 조사 후 갑을 검찰에 송치할 수 있다.
② 원칙적으로 을은 경찰서장이 직접 가정 법원 소년부로 송치할 수 있다.
③ 검사는 사안이 경미하다고 판단하면 병에게 소년법상 조건부 기소 유예 처분을 내릴 수 있다.
④ 병과 달리 을은 형사 법원에서 가정 법원 소년부로 송치될 수 있다.
⑤ 갑~병 모두 형사 법원에서 재판을 받을 수 있다.

10 밑줄 친 ㉠~㉤에 대한 설명으로 옳은 것은?

> ㉠ ○○지법 제◇◇형사부는 아동 학대와 개인 정보 보호법 위반 등의 혐의로 기소된 갑에게 ㉡ 징역 1년에 집행 유예 3년을 선고했다. 국민 참여 재판으로 이루어진 이날 재판에서 ㉢ 배심원 7명 모두 갑에 대해 ㉣ 유죄로 판단했으며, 이 중 5명은 징역 1년에 집행 유예 3년을, 2명은 징역 2년에 집행 유예 3년의 ㉤ 양형 의견을 제시했다.

① 갑이 ㉠의 판결에 불복하는 경우 고등 법원에 항소할 수 있다.
② 갑은 ㉡으로 교도소에 수감된다.
③ ㉢은 변호사, 법무사 등 법률 전문가들로 구성된다.
④ ㉣에 따라 갑의 형은 확정된다.
⑤ ㉤은 ㉣과 달리 권고적 효력을 갖는다.

11 (가), (나)를 지칭하는 용어를 구분하여 쓰시오.

> (가) 제3자가 수사 기관에 범죄 사실을 신고하는 것
> (나) 범죄 피해자나 이해 관계자가 수사 기관에 직접 범인의 처벌을 원하는 것

12 (가)에 해당하는 형사 절차상의 인권 보호 원칙을 쓰시오.

> 1963년 미국 애리조나주 피닉스시 경찰은 ○○○을 납치와 강간 등의 혐의로 체포하였다. 경찰서로 연행된 ○○○은 처음에는 무죄라고 주장하였으나 변호사도 없는 상태에서 조사를 받은 후 범행을 인정하는 구두 자백을 하고, 범행 자백 진술서를 썼으며, 이 자백 진술서는 배심원 평결의 결정적인 증거가 되어 유죄를 선고받았다. 주 법원에 상고하였지만 역시 유죄가 인정되자 ○○○은 자신은 헌법에 보장된 '불리한 증언을 하지 않아도 될 권리'와 '변호사의 조력을 받을 권리'를 침해당하여 유죄 판결 자체가 잘못되었다면서 연방 대법원에 상고를 청원하였다. 1966년 연방 대법원은 5 대 4의 표결로 ○○○의 상고 청원 이유를 받아들여 무죄를 선고하였다. 이 판결 이후 경찰이나 검찰이 범죄 용의자를 연행할 때 그 이유와 변호인의 도움을 받을 수 있는 권리, 진술을 거부할 수 있는 권리 등이 있음을 미리 알려 주어야 한다는 [(가)] 이/가 확립되었다.

13 다음 판결문을 보고 물음에 답하시오.

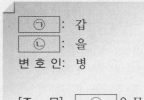

> [㉠] : 갑
> [㉡] : 을
> 변 호 인: 병
>
> [주　문] [㉠] 은 무죄
> [이　유] (이하 생략)

(1) 위 재판의 유형을 쓰시오.

(2) ㉠, ㉡에 들어갈 용어를 구분하여 쓰시오.

14 그림은 소년 보호 사건의 처리 절차를 나타낸 것이다. 이를 보고 물음에 답하시오.

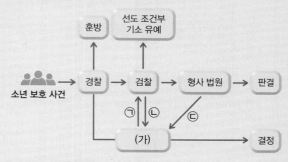

(1) (가)에 해당하는 기관을 쓰시오.

(2) ㉠~㉢의 사유를 구분하여 쓰시오.

15 그림은 어느 재판정의 모습이다. 이를 보고 물음에 답하시오.

(1) 위 그림에 나타난 형사 재판 제도의 명칭을 쓰시오.

(2) ㉠의 역할을 쓰시오.

(3) 위 그림에 나타난 제도의 의의를 두 가지 서술하시오.

[01~02] 다음 사례를 읽고 물음에 답하시오.

그림은 특정 사건에 대한 형사 절차 흐름이다.

강도 사건 발생 후 경찰관은 목격자 진술 등을 근거로 갑이 범인이라고 판단하였다.	→ ㉠	경찰관은 우연히 발견한 갑을 긴급 체포하였다. 을은 구속 영장을 청구하였고, 병은 구속 영장을 발부하였다.

판결이 확정되었다.	← ㉣	2심 법원에서 판결이 선고되었다.	← ㉢	을은 갑을 강도죄로 기소하였다.	← ㉡

| 평가원 기출 |

01 ㉠~㉣에서 나타날 수 있는 형사 절차에 대한 설명으로 옳은 것은?

① ㉠에서 증거로 사용될 물건에 대하여 적법한 절차에 따른 압수가 가능하다.

② ㉡에서 갑에 대한 피고인 신문이 가능하다.

③ ㉢에서 1심 법원은 기소 유예 처분을 선고하였다.

④ ㉣에서 항소가 이루어졌다.

⑤ ㉢, ㉣에서 판사의 지휘로 형의 집행이 이루어졌다.

| 평가원 기출 |

02 위 사례에 대한 법적 판단으로 옳은 것은?

① 갑이 기소되더라도 갑에게 무죄 추정의 원칙이 적용된다.

② 갑은 병에 의해 구속 영장이 발부되기 전에는 변호인의 조력을 받을 수 없다.

③ 구속된 갑은 을에게 구속 적부 심사를 청구할 수 있다.

④ 을은 진범이 나타나 갑이 범인이 아니라고 판단하는 경우 갑에게 보석을 허가할 수 있다.

⑤ 갑에 대해 집행 유예 판결이 선고되어 확정되었다면 갑은 형사 보상을 청구할 수 있다.

| 평가원 기출 |

03 다음 사례에 대한 법적 판단으로 옳은 것은?

갑은 을에게 상해를 가하였고 을의 고소로 인하여 아래와 같이 형사 절차가 진행되었다.

| 수사 개시 → ㉠ 구속 → ㉡ 기소 → ㉢ 판결 확정 → ㉣ 형 집행 종료 |

① ㉠ 단계에서 상해와 관련된 물건을 압수·수색하기 위해서는 경찰관의 신청에 의하여 검사가 발부한 영장을 제시하여야 한다.

② ㉠ 단계에서 갑은 영장 실질 심사를 통해 구속 상태에서 벗어날 수 있다.

③ ㉡ 단계에 이르러야 비로소 국선 변호인 선임이 가능하다.

④ ㉠ 단계와 ㉡ 단계에서 진술 거부권 고지 의무의 주체는 동일하지 않다.

⑤ ㉣ 단계에서 갑은 판사의 지휘에 의해 가석방될 수 있다.

| 수능 기출 |

04 다음 사례에 대한 옳은 법적 판단만을 〈보기〉에서 있는 대로 고른 것은?

갑은 A에 대한 중상해 혐의로, 을은 사기 혐의로 각각 도주 중 수사 기관에 긴급 체포되었고, 병은 절도 혐의로 수사를 받았다. 갑은 ㉠ 구속 적부 심사 절차에서 석방되었고, 구속 적부 심사를 청구하지 않았던 을은 보석으로 석방되었다. 갑은 징역 1년을 선고받았고, 을은 ㉡ 벌금형에 대해 일정 기간 집행을 유예하는 판결을 선고받았으며, 병은 ㉢ 선도 조건부 기소 유예 처분을 받았다.

◀ 보기 ▶

ㄱ. ㉠의 결정과 달리 ㉢은 검사가 한다.

ㄴ. ㉡ 확정 후 그 효력이 상실 또는 취소됨이 없이 유예기간이 지나면 을에 대한 공소 제기가 없었던 것으로 간주된다.

ㄷ. 을은 형사 재판의 당사자가 된 이후에 석방되었다.

ㄹ. A는 법원의 배상 명령을 통해 국가로부터 피해 구조금을 지급받을 수 있다.

① ㄱ, ㄴ   ② ㄱ, ㄷ   ③ ㄴ, ㄹ

④ ㄱ, ㄷ, ㄹ   ⑤ ㄴ, ㄷ, ㄹ

05 | 평가원 기출 |
다음 자료에 나타난 법원의 판단으로 옳은 것은?

> 갑은 을의 사기 범죄 사실에 대해 경찰에 ㉠ 고소장을 제출하였고 이에 따라 을에 대한 수사가 개시되었다. 경찰은 을에 대한 ㉡ 체포를 통해 신병을 확보하여 ㉢ 피의자 신문을 하고 ㉣ 구속 영장을 발부받아 구속하였다. 을은 수사 진행 과정에서 구속 절차의 적정성을 이유로 석방을 요구하였고 ㉤ 법원의 심사 중에 있다.

① ㉠은 범죄 피해자와 관련자를 제외한 제3자가 수사 기관에 수사를 요청하기 위해 제출하는 문서이다.
② 수사 기관이 ㉡을 하기 위해서는 법원이 사전에 발부한 영장을 예외 없이 필요로 한다.
③ 을은 ㉢을 받음에 있어 진술을 거부할 수 있으나 변호인의 조력을 받을 수는 없다.
④ 수사 기관이 ㉣을 신청하면 법원은 별도의 피의자 심문 절차 없이 형식 심사만을 통해 발부 여부를 결정한다.
⑤ ㉤을 통해 구속의 필요성이 없다고 판단될 경우 을은 석방된다.

06 | 평가원 기출 |
다음은 갑에게 적용될 수 있는 형사 절차를 나타낸 것이다. 이에 대한 분석 및 추론으로 옳은 것은?

> 갑은 을과의 말다툼 끝에 을을 밀쳐서 부상을 입혔고 이에 을은 갑을 ㉠ 고소하였다.

① ㉠은 을이 법원에 갑의 처벌을 구하는 의사 표시를 의미한다.
② ㉡은 범죄 혐의가 인정되어 유죄 판결의 가능성이 있는 경우에도 행해질 수 있다.
③ ㉢ 단계에서 재범의 위험성이 크더라도 형벌 이외의 보안 처분을 부과할 수 없다.
④ ㉢ 단계에서 일정 기간 형의 선고를 유예하는 판결이 확정되었다면 그 기간이 경과한 때 형 선고는 효력을 잃게 된다.
⑤ ㉣ 단계에서 갑은 형기 만료 이전이라도 보석 결정에 의해 석방될 수 있다.

07 | 평가원 기출 |
밑줄 친 ㉠~㉣에 대한 법적 판단으로 옳은 것은?

> 갑(28세)은 을에 대한 상해 혐의로 ㉠ 구속 수사를 받던 중, ㉡ 기소되었다. 갑은 ㉢ 1심 재판에서 상해죄로 징역 1년을 선고받았다. 1심 법원의 판결에 대해 갑은 항소를 하였고, 2심 재판에서 무죄 판결을 받았다. 검사가 상고를 하였지만 기각되어 ㉣ 무죄 판결이 확정되었다.

① ㉠ 단계 이전에 갑은 구속 전 피의자 심문을 법원에 신청할 수 있다.
② ㉡으로 인해 검사는 소송 당사자로서의 지위를 갖게 된다.
③ ㉢ 단계에 이르러야 비로소 갑은 진술 거부권을 가진다.
④ 갑이 형사 보상을 청구하기 위해서는 ㉣ 시점에 구금되어 있어야만 한다.
⑤ ㉣ 이후 을은 배상 명령 제도를 활용할 수 있다.

08 | 평가원 기출 |
다음 사례에 대한 법적 판단으로 옳은 것은?

> 갑과 을은 병에게 전치 3주의 부상을 입히고 도주하였으나 일주일 후에 검거되었다. 갑, 을 모두 구속된 상태에서 수사가 진행되었다. 검사는 범죄 혐의를 확인하고 갑, 을 모두 유죄 판결을 받을 수 있다고 판단하였다. 검사는 피의 사실이 인정되지만 피해자와의 관계, 사건 가담 정도, 연령 등을 고려하여 갑에 대해서는 불기소 처분을 내리고, 을에 대해서는 공소를 제기하였다. 재판 결과 을에 대해 징역 6월이 선고되었다. 을은 변호사와 상의 후 항소를 포기하였다.

① 갑은 불기소 처분을 이유로 형사 보상을 받을 수 있다.
② 을이 항소를 포기하였으므로 검사의 항소 여부와 관계없이 판결은 확정된다.
③ 을은 형 집행 도중에 보석 제도를 통하여 형기 만료 전에 석방될 수 있다.
④ 병은 형사 재판의 당사자이므로 형사 재판에 참여하여 의견을 진술할 수 있다.
⑤ 갑, 을 모두 형사 책임 여부와 관계없이 민사상 손해 배상 책임을 질 수 있다.

09 | 수능 기출 |
다음 사례에 대한 법적 판단으로 옳은 것은?

> 갑(25세)은 을에 대한 사기죄로 고소되어 경찰에서 피의자 신문을 받았다. 갑의 사건이 검찰로 송치된 이후 구속 영장이 발부되어 갑은 구속되었다가 5일 후 석방되었고 불구속 상태에서 공소가 제기되었다. 갑은 1심 재판에서 징역형을 선고받아 항소하였고, ○○ 고등 법원 항소심 재판부는 갑에 대하여 A를 선고하였으며 그 판결은 항소심에서 최종 확정되었다.

① 갑은 영장 실질 심사를 통해 석방되었을 것이다.
② A가 '벌금형'이라면 갑은 형사 보상을 청구할 수 없다.
③ 갑의 1심 재판은 지방 법원 단독 판사가 담당하였을 것이다.
④ A가 '무죄'라면 갑은 항소심 재판부에 을을 상대로 한 배상 명령을 신청할 수 있다.
⑤ 수사 절차에서와 달리 1심 재판에서 갑은 진술 거부권을 보장받지 못했을 것이다.

10 | 평가원 응용 |
다음 사례에 대한 옳은 법적 판단을 〈보기〉에서 고른 것은?

> 갑(38세)은 길가에 주차되어 있던 자동차를 훔쳐서 운행하다 인적이 드문 곳에 버렸다. 자동차 주인인 을이 이를 알고 갑을 고소하였으나 갑은 수년간 도망다녔다. 결국 갑은 경찰에 의해 체포되어 현재 수사가 진행 중이다.

┤ 보기 ├
ㄱ. 갑이 경찰에 의해 체포됨으로써 수사가 개시되었다.
ㄴ. 공판 절차가 개시되면 을은 해당 재판에 참석하여 의견을 진술할 수 있다.
ㄷ. 형(刑)의 선고 시 갑은 집행 유예와 보호 관찰 처분을 동시에 받을 수 있다.
ㄹ. 을이 갑으로부터 범죄 피해를 배상받지 못할 경우 일정한 한도의 구조금 지급을 청구할 수 있다.

① ㄱ, ㄴ 　　② ㄱ, ㄷ 　　③ ㄴ, ㄷ
④ ㄴ, ㄹ 　　⑤ ㄷ, ㄹ

11 **다음 사례에 대한 법적 판단으로 옳은 것은?**

> 갑(40세)은 을(45세)을 폭행하여 경찰관에게 현행범으로 체포되었다. 갑은 영장에 의해 구속되어 수사를 받았으며, 병에 의하여 기소되었다. 기소 이후 을에 대한 갑의 폭행 사건 관련 공판이 진행되었다. 병은 갑에게 징역 2년을 구형하였으며, 갑은 징역 6개월에 집행 유예 2년을 선고받고 석방되었다. 하지만 을은 갑에게 선고된 형이 낮다고 생각하였다.

① 구속된 갑은 영장 실질 심사를 통해 구속 상태에서 벗어날 수 있다.
② 병은 수사 과정에서 구속 적부 심사를 법원에 청구할 수 있다.
③ 기소 후 진행된 형사 재판의 당사자는 갑과 병이다.
④ 을은 갑의 선고 결과에 불복하여 상소할 수 있다.
⑤ 갑은 위의 판결이 확정되면 형사 보상을 청구할 수 있다.

12 | 평가원 응용 |
다음 사례에 대한 법적 판단으로 옳은 것은?

> 갑(14세)은 얼마 전 길에서 주운 신분증을 이용해 편의점에서 술과 담배를 구입하려다 편의점 주인에게 적발되었다. 갑은 술과 담배를 가지고 황급히 도주하였지만 편의점 주인에게 붙잡혀 실랑이를 벌였고, 급기야 편의점 주인을 폭행하였다. 마침 지나가던 을(30세)이 갑을 제압한 후 경찰에 인계하였다.

① 갑의 범죄 행위는 소년부 보호 사건의 처리 대상에 포함되지 않아 일반 형사 사건과 동일하게 처리된다.
② 갑은 책임 조각 사유가 존재하므로 불기소 처분을 받는다.
③ 갑은 수사 종결 후 가정 법원 소년부로 송치되어 소년법상 보호 처분을 받더라도 전과 기록은 남지 않는다.
④ 갑에 대한 공판 절차가 개시되면 을도 재판의 당사자가 된다.
⑤ 을이 갑을 제압한 행위는 자구 행위에 해당하기 때문에 범죄가 성립하지 않는다.

| 수능 기출 |

13 갑~병의 소년 사건 처리에 대한 법적 판단으로 옳은 것은?

A가 운영하는 학원에 다니는 갑(16세), 을(14세), 병(10세)은 수업을 받던 중, 고용된 강사 B가 잠시 자리를 비운 사이에 정(13세)과 말다툼을 하게 되었다. 그 과정에서 갑은 망을 보고 을과 병이 정을 때려 정에게 5주의 치료를 요하는 상해를 입혔다. 정은 폭행을 피하기 위해 강의실을 뛰쳐나가다 택배 기사 C를 밀어 C에게 2주의 치료를 요하는 부상을 입혔다. 현재 갑, 을, 병은 경찰에서 조사를 받고 있으며, 정은 A에게 남은 기간의 수강료에 대한 환불을 요구하고 있다.

정에게 상해를 입힌 갑, 을, 병의 행위에 대한 경찰 수사 결과에 따라 갑과 을은 검사에게, 병은 가정 법원 소년부로 송치되었다. 검사는 갑과 을에 대한 법적 조치를 검토 중이다.

① 을, 병은 갑과 달리 선도 조건부 기소 유예 처분을 받을 수 없다.
② 갑과 을의 행위는 병의 행위와 달리 구성 요건에 해당하며 위법하다.
③ 검사가 갑과 을의 행위를 범죄로 판단하더라도 갑과 을을 가정 법원 소년부로 송치할 수 있다.
④ 검사가 갑과 을을 가정 법원 소년부로 송치하면 가정 법원 소년부가 형의 선고를 유예할 수 있다.
⑤ 병이 소년법상 보호 처분을 받는다면 갑, 을의 부모와는 달리 병의 부모는 민사상 책임이 면제된다.

| 평가원 기출 |

14 밑줄 친 ㉠~㉣에 대한 법적 판단으로 옳은 것은?

갑(30세)은 을을 폭행한 뒤 을의 주머니에서 10만 원을 꺼내 도주하였다. 다음은 갑에 대한 일반적인 형사 절차를 간략하게 정리한 것이다.

㉠ 수사 → ㉡ 기소 → ㉢ 공판 → ㉣ 집행

① 을이 수사 기관에 갑을 고발해야만 ㉠이 개시된다.
② ㉠ 단계에서 갑이 구속되었다면 ㉡ 이후에 구속 적부 심사를 청구하여 석방될 수 있다.
③ ㉡은 검사의 청구에 의해 법원이 결정한다.
④ ㉢에서 형의 선고와 동시에 집행이 유예되었다면 일정 기간이 지난 후 면소된 것으로 간주된다.
⑤ 검사는 ㉠~㉣의 형사 절차에 모두 관여한다.

15 다음 사례에 대한 법적 판단으로 옳은 것은?

갑(15세)은 동생 을(9세)과 길을 걷던 중, 머리 위로 떨어지는 간판을 피하려다 같이 가던 병(18세)을 밀쳤고 그 결과 병에게 가벼운 상처를 입혔다. 그 사정을 몰랐던 병은 순간 화가 나 갑과 을을 폭행하였고 이로 인해 갑과 을에게 2주간 치료를 요하는 상해를 입혔다. 앙갚음할 기회를 엿보고 있던 갑과 을은 병의 노트북을 훔쳐 사용하다가 정에게 팔아 버렸다. 며칠 후 정이 자신의 노트북을 사용하는 것을 우연히 본 병은 정에게 폭력을 행사하여 노트북을 되찾았다.

① 병에게 상처를 입힌 행위와 관련하여 갑과 달리 을에게는 선도 조건부 기소 유예 처분을 내릴 수 없다.
② 절도 행위와 관련하여 을과 달리 갑에게는 가정 법원 소년부에 의해 보호 처분이 부과될 수 있다.
③ 절도 행위를 이유로 갑이 기소되었다면, 형사 법원은 형벌 외에도 소년법상 보호 처분을 내릴 수 있다.
④ 갑과 을에 대해 상해 행위를 한 병에게 선도 조건부 기소 유예 처분이 내려졌다면, 불법 행위로 인한 민사상 책임은 면제된다.
⑤ 폭력을 행사하여 자신의 노트북을 되찾은 병의 행위는 정당방위에 해당하여 범죄가 성립하지 않는다.

16 다음은 갑에 대한 사건 일지이다. 밑줄 친 ㉠~㉣에 대한 설명으로 옳은 것은?

2019년 1월 1일	상해 혐의로 수사 개시
15일	㉠ 구속
2월 1일	㉡ 공소 제기
10일	보석 결정
7월 7일	㉢ 징역 3년형 선고
14일	징역 3년형 확정
16일	교도소 수감
2021년 8월 1일	㉣ 가석방 처분

① ㉠ 이후 갑은 구속 영장 실질 심사를 받았을 것이다.
② ㉡ 이후 갑은 구속 적부 심사를 신청할 수 있다.
③ ㉢으로 갑은 더 이상 무죄로 추정되지 않는다.
④ ㉣의 처분과 함께 갑에게는 보호 관찰이 부과될 수 있다.
⑤ ㉠, ㉡과 달리 ㉢, ㉣은 판사에 의해 결정된다.

03 V. 사회생활과 법
근로자의 권리

1 근로자 권리의 의의

1. 헌법상 근로자의 권리 보장 노동 삼권(근로 삼권)

단결권	근로자[1]가 근로 조건의 향상을 위해 자주적으로 **노동조합을 조직·운영할 권리**
단체 교섭권	근로자가 노동조합을 통해 근로 조건에 관하여 사용자[2] 측과 단체 교섭을 할 권리
단체 행동권	근로자가 그 주장을 관철할 목적으로 파업이나 태업 등과 같이 업무를 저해하는 행위(쟁의 행위[3])를 할 권리 → 정당한 쟁의 행위에 대해서는 민·형사 책임 면제

분석 민사 책임은 손해 배상 책임을, 형사 책임은 형벌 부과를 의미한다.

2. 노동법의 의의

(1) 사회법의 발달

① 등장 배경 사적 자치 원칙의 한계로 인한 각종 불평등 문제의 발생 → 근대 자본주의의 모순과 부조리 심화 → 국가가 개인의 사적 영역에 적극적으로 개입해야 한다는 요구 증대 자료 01

② 사회법의 특징 사법 영역에 공법적 규제 도입 → 공법과 사법의 중간 영역에 해당

예시 환경정책기본법, 대기환경보전법 등

③ 사회법의 종류 노동법, 경제법, 사회 보장법, 환경법 등

예시 국민기초생활보장법, 국민건강보험법 등

예시 독점규제 및 공정거래에 관한 법률, 소비자기본법 등

(2) 노동법의 의미와 종류

① 의미 근로자가 인간다운 생활을 할 수 있도록 노동관계를 규율하는 법

② 우리나라 노동법의 종류

근로 기준법	근로자의 기본적 생활을 보장하기 위하여 **근로 조건의 기준을 정한 법률**
노동조합 및 노동관계 조정법	근로자의 노동(근로) 삼권을 보장하여 경제적·사회적 지위 향상을 도모하고, 노동관계의 공정한 조정을 위해 제정된 법률
최저 임금법	근로자에게 임금의 최저 수준을 보장하여 근로자의 생활 안정과 노동력의 질적 향상을 위해 제정된 법률

2 근로자의 권리 보장 제도

1. 근로 계약과 근로 조건

(1) 근로 계약 근로자가 사용자에게 근로를 제공하고 사용자는 이에 대하여 임금을 지급하는 것을 목적으로 체결된 계약 → 불필요한 분쟁 및 손해를 방지하기 위해 **문서 형태의 근로 계약서 작성 권장** 자료 02

(2) 근로 기준법상 임금 및 근로 시간 자료 03

중요 근로자의 임금을 상품권 등으로 지급하는 것은 불법이다.

임금	• 근로자가 제공한 근로에 대한 대가 → 근로자는 임금을 받을 권리를 가짐. • 통화로 매월 1회 이상 일정한 날짜에 직접 근로자에게 전액을 지급하는 것이 원칙임. • 법정 최저 임금 이상 지급 → 최저 임금액 미만으로 계약했다면 그 부분에 한정하여 무효임.
근로 시간	• 휴게 시간을 제외하고 원칙적으로 1일 8시간, 1주 40시간 이내 • 연장 근로: 사용자와 근로자의 합의가 있으면 1주 12시간 내에서 가능 • 휴게 시간: 근로 시간이 4시간인 경우 30분 이상, 8시간인 경우 1시간 이상을 근로 시간 도중에 부여해야 함.

(3) 근로관계의 종료

① 근로관계는 퇴직 또는 해고로 종료됨.

② 근로 계약이나 단체 협약[5]에서 정한 기간의 만료 또는 근로자의 의사로 자유롭게 퇴직이 가능하지만, 사용자의 일방적인 의사로 근로관계가 종료되는 해고는 엄격한 제한이 존재함.

고득점을 위한 셀파 Tip

노동법의 종류

법률	주요 내용
근로 기준법	근로 계약, 임금, 근로 시간, 재해 보상 등 규정
노동조합 및 노동관계 조정법	노동조합, 단체 교섭, 단체 협약, 쟁의 행위, 부당 노동 행위 등 규정
최저 임금법	최저 임금의 결정 방식, 최저 임금 위원회 등 규정

[1] 근로자
직업의 종류와 관계없이 임금을 목적으로 사업이나 사업장에서 근로를 제공하는 사람을 의미한다.

[2] 사용자
사업주, 사업의 경영 담당자, 그 밖에 근로자에 관한 사항에 대하여 사업주를 위하여 행동하는 사람을 의미한다.

[3] 쟁의 행위
노동관계 당사자가 그 주장을 관철할 목적으로 업무의 정상적인 운영을 저해하는 행위를 의미한다. 생산 활동이나 업무 수행을 일시적으로 중단하는 파업, 표면적으로는 작업을 하면서 집단적으로 작업 능률을 저하시키는 태업, 근로자 측의 쟁의 행위에 대하여 사용자 측이 행하는 직장 폐쇄 등이 해당한다.

[4] 근로 기준법의 의의
근로 기준법에 규정된 근로 조건의 기준은 최저 기준이므로 이 기준을 근거로 근로 조건의 하향은 불가하다. 이에 미치지 못하는 근로 조건을 정한 근로 계약은 그 부분에 한정하여 무효가 된다.

[5] 단체 협약
노동조합과 사용자가 근로 조건 등에 대하여 합의한 일종의 자치적 노동법규를 의미한다. 이는 근로 계약이나 취업 규칙보다 우선하여 적용되며, 한 번 체결되면 2년 동안 효력이 유지된다.

셀파 자료 탐구

자료 01 노동조합 설립의 계기가 된 역사적 사건

실제 상황을 배경으로 한 영화 「몰리 맥과이어스(The Molly Maguires)」에서 사립 탐정 제임스 맥팔란은 대부분 아일랜드계 이민자인 근로자들이 일하는 탄광으로 들어간다. 그의 임무는 1800년대 중반에 탄광을 파괴하거나 석탄 열차를 습격하는 등의 활동을 하며 자본가에 맞섰던 비밀 노동 운동 조직 '몰리 맥과이어스'의 단원을 찾아내는 것이었다. 자본가와 경찰이 몰리 맥과이어스 단원들을 색출하는 것을 도우려고 탄광에 들어갔던 그는 열악한 노동 환경을 경험하고 오히려 충격을 받는다.

다음은 맥팔란이 탄광에서 한 주간의 일을 마치고 주급을 받는 장면이다. "석탄 채취 14량, 1량당 66센트이니 총 금액은 9달러 24센트." 그의 표정이 밝아지려는 순간, 작업 관리자의 말이 이어진다. "화약 두 통 5달러, 기름 2갤런은 1달러 80센트, 공구 수리비는 30센트, 곡괭이, 삽, 안전모, 손전등이 각각 1달러 90센트이니 공제액은 모두 9달러. 그러니까 주급은 24센트. 다음 사람!"

▲ 비밀 노동 운동 조직인 몰리 맥과이어스의 모임

자료 분석 | 사용자와 근로자의 관계에서 근로자는 상대적으로 약자이므로, 사적 자치의 원칙하에서는 근로자의 권리를 제대로 확보하기 어렵다. 따라서 근로자가 노동조합을 통해 사용자와 대등한 관계에서 자신의 권리를 요구할 수 있도록 노동(근로) 삼권을 보장하여야 한다.

자료 02 근로 계약서 작성의 중요성

우리나라의 청소년 근로자 10명 중 4명이 근로 계약서를 작성하지 않은 채 근무하고 있는 것으로 나타났다. 2일 고용 노동부가 지난해 전국의 28개 지역 278개 업소를 대상으로 벌인 '청소년 근로 보호 합동 점검' 결과에 따르면, 137개(49.3%) 업소에서 근로 기준법 위반 사항을 적발하였는데, 그중 근로 계약을 작성하지 않은 경우가 137건(58.1%)으로 가장 많았다. 통계청이 발표한 2016년 근로 계약서 작성률도 61.4%에 그쳤다. 근로 계약서를 받지 못한 청소년 근로자들은 임금 체납, 최저 시급 미달, 4대 보험 미가입 등의 손해를 입어도 이에 대한 입증이 어려운 상황이다.

자료 분석 | 사용자는 임금, 근로 시간, 휴일, 연차 유급 휴가 사항이 명시된 서면을 근로자에게 교부해야 한다. 근로 계약서에 작성된 근로 계약 내용이 근로 기준법에 어긋나면 안 된다. 청소년뿐만 아니라 모든 근로자는 근로 계약서의 작성이 자신의 권리를 제대로 보장받기 위한 필수 불가결의 요소라는 점을 인식하여야 한다.

자료 03 근로 조건 사례

〈사례 1〉 갑은 1주일에 40시간을 근무하고 있다. 지난달과 달리 이번 달에는 휴일에도 출근하여 일했는데, 월급은 지난달과 같았다.

〈사례 2〉 을의 근무 시간은 오전 9시부터 오후 5시 30분까지이다. 회사에서는 점심 시간을 30분으로 정하여 을은 매번 점심을 급하게 먹는다.

〈사례 3〉 병은 새로 취직하였는데 회사의 일방적인 결정에 따라 매달 임금의 일부를 회사 거래처의 상품권으로 받고 있다.

자료 분석 | • 〈사례 1〉에서 갑은 휴일에 근로했으므로 사용자는 그에 상응하는 수당을 갑에게 지급해야 한다.
• 〈사례 2〉에서 근로 시간이 8시간인 경우 1시간 이상의 휴게 시간을 부여해야 하는데, 을의 휴게 시간은 30분에 불과하므로 사용자는 을에게 추가로 30분 이상의 휴게 시간을 부여해야 한다.
• 〈사례 3〉에서 병은 임금을 상품권으로 받고 있는데, 임금은 통화로 지급하는 것이 원칙이다.

1 사회법은 사적 자치의 원칙을 보장하기 위한 법이다.
(○ , ×)

2 사회법은 사법의 영역에 공법적 규제를 가하는 것을 내용으로 한다.
(○ , ×)

3 사회법은 실질적 평등의 구현을 목적으로 한다.
(○ , ×)

4 근로 계약서 내용의 일부가 근로 기준법을 위반하면 근로 계약 전체가 무효가 된다.
(○ , ×)

5 근로 시간은 원칙적으로 1주 40시간을 초과할 수 없다.
(○ , ×)

6 근로 계약서상의 근로 시간은 휴게 시간을 포함한다.
(○ , ×)

7 근로 계약서의 내용에도 불구하고 근로자는 사용자에게 최저 임금 이상의 지급을 요구할 수 있다.
(○ , ×)

8 근로자의 임금을 백화점 상품권으로 지급하는 것은 적법하다.
(○ , ×)

9 사용자는 근로 계약을 이행하지 않는 등 정당한 이유가 있으면 근로자를 해고할 수 있다.
(○ , ×)

10 근로 기준법의 기준에 어긋난 계약 내용도 사용자와 근로자가 합의하면 유효하다.
(○ , ×)

정답 1× 2○ 3○ 4× 5○ 6×
7○ 8× 9○ 10×

2. 근로자 권리의 침해와 구제 [자료 04]

(1) 부당 해고와 부당 노동 행위

부당 해고[6]	• 의미: 사용자가 근로자를 정당한 이유나 절차 없이 해고하는 경우 • 해고를 위한 요건과 절차 　– 경영상 이유에 의한 해고의 제한: 긴박한 경영상의 필요가 있어야 하고 해고를 피하기 위한 노력을 다해야 하며, 합리적이고 공정한 해고 기준을 정해 그에 따라 그 대상자를 선정하여야 함. 　– 해고 절차: 해고의 사유와 시기는 <u>반드시 서면으로 통지</u>해야 하고, 원칙적으로 적어도 <u>30일 전에 예고</u>하여야 함. 　**분석** 30일 전에 예고하지 않은 경우에는 30일분 이상의 통상 임금을 지급하여야 함.
부당 노동 행위	• 의미: 사용자가 노동(근로) 삼권을 침해하는 행위 • 부당 노동 행위의 유형 　– 근로자의 노동조합 가입·조직 또는 노동조합 업무를 위한 정당한 행위를 한 것을 이유로 근로자를 해고하거나 근로자에게 불이익을 주는 행위 　– 근로자에게 노동조합에 가입하지 아니할 것 또는 탈퇴할 것을 고용 조건으로 하거나 특정한 노동조합의 조합원이 될 것을 고용 조건으로 하는 행위 　– 노동조합 대표자와의 단체 교섭을 정당한 이유 없이 거부하는 행위 등

(2) 부당 해고 또는 부당 노동 행위에 대한 구제 절차

① 지방 노동 위원회[7]에 <u>구제 신청</u> → 지방 노동 위원회의 구제 명령이나 기각 결정에 불복하는 사용자나 근로자는 중앙 노동 위원회에 <u>재심 신청</u> → 중앙 노동 위원회의 재심 판정에 대해 불복하는 사용자나 근로자는 일정 기간 내 중앙 노동 위원회 위원장을 상대로 <u>행정 소송 제기</u> 가능 　**주의** 원고 – 근로자 또는 사용자, 피고 – 중앙 노동 위원회 위원장

② 부당 해고의 경우에는 <u>근로자 개인만</u> 구제 신청을 할 수 있지만, 부당 노동 행위의 경우에는 <u>근로자 개인뿐만 아니라 노동조합도 구제 신청이 가능함.</u>

③ 부당 해고의 경우 노동 위원회에 대한 구제 신청과는 별도로 법원에 <u>해고 무효 확인의 소(민사 소송)</u>를 제기할 수 있음. 　**주의** 원고 – 근로자, 피고 – 사용자

3 청소년의 근로 보호

1. 근거 법률 근로 기준법, 청소년 보호법[8] 등

2. 청소년 근로자의 근로 보호 [자료 05]
예시 잠수, 운전, 조종, 소각, 도살 업무 및 청소년 보호법상 청소년 유해업소 등

취업 연령 제한	• 15세 미만인 사람(중학교에 재학 중인 18세 미만인 사람 포함)은 원칙적으로 고용 금지(단, 예외적으로 일정한 기준에 따라 고용 노동부 장관이 발급한 취직 인허증[9]을 지닌 경우 15세 미만인 사람도 취업 가능) 　**예시** 가족관계증명서, 주민등록등본 또는 초본 • 18세 미만인 사람(연소자)을 고용하는 사용자는 그 연령을 증명하는 가족 관계 기록 사항에 관한 증명서와 친권자 또는 후견인의 동의서를 사업장에 비치해야 함.
근로 사용 금지	18세 미만인 사람(연소자)은 <u>도덕상 또는 보건상 유해·위험한 사업</u>에 고용 금지
근로 시간 제한	• 15세 이상 18세 미만인 사람의 근로 시간은 원칙적으로 1일 7시간, 1주 35시간을 초과할 수 없음. • 당사자 간의 합의에 의해 1일 1시간, 1주 5시간의 연장 근로가 가능함.
근로 계약과 임금	• 미성년자의 근로 계약은 법정 대리인(친권자 또는 후견인)의 동의를 얻어 <u>본인이 직접 체결</u>(법정 대리인의 근로 계약 대리 금지)해야 함. • 미성년자도 성인 근로자와 마찬가지로 <u>최저 임금 제도의 적용</u>을 받음. • 미성년자도 독자적으로 임금을 청구할 수 있음.

부당 해고 또는 부당 노동 행위에 대한 구제 절차

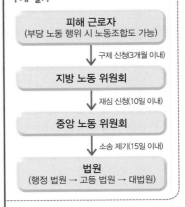

피해 근로자
(부당 노동 행위 시 노동조합도 가능)
　↓ 구제 신청(3개월 이내)
지방 노동 위원회
　↓ 재심 신청(10일 이내)
중앙 노동 위원회
　↓ 소송 제기(15일 이내)
법원
(행정 법원 → 고등 법원 → 대법원)

[6] 부당 해고의 사례
• 출산 휴가, 육아 휴직 등과 관련하여 해고하는 경우
• 노동조합 활동과 관련하여 해고하는 경우(부당 노동 행위에도 해당)
• 해고 통보를 서면으로 하지 않은 경우
• 징계 해고 시 징계 의결 통보서에 징계 사유와 그 발효 일자 등이 제대로 기재되지 않은 경우

[7] 노동 위원회
노동 위원회는 독립적 합의제 행정 기관으로 근로자 위원, 사용자 위원, 공익 위원으로 구성된다. 노동 위원회는 노동 쟁의를 조정하고, 부당 해고 및 부당 노동 행위 구제 신청 사건과 차별 시정 신청 사건을 심판한다.

[8] 청소년 보호법
유해 매체물, 약물 등이 청소년에게 유통되는 것과 청소년이 유해 업소에 출입하는 것을 규제하고, 각종 유해 환경으로부터 보호·구제함으로써 청소년을 건전한 인격체로 성장할 수 있도록 함을 목적으로 제정된 법률이다.

[9] 취직 인허증
취업이 금지된 15세 미만의 청소년에게 고용 노동부 장관이 취직을 인정하고 허가해 주는 증명서로, 청소년에게 유해하거나 위험한 업무인지 등을 심사하여 허가 여부를 결정한다.

자료 04 임금 등의 체불 시 구제 절차

근로자 나성실 씨는 소프트웨어 용역업 등을 하는 ○○ 시스템 주식회사에 고용되어 2012년 9월부터 2016년 6월까지 소프트웨어 개발 및 유지·보수 등의 업무를 하였다. 사장은 경영 상황이 어렵다는 이유로 임금을 체납하는 일이 잦았고, 나성실 씨는 어쩔 수 없이 퇴사하였다. 그러나 퇴사 후 1년이 지난 지금까지 퇴직금을 받지 못하고 있다. 나성실 씨는 사장에게 퇴직금을 지급하라고 요구하였으나 사장은 "퇴직금으로 줄 돈은 없다. 법으로 하여 받아 가라!"고 말하며 지급을 미루기만 하였다. 나성실 씨는 대한 법률 구조 공단에서 근로자에게 무료 법률 서비스를 제공한다는 사실을 알고 전화 상담을 하였고, 그 밖에도 퇴직금을 받을 방법을 알아보고 있다.

자료 분석 | 제시된 사례에서 나성실 씨는 임금을 지급받을 수 있도록 해 달라는 임금 체불 진정을 제기하거나, 사용자를 근로 기준법 위반으로 처벌해 달라고 고소할 수 있다. 임금 체불 진정은 고용 노동부 홈페이지 민원 마당에서 온라인으로 할 수 있고, 사업장 소재지 관할 고용 노동관서 고객 지원실을 방문하여 상담 후 진정 또는 고소할 수도 있다. 고용 노동부는 진정이 접수되면 사실 관계를 조사한 후 체납 임금을 확정하여 지급을 지시하며, 사용자가 이에 불응할 시 수사 기관에 고발할 수 있다.

자료 05 사례를 통해 본 청소년 근로자의 근로 보호

♣ 청소년 아르바이트 10계명

1. 15세 이상이어야 근로할 수 있다.
2. 부모님 동의서와 나이를 알 수 있는 증명서가 필요하다.
3. 근로 계약서를 반드시 작성한다.
4. 성인과 동일한 최저 임금을 적용받는다.
5. 하루 7시간, 일주일에 35시간 이상 일할 수 없다.
6. 휴일 근무나 초과 근무를 했을 때 50%의 가산 임금을 받는다.
7. 일주일을 개근하고 15시간 이상 일을 하면 하루의 유급 휴일을 받는다.
8. 위험한 일이나 유해 업종의 일을 할 수 없다.
9. 일하다 다치면 산재 보험으로 치료와 보상을 받을 수 있다.
10. 청소년 신고 대표 전화 1644-3119

〈사례 1〉 사장님이 제가 미성년자라고 월급을 최저 임금보다 20% 적게 주는데 맞는 건가요?
  〈답변〉 아닙니다. 미성년자에게도 법으로 정한 최저 임금 이상을 지급하여야 합니다.
〈사례 2〉 사장님이 저에게 일을 시작하기 30분 전에 출근해서 청소를 하라는데 뭔가 억울해요. 그 시간도 돈을 받아야 하는 것이 아닌가요?
  〈답변〉 네, 맞습니다. 청소하는 시간, 손님이 없어 대기하는 시간 등도 근로 시간에 포함되므로 그 시간도 포함하여 임금을 지급받아야 합니다.
〈사례 3〉 배달 아르바이트를 하다가 오토바이 운전 부주의로 사고가 나서 다쳤어요. 산업 재해 보상을 받을 수 있나요?
  〈답변〉 근로자의 고의 또는 자해가 아닌 실수, 부주의에 따른 사고나 부상은 산업 재해로 보상받을 수 있습니다.
〈사례 4〉 저는 방학 중에 월요일부터 금요일까지 점심시간 1시간을 포함하여 매일 오전 9시부터 오후 6시까지 근무했어요. 아르바이트비는 어떻게 계산되나요?
  〈답변〉 「근로 기준법」상 연소 근로자가 1일 7시간을 초과하여 근무한 시간은 연장 근로에 해당합니다. 따라서 상시 근로자가 5인 이상인 사업장이라면 1일 1시간씩 총 5시간의 연장 근로 시간은 통상 임금의 50%를 가산하여 임금을 지급받아야 합니다.

자료 분석 | 미성년자가 아르바이트를 하는 경우에도 최저 임금은 성인 근로자와 동일하게 적용되며, 영업 준비도 근로 시간에 포함되므로 임금을 지급받아야 한다. 근로자의 부주의에 따른 사고도 산업 재해로 보상받을 수 있다. 또한 근로 시간을 준수하지 못한 경우 그만큼을 제외하고 임금을 지급하는 것은 문제가 없지만 이를 초과하여 벌금 등을 부과하는 것은 불법이며, 연소 근로자의 경우 1일 7시간을 초과하여 연장 근로를 하는 경우는 1시간까지만 가능하고, 이때의 임금은 통상 임금의 50%를 가산하여 지급받아야 한다.

1 근로자는 미지급된 임금을 받기 위해 법원에 소액 사건 심판을 제기할 수 있다.
(○ , ✕)

2 근로자는 사용자를 상대로 임금 체불에 대한 민사 소송을 제기할 수 없다.
(○ , ✕)

3 임금 체불은 부당 노동 행위에 해당한다.
(○ , ✕)

4 법정 대리인은 연소 근로자의 보호를 위하여 연소 근로자의 근로 계약을 대리하여 체결할 수 있다.
(○ , ✕)

5 연소 근로자와 사용자가 근로 계약을 체결하면 연소 근로자는 최저 임금법에 따라 최저 임금을 보장받는다.
(○ , ✕)

6 연소 근로자와 사용자의 합의가 있다면 연소 근로자는 1일에 2시간의 연장 근로를 할 수 있다.
(○ , ✕)

7 18세 미만인 근로자는 야간 또는 휴일 근로가 원칙적으로 금지된다.
(○ , ✕)

8 연소 근로자의 연장 근로는 연소 근로자와 사용자 사이의 합의가 있어도 1일 1시간, 1주일 5시간을 초과할 수 없다.
(○ , ✕)

9 연소 근로자는 부모의 동의를 얻어 임금을 청구해야 한다.
(○ , ✕)

10 17세인 근로자는 고용 노동부 장관이 발급한 취직 인허증이 있어야 근로할 수 있다.
(○ , ✕)

정답 1 ○ 2 ✕ 3 ✕ 4 ✕ 5 ○ 6 ✕
    7 ○ 8 ○ 9 ✕ 10 ✕

1 우리나라 노동법의 종류

근로 기준법	근로 조건의 기준 마련 → 근로자의 기본적 생활 보장
노동조합 및 노동관계 조정법	근로자의 (❶) 보장과 노동관계의 공정한 조정
최저 임금법	근로자에게 임금의 최저 수준 보장 → 근로자의 생활 안정과 노동력의 질적 향상

2 근로 기준법과 근로 기준

임금	• 근로자가 제공한 근로에 대한 대가 • 통화로 매월 1회 이상 일정한 날짜에 직접 근로자에게 전액 지급 • 법정 최저 임금 이상 지급
근로 시간	• 원칙: 1일 8시간, 1주 40시간 이내 • 연장 근로: 합의 시 1주 (❷)시간 내 • 휴게 시간: 4시간에 30분, 8시간에 1시간 이상 근로 시간 도중에 부여
해고	• 사용자의 일방적인 의사로 근로관계 종료 • 사유 및 절차에 엄격한 제한 존재

3 부당 해고와 부당 노동 행위

부당 해고	• 경영상 이유 등의 정당한 이유 없이 해고 • 해고의 사유와 시기를 (❸)으로 통지하지 않거나 30일 전에 예고하지 않은 해고
부당 노동 행위	• 노동조합 활동을 이유로 해고나 불이익 부과 • 노동조합 불가입이나 탈퇴, 특정한 노동조합 가입 등을 고용 조건으로 하는 행위 • 정당한 이유 없이 (❹) 거부
구제 절차	• 지방 노동 위원회 → 중앙 노동 위원회 → (❺) → 고등 법원 → 대법원 • 부당 해고의 경우 별도로 법원에 해고 무효 확인의 소(민사 소송) 제기 가능

4 청소년 근로자의 근로 보호

취업 연령	• 15세 미만 고용 금지(예외: 취직 인허증) • 18세 미만 연소자 증명서 사업장 비치
근로 사용 금지	18세 미만인 사람은 도덕상 또는 보건상 유해·위험한 사업에 고용 금지
근로 시간 제한	• 1일 7시간, 1주 35시간 내 • 합의 시 1일 1시간, 1주 5시간 내 연장 가능
근로 계약과 임금	법정 대리인의 근로 계약 (❻) 금지, 독자적 임금 청구 가능, 최저 임금 제도 적용

정답 ❶ 노동 3권 ❷ 12 ❸ 서면 ❹ 단체 교섭 ❺ 행정 법원 ❻ 대리

1 근로자 권리의 의의

01 다음은 우리나라 헌법 조항의 일부이다. ㉠, ㉡에 대한 설명으로 옳은 것은?

> 제32조 ① 모든 국민은 ㉠ 근로의 권리를 가진다. 국가는 사회적·경제적 방법으로 근로자의 고용의 증진과 적정 임금의 보장에 노력하여야 하며, 법률이 정하는 바에 의하여 ㉡ 최저 임금제를 시행하여야 한다.

① ㉠은 시민 혁명 직후부터 헌법상 권리로 규정되었다.
② ㉠은 어떤 경우에도 제한할 수 없는 절대적 권리이다.
③ ㉡을 이유로 사용자는 근로자의 임금을 삭감할 수 없다.
④ ㉡을 시행하기 위해 노동조합 및 노동관계 조정법이 마련되었다.
⑤ ㉡과 달리 ㉠의 보장을 위해서는 국가의 적극적인 역할이 요구된다.

02 다음은 정치와 법 수업 시간에 배운 내용을 정리한 것이다. ㉠, ㉡에 대한 옳은 설명만을 〈보기〉에서 있는 대로 고른 것은?

> 〈쟁의 행위〉
> • 노동관계 당사자가 그 주장을 관철할 목적으로 업무의 정상적인 운영을 저해하는 행위
> • ㉠ 근로자가 자신의 주장을 관철할 목적으로 행하는 행위와 ㉡ 사용자가 그에 대항하는 행위로 나뉜다.

┤ 보기 ├
ㄱ. 파업은 ㉠의 대표적 사례이다.
ㄴ. 태업은 ㉡의 대표적 사례이다.
ㄷ. 정당한 ㉠, ㉡에 대해서는 민·형사 책임이 면제된다.
ㄹ. ㉠, ㉡에 대한 사항은 모두 근로 기준법에서 규정하고 있다.

① ㄱ, ㄴ　　　② ㄱ, ㄷ　　　③ ㄴ, ㄹ
④ ㄱ, ㄷ, ㄹ　　⑤ ㄴ, ㄷ, ㄹ

2 근로자의 권리 보장 제도

03 (가)에 해당하는 용어로 가장 적절한 것은?

> [　(가)　]은/는 근로자가 사용자에게 근로를 제공하고 사용자는 이에 대하여 임금을 지급하는 것을 목적으로 하며, 임금, 근로 시간, 근무 장소, 휴일, 휴가, 퇴직, 수당 등 각종 근로 조건을 내용으로 한다.

① 근로 계약　　　　② 단체 협약
③ 용역 계약　　　　④ 취업 규칙
⑤ 하청 계약

★04 다음 자료에 대한 옳은 설명만을 〈보기〉에서 고른 것은?

> **표준 근로 계약서**
>
> 　갑(이하 "사업주"라 함)과 을(이하 "근로자"라 함)은 다음과 같이 근로 계약을 체결한다.
> 1. 계약 기간: 2021년 1월 1일부터 2021년 2월 28일까지
> 2. 근무 장소: ○○ 주점
> 3. 업무의 내용: 서빙 및 계산 업무
> 4. 근로 시간: 15시 00분부터 23시 30분까지
> 　　　　　　(휴게 시간: 19시 00분~19시 30분)
> 5. 근무일 및 유급 휴일: 주 5일 근무, 유급 휴일 없음
> 6. 임금
> 　• 시급: 9,000원
> 　• 임금 지급일: 매월 말일(휴일의 경우는 전일 지급)
> 　• 지급 방법: 을 명의의 통장에 입금

*2021년 시간당 최저 임금은 8,720원임.

┤ 보기 ├
ㄱ. 휴게 시간을 30분만 부여한 것은 근로 기준법에 위배된다.
ㄴ. 유급 휴일을 부여하지 않은 것은 근로 기준법에 위배된다.
ㄷ. 1일 근로 시간이 8시간 30분으로 근로 기준법에 위배된다.
ㄹ. 임금을 근로자에게 직접 주지 않고 통장에 입금하는 것은 근로 기준법에 위배된다.

① ㄱ, ㄴ　　　② ㄱ, ㄷ　　　③ ㄴ, ㄷ
④ ㄴ, ㄹ　　　⑤ ㄷ, ㄹ

★05 밑줄 친 ㉠, ㉡에 대한 옳은 설명만을 〈보기〉에서 고른 것은?

> • 회사원 갑은 입사 당시 근로 계약을 체결하면서 ㉠'노동조합에 가입하지 않고, 일체의 쟁의 행위에도 참여하지 않겠다.'는 내용의 서약을 하였다. 그런데 최근 동료 사원들이 갑에게 노동조합 가입을 권하고 있어 고민 중이다.
> • 중소기업에서 비서로 일하고 있는 을은 입사 당시에 ㉡'출산하면 퇴직하겠다.'는 내용을 담은 근로 계약을 체결하였다. 그런데 얼마 전 사귀던 남자 친구와 결혼하였고 얼마 후 임신을 하게 되면서 어떻게 해야 할지 고민 중이다.

┤ 보기 ├
ㄱ. ㉠, ㉡으로 인해 갑과 을의 근로 계약은 전면 무효이다.
ㄴ. ㉠, ㉡은 모두 노동조합 및 노동관계 조정법에 위배된다.
ㄷ. 갑이 노동조합에 가입하고 근로 계약을 근거로 사용자가 갑을 해고하면, 사용자의 행위는 부당 노동 행위에 해당한다.
ㄹ. 을이 출산을 하고 근로 계약을 근거로 사용자가 을을 해고하면, 사용자의 행위는 부당 해고에 해당한다.

① ㄱ, ㄴ　　　② ㄱ, ㄷ　　　③ ㄴ, ㄷ
④ ㄴ, ㄹ　　　⑤ ㄷ, ㄹ

06 ㉠~㉤에 들어갈 용어로 옳지 않은 것은?

> 부당 노동 행위는 [　㉠　]이/가 [　㉡　]을/를 침해하는 행위로서, 근로자가 [　㉢　]에 가입하지 않을 것 또는 특정 [　㉣　]의 [　㉤　]이/가 될 것을 고용 조건으로 하는 행위, [　㉤　]을/를 정당한 이유 없이 거부하는 행위 등이 이에 해당한다.

① ㉠ - 사용자　　　　② ㉡ - 근로권
③ ㉢ - 노동조합　　　④ ㉣ - 조합원
⑤ ㉤ - 단체 교섭

07 밑줄 친 ㉠~㉣에 대한 설명으로 옳은 것은?

> • ○○사에 다니다가 정리 해고된 갑은 자신의 해고가 부당하다며 법원에 ㉠ 소송을 제기하였다.
> • ◇◇사에 다니다가 문자로 해고 통보를 받은 을은 자신의 해고가 부당하다며 노동 위원회에 구제 신청을 하여 ㉡ 구제 명령을 받았으나, ◇◇사의 불복으로 ㉢ 재심 판정을 받았다. 이에 대해 ◇◇사는 또다시 불복하여 법원에 ㉣ 소송을 제기하였다.

① ㉠은 형사 소송에 해당한다.
② ㉣은 민사 소송에 해당한다.
③ ㉠의 피고는 ○○사이고, ㉣의 피고는 을이다.
④ ㉡은 지방 노동 위원회, ㉢은 중앙 노동 위원회에서 담당한다.
⑤ ㉡은 ㉢과 달리 을에 대한 해고가 부당하다는 내용을 담고 있었을 것이다.

08 갑에 대한 조언으로 가장 적절한 것은?

> 갑은 지난 1년간 ○○사에서 사무직으로 일했다. 그런데 ○○사는 경영 상태가 나빠졌다면서 마지막 3개월 동안 월급의 50%만 지급하였다. 이에 ◇◇사로 이직한 갑은 ○○사로부터 받지 못한 잔여 월급을 받아낼 방법을 고민하고 있다.

① 이미 이직하였으므로 잔여 월급은 받을 수 없습니다.
② 관할 지방 노동 위원회에 구제 신청을 할 수 있습니다.
③ 1년 이상 일했다면 잔여 월급뿐만 아니라 퇴직금도 청구할 수 있습니다.
④ 경영상의 이유로 월급의 일부만 지급하는 것은 법적으로 문제가 없습니다.
⑤ 노동조합 및 노동관계 조정법 위반을 이유로 사용자를 고소할 수 있습니다.

3 청소년의 근로 보호

09 밑줄 친 ㉠에 대한 설명으로 옳은 것은?

> 18세 미만인 연소 근로자는 일반 성인에 비해 육체적·정신적으로 미성숙하므로 근로 기준법에서는 연소 근로자를 보호하기 위한 ㉠ 별도의 규정을 두고 있다.

① 법정 대리인을 통해 임금을 청구하도록 하고 있다.
② 법정 대리인이 근로 계약을 대리하도록 하고 있다.
③ 근로 계약 체결 시 고용 노동부의 심사를 받도록 하고 있다.
④ 연소 근로자의 동의가 있는 경우에만 야간 근로와 휴일 근로를 허용하고 있다.
⑤ 연소 근로자가 명시적으로 청구하는 경우에만 도덕상 또는 보건상 유해·위험한 사업에 사용하도록 하고 있다.

10 다음 사례에 대한 법적 판단으로 옳은 것은?

> 고등학생 갑(16세)은 ○○ 제과점 점주 을과 2021년 7월 19일부터 8월 18일까지 판매 및 재고 정리 등의 업무를 담당하기로 하는 근로 계약을 체결하였다. 근로 시간은 오전 10시부터 오후 6시까지이고, 휴게 시간은 오후 1시부터 2시까지이며, 월요일부터 금요일까지 주 5일을 근무하기로 하였다. 임금은 시간당 8,000원이며, 8월 18일에 한 달 동안의 임금을 정산하여 받기로 하였다.
> *2021년 시간당 최저 임금은 8,720원임.

① 갑은 연소 근로자인데, 근로 시간이 7시간을 초과하므로 근로 기준법에 위배된다.
② 계약한 임금이 최저 임금에 미치지 못하므로 갑과 을이 맺은 근로 계약은 무효이다.
③ 갑의 동의가 있는 경우, 을은 갑을 토요일까지 주 6일을 동일한 조건으로 근무하게 할 수 있다.
④ 갑은 연소 근로자이므로 고용 노동부 장관으로부터 취직 인허증을 발급받아야 취업이 가능하다.
⑤ 갑이 1주일 동안 정해진 근로일을 개근한 경우 을은 갑에게 1일의 유급 휴일을 부여하여야 한다.

11 노동 삼권 중 (가), (나)에 해당하는 권리를 쓰시오.

(가)    (나)

12 다음 자료를 보고 물음에 답하시오.

법률	주요 내용
(가)	노동조합, 단체 교섭 및 단체 협약, 쟁의 행위 및 그 조정과 중재, 부당 노동 행위 등
(나)	근로 계약, 임금, 근로 시간 및 휴식, 여성과 소년의 보호, 재해 보상, 취업 규칙, 근로 감독관 등

(1) (가), (나)에 해당하는 법률의 명칭을 구분하여 쓰시오.

(2) (가), (나) 법률의 제정 목적을 구분하여 서술하시오.

_____

_____

13 다음은 청소년 아르바이트 십계명의 일부이다. ㉠~㉺에 알맞은 숫자를 구분하여 쓰시오.

- 원칙적으로 ㉠ 세 이상의 청소년만 근로할 수 있습니다.
- 1일 ㉡ 시간, 주 ㉢ 시간 이하로 근무할 수 있습니다.(근로자 동의하에 1일 1시간, 주 ㉣ 시간 연장 근로 가능)
- 1주일에 ㉤ 시간 이상 일하고, 1주일 동안 개근한 경우, 하루의 유급 휴일을 받을 수 있습니다.

14 다음 글을 읽고 물음에 답하시오.

- 갑은 육아 휴직 기간 중 사장과 같이 식사를 하다가 구두로 회사에 더 이상 나올 필요가 없다는 해고 통보를 받았다. 갑은 이를 ┌ (가) ┐ (라)고 생각하여 법적 조치를 할 예정이다.
- 회사에서 노동조합을 설립하자 사장은 노동조합을 해산하지 않으면 회사 문을 닫겠다고 말하였다. 노동조합 위원장인 을은 이를 ┌ (나) ┐ (라)고 생각하여 이에 대한 법적 조치를 마련하고 있다.

(1) (가), (나)에 해당하는 용어를 쓰시오.

(2) 갑과 을에 대한 사용자의 행위가 각각 (가)와 (나)에 해당하는 근거를 구분하여 서술하시오.

_____

_____

_____

_____

(3) 을과 달리 갑만 활용할 수 있는 구제 방법을 쓰시오.

_____

_____

15 (가), (나) 상황에 대한 근로자의 대처 방법을 구분하여 서술하시오.

(가)    (나)

_____

_____

_____

| 평가원 기출 |

01 (가)~(다)에 들어갈 내용으로 옳지 <u>않은</u> 것은?

> **학습 주제: 사회법의 이해**
> 1. 등장 배경: ___(가)___ 등
> 2. 목적과 특징: ___(나)___ 등
> 3. 종류
>   • 노동법 – 근로 기준법, 노동조합 및 노동관계 조정법 등
>   • 경제법 – 전자 상거래 등에서의 소비자 보호에 관한 법률 등
>   • 사회 보장법 – ___(다)___ 등

① (가) – 독과점 기업의 불공정 거래 행위 증가
② (가) – 자본주의 발전에 따른 경제적 불평등 심화
③ (나) – 사유 재산에 대한 개인의 지배권 강화
④ (나) – 사법(私法) 영역에 대한 공법(公法)적 규제
⑤ (다) – 국민 기초 생활 보장법

| 수능 응용 |

02 (가)에 들어갈 적절한 내용만을 〈보기〉에서 고른 것은?

> 수업 자료 | **과제 게시판** | 묻고 답하기   정치와 법 E-class
>
> ○ 다음 사례에 대한 법적 의견을 작성해 봅시다.
>
> 같은 중학교를 졸업한 갑(남, 18세)과 을(남, 16세)은 1개월 동안 ◇◇ 대형 매장에서 물품 판매를 업무로, 주 5일(월~금) 근무하기로 하는 근로 계약을 대표 병과 각각 체결함. 법정 최저 임금은 시간당 8,590원이며, 두 사람의 주요 계약 내용은 다음과 같음. 갑과 을의 임금은 각각 시간당 10,000원, 근로 시간은 갑이 12시~21시(휴게 시간: 17시~18시), 을은 10시~18시(휴게 시간: 13시~14시)임.
>
> ㄴ 학생1: 갑은 을과 달리 독자적으로 임금을 청구할 수 있습니다.
> ㄴ 학생2: 을의 계약에는 친권자 또는 후견인의 동의가 필요합니다.
> ㄴ 학생3: ___(가)___
> ㄴ 교사: 근로 기준법에 따라 옳은 의견을 제시한 학생은 2명이네요.

〈 보기 〉

ㄱ. 갑이 계약대로 근무할 경우 1일 임금은 90,000원입니다.
ㄴ. 을의 연장 근로는 을과 병 사이의 합의가 있어도 1일 1시간, 1주일 5시간을 초과할 수 없습니다.
ㄷ. 갑과 달리 을의 휴일 근로는 원칙적으로 금지됩니다.
ㄹ. 병은 갑, 을의 연소자 증명서를 사업장에 비치해야 합니다.

① ㄱ, ㄴ   ② ㄱ, ㄷ   ③ ㄴ, ㄷ
④ ㄴ, ㄹ   ⑤ ㄷ, ㄹ

| 평가원 응용 |

03 다음 사례에 대한 법적 판단으로 옳은 것은?

> □□ 의류 회사 노동조합은 ㉠ 단체 교섭권을 행사하여 근로 조건에 관해 사용자 측과 교섭을 진행하였으나, 합의에 이르지 못해 적법하게 쟁의 행위를 하였다. 다음은 최근 사용자에 의해 정당한 이유 없이 근로관계가 종료된 갑, 을, 병의 상황을 질문에 대한 답변을 통해 구분한 것이다.

질문	갑	을	병
적법한 쟁의 행위를 이유로 근로관계가 종료되었습니까?	예	아니요	예
근로관계 종료와 관련하여 적법한 절차에 따라 행정 소송을 제기하였습니까?	예	아니요	아니요
지방 노동 위원회의 구제 절차를 거쳤습니까?	예	예	예
법원에 해고의 효력을 다투는 소를 제기하였습니까?	예	예	아니요

* 갑, 을, 병 모두 □□ 의류 회사 노동조합에 가입되어 있었음.

① 근로자와 사용자 모두 ㉠을 가진다.
② 갑은 중앙 노동 위원회의 구제 절차를 거쳤다.
③ 갑, 을은 해고 무효 확인 소송을 제기하기 전에 지방 노동 위원회의 구제 절차를 거쳤다.
④ 갑, 을은 병과 달리 사용자에 의해 정당한 근로 삼권 행사가 침해되었다.
⑤ 갑, 을, 병의 해고에 대해 □□ 의류 회사 노동조합도 지방 노동 위원회에 구제 신청을 할 수 있다.

04 (가)에 해당하는 사용자의 행위로 가장 적절한 것은?

> 회사 대표가 직원 회의를 소집해 노동조합이 설립되면 재정이 어려워져 구조 조정에 이를 수 있다고 언급했다면 이는 (가)에 해당한다는 대법원의 판결이 나왔다. 재판부는 "회사 대표의 언급은 사용자의 단순한 견해 표명이나 입장 설명, 이해를 구하는 행위라고 보기 어렵다."라고 밝혔다.

① 최저 임금 미만의 임금 지급
② 문자 메시지를 통한 해고 통보
③ 출산 시 퇴직하겠다는 서약서 강요
④ 근로 계약서에 명시되지 않은 작업 지시
⑤ 단체 교섭 요구를 정당한 이유 없이 거부

| 평가원 기출 |

05 다음 사례에 대한 법적 판단으로 옳은 것은?

> 갑은 쟁의 행위에 참가하였다는 이유로, 을은 근무 실적이 저조하다는 이유로 A 회사로부터 해고되었다.

> 갑과 을은 각각 적법한 절차를 거쳐 ○○지방 노동 위원회에 A 회사의 해고에 대해 구제 신청을 하였는데, ○○지방 노동 위원회는 을의 구제 신청만을 기각하는 결정을 하였다.

> ○○지방 노동 위원회의 구제 명령에 불복한 A 회사와 기각 결정에 불복한 을은 각각 적법한 절차를 거쳐 중앙 노동 위원회에 재심을 신청하였다.

> 중앙 노동 위원회의 재심 판정에 대하여 갑과 A 회사는 각각 적법한 절차를 거쳐 행정 소송법이 정하는 바에 의하여 소를 제기하였다.

① (가)에서 A 회사의 노동조합은 갑과 을에 대한 해고에 대해 노동 위원회에 구제 신청을 할 수 있다.

② (가)에서 갑과 을은 ○○지방 노동 위원회에 A 회사의 해고로 인해 근로 삼권이 침해되었다고 주장하였다.

③ (나)에서 을은 ○○지방 노동 위원회의 결정과 별도로 A 회사를 상대로 해고의 효력을 다투는 소를 제기할 수 있다.

④ (다)에서 중앙 노동 위원회는 갑과 달리 을에 대한 해고가 부당 해고에 해당하지 않는다고 판정하였다.

⑤ (다)에서 A 회사는 중앙 노동 위원회 위원장을 상대로 갑에 대한 해고의 무효를 확인하는 민사 소송을 제기할 수 있다.

| 평가원 기출 |

06 다음 사례에 대한 법적 판단으로 옳은 것은?

> 고등학생 갑과 을은 방학을 맞아 아르바이트를 하기로 하고, ○○ 백화점 사장 병과 각각 근로 계약을 체결하였다. 다음은 갑과 을이 병과 체결한 근로 계약의 공통된 내용 중 일부이다.
>
> • 근로 기간: 2021년 1월 6일 ~ 2021년 2월 28일
> • 근로 시간: 10시~18시(휴게 시간: 13시~14시)
> • 근무일: 매주 수요일~일요일 / 휴일: 매주 월, 화요일
> • 임금: 시간당 8,000원
>
> * 2021년 법정 최저 임금은 시간당 8,720원임.
>
> 표는 갑과 을이 병과 근로 계약을 체결할 때 요구되는 서류들을 비교한 것이다.

(○: 요구됨 ×: 요구되지 않음)

구분	갑	을
취직 인허증	×	×
친권자 또는 후견인 동의서	×	○
연령을 증명하는 가족 관계 기록 사항에 관한 증명서	×	○

① 을의 친권자 또는 후견인은 을의 근로 계약을 대리할 수 있다.

② 을은 갑과 달리 주말 근로가 원칙적으로 금지되므로 근무일을 변경해야 한다.

③ 근로 계약이 이미 체결되었으므로 갑은 병에게 법정 최저 임금을 요구할 수 없다.

④ 을과 병이 근무일의 연장 근로에 대해 추가적으로 합의하더라도 병은 을을 1일 2시간씩 더 근로하게 할 수 없다.

⑤ 갑은 을과 달리 친권자 또는 후견인의 동의 없이 병에게 단독으로 임금을 청구할 수 있다.

V 단원 필기 노트

01. 형법의 의의와 기능

① 죄형 법정주의의 내용

관습 형법 금지의 원칙	범죄와 형벌은 의회에서 제정한 성문의 법률에 따라 규정되어 있어야 한다는 원칙
명확성의 원칙	범죄와 그에 부과될 형벌이 법률에 구체적이고 명확하게 규정되어 있어야 한다는 원칙
적정성의 원칙	범죄와 형벌 간에 적정한 균형이 유지되어야 한다는 원칙(비례성의 원칙)
소급효 금지의 원칙	범죄와 형벌은 행위 시의 법률에 따라 결정되어야 한다는 원칙(단, 행위자에게 유리한 경우 예외)
유추 해석 금지의 원칙	비슷한 사항을 규정한 법률을 행위자에게 불리하게 적용하지 못한다는 원칙(단, 행위자에게 유리한 경우 예외)

② 범죄의 성립 요건

- **구성 요건 해당성:** 어떤 행위가 범죄로 성립되려면 그 행위가 법률에서 범죄로 정해 놓은 일정한 행위에 해당되어야 함.
- **위법성:** 범죄의 구성 요건에 해당하는 행위가 법질서 전체의 관점에서 부정적이라는 판단

조각 사유	정당 행위	법령에 의한 행위 또는 업무로 인한 행위, 기타 사회 상규에 위배되지 않는 행위
	정당방위	자기 또는 타인의 법익에 대한 현재의 부당한 침해를 방위하기 위한 상당한 이유가 있는 행위
	긴급 피난	자기 또는 타인의 법익에 대한 현재의 위난을 피하기 위한 상당한 이유가 있는 행위
	자구 행위	법정 절차에 의해 청구권을 보전하기 불가능한 경우에 그 청구권의 실행 불능 또는 현저한 실행 곤란을 피하기 위한 상당한 이유가 있는 행위
	피해자의 승낙	처분할 수 있는 자의 승낙에 의하여 그 법익을 훼손한 행위로서 법률에 특별한 규정이 없는 한 처벌되지 않는 행위

→ 위법성, 책임 등 범죄의 성립 요건을 배제하는 특별한 사유 → 이에 해당할 경우 범죄가 성립되지 않는다.

- **책임:** 위법 행위를 하였다는 데 대하여 행위자에게 가해지는 법적 비난 가능성

조각 사유	범죄 불성립 형사 미성년자(14세 미만) 또는 심신 상실자의 행위, 폭력이나 협박 등으로 강요된 행위 등
감경 사유	범죄 성립, 형 감경 가능 → 심신 미약자 또는 청각 및 언어 장애인의 행위 등

③ 형벌의 종류

- **형벌의 종류:** 생명형(사형), 자유형(징역, 금고, 구류), 명예형(자격 상실, 자격 정지), 재산형(벌금, 과료, 몰수)
- **보안 처분:** 범죄자의 사회 복귀와 사회 질서의 보호라는 목적 달성을 위한 대안적 제재 수단 → 형벌 보완

02. 형사 절차와 인권 보장

① 형사 절차

- **수사:** 범인을 발견·확보하고 증거를 수집·보전하는 수사 기관의 활동

→ 범죄를 실행 중이거나 실행 직후인 사람

수사 개시	고소 및 고발, 현행범의 체포, 긴급 체포, 범인의 자수, 수사 기관의 인지 등에 의해 수사 절차 시작
수사	• 피의자를 체포·구속하지 않고 수사하는 것이 원칙(불구속 수사 원칙) → 정당한 사유가 있는 경우 법관으로부터 영장을 발부받아 체포·구속·압수·수색 가능 • 검찰 송치: 검찰로 피의자와 관련 서류를 보내는 것
수사 종결	검사의 기소(공소 제기) 또는 불기소 처분에 의해 수사 절차 종료

- **형사 재판(공판):** 법원에서 진행되는 공판 절차로서, 피고인의 형사 책임 유무와 그 정도를 판단하는 일련의 소송 절차

모두 절차	재판장의 피고인에 대한 진술 거부권 고지 및 인정 신문, 검사 및 피고인의 모두 진술
심리 절차	증거 조사, 피고인과 증인에 대한 신문 및 변론, 검사의 의견 진술(구형), 피고인과 변호인의 최후 진술
판결 선고	• 법원의 선고: 심리 결과 피고인의 유죄가 입증되면 유죄 판결, 입증되지 않으면 무죄 판결 • 1심 또는 2심 판결에 불복할 경우 검사나 피고인은 상급 법원에 상소 가능

→ 형사 재판에서 검사가 피고인에게 어떤 형벌을 내려 줄 것을 판사에게 요구하는 일

• 형의 선고와 집행

형의 선고	유죄	실형(실제로 집행되는 형벌), 집행 유예(형의 집행을 미루는 것), 선고 유예(형의 선고를 미루는 것)
	무죄	기소한 사건에 대해 유죄를 인정할 만한 증거가 없거나 범죄 성립이 되지 않는 경우에 내리는 선고
형의 집행		법원 판결에 의하여 선고된 형이 확정될 경우 검사의 지휘에 따라 집행

② 형사 절차의 인권 보장 제도

수사 절차	• 영장주의: 피의자에 대한 체포, 구속, 압수, 수색 시 검사의 청구에 의해 법관이 발부한 영장 제시 • 구속 영장 실질 심사: 검사가 구속 영장을 청구하면, 판사가 피의자를 대면 심문하여 발부 여부 판단(구속 전) • 구속 적부 심사 제도: 구속된 피의자가 법원에 구속의 적법성과 필요성 심사 요구 가능(구속 후 기소 전)
재판 절차	• 보석 제도: 보증금 납부 등을 조건으로 피고인을 석방하는 제도 • 증거 재판주의: 위법하게 수집된 증거는 배제함. • 상소 제도: 피고인이 판결에 불복할 때 상급 법원에 재판 청구 가능, 항소(1심 불복), 상고(2심 불복) • 재심 제도: 확정된 판결에 대해 다시 재판 청구 가능함.
형사 절차 전체	• 변호인의 조력을 받을 권리: 수사 기관과 대등한 방어권 보장 • 진술 거부권: 불리한 진술을 강요당하지 않을 권리, 수사 기관과 법원의 고지 의무 • 무죄 추정의 원칙: 유죄 확정 판결 전까지 무죄로 추정된다는 원칙, 불구속 수사 및 불구속 재판이 원칙 • 적법 절차의 원칙: 공권력에 의한 기본권 제한은 법에 정해진 절차에 의한 경우에만 유효하다는 원칙
형사 피해자 등의 인권 보장 제도	• 형사 절차 참여권: 피해자에게 수사 진행 상황 및 판결 내용 제공, 재판에서의 의견 진술 기회 부여 • 범죄 피해자 구조 제도: 생명 또는 신체의 피해에 대해 국가가 구조금 지급 가능 • 피해자 신변 보호 제도: 보복을 당할 우려가 있는 피해자에게 보호 시설이나 위치 확인 장치 제공 • 배상 명령 제도: 형사 재판 과정에서 피해자의 신청 절차만으로 민사적 손해 배상 명령까지 가능 • 형사 보상 제도: 억울하게 구금된 경우 물질적, 정신적 피해 보상 청구 가능 • 명예 회복 제도: 무죄 판결이 확정된 피고인이 청구하면 법무부 홈페이지에 재판서 게재

③ 소년 보호 사건과 국민 참여 재판

• **소년 보호 사건:** 10세 이상 19세 미만인 자를 대상으로 함(10세 미만은 형벌 및 소년법상 보호 처분 부과 불가).

10세 이상 14세 미만	형벌 불가(검찰 송치 불가), 소년법상 보호 처분 가능(가정(지방) 법원 소년부 송치 가능)
14세 이상 19세 미만	형벌 및 소년법상 보호 처분 가능(검찰 및 가정(지방) 법원 소년부 송치, 형사 재판 가능)

• **국민 참여 재판:** 국민이 배심원으로 재판에 참여하는 형사 재판 제도 → 사법의 민주적 정당성 및 재판의 투명성 제고

> 법률 전문가가 아닌 일반 국민 가운데 선출되어 심리나 재판에 참여하고 사실 인정에 대하여 판단을 내리는 사람

03. 근로자의 권리

① 근로자 권리 근로권, 노동(근로) 삼권(단결권, 단체 교섭권, 단체 행동권)
② 근로자의 권리 보장 제도

• **근로 계약과 근로 조건:** 근로자가 근로를 제공하고 사용자는 임금을 지급하는 것을 목적으로 체결된 계약(임금, 근로 시간, 퇴직, 해고 등 각종 근로 조건) → 근로 기준법 및 최저 임금법 준수

• 근로자 권리의 침해와 구제

부당 해고	사용자가 근로자를 정당한 이유나 절차 없이 해고하는 경우(피해 근로자가 구제 신청 가능)
부당 노동 행위	사용자가 노동(근로) 삼권을 침해하는 행위(피해 근로자뿐만 아니라 노동조합도 구제 신청 가능)
구제 절차	• 지방 노동 위원회에 구제 신청 → 중앙 노동 위원회에 재심 신청 → 행정 소송 • 부당 해고의 경우 피해 근로자가 법원에 민사 소송(해고 무효 확인의 소) 제기 가능

VI

국제 관계와 한반도

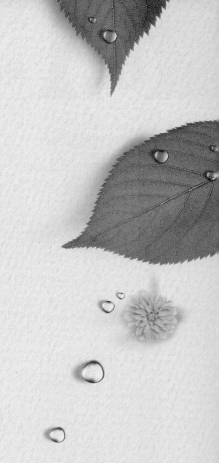

이 단원의 핵심 포인트

중단원	핵심 포인트	학습일
01 국제 관계의 변화와 국제법	• 국제 사회의 특징과 변천 과정 • 국제법의 법원과 한계	월 일 ～ 월 일
02 국제 문제와 국제기구 ～ 우리나라의 국제 관계와 국제 질서	• 국제 문제의 양상 • 국제 연합의 주요 기관과 한계 • 우리나라의 국제 관계 변화와 바람직한 외교 방향	월 일 ～ 월 일

셀파와 내 교과서 단원 비교

셀파	천재교과서	지학사	미래엔	비상교육
01 국제 관계의 변화와 국제법	01 국제 관계의 변화와 국제법	01 국제 관계와 국제법	01 국제 관계와 국제법	01 국제 관계와 국제법
02 국제 문제와 국제기구 ～ 우리나라의 국제 관계와 국제 질서	02 국제 문제와 국제기구	02 국제 문제와 국제기구	02 국제 문제와 국제기구	02 국제 문제와 국제기구
	03 우리나라의 국제 관계와 국제 질서	03 우리나라의 국제 관계와 외교	03 우리나라의 국제 관계의 이해	03 우리나라의 국제 관계와 외교 정책

01 국제 관계의 변화와 국제법

1 국제 관계의 변화

1. 국제 사회의 의미와 특징

(1) **국제 사회의 의미** 여러 나라가 서로 교류하고 의존하면서 국제적 공동생활을 영위하는 사회

(2) **국제 사회의 특징**

주권 국가 중심	국제 사회는 평등한 주권을 가진 주권 국가를 기본 단위로 구성됨.
힘의 논리	표면적으로는 각 국가가 평등한 주권을 가지나, 현실적으로는 힘의 논리가 작용함.
무정부성❶	국제 문제나 분쟁을 조정하고 해결할 수 있는 세계 정부가 존재하지 않음.
자국의 이익 추구	국제 사회의 개별 국가들은 자국의 이익을 최우선으로 함. → 자국의 이익 실현을 위해 다른 나라와 경쟁하고 갈등하며 전쟁을 하기도 함.

분석 국제 사회의 무정부성에도 불구하고 국제 사회 구성원들은 국제 질서를 유지하기 위해 국제법, 세계 여론, 도덕적 규범 등을 존중하고 서로 협력한다.

2. 국제 사회의 변천 과정 [자료 01]

베스트팔렌 조약(1648)❷	민족 단위의 주권 국가 등장, 오늘날과 같은 국제 질서 형성
제국주의❸ 시대 (19세기 말~20세기 초)	유럽 열강들의 식민지 확보 경쟁 → 국제 사회의 무대가 전 세계로 확대 ⎯ **의의** 냉전 체제의 강화 계기
냉전 시대(20세기 중반 ~1950년대 후반)	• 미국 중심의 자유 진영과 구소련 중심의 공산 진영으로 대립 • 트루먼 독트린(1947): 공산주의 국가의 위협을 받는 국가를 경제적으로 지원
냉전 시대의 완화와 종식 (1960년대~1990년대 초반)	• 제3세계❹ 등장, 닉슨 독트린(1969), 중국과 소련의 분쟁으로 냉전이 완화됨. • 몰타 선언(1989), 독일 통일(1990), 구소련 해체(1991) 등으로 냉전이 종식됨.
탈냉전, 세계화 (1990년대 중반 이후)	• 이념 대립에서 벗어나 경제적 실리를 추구하는 경향임. • 민족, 종교, 영토, 자원 등 다양한 이유로 발생하는 분쟁은 증가함.

의의 냉전 체제의 공식적 종료

의의 아시아 문제에 대해 미국이 개입하지 않겠다는 선언

3. 국제 관계를 바라보는 관점 [자료 02]

분석 협상, 양보, 원칙 등 강조

분석 현실적인 힘의 논리 강조

자유주의적 관점	현실주의적 관점
• 국가는 이성적 판단이 가능함을 전제로 함. • 국제법이나 국제기구의 중요성을 강조함. • 집단 안보 전략을 통한 평화 보장	• 국제 사회는 자국의 이익을 추구하는 무정부 상태임. • 개별 국가는 스스로 자국의 안보와 이익을 지켜야 함. • 세력 균형 전략으로 국가의 안전 보장

분석 어느 한 국가가 공격을 받을 때 국제 사회가 함께 저항한다.

분석 국제 사회의 여러 세력 간에 힘의 균형이 이루어져야 평화가 달성된다.

주의! 홉스의 인간관에 기초한다.

4. 국제 사회의 행위 주체

국가	일정한 영토와 국민을 바탕으로 주권을 갖는 독립적 행위 주체로서 국제 사회의 가장 기본적인 행위 주체
국제기구	• 정부 간 국제기구: 국가를 회원으로 함(예 국제 연합, 유럽 연합 등). • 국제 비정부 기구: 개인 또는 민간 단체를 회원으로 함(예 그린피스, 국경없는 의사회 등).
다국적 기업	세계 각지에 공장과 지사를 두고 생산 및 판매 활동을 하는 기업
국가 내부적 행위체	한 국가의 일부분이지만, 독자적으로 국제 사회에서 활동하는 행위 주체(예 지방 자치 단체, 한 국가 내부의 소수 인종, 민족과 이익 집단, 시민 단체 등)
영향력 있는 개인	강대국의 전직 국가 원수, 저명한 학자 및 예술가 등 국제적 영향력이 강한 인물

5. 세계화 현상 [자료 03]

(1) **의미** 국제 사회가 국경을 초월하여 하나의 지구촌으로 통합되어 감. ⎯ **의의** 국가 간 교류가 확대된다.

(2) **영향** 국내 정치와 국제 정치의 상호 영향 증대, 국제법과 국제기구의 역할 증대, 국가 간 갈등 심화, 지역 블록화❺ 현상 진행, 국제 협력이 필요한 문제(예 환경·테러·난민 문제 등) 급증 등

고득점을 위한 셀파 Tip

국제 관계를 바라보는 관점

구분	자유주의적 관점	현실주의적 관점
국제 상태	도덕, 법률, 제도 존재	무정부 상태
평화 보장 방안	• 국제법, 국제기구의 중요성 • 집단 안보 체제	• 힘의 우위 확보 • 세력 균형 전략
한계	힘의 논리가 지배하는 현실을 간과함.	국가 간 상호 의존적 관계를 간과함.

❶ **국제 사회의 무정부성**
국제 사회는 개별 국가에 대해 강제적인 구속력을 발휘할 중앙 정부나 법이 존재하지 않기 때문에 무정부성을 지닌다. 하지만 다양한 국제기구가 국제 질서 유지를 위해 활동하고 있으며, 각국은 국제법, 세계 여론, 도덕적 규범 등의 영향을 받으므로 완전한 무정부적 상태라고는 할 수 없다.

❷ **베스트팔렌 조약**
종교 개혁을 둘러싼 구교와 신교 간의 30년 전쟁을 끝내기 위해 체결된 조약

❸ **제국주의**
자국의 정치적, 경제적 이득을 위해 강한 군사력과 경제력을 통해 다른 나라나 민족을 정벌하여 식민지로 삼는 침략주의적인 경향 또는 국가 정책을 의미한다.

❹ **제3세계**
냉전 체제에서 자유 진영과 공산 진영 어디에도 속하지 않고 비동맹 중립 노선을 지켰던 국가들을 가리킨다.

❺ **지역 블록화**
국가 간의 경계를 넘어서 여러 국가들이 단일 시장 경제 체제 아래에서 자본·노동·상품 따위를 자유롭게 교환하거나, 여러 지역이나 국가가 사회적·경제적·정치적 이득을 얻기 위하여 행동이나 뜻을 함께하는 일을 말한다.

자료 01 국제 사회의 변천 과정

▲ 트루먼 독트린(1947년)

▲ 몰타 선언(1989년)

자료 분석 | 왼쪽 사진은 1947년 미국의 트루먼 대통령이 의회에서 연설하는 모습이다. 트루먼은 이 연설에서 소련의 팽창 전략에 맞서기 위해 자유 진영의 국가들을 지원해야 한다는 내용의 「트루먼 독트린」을 발표하였다. 이로써 국제 사회는 미국과 소련을 중심으로 한 자본주의와 공산주의 진영의 이념 대립으로 냉전을 맞이하게 되었다. 오른쪽 사진은 1989년 지중해 섬 몰타에서 미국과 소련의 정상이 냉전 종식을 선언한 몰타 선언의 모습이다. 군비 축소 협정, 동유럽 국가들의 시장 경제 체제 도입에 간섭하지 않는다는 원칙에 합의함으로써 냉전 체제는 사실상 막을 내리게 되었다.

자료 02 국제 관계를 바라보는 관점

(가) 기본적으로 이기적이고, 인간이 모여 만든 국가 역시 자국의 이익을 추구한다. 국제 사회는 주권 국가들이 자국의 이익을 경쟁적으로 추구하는 무대에 불과하기 때문에 무정부 상태라고 할 수 있다.

(나) 인간은 이성을 가진 존재이므로 이기적 욕망을 제어하고 공동의 이익을 추구할 수 있다. 따라서 국제법이 강화되고 각국 간의 교류가 활발해지면 국가 간 협력이 가능하다.

자료 분석 | 국제 관계를 바라보는 관점 중에서 (가)는 현실주의적 관점, (나)는 자유주의적 관점이다. 현실주의적 관점은 힘의 원리에 초점을 두고 국제 관계를 설명한다. 각 국가는 자국의 이익만을 추구하므로 보편적 윤리는 중요한 원칙이 될 수 없으며, 국제 관계에서 개별 국가는 스스로의 힘으로 자국의 안보와 이익을 지켜야 한다고 본다. 반면에 자유주의적 관점은 보편적인 선이나 윤리의 관점에서 국제 관계를 설명한다. 국제 사회는 인간의 이성과 윤리가 작동하는 사회이므로 국제기구나 국제법을 통해 평화적·협력적인 국제 관계가 유지될 수 있다고 본다.

자료 03 세계화의 영향

(가) 청바지의 원료인 면은 미국에서 이탈리아로 수입되어 데님 천으로 직조되고, 직조된 천은 이탈리아의 염색 공장에서 염색 과정을 거친다. 그 사이 독일에 있는 청바지 회사의 디자인 팀에서는 재단 작업이 이루어지고, 단추, 상표, 재봉실이 생산된다. 벨기에에서는 지퍼가, 프랑스에서는 주머니용 안감이 만들어진다. 부품들은 튀니지와 알제리로 보내져 바느질하여 청바지가 완성된다. 완성된 청바지는 독일의 청바지 회사로 보내지고 판매처로 발송된다.

(나) 세계 작물 종자의 30%는 10여 개의 초국적 기업이 독점하고 있다. 초국적 기업은 수확량 측면에서 유통에 적합한 1대 교배종을 개발하고, 유전자 조작으로 새로운 종자를 만들어 판매함으로써 시장 독점을 꾀해 왔다. 이러한 방식의 영향으로 지역의 전통 음식 문화와 재래종을 취급하는 지역의 종자 회사들은 사라지고 있다.

자료 분석 | (가)는 청바지 한 벌을 만드는 데 다양한 국가들이 관여하고 있음을 보여 준다. 세계화의 영향으로 하나의 상품을 만드는 과정에서 수많은 국가의 노동자들이 참여하게 되면서 전 세계 각지의 고용을 늘리고 기술을 전파하여 경제 발전에 도움을 줄 수 있다. (나)는 소수의 초국적 기업이 세계 작물 종자의 상당 부분을 독점하게 되면서 생물 다양성이 파괴되고 있음을 보여 준다. 따라서 상대적으로 약한 약소국이나 원주민의 전통문화는 사라질 위기에 처했다.

---

1 국제 사회는 국가를 기본 단위로 하여 구성되며, 각국은 원칙적으로 평등한 주권을 가진다.

(○ , ×)

2 국제 사회에는 국내 사회와 달리 구성원을 대상으로 강제력을 행사할 수 있는 세계 정부가 존재한다.

(○ , ×)

3 국제 관계를 보는 현실주의적 관점은 국제법을 중시한다.

(○ , ×)

4 집단 안보 체제는 국제 사회를 보는 자유주의적 관점의 평화 실현 방안이다.

(○ , ×)

5 베스트팔렌 조약으로 인해 국민 국가가 국제 사회의 주체로 등장하였다.

(○ , ×)

6 1947년에 발표된 트루먼 독트린은 냉전 체제의 완화에 기여하였다.

(○ , ×)

7 오늘날 이념에 따른 갈등은 줄었지만 민족, 종교, 영토, 자원 등의 이유로 발생하는 분쟁은 오히려 증가하고 있다.

(○ , ×)

8 세계화가 진행되면서 국가 간 접촉의 증가로 각국의 이해관계가 충돌하여 갈등이 심화되고 있다.

(○ , ×)

9 세계화로 인해 국가가 국제 사회의 유일한 행위 주체로 등장하고 있다.

(○ , ×)

정답 1 ○ 2 × 3 × 4 ○ 5 ○ 6 ×
7 ○ 8 ○ 9 ×

2 국제법의 이해

1. 국제법의 의미와 효력

(1) **국제법** 국제 사회 행위 주체들의 관계를 규율하고 국제 질서를 유지하는 규범이나 원칙

(2) **국제법의 효력**

① 국제 분쟁의 해결 수단 제공 국가 간에 영토, 무역, 자원 등과 관련한 분쟁이 발생하는 경우 국제법을 활용하면 보다 평화적으로 분쟁을 해결할 수 있음.

② 국제 사회의 협력 유도 인권 문제나 환경 문제의 해결과 같이 국제 사회의 공동 노력이 필요한 경우, 국제법은 공동의 행위 기준을 세우고 여러 국가의 참여를 이끌어내는 역할을 함.

③ 일상적 생활에 편리함 제공 서로 다른 법과 문화를 지닌 행위 주체들의 공통 규범으로서 행동 규범과 판단 기준을 제시하여 세계 시민의 일상적 삶에 편리함을 제공하고 권리를 보호함.

> 예시 미터 협약, 전자 제품의 표준 규격, 외국 공문서 인증 절차 등이 국제법에 의해 표준화된다.

2. 국제법의 법원⁶ 자료 04

> 비교 구두 합의의 형태로 체결되기도 한다.

조약	• 의미: **국가 상호 간 또는 국제기구와 국가 간에 체결한 합의로, 주로 문서 형식으로 이루어짐.** 예시 이탈리아와 IMF가 맺은 외환 구제 협정 등 • 효력: **체결 당사국에게만 적용**되며, 당사국은 조약의 규정을 준수·이행할 의무를 가짐. • 종류: 양자 조약(두 국가 간), 다자 조약(셋 이상의 국가 간) • 사례: 한미 상호 방위 조약, 한중 어업 협정, 파리 기후 변화 협약 등
국제 관습법	• 의미: 국가들이 오랜 기간 반복해 오면서 국제 사회에서 법 규범의 효력을 가지게 된 관습 법규 • 효력: 별도의 체결 절차나 문서 형식의 합의문은 없으며, 모든 국가에 법적 구속력이 발생하는 **포괄적 구속력**을 가짐. • 사례: 국내 문제 불간섭 원칙, 외교관의 면책 특권⁷ 등
법의 일반 원칙	• 의미: 여러 국가의 국내법이 공통으로 따르는 법의 보편적인 원칙 • 사례: **신의 성실의 원칙,⁸ 권리 남용 금지의 원칙,⁹ 손해 배상 책임의 원칙¹⁰** 등
기타	판례, 학설, 국제기구의 결의 등

3. 우리나라에서 국내법과 국제법의 관계

(1) **국제법의 효력**

> 주의 국제법도 위헌 법률 심판의 대상이 됨.

① 법 상호 간 관계에서 헌법이 국제법보다 상위의 지위를 가지는 것으로 봄.

② 헌법에 의해 체결·공포된 조약과 일반적으로 승인된 국제 법규는 국내법과 같은 효력을 지님(헌법 제6조 ①).

(2) **국제법의 국내법으로의 수용**

① 조약 대통령의 체결 및 비준,¹¹ 필요 시 국회의 동의를 거쳐 수용 자료 05

② 국제 관습법 별도의 절차 없이 국내법으로 수용

> 주의 모든 조약이 국회의 동의를 얻을 필요는 없으며, 헌법에 규정한 중요한 조약만 국회의 동의를 받는다.

4. 국제법의 한계 자료 06

입법 기관의 부재	국가를 초월한 입법 기관에 의해 제정되는 것이 아니라 국가 간 합의에 의해 만들어짐.
재판 규범으로서의 한계	일반적으로 분쟁 당사국들의 동의 없이는 국제 사법 재판소의 재판이 성립하지 않아 실질 규범으로 적용되지 못하는 경우가 발생함.
실질적 제재의 한계	강제적으로 집행할 기구와 절차가 없어서 **규범을 이행하지 않더라도 실질적인 제재가** 어려움.

국제법의 법원

조약	국가 상호 간, 국제기구와 국가 간에 체결한 합의로, 주로 문서 형식으로 이루어짐.
국제 관습법	국가들이 오랜 기간 반복해 오면서 국제 사회에서 법 규범의 효력을 가지게 된 관습 법규
법의 일반 원칙	여러 국가의 국내법이 공통으로 따르는 법의 보편적인 원칙 (신의 성실의 원칙, 권리 남용 금지의 원칙, 손해 배상 책임의 원칙)

⑥ 법원(法源)

법을 생기게 하는 근거 또는 존재 형식을 말하며, 법관이 재판 기준으로 적용하는 법 규범의 존재 형식으로 크게 성문법과 불문법이 있다.

⑦ 외교관의 면책 특권

외교관에 대하여 접수국에서 인정하는 일정한 특권과 면제를 가리킨다. 대표적으로 외교 공관에 대한 불가침 및 외교관의 불체포 특권, 외교관에 대한 형사 재판 관할권 면제, 일부 사건을 제외한 민사 및 행정 재판 관할권 면제, 일부 경우를 제외한 조세의 면제 등이 있다.

⑧ 신의 성실의 원칙

권리의 행사와 의무의 이행은 상대방의 신뢰에 어긋나지 않게 신의를 좇아 성실히 해야 함을 강조하는 법의 일반 원칙이다.

⑨ 권리 남용 금지의 원칙

권리 행사의 실질적인 내용이 권리의 본래 목적이나 공공성에 반하면 안 된다는 원칙

⑩ 손해 배상 책임의 원칙

국제적인 위법 행위를 저지른 국가는 그 피해에 대하여 배상 의무를 지게 된다는 원칙

⑪ 비준

조약 체결권자로부터 위임받은 전권 위원이 체결·서명한 조약을 조약 체결권자가 최종적으로 확인하는 절차를 의미한다.

셀파 자료 탐구

자료 04 국제법의 다양한 존재 형태

국제 사법 재판소 규정 제38조
① 재판소는 재판소에 회부된 분쟁을 국제법에 따라 재판하는 것을 임무로 하며, 다음을 적용한다.
(a) 분쟁국에 의하여 명백히 인정된 규칙을 확립하고 있는 일반적인 또는 특별한 국제 협약
(b) 법으로 수락된 일반 관행의 증거로서의 국제 관습
(c) 문맹국에 의하여 인정된 법의 일반 원칙
(d) 법칙 결정이 보조 수단으로서의 사법 판결 및 제국(諸國)의 가장 우수한 국제법 학자의 학설

자료 분석 | 국제법은 국가 간에 명시되거나 묵시적인 합의를 기초로 하여 형성된다. 국제법에는 조약과 국제 관습법, 법의 일반 원칙 등이 있다. 조약은 국제법의 가장 중요한 법원으로서 헌장, 협정, 협약, 의정서, 규정 등으로도 표현된다. 국제 관습법은 국가들이 오랜 기간 일반적으로 그렇게 행동해 온 관행들인데, 이러한 관행들이 국제 관습법으로 인정되기 위해서는 계속성과 일반성을 지녀야 한다. 법의 일반 원칙은 여러 국가의 국내법에 공통으로 발견되는 원칙을 의미한다. 그 외에 판례나 학설들이 보조 수단으로서 기능하고 있다.

자료 05 우리나라의 조약 체결 과정

우리나라에서 조약을 체결하는 일반적인 절차는 다음과 같다. 먼저 조약 체결권자인 대통령으로부터 권한을 위임받은 전권 위원이 조약의 내용에 대해 상대국과 교섭을 하게 된다. 교섭을 통해 작성된 조약문은 전권 위원의 서명(조인이라고도 함)에 의해 확정된다. 서명만으로 조약 체결 절차가 완료되는 때도 있지만, 보통의 조약은 다시 비준을 필요로 한다. 비준은 전권 위원이 서명하여 내용이 확정된 조약을 조약 체결권자가 최종적으로 확인하는 행위를 말한다. 비준 이후 상대국과 비준서를 교환하면 비로소 조약의 효력이 발생하게 된다. 조약에 따라서는 비준서를 교환하는 대신 시행 일자를 따로 정하는 때도 있다.

자료 분석 | 우리 헌법 제60조 제1항에서는 "국회는 상호 원조 또는 안전 보장에 관한 조약, 중요한 국제 조직에 관한 조약, 우호 통상 항해 조약, 주권의 제약에 관한 조약, 강화 조약, 국가나 국민에게 중대한 재정적 부담을 지우는 조약 또는 입법 사항에 관한 조약의 체결·비준에 대한 동의권을 가진다."라고 규정하고 있다. 이러한 조약의 경우 일반적으로 조약의 서명 이후 국회가 동의하면 대통령이 비준하는 순서를 거치게 된다.

자료 06 국제법의 한계

일본 고래잡이(포경) 선단이 국제 사회의 지속적인 포경 중단 요구와 비판에도 불구하고 남극해에서 멸종 위기종인 밍크고래 333마리를 포획하였다. 일본 수산청은 국제 사회의 비판 여론이 확산되자 이번 고래잡이는 남극해 생태계를 연구하기 위한 목적이었다고 밝혔다. 그러나 세계 환경 운동 단체와 국제 사법 재판소(ICJ)는 일본의 이와 같은 주장에 대해 국제적으로 금지된 상업적 고래잡이를 과학 연구로 위장한 것이라고 반박하였다. 국제 사회는 1986년부터 국제 포경 규제 협약에 따라 멸종 위기에 놓인 고래의 상업적 포경 활동을 금지하고 있다. 그러나 일본은 고래의 생태와 해양 생태 등을 연구한다고 주장하며 고래잡이를 계속하고 있다.

자료 분석 | 상업적 고래잡이는 국제 포경 규제 협약이라는 국제법으로 금지되어 있다. 그러나 일본은 이러한 국제법을 무시하고 상업적 포경 활동을 계속하고 있다. 국내법을 지키지 않을 때는 국가의 공권력에 의해 일정한 제재가 가해진다. 하지만 국제법의 경우에는 이를 강제적으로 집행할 세계 정부가 존재하지 않아, 국제법을 지키지 않는 국가에 국제법의 이행을 강제하기가 어렵다.

기출 선택지 O, ×로 정리하기

1 국제법은 국제 분쟁을 겪는 당사자에게 유용한 분쟁 해결 수단을 제공한다. (O , ×)

2 조약 체결의 주체는 국가이므로 국제기구는 국가와 조약을 맺을 수 없다. (O , ×)

3 조약은 원칙적으로 조약을 체결한 당사국 간에만 구속력을 지닌다. (O , ×)

4 국내 문제 불간섭 원칙은 국제법에서 법의 일반 원칙에 해당한다. (O , ×)

5 국제 관습법은 조약과 달리 원칙적으로 모든 국가에 대해 구속력을 갖는다. (O , ×)

6 우리나라에서 조약의 체결권자는 국무총리이다. (O , ×)

7 우리나라에서 헌법에 의해 체결 공포된 조약은 국내법과 같은 효력을 가진다. (O , ×)

8 국제법은 고유한 입법 기구가 없어 국제 사회의 모든 국가에 적용할 수 있는 국제법을 제정하기 쉽지 않다. (O , ×)

9 국제법을 위반하면 국제 연합에 의해 일정한 제재가 가해진다. (O , ×)

정답 1 O 2 × 3 O 4 × 5 O 6 × 7 O 8 O 9 ×

개념 완성

1 국제 사회의 변천 과정

베스트팔렌 조약(1648)	민족 단위의 주권 국가 등장
제국주의 시대 (19세기 말~20세기 초)	유럽 열강들의 식민지 확보 경쟁
냉전 시대(20세기 중반 ~1950년대 후반)	• 미국 중심의 자유 진영과 구소련 중심의 공산 진영으로 대립 • 트루먼 독트린(1947)
냉전 완화 (1960년대~1970)	• 제3세계 등장, 닉슨 독트린(1969) • 중국과 소련의 분쟁
냉전 종식 (1990년대 초반)	(❶) 선언(1989), 독일 통일(1990), 구소련 해체(1991) 등
탈냉전, 세계화 (1990년대 중반 이후)	• 경제적 실리 추구 경향 • 민족, 종교, 영토 등의 이유로 분쟁 증가

2 국제 사회를 보는 관점

자유주의적 관점	• 국가는 이성적 판단이 가능함을 전제로 함. • 국제법이나 국제기구의 중요성을 강조함. • (❷)을 통한 평화 보장
현실주의적 관점	• 국제 사회는 자국의 이익을 추구하는 무정부 상태 • 개별 국가는 스스로 자국의 안보를 지켜야 함. • 세력 균형 전략으로 국가의 안전 보장

3 국제 사회의 행위 주체

국가	국제 사회의 가장 기본적인 행위 주체
국제기구	• 정부 간 국제기구: 국가를 회원으로 함(예 국제 연합, 유럽 연합 등). • (❸): 개인 또는 민간 단체를 회원으로 함(예 그린피스, 국제 사면 위원회 등).
국가 내부적 행위체	한 국가의 일부분이지만 독자적으로 국제 사회에서 활동하는 행위 주체(예 지방 자치 단체, 한 국가 내부의 소수 인종, 시민 단체 등)
영향력 있는 개인	전직 국가 원수, 저명한 학자 및 예술가 등 국제적 영향력이 강한 인물

4 국제법의 법원

조약	원칙적으로 (❹) 형식으로 이루어지며, 체결 당사국에게만 적용됨.
국제 관습법	국가들이 오랜 기간 반복해 오면서 국제 사회에서 법 규범의 효력을 가지게 된 관습 법규
법의 일반 원칙	여러 국가의 국내법이 공통으로 따르는 법의 보편적인 원칙(신의 성실의 원칙, 권리 남용 금지의 원칙, 손해 배상 책임의 원칙 등)

정답 ❶ 몰타 ❷ 집단 안보 전략 ❸ 국제 비정부 기구 ❹ 문서

1 국제 관계의 변화

01 밑줄 친 '이 조약'의 영향에 대한 설명으로 옳은 것은?

> 유럽에서 30년 전쟁이 끝난 후에 전후 처리를 위해 관련 국가들이 모여 다음과 같은 세 가지 원칙에 입각하여 이 조약을 체결하였다.
> 첫째, 군주는 자기 영토 안에서 최고의 지위를 지닌다.
> 둘째, 통치자는 독자적으로 자기 영토 내의 종교를 결정한다.
> 셋째, 세력 균형을 위해 국가 간 동맹 형성을 금지한다.

① 국민 국가 중심의 국제 사회가 성립되었다.
② 국제 사회에서 정치적 이념 대립이 격화되었다.
③ 경제적 실리 추구가 국제 관계의 중심이 되었다.
④ 유럽 강대국들의 식민지 쟁탈전이 본격화되었다.
⑤ 세계화와 함께 지역 블록화 현상이 가속화되었다.

02 (가)~(마)에 대한 설명으로 옳은 것은?

> (가) 1947년 트루먼 독트린
> (나) 1969년 닉슨 독트린
> (다) 1989년 몰타 선언
> (라) 2015년 유럽 난민 사태
> (마) 2021년 세계 기후 정상 회의

① (가)는 국제 연합 창설의 기초가 되었다.
② (나)는 냉전 체제를 완화시키는 결과를 가져왔다.
③ (다)는 제3세계의 영향력을 견제하기 위한 노력이다.
④ (라)는 아프리카 노동자의 고임금 기대가 주요 원인이었다.
⑤ (마)는 이념 중심의 양극 체제가 출현하게 된 계기가 되었다.

03 (가)~(다)는 국제 사회의 변화 과정에서 나타났던 사건들이다. 이에 대한 옳은 설명만을 〈보기〉에서 고른 것은?

> (가) 미국과 소련의 두 정상이 지중해의 몰타 해역에서 만나 군비 축소와 전략 핵무기의 감축, 상호 경제 협력에 대하여 합의하였다.
> (나) 미국 대통령 닉슨은 아시아에 대한 미국의 군사적 지원을 줄이고, 아시아에서의 문제는 해당 국가들이 자율적으로 해결해야 한다고 선언하였다.
> (다) 미국 대통령 트루먼은 소련의 유럽 진출 확대를 막기 위해 그리스와 터키에 대하여 경제적·군사적 원조를 제공해야 한다고 주장하였다.

> ┤ 보기 ├
> ㄱ. (가)는 각국이 경제적 이해관계에 따라 협력하게 되었다.
> ㄴ. (나)는 정치적 이념 대립이 심화되는 배경이 되었다.
> ㄷ. (다)는 냉전 체제의 형성에 강한 영향을 미쳤다.
> ㄹ. 역사적으로 (다) → (가) → (나) 순으로 발생하였다.

① ㄱ, ㄴ 　② ㄱ, ㄷ 　③ ㄴ, ㄷ
④ ㄴ, ㄹ 　⑤ ㄷ, ㄹ

04 (가)~(다) 시기의 국제 정세에 대한 설명으로 옳은 것은?

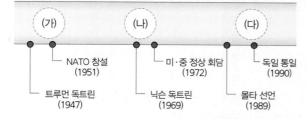

① (가) 시기에는 유럽 열강의 식민지 지배가 활발하였다.
② (나) 시기에는 제3세계 국가들의 국제적 위상이 낮아졌다.
③ (다) 시기에는 다극 체제가 양극 체제로 전환되었다.
④ (가) 시기에는 (다) 시기보다 경제적 실리 추구 경향이 활발하였다.
⑤ (다) 시기에는 (나) 시기보다 다양한 요인에 의한 갈등이 늘어났다.

05 다음 사례를 통해 알 수 있는 국제 관계의 성격으로 적절한 것은?

> • 중국은 남중국해 분쟁 지역에 인공섬을 만들어 영유권 대못박기를 추진하고 있다.
> • 러시아는 자국민 보호를 명분으로 우크라이나 크림 반도에 군대를 출동시켜 이 지역을 사실상 장악했다.
> • 일본은 전쟁의 영구적인 포기를 규정한 평화 헌법 제9조에 대한 헌법 해석 변경을 통해 군국주의의 경향을 보이고 있다.

① 국제법은 다자간 협의에 의해서 제정된다.
② 인류 공동의 문제에 대하여 서로 협력한다.
③ 주권 평등의 원칙이 엄격히 지켜지지 않는다.
④ 국가 간 문제는 이해 당사 국가끼리 해결한다.
⑤ 중재 기구를 두어 이해관계의 상충을 해결한다.

06 다음 사례에서 도출할 수 있는 국제 정치의 특징으로 가장 적절한 것은?

> 주요 20개국(G20)이 암호 화폐 탈세와 자금 세탁 등을 방지하기 위한 규제안 마련에 합의했다. 이날 G20은 선언문을 통해 "금융 분야의 기술 발전이 가져올 잠재적 혜택을 실현하는 동시에 관련 위험 요소를 완화하기 위해 노력할 것"이라며 "자금 세탁과 테러 자금 조달 방지를 위해 국제 자금 세탁 방지 기구(FATF)의 기준에 부합하는 선에서 암호 화폐를 규제해 나가는 한편 필요할 경우 다른 대응책을 고려할 것"이라고 전했다.

① 주도적인 중앙 정부가 존재한다.
② 협력보다는 갈등이 자주 발생한다.
③ 비정부 국제기구의 역할이 증가한다.
④ 개별 국가의 주권은 동등하게 취급된다.
⑤ 국제 규범을 통해 문제를 해결하고자 한다.

07 다음은 국제 관계에 대한 갑과 을의 대화이다. 이에 대한 설명으로 가장 적절한 것은?

> 갑: 국제 사회에는 국제법과 같은 규범이 있지만, 그러한 규범을 만드는 주체는 개별 국가이다. 강한 국가는 자기들에게 유리하도록 법을 만들어 약한 국가에게 지킬 것을 요구한다.
>
> 을: 아무리 강한 국가라도 인류 보편적인 원칙을 벗어나 행동할 수는 없다. 오랫동안 지켜온 국제법이나 국제 여론을 무시할 수는 없을 것이다.

① 갑은 국력보다 국제 규범의 역할을 강조한다.
② 갑은 국제 사회는 이성을 바탕으로 한다고 주장한다.
③ 을은 현실주의적 입장에서 국제 관계를 설명한다.
④ 을은 국제 관계가 보편적인 규범에 의해 규율된다고 본다.
⑤ 갑과 을은 국제 사회에 중앙 정부가 존재한다고 본다.

08 다음 자료는 어느 학생의 서술형 답지의 일부이다. 이에 대한 설명으로 옳은 것은?

1. 국제 사회를 보는 자유주의적 관점의 특징을 3가지만 서술하시오. (각 2점씩 3가지 모두 맞으면 6점)	
답안	**채점**
(1) 국제 사회는 힘의 논리가 지배한다고 본다.	㉠
(2) (가)	0점
(3) (나)	2점

① ㉠에는 '2점'이 들어간다.
② (가)에는 '국가 간의 상호 의존적 관계를 중시한다.'가 들어갈 수 있다.
③ (가)에는 '집단 안보 전략으로 평화를 유지할 수 있다고 본다.'가 들어갈 수 있다.
④ (나)에는 '개별 국가는 자국의 이익을 배타적으로 추구한다고 본다.'가 들어갈 수 있다.
⑤ (나)에는 '국제기구를 통해 국제 사회의 협력을 이룰 수 있다고 본다.'가 들어갈 수 있다.

09 국제 사회를 보는 다음의 관점에 부합하는 내용에만 모두 ✓를 표시한 학생은?

> 이성적인 인간은 자신들의 자유를 안전하게 지키기 위한 수단으로 주권 국가들 간의 연합체를 구상하게 된다. 국제 평화는 이러한 국제기구와 주권 국가 간에 합의된 규범의 실천을 통해 달성될 수 있다.

관점 \ 학생	갑	을	병	정	무
국제 여론의 기능을 중시한다.	✓			✓	✓
집단 안보 전략은 국제 평화를 달성하는 데 기여한다고 본다.	✓	✓		✓	✓
국제 정치에는 도덕적 원칙들이 적용되기 어렵다고 본다.			✓	✓	
국제 사회를 홉스가 가정한 자연 상태와 유사하다고 본다.		✓	✓		✓

① 갑 ② 을 ③ 병 ④ 정 ⑤ 무

10 갑은 부정의 대답을, 을은 긍정의 대답을 할 질문으로 옳은 것은?

> 갑: 세계화에 따라 다국적 기업이 해외 공장을 설립하고, 첨단 기술이 교류되면서 개발 도상국은 고용을 늘리고 기술 개발을 통해 경제 발전에 도움을 얻고 있어.
>
> 을: 세계화에 따라 자유 무역이 확대되면서 높은 기술력과 충분한 자본을 지닌 선진국은 경쟁에서 유리한 데 비해, 상대적으로 경쟁력을 갖추지 못한 국가는 도태되기 쉬워.

① 세계화는 국가 간 빈부 격차를 심화시키는가?
② 세계화를 보호 무역의 확대 과정으로 보아야 하는가?
③ 다국적 기업의 진출을 세계화의 사례로 볼 수 있는가?
④ 개발 도상국은 선진국으로부터 기술을 이전받게 되는가?
⑤ 세계화는 지구촌 구성원들의 삶의 질 향상에 기여하는가?

2 국제법의 이해

11 국제법의 법원 (가)~(다)에 대한 설명으로 옳은 것은?

구분	사례
(가)	한·스위스 사회 보장 협정, 한·독 항공 협정
(나)	국내 문제 불간섭, 전쟁 포로에 대한 인도적 대우
(다)	신의 성실의 원칙, 손해 배상 책임의 원칙

① 우리나라의 경우 (가)의 체결권은 국회에 있다.

② (나)는 체결 당사국에 대해서만 법적 구속력을 지닌다.

③ (다)는 별도의 입법 절차를 거쳐야만 국내에서 법적 효력을 가진다.

④ (가)는 (나), (다)와 달리 헌법과 동등한 효력을 가진다.

⑤ (가)~(다)는 모두 국제 사법 재판소에서 재판의 규범으로 활용된다.

12 다음 내용과 관련된 국제법의 법원(法源)에 대한 옳은 설명만을 〈보기〉에서 고른 것은?

> • 국가 간에 권리의 행사와 의무의 이행은 신의에 좋아 성실하게 해야 한다.
> • 국제적으로 위법 행위를 저지른 국가는 그 피해에 대해 배상 의무를 져야 한다.
> • 권리 행사의 목적이 자국에는 아무런 이익 없이 순전히 다른 나라에 고통을 주고 손해를 입히려는 데 있을 경우 국제 사회에서 제재의 대상이 된다.

┃ 보기 ┃
> ㄱ. 국제 조약의 한계를 보완해 주는 기능을 한다.
> ㄴ. 국제 사법 재판소에서 재판의 준거로 활용된다.
> ㄷ. 국가 간의 명시적 합의로서 체결 당사국을 구속한다.
> ㄹ. 국제 사회의 관행에 대해 법적 효력을 부여한 것이다.

① ㄱ, ㄴ   ② ㄱ, ㄷ   ③ ㄴ, ㄷ
④ ㄴ, ㄹ   ⑤ ㄷ, ㄹ

★13 국제법의 법원 (가)~(다)에 대한 옳은 설명만을 〈보기〉에서 고른 것은? (단, (가)~(다)는 각각 조약, 국제 관습법, 법의 일반 원칙 중 하나이다.)

구분	(가)	(나)	(다)
국가 간 합의에 의해 문서로 명시되었는가?	○	×	×
국제 사회의 관행이 법적 인식을 얻었는가?	×	○	×
A	○	○	○

(○: 예, ×: 아니요)

┃ 보기 ┃
> ㄱ. (가)는 국가와 국제기구 간에는 체결할 수 없다.
> ㄴ. (나)가 국내에 적용되려면 입법 절차를 거쳐야 한다.
> ㄷ. (다)의 예로 '불법 행위에 대한 손해 배상 책임 원칙'을 들 수 있다.
> ㄹ. A에는 '국제 사법 재판소에서의 재판 규범인가?'가 들어갈 수 있다.

① ㄱ, ㄴ   ② ㄱ, ㄷ   ③ ㄴ, ㄷ
④ ㄴ, ㄹ   ⑤ ㄷ, ㄹ

14 다음은 국제법 (가), (나)의 성립 과정을 나타낸 것이다. 이에 대한 설명으로 옳지 않은 것은?

(가)	(나)
외교관이나 정부의 위임을 받은 공무원이 협정 문서에 서명함.	국가 간 문제의 관행화된 해결 방법과 원칙이 반복적으로 적용됨.
↓	↓
국가 원수가 비준하고 비준서를 상호 교환함.	관행화된 방법과 원칙이 각 국가로부터 법으로 승인되고 준수됨.

① 우리나라에서 (가)의 체결 및 비준에 대한 동의권은 국회에 있다.

② (나)에는 신의 성실의 원칙, 손해 배상 책임의 원칙 등이 있다.

③ (나)와 달리 (가)는 체결 당사국에만 효력이 인정된다.

④ (가)와 달리 (나)는 별도의 체결 절차 없이 효력이 인정된다.

⑤ 시대에 따라 (나)의 내용이 (가)로 바뀌기도 한다.

15 다음 글에 대한 옳은 설명만을 〈보기〉에서 고른 것은?

> 대한민국 정부와 A국 정부는, 범죄인 인도 조약을 체결함으로써 범죄의 예방과 억제에 있어 양국 간에 보다 효율적인 협력을 제공하고, 범죄인 인도 분야에서 양국 간의 관계를 증진하기를 희망하여, 다음과 같이 합의하였다.

┤ 보기 ├
ㄱ. 반드시 국회의 동의를 얻어 대통령이 체결해야 한다.
ㄴ. 조약 당사국에만 효력이 있고 제3국에는 효력이 없다.
ㄷ. 국가 간 명시된 합의로서 국가와 국제기구 간에도 체결할 수 있다.
ㄹ. 국제 사회에서 오랫동안 관행이 존재해야 하고, 그 관행에 법적 확신이 있어야 한다.

① ㄱ, ㄴ   ② ㄱ, ㄷ   ③ ㄴ, ㄷ
④ ㄴ, ㄹ   ⑤ ㄷ, ㄹ

16 밑줄 친 ㉠, ㉡에 대한 옳은 설명만을 〈보기〉에서 고른 것은?

> 우리나라에서는 국제적 합의 중 하나인 ㉠ 장애인 권리 협약이 2006년 12월 13일 제61차 유엔 총회에서 채택되었으며, 2008년에 발효되어 이행되고 있다. 우리나라는 생명 보험 가입 관련 상법 충돌 협약 1개 조항을 유보한 채 2009년에 비준하였다. 우리나라는 이와 관련하여 장애인의 인권 보호를 위해 ㉡ 장애인 차별 금지 및 권리 구제 등에 관한 법률을 2007년에 제정하여 시행하면서 장애인 권리 협약에 맞추어 수시로 이 법률을 개정하고 있다.

┤ 보기 ├
ㄱ. 우리나라에서 ㉠에 대한 비준 권한은 국회에 있다.
ㄴ. ㉠과 ㉡은 모두 우리나라에서 헌법보다 하위의 지위를 가진다.
ㄷ. ㉡은 ㉠과 달리 강제적으로 집행할 기관이 없다.
ㄹ. ㉠, ㉡은 모두 성문화된 형식으로 존재한다.

① ㄱ, ㄴ   ② ㄱ, ㄷ   ③ ㄴ, ㄷ
④ ㄴ, ㄹ   ⑤ ㄷ, ㄹ

17 교사의 물음에 적절하게 응답하지 <u>않은</u> 학생은?

> 밑줄 친 부분에 해당하는 국제법의 법원에 대해 발표해 볼까요?

> 한국은 A국과 포도와 농산물 등에 대해 자유 무역 협정을 체결했습니다.
> -○○뉴스

① 갑: 성문의 형식으로 존재합니다.
② 을: 체결 및 비준권은 대통령의 권한입니다.
③ 병: 헌법의 규정에 따라 국회의 비준 동의를 받습니다.
④ 정: 국제 사회에서 포괄적인 구속력을 가지고 있습니다.
⑤ 무: 국가뿐만 아니라 국제기구도 체결 당사자가 될 수 있습니다.

18 다음 자료에 대한 설명으로 옳은 것은? (단, A~C는 각각 조약, 국제 관습법, 법의 일반 원칙 중 하나이다.)

> • '국내 문제 불간섭의 원칙이 포함되는가?'라는 질문으로 A, B를 구분할 수 있다.
> • '원칙적으로 성문의 형식으로 존재하는가?'라는 질문으로 B, C를 구분할 수 없다.
> • _____(가)_____ 라는 질문으로 A, C를 구분할 수 있다.

① A는 B와 달리 우리나라에서 위헌 법률 심판의 대상이다.
② B는 C와 달리 우리나라에서 헌법보다 하위의 효력을 가진다.
③ C는 A와 달리 우리나라에서 국회의 동의 절차가 필수적이다.
④ (가)에 "국제 사법 재판소의 재판 규범으로 활용되는가?"가 들어갈 수 있다.
⑤ (가)에 "체결국이 아닌 국가에는 적용되지 않는다."가 들어갈 수 있다.

딱풀 p. 58

19 다음 글을 읽고 물음에 답하시오.

> 중세 유럽은 교황이 지배하는 종교 공동체에 가까웠으므로 왕과 영주들이 독립적으로 정치적 의사를 결정하기 어려웠다. 그러나 종교 문제로 일어난 30년 전쟁을 종결하기 위하여 유럽 각국은 　ㄱ　(1648)을/를 체결하였다. 이 　ㄱ　에 참가한 국가들은 주권 평등, 영토 존중, 국내 문제 불간섭 등의 원칙에 합의하였다.

(1) ㄱ에 해당하는 명칭을 쓰시오.

(2) ㄱ이 국제 사회에 끼친 영향을 서술하시오.

---

20 (가), (나)는 국제 사회를 바라보는 서로 다른 관점이다. 이를 읽고 물음에 답하시오.

> (가) 타국의 침략을 방지하고 자국의 평화와 안전을 보장받기 위해서는 공동의 적대 세력으로부터 힘의 균형을 갖추어야 한다.
>
> (나) 인간과 마찬가지로 국가도 이성적인 존재이므로 국가 간의 협력에 따른 이익이 협력을 구축하기 위한 비용보다 크다는 것은 인식하고 있다. 그렇기 때문에 갈등이 일상화된 국제 사회에서도 평화와 안전이 유지될 수 있다.

(1) (가), (나)에 해당하는 관점을 각각 쓰시오.

(2) (가), (나)가 세계 평화를 실현하기 위한 방안을 각각 서술하시오.

---

21 다음 글을 읽고 물음에 답하시오.

> 오늘날 국제 사회는 교통·통신의 발달과 개방화의 물결로 사람, 자본, 상품, 정보 등의 이동이 자유로워지면서 　ㄱ　 시대로 접어들게 되었다. 　ㄱ　은/는 국제 사회의 상호 의존성이 커짐에 따라 개별 국가의 경계를 넘어 세계가 하나로 통합되는 현상을 의미한다.

(1) ㄱ에 해당하는 용어를 쓰시오.

(2) ㄱ에 따른 국제 관계의 변화를 국제 사회의 행위 주체와 관련지어 서술하시오.

---

22 (가)는 우리나라가 가입한 국제 연합(UN)의 「난민의 지위에 관한 협약」이고, (나)는 우리나라 「난민법」 조항의 일부이다. (가)와 (나)를 제정 방법과 적용 범위 측면에서 구분하여 서술하시오.

(가)	(나)
제22조(공공 교육) 1. 체약국은 난민에게 초등 교육에 대하여 자국민에게 부여하는 대우와 동등한 대우를 부여한다.	제33조(교육의 보장) ① 난민 인정자나 그 자녀가 「민법」에 따라 미성년자인 경우에는 국민과 동일하게 초등 교육과 중등 교육을 받는다.

---

23 국제법의 한계를 위반 시의 제재를 중심으로 국내법과 비교하여 서술하시오.

| 평가원 기출 |

01 다음은 국제 사회의 변화 과정을 시기별로 도식화한 것이다. 이에 대한 설명으로 옳지 <u>않은</u> 것은?

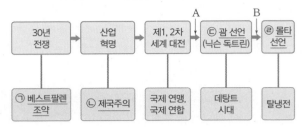

① ㉠을 계기로 주권을 가진 민족 국가가 중요한 정치 단위가 되었다.

② ㉡ 시기에는 식민지 쟁탈을 위한 강대국 간 패권주의 경쟁이 강화되었다.

③ ㉢은 국제 사회에서 냉전 체제가 완화되고 실리 추구 경향이 강화되는 데 기여하였다.

④ ㉣ 이후 국제 연합(UN) 활동의 증가는 집단 안보 전략보다 세력 균형 전략에 기초한 것이다.

⑤ B 시기에 비해 A 시기에는 이념적 대립에 기초한 양극 체제가 지배적이었다.

| 평가원 기출 |

02 다음 자료의 (가)~(라)에 대한 설명으로 옳은 것은?

(가) 제2차 세계 대전 종전 후, 미국의 트루먼 독트린 발표 및 마셜 플랜 시행

(나) 1969년 중·소 국경 분쟁 및 미국의 닉슨 독트린 발표

(다) 1989년 미·소 몰타 정상 회담에서 새로운 세계 질서 수립 선언

(라) 2001년 뉴욕 세계 무역 센터에 대한 '9·11 테러' 발생

① (가)는 국제 연맹을 대체하는 국제 연합 창설의 기초가 되었다.

② (나)는 미·소 간 이데올로기 대립을 종식시키는 결과를 가져왔다.

③ (다) 이후 상이한 두 경제 체제 간의 경쟁 구도는 사라지고 시장 경제 체제가 확대되는 현상이 나타났다.

④ (라)는 탈냉전 후 발생한 국가 간 국지적 전쟁의 대표적인 사례이다.

⑤ (가) 이후에는 이념 중심의 양극 체제가, (다) 이후에는 실리 중심의 양극 체제가 출현하였다.

| 평가원 기출 |

03 다음 사례들을 종합하여 추론할 수 있는 국제 사회의 특징으로 가장 적절한 것은?

• 미국은 중국에 대해 막대한 무역 적자를 기록하자 중국에게 위안화의 평가 절상을 요구하였다. 중국은 미국의 요구를 거절하였고, 2010년 두 나라 사이에 '환율 전쟁'이 촉발되었다.

• 2011년 초 중국의 국가 주석이 미국을 방문하자 미국은 최고의 예우를 갖춰 그를 환대하였다. 양국 정상은 회담을 갖고 양국 간 관계 강화를 위해 보호 무역주의 반대와 경제 파트너십 구축 등과 관련된 내용의 합의 사항을 발표하였다.

① 국가 이익보다 이념 문제가 중시되고 있다.

② 주권 국가들의 평등한 법적 권리가 침해받고 있다.

③ 국가 이익 증진과 관련된 갈등과 협력 관계가 공존한다.

④ 국가 간 갈등은 정치적 이해 관계의 차이에 의해 발생한다.

⑤ 환율 문제는 국가의 경제 이익 실현을 위해서 가장 중요하다.

| 평가원 기출 |

04 (가)~(라) 시기의 국제 사회에 대한 옳은 설명만을 〈보기〉에서 있는 대로 고른 것은?

베스트팔렌 조약 체결 (가) 유럽 열강의 식민지 개척 (나) 제1차 세계 대전 (다) 제2차 세계 대전 (라) 독일 통일

┤ 보기 ├

ㄱ. (가)에서는 유럽에서 민족 국가가 국제 사회의 중요한 정치 단위로 등장하였다.

ㄴ. (나)에서는 몰타 선언을 계기로 강대국 간 이해관계를 협의·조정하게 되었다.

ㄷ. (다)에서는 전쟁 방지를 위해 국제 연합이 창설되었다.

ㄹ. (라)에서는 정치적으로 동서 갈등이 나타났고, 경제적으로 남북문제가 제기되었다.

① ㄱ, ㄷ   ② ㄱ, ㄹ   ③ ㄴ, ㄷ

④ ㄱ, ㄴ, ㄹ   ⑤ ㄴ, ㄷ, ㄹ

05 | 평가원 기출 |

다음 글에 나타난 국제 사회의 특징만을 〈보기〉에서 있는 대로 고른 것은?

△△신문

2009년 2월 중국은 홍콩에 머물고 있는 탁신 전(前) 타이 총리를 송환해 달라는 타이 정부의 요구를 받고 고민에 빠졌다. 타이는 중국과 1993년 범죄인 인도 조약을 체결한 만큼 타이 최고 법원으로부터 유죄가 인정되어 2년형을 선고받은 탁신 전 총리를 타이로 인도해 줄 것을 요구하고 있다. 하지만 중국은 탁신 전 총리에 대해 각별한 애정을 갖고 있다. 탁신은 2001년 총리에 오른 뒤 첫 해외 방문지로 중국을 택할 만큼 확고한 친중 노선을 견지했다. 이 때문에 중국은 탁신 전 총리를 타이로 인도하는 것에 대하여 부정적인 입장을 보이고 있다.

┤ 보기 ├
ㄱ. 국가 간 신뢰가 국가 이익보다 중요하다.
ㄴ. 국제법의 이행에는 당사국의 의지가 중요하다.
ㄷ. 국내 문제가 국가 간 문제를 야기하기도 한다.
ㄹ. 국가 간 조약은 국내법보다 강한 구속력을 갖는다.

① ㄱ, ㄹ   ② ㄴ, ㄷ   ③ ㄴ, ㄹ
④ ㄱ, ㄴ, ㄷ   ⑤ ㄱ, ㄷ, ㄹ

06 | 교육청 기출 |

표는 국제법의 법원(法源) A∼C를 구분한 것이다. 이에 대한 옳은 설명만을 〈보기〉에서 고른 것은? (단, A∼C는 각각 조약, 국제 관습법, 법의 일반 원칙 중 하나이다.)

구분	A	B	C
우리나라에서 대통령이 체결권을 갖는가?	아니요	예	아니요
(가)	예	예	예

┤ 보기 ├
ㄱ. B의 예로 '국내 문제 불간섭'을 들 수 있다.
ㄴ. A가 국제 관습법이면 C의 예로 '신의 성실의 원칙'을 들 수 있다.
ㄷ. 우리나라에서 B는 A, C와 달리 헌법과 동등한 효력을 가진다.
ㄹ. (가)에 '국제 사법 재판소에서 재판의 준거가 될 수 있는가?'가 들어갈 수 있다.

① ㄱ, ㄴ   ② ㄱ, ㄷ   ③ ㄴ, ㄷ
④ ㄴ, ㄹ   ⑤ ㄷ, ㄹ

07 | 평가원 기출 |

다음 자료는 국제 사회를 바라보는 관점 (가), (나)를 비교한 것이다. 이에 대한 설명으로 옳은 것은? (단, A와 B는 국제 연합의 주요 기관이다.)

(가)
■주요 입장
국제 사회는 국제기구나 국제법을 통해 평화적이고 협력적인 관계를 유지할 수 있음.
■사례
○○ 동계 올림픽을 앞두고 국제 연합의 모든 회원국으로 구성된 A에서는 올림픽 기간 중 일체의 적대 행위 중단을 촉구하는 올림픽 휴전 결의안을 채택함.

(나)
■주요 입장
국제 사회는 힘의 원리에 따라 운영되며 국가는 자국의 안보와 이익을 우선시함.
■사례
15개 이사국으로 구성된 B에서는 □□국의 화학 무기 공격을 규탄하는 결의안을 신속히 채택하려 했지만 상임 이사국인 △△국의 거부권 행사로 무산됨.

① A는 주권 평등의 원칙이 적용되는 국제 연합의 최고 의사 결정 기관이다.
② B에서 △△국은 실질 사항을 제외한 안건에 대해 거부권을 행사할 수 있다.
③ A는 B와 달리 국제 사법 재판소의 재판관을 선출하는 권한을 가진다.
④ (가)는 (나)와 달리 국제 사회가 무정부 상태라고 본다.
⑤ (나)는 (가)와 달리 집단 안보 체제를 통해 국제 평화를 실현해야 한다고 본다.

08 | 교육청 기출 |

국제법의 법원(法源) A∼C에 대한 설명으로 옳은 것은? (단, A∼C는 각각 조약, 국제 관습법, 법의 일반 원칙 중 하나이다.)

국제 사법 재판소는 국가 간의 법적 분쟁 발생 시 문서 형식의 명시적 합의인 A와 여러 국가의 반복적 관행을 기초로 성립되는 B를 판결에 적용하고 있다. 이 외에도 국제 사법 재판소는 문명국들이 공통으로 승인하여 따르는 C를 판결에 적용하고 있다.

① A의 경우 국가와 국제기구 간에는 체결될 수 없다.
② 우리나라에서 A는 대통령이 체결하고 국회가 비준한다.
③ 우리나라에서 B는 헌법과 같은 효력을 갖는다.
④ B의 사례로 한·일 어업 협정이 있다.
⑤ C의 사례로 신의 성실의 원칙, 권리 남용 금지의 원칙이 있다.

| 교육청 기출 |

09 다음 자료에 대한 옳은 설명만을 〈보기〉에서 고른 것은? (단, A~C는 각각 조약, 국제 관습법, 법의 일반 원칙 중 하나이다.)

> 국제법의 법원(法源) A~C 중 A, B는 C와 달리 국제 사회에서 모든 국가에 대해 포괄적인 구속력을 가진다. 한편, C는 A, B와 달리 ____(가)____.

| 보기 |

ㄱ. (가)에 '별도의 체결 절차가 필요없다.'가 들어갈 수 있다.
ㄴ. 우리나라의 경우 C에 대한 비준권은 대통령에게 있다.
ㄷ. '국내 문제 불간섭'이 A에 해당한다면 B는 법의 일반 원칙이다.
ㄹ. A~C 모두 우리나라에서 헌법과 동등한 효력을 갖는다.

① ㄱ, ㄴ   ② ㄱ, ㄷ   ③ ㄴ, ㄷ
④ ㄴ, ㄹ   ⑤ ㄷ, ㄹ

| 평가원 기출 |

10 국제법의 법원(法源) A, B에 대한 설명으로 옳은 것은? (단, A와 B는 각각 국제 관습법과 조약 중 하나이다.)

> A와 B는 각각 별도의 경로를 통해 형성되는 별개의 법원(法源)이지만, 양자의 성립과 적용은 서로 밀접한 관계에 있다. 이미 존재하는 B의 내용을 명문화하려는 목적으로 A가 탄생하는 경우도 있고, 형성 중이던 B가 A의 탄생을 계기로 결정적으로 확립되기도 한다. A는 이를 승인한 당사국에 대하여만 법적 구속력을 지니지만 그 내용이 국제 사회에서 절대 다수 국가의 호응을 얻는다면 B로 발전해 비당사국에게도 법적 구속력을 지니게 된다.

① 헌법에 의하여 체결·공포된 A는 우리나라에서 국내법과 같은 효력을 지닌다.
② A는 국가 간의 합의이므로 국가와 국제기구 간에는 체결할 수 없다.
③ B는 법적 확신과 관계없이 국제 사회에서 반복적으로 나타나는 일반적인 관행만 있으면 성립한다.
④ A는 B와 달리 국제 사법 재판소에서 재판의 준거로 활용될 수 있다.
⑤ B는 A와 달리 그 내용과 성립 시기가 분명하다는 특징이 있다.

| 평가원 기출 |

11 국제 관계를 바라보는 갑, 을의 관점에 대한 옳은 설명만을 〈보기〉에서 있는 대로 고른 것은?

| 보기 |

ㄱ. 갑의 관점은 도덕적 규범에 따른 외교 정책 수립이 가능하다고 본다.
ㄴ. 국제 연합 안전 보장 이사회의 상임 이사국이 거부권을 갖는 것은 을의 관점으로 설명될 수 있다.
ㄷ. 갑의 관점은 을과 달리 자국의 안보는 스스로 책임져야 한다고 본다.
ㄹ. 을의 관점은 갑과 달리 국가 간 힘의 균형을 강조하며 이를 통해 전쟁 억제가 가능하다고 본다.

① ㄱ, ㄴ   ② ㄴ, ㄷ   ③ ㄷ, ㄹ
④ ㄱ, ㄴ, ㄹ   ⑤ ㄱ, ㄷ, ㄹ

| 교육청 기출 |

12 표는 국제법의 법원(法源)을 파악하기 위한 질문과 답변이다. 하나의 법원에 대해 일관되게 옳은 응답을 한 학생만을 고른 것은? (단, 국제법의 법원은 조약, 국제 관습법 중 하나이다.)

질문＼학생	갑	을	병	정
원칙적으로 체결 당사국에만 법적 구속력을 가지는가?	○	×	○	×
별도의 국제법 체결 절차를 통해 효력이 발생하는가?	○	×	×	×
국내 문제 불간섭이 대표적인 사례인가?	×	×	○	○

(○: 예, ×: 아니요)

① 갑, 을   ② 갑, 정   ③ 을, 병
④ 을, 정   ⑤ 병, 정

딱풀 p. 58

13

밑줄 친 ⊙, ⓒ에 대한 설명으로 옳은 것은?

> ### △△신문
>
> 사증(비자) 없이 입국할 수 있는 외국인이 사전에 전자 여행 허가를 받을 수 있도록 하는 ⊙ 출입국 관리법 일부 개정안이 국회 본회의를 통과했다. 전자 여행 허가를 받을 수 있는 대상은 우리나라와 ⓒ 사증 면제 협정을 체결한 국가의 국민으로서 그 협정에 따라 면제 대상이 되는 사람, 다른 법률에 따라 사증 없이 입국할 수 있는 외국인 등이다.

① ⊙은 강제적으로 집행할 기관이 없다.

② 국제 사회에서 ⊙은 포괄적 구속력을 가진다.

③ 우리나라에서 ⓒ에 대한 체결권은 대통령이 가진다.

④ 우리나라에서 ⓒ은 헌법과 동등한 지위와 효력을 가진다.

⑤ ⊙, ⓒ은 모두 성문화된 형식을 갖추지 않아도 된다.

14

국제 사회를 보는 관점 (가), (나)에 대한 설명으로 옳은 것은?

> (가) 국제 사회는 무정부 상태이며, 자국의 안보를 위해서는 군사력을 강화하거나 동맹을 맺는 것이 필요하다.
>
> (나) 국제 사회에는 보편적인 선(善)이 존재하며, 국제 사회의 문제들은 국제법이나 국제기구를 통해서 해결할 수 있다.

① (가)는 국가 간 권력 관계보다 상호 협력 관계를 중시한다.

② (가)는 국가 간 힘의 균형 상태에서 전쟁 발발 가능성이 높다고 본다.

③ (나)는 국제 사회는 힘의 논리보다 이성과 제도의 영향력이 크다고 본다.

④ (가)와 달리 (나)는 국제 사회에서 국가는 자국의 이익을 최우선으로 추구한다고 본다.

⑤ (나)와 달리 (가)는 국제 사회에서 국가보다 초국가적 행위 주체의 영향력이 강화되고 있다고 본다.

15

국제 관계를 바라보는 갑, 을의 관점에 대한 설명으로 옳은 것은?

갑: 국가 간 관계는 힘의 우위에 의해 결정되는 것입니다. 따라서 국가는 힘을 길러 자국의 안보를 지키려 하며, 자국의 이익을 배타적으로 추구합니다.

을: 국제기구 등 다양한 제도를 통해서 국가 간 평화는 실현될 수 있습니다. 또한 국가가 서로 협력함으로써 공동의 이익을 실현할 수 있습니다.

① 갑의 관점은 보편적 선이나 윤리의 관점에서 국제 관계를 설명한다.

② 갑의 관점은 국제법을 국제 사회의 분쟁 해결을 위한 효과적인 수단으로 본다.

③ 을의 관점은 집단 안보 체제를 국제 평화 실현의 방안으로 본다.

④ 을의 관점은 세력 간 힘의 균형이 이루어지는 전략으로 국제 질서 유지가 가능하다고 본다.

⑤ 을의 관점과 달리 갑의 관점은 국제 사회에서 강제력을 행사할 수 있는 중앙 정부가 존재한다고 본다.

16

그림의 (가)에 들어갈 내용으로 옳은 것은?

> ### 〈서술형 평가〉
>
> ● 국제법의 법원(法源) 중 하나인 A의 특징을 3가지 서술하시오. (각 서술별로 채점하며, 옳은 서술 1개당 1점, 총 3점)
>
> | 답안 | 점수 |
> | --- | --- |
> | (1) 우리나라에서는 국회가 비준권을 가진다. | |
> | (2) 국제 사회의 반복된 관행이 법적 확신을 얻어 효력을 가지게 된 것이다. | 2점 |
> | (3)   (가) | |

① 국제기구도 체결 주체가 될 수 있다.

② 우리나라에서 헌법과 동등한 효력을 가진다.

③ 국제 사법 재판소의 재판 준거가 될 수 있다.

④ 명시적 입법 절차를 거쳐 성문화된 형식으로 존재한다.

⑤ 체결에 참여한 행위 주체에 대해서만 구속력을 지닌다.

02 국제 문제와 국제기구 ~ 우리나라의 국제 관계와 국제 질서

1 국제 문제와 국제기구

1. 국제 문제의 이해

(1) 국제 문제의 의미와 특징 — 왜? 국가 간 상호 의존성이 커지기 때문이다.

① **의미** 여러 국가나 국제 사회 전반에 부정적인 영향을 미치는 문제 — 왜? 한 국가의 노력만으로 해결되기 어렵기 때문이다.

② **특징** 영향력의 범위가 커지고 전 지구적인 위기 초래, 국제 문제 해결을 위해 국제 협력이 필요하지만 국가 간 합의 도출이 어려움.

(2) 국제 문제의 양상 자료 01 — 왜? 강제성을 가진 기구가 없기 때문이다.

안보 문제	• 자국의 안보를 위한 군비[1] 경쟁 → 군사적 긴장 초래 • 종교, 인종, 자원 등을 이유로 한 국지적 전쟁 증가, 비무장 민간인을 공격하는 테러[2] 증가 등
경제 문제	• 세계화로 인한 자유 무역의 확대로 국가 간 빈부 격차(남북문제[3]) 심화 • 저개발 국가의 기아 문제 심각 등
환경 문제	산성비, 오존층 파괴, 지구 온난화 현상 등 심화
인권 문제	• 아동 노동, 내전으로 발생하는 난민, 종교적 관습 등으로 인한 여성 인권 침해 • 국가 권력에 의한 자국민의 인권 침해도 발생함. — 예시 이슬람 국가에서의 명예 살인, 여성 운전 금지 등

(3) 국제 문제의 해결

외교적 해결	• 의미: 분쟁 당사국끼리 자율적인 해결이 원칙이며 절차에 합의하고 협상을 통해 해결책을 마련하거나 제3자의 조정 등을 활용함. • 한계: 종교 간 갈등 등 첨예한 대립 상황에서는 해결이 어려움.
사법적 해결	• 의미: 국제 사법 기관에 제소하여 국제법에 따라 해결함. • 한계: 재판 기간이 길고, 당사국의 판결 불복 시 강제하기 어려움.

2. 국제 문제 해결을 위한 국제기구의 역할

(1) 국제기구 국제 사회에서 공통의 목적을 위한 공식적 조직과 규정을 가진 조직체 → 평화 유지(국제 원자력 기구, 국제 평화 유지군 등), 인권 신장(국제 사면 위원회, 국제 연합 인권 이사회 등), 환경 보호(그린피스[4] 등) — 분석 사형 폐지 권고, 인권 침해 사례 공개 등의 활동을 함.

(2) 국제 연합

총회	• 모든 회원국이 참여하는 최고 의결 기관 • 국제 평화에 관한 권고, 안전 보장 이사회 비상임 이사국 선출, 새로운 가입국의 승인 등 • 주권 평등의 원칙에 따라 1국 1표를 행사함.
안전 보장 이사회	• 국제 평화와 안전 유지에 관한 국제 연합의 실질적 의사 결정 기관 • 국제 분쟁 조정 절차나 방법 권고, 침략국에 대한 경제·외교적 제재나 군사적 개입 • 5개 상임 이사국과 10개 비상임 이사국으로 구성됨. — 분석 미국, 영국, 중국, 프랑스, 러시아 • 15개 이사국 중 9개국 이상의 찬성으로 의결하는데, 절차 사항이 아닌 실질 사항[5]의 경우에는 상임 이사국 중 한 국가라도 거부권을 행사하면 안건이 부결됨.
국제 사법 재판소 자료 02	• 국가 간의 분쟁에 대해 국제법을 적용하여 해결하는 국제 연합의 사법 기관 • 국제 연합 총회 및 안전 보장 이사회에서 선출한 서로 국적이 다른 15명의 재판관으로 구성됨. • 강제적 관할권이 없어 기본적으로 분쟁 당사국 간 합의가 있어야 재판이 가능함. • 당사국의 판결 불복 시 직접적인 제재 수단이 없음. — 왜? 한 국가만의 일방적인 제소로는 재판이 이루어지지 않기 때문이다.
기타	사무국, 경제 사회 이사회,[6] 신탁 통치 이사회 등

(3) 국제 연합의 한계 자료 03

① 안전 보장 이사회 상임 이사국의 거부권 행사로 중요한 의사 결정이 지연됨.

② 회원국들이 분담금을 제대로 내지 않아 재정적인 어려움을 겪고 있음.

③ 국제적으로 중요한 문제는 국제 연합이 배제된 채 각국 대표 간의 협상으로 해결되고 있음. — 분석 분담금 비율이 높은 강대국의 영향력을 배제하기 어렵다.

국제 연합 주요 기구

구분	구성	주요 기능
총회	모든 회원국	국제 평화에 대한 권고
안전 보장 이사회	5개의 상임 이사국과 10개의 비상임 이사국	침략국에 대한 경제·외교적 제재나 군사적 개입
국제 사법 재판소	국적이 서로 다른 15명의 재판관	국제법을 적용하여 국가 간 분쟁 해결

[1] 군비
전쟁을 수행하기 위해 갖춘 군사 시설이나 장비를 말한다.

[2] 테러
특정 개인이나 단체가 자신의 목적을 달성하기 위하여 폭력을 사용하여 적이나 상대편을 위협하거나 공포에 빠뜨리는 행위를 말한다. 전쟁과 달리 테러는 공격 대상을 특별히 정해 놓지 않고 불특정 다수를 대상으로 하는 경우가 많다.

[3] 남북문제
경제 성장이 앞선 북반구의 국가와 뒤처진 남반구 국가 간의 경제적 격차에서 생기는 경제적·정치적 문제를 의미한다.

[4] 그린피스
환경 파괴에 대항하는 홍보 활동 등을 통해 환경 보호와 평화 증진을 위하여 노력하는 국제 환경 단체이다.

[5] 절차 사항과 실질 사항
국제 연합 헌장에는 절차 사항과 실질 사항이 명시되어 있지 않지만, 과거의 예로 보면 토의 순서의 결정, 새로운 의제의 삽입, 회의 참석국의 초대 등은 절차 문제로 처리되었다.

[6] 경제 사회 이사회
인류 전반의 생활 수준 향상을 목적으로 경제, 사회, 교육, 문화, 보건, 식량 등 국제 사회의 다양한 문제를 연구하는 기관이다.

셀파 자료 탐구

자료 01 국제 문제의 양상

▲ 테러

▲ 지구 온난화

자료 분석 | 왼쪽 사진은 2017년 10월 아프리카 소말리아에서 발생한 역사상 최악의 폭탄 테러 현장의 모습이다. 이와 같이 테러는 세계 각국의 안보를 위협하고 있다. 오른쪽 사진은 지구 온난화로 인한 해수면 상승으로 바닷물 속에 가라앉고 있는 남태평양 섬나라 키리바시의 모습이다. 바닷물이 들어와 나무가 자라지 못하는 땅이 늘고 있으며, 머지않아 섬 전체가 완전히 바닷물 속으로 사라질 것으로 예상되고 있다. 이러한 국제 환경 문제를 해결하기 위해서는 국가 간 협력이 필요한데, 자국의 이익 추구와 국가 간 입장 차이로 문제 해결이 쉽지 않다.

자료 02 국제 사법 재판소

2012년 11월 국제 사법 재판소는 카리브해에 있는 산안드레스섬 등을 둘러싼 콜롬비아와 니카라과의 영유권 분쟁에서 콜롬비아의 손을 들어주었다. 국제 사법 재판소는 1928년 양국이 체결했던 '산안드레스섬, 프로비덴시아섬, 산타카탈리나섬이 콜롬비아의 소유'라고 명시한 조약을 근거로 해당 섬들의 소유권이 콜롬비아에 있다고 판단하였다. 또한 이미 콜롬비아가 수십 년에 걸쳐 산안드레스섬 등과 주변 해역을 지배하고 있는데, 상당 기간 실효적으로 지배하고 있는 국가의 영유권을 인정하는 것은 오랜 관행에 법적 확신이 부여되어 확립된 국제법이라는 점을 강조하였다.

자료 분석 | 국제 사법 재판소는 국가 간 분쟁을 평화적으로 해결하기 위해 설립된 국제 연합의 사법 기관으로서, 조약, 국제 관습법, 법의 일반 원칙 등 국제법을 적용하여 사법적 절차에 따라 국가 간 분쟁을 해결한다. 국제 사법 재판소에서의 재판은 국제 연합 회원국뿐만 아니라 비회원국도 청구 가능하지만, 국제기구나 개인은 당사자가 될 수 없다. 국제 사법 재판소는 자칫 전쟁과 같은 폭력의 사용으로 치달을 수 있는 국가 간 분쟁을 재판을 통해 평화적으로 해결할 수 있다는 점에서 국제 사회에서 중요한 역할을 하고 있다.

자료 03 국제 연합(UN)의 한계

지난 2월 1일 쿠데타 발발 이후 미얀마에서는 이어진 시민 저항으로 지난 18일 기준 802명이 목숨을 잃었다. 이젠 민주화 세력이 반군과 연합해 군사적 대항에 나서는 등 내전 국면으로 치달으며 희생자는 기하급수적으로 늘 수도 있다는 우려도 나오고 있다. 미국과 영국 등 서방 국가들이 주도해 미얀마 군부의 쿠데타와 민간인 학살을 규탄하는 내용을 담은 공동 성명은 중국과 러시아의 반대에 가로막혀 도출되지 못했기 때문이다. 제재나 군사적 개입 등 미얀마 군부에 타격을 가할 수 있는 직접적이고 강력 대응은 언감생심이었다. 거부권을 가진 강대국이 유엔 안보리의 목소리를 빼앗아가는 동안 사태가 발생한 지역에선 무수한 민간인들이 희생됐다.

– 헤럴드경제, 2021. 5. 21

자료 분석 | 국제 연합의 안전 보장 이사회는 국제 분쟁이나 침략 발생 시 해당 국가에 대해 평화적 해결안을 권고하거나 경제·외교적 제재 조치를 취할 수 있다. 그런데 상임 이사국의 거부권 행사가 자국의 이해관계에 얽혀 있어서 실질적인 국제 분쟁 해결에 도움이 되지 않는 경우가 많다. 제시된 미얀마 사태에서는 중국과 러시아의 거부권 행사로 인해 조속한 해결이 어렵게 되었다.

1 국제 문제는 제대로 해결되지 않으면 전 지구적인 위기를 초래할 수 있다.

(○ , ×)

2 지구 온난화는 국경을 초월하여 발생하므로 개별 국가만의 문제가 아니다.

(○ , ×)

3 그린피스는 지구 환경 보전을 위해 노력하는 국제 환경 보호 단체이다.

(○ , ×)

4 국제 연합의 총회는 모든 회원국이 평등하게 참여하는 최고 의결 기구이다.

(○ , ×)

5 남북문제는 북반구에 위치한 가난한 국가들과 남반구에 위치한 부유한 국가들 간의 경제적 격차와 그에 따른 갈등을 의미한다.

(○ , ×)

6 안전 보장 이사회의 모든 안건에서 상임 이사국은 거부권을 가지고 있다.

(○ , ×)

7 국제 사법 재판소는 국제 연합 총회 및 안전 보장 이사회에서 선출한 15명의 재판관으로 구성된다.

(○ , ×)

8 국제기구나 개인은 국제 사법 재판소의 재판의 당사자가 될 수 있다.

(○ , ×)

9 국제 사법 재판소는 조약과 국제 관습법 등의 국제법을 근거로 판결을 내린다.

(○ , ×)

정답 1 ○ 2 ○ 3 ○ 4 ○ 5 × 6 ×
7 ○ 8 × 9 ○

2 우리나라의 국제 관계와 국제 질서

1. 우리나라의 국제 관계

(1) 우리나라의 국제 관계 변화 자료 04

① 1950년대 냉전 체제 심화 → 국가 안보를 위해 반공 외교, 미국을 중심으로 하는 자유 진영 국가와 우호 관계 주의! 공산권 국가와는 외교 단절

② 1960년대 제3세계 비동맹 국가들의 성장에 맞춰 외교 대상 국가 확대

③ 1970년대 냉전이 완화되면서 공산 진영 국가들과 관계 개선 노력 예시 1973년 6·23 외교 선언

④ 1980년대 후반 적극적인 북방 외교[7] 정책을 펼쳐 공산권 국가와 수교

⑤ 1990년대 국제 연합 가입(1991), 경제 협력 개발 기구(OECD) 가입(1996), 실리 외교 전개

⑥ 2000년대 6자 회담(2003~2007)[8] 추진, 6·15 남북 공동 선언(2000)[9] 채택

(2) 최근 우리나라를 둘러싼 국제 관계

북한	• 북한의 핵개발을 둘러싼 안보 위기 심각 • 남북 정상 회담, 북미 정상 회담 등으로 해결의 실마리 모색 • 남북한 경제 및 문화 교류 등으로 화해 분위기 조성
중국	• 역사 왜곡 문제(동북공정),[10] 서해 어선 불법 조업 문제, 이어도를 둘러싼 해상 영유권 갈등 및 대기 오염 분쟁 등으로 갈등 자료 05 • 북한 핵 문제에 대해 미국의 영향력을 차단하기 위해 한반도 상황 변화를 주시함. • 무역 의존도[11]가 지나치게 높은 편임.
일본	• 역사 왜곡(역사 교과서 왜곡, 일본군 위안부 사실 왜곡 등) 문제, '동해' 명칭 표기 분쟁 등 자료 06 • 영토(독도) 문제를 국제적으로 분쟁화하려는 태도를 보임. 비교 우리 정부는 독도는 외교 협상과 사법적 해결의 대상이 될 수 없다는 입장을 갖고 있다.
미국	• 중국을 견제하기 위해 우리나라, 일본 등 우방국과의 협력을 강화함. • 중국과의 무역 분쟁으로 한국이 손실을 볼 수 있음.

2. 바람직한 외교 정책

(1) 외교와 외교 정책

① 외교의 의미 한 국가가 자국의 이익을 위해 평화적인 방법으로 다른 국가와 국제 관계를 형성하고 유지 및 관리하는 활동

② 외교의 방법 주로 협상을 통해 이루어지며 이 과정에서 설득, 타협, 군사적·정치적 위협 등이 나타나기도 함.

③ 외교 정책 외교를 통해 자국의 이익 증진을 목적으로 시행하는 정책

④ 외교 정책의 중요성 국제 분쟁을 해결하고 국제 사회의 평화를 유지하는 데 이바지할 수 있으므로 국가 내부적 상황과 국가 간의 관계 등 다양한 요인을 고려하여 신중하게 결정해야 함.

(2) 바람직한 국제 관계를 위한 우리 외교의 방향 왜? 주변 국가들은 한반도 통일에 대해 이해관계가 달라 우리만큼 절실하게 생각하지 않기 때문이다.

한반도 평화 정착	우방국과의 동맹에 기초한 튼튼한 안보를 바탕으로 북한과 평화적 교류와 협력을 확대
다자간 협력과 공존	한반도 평화와 통일에 대한 주변 국가의 지지와 협력을 이끌어 낼 필요가 있음.
국제기구의 활동에 적극 참여	군사 비용 축소, 대량 살상 무기 개발 금지, 환경 보호, 빈곤과 질병 퇴치 등 국제기구를 통하여 국제 문제 해결에 적극적으로 참여하면서 한국의 기여도를 높여야 함.
무역 및 기술 교류 촉진	대외 경제 활동과 수출을 통한 경제 성장을 추구, 기술 교류를 통하여 4차 산업 혁명 속에서 국가 경쟁력을 강화해야 함.
민간 외교 자원의 활용	정부의 공식적 외교뿐만 아니라 문화, 예술, 환경, 스포츠 등 다양한 분야에서 민간 외교 자원을 적극적으로 활용(공공 외교[12])해야 함.
국제법의 효과적 활용	국제법은 국제 사회의 합의에 바탕을 둔 것이기 때문에 강대국이라도 함부로 무시할 수 없는 권위를 지님. → 국제법을 활용하는 것은 한반도 주변 강대국들을 상대로 우리의 주장을 펼칠 때 효과적 전략이 될 수 있음.

[7] 북방 외교
1970년대 이후부터 추진해 온 한국의 대(對)공산권 외교 정책이다. 1988년 본격적으로 정부의 대외 정책의 기조로 설정되었다. 그 후 1989년 헝가리와의 수교, 1991년 남북한의 국제 연합 동시 가입, 1992년 중국과의 수교가 이루어졌다.

[8] 6자 회담
북한의 핵 문제를 해결하는 방안을 논의하기 위해 한국, 북한, 미국, 중국, 러시아, 일본 등 한반도 주변의 6개국이 참여하는 다자(多者) 회담이다.

[9] 6·15 남북 공동 선언
2000년 북한 평양시에서 열린 남북 정상 회담 당시 김대중 대통령과 북한의 김정일이 작성하고 발표한 공동 선언이다.

[10] 동북공정
중국 국경 내 동북 지역에서 나타났던 고대 국가들의 역사가 중국 역사의 일부임을 주장하기 위해 진행된 중국의 역사 연구 사업이다.

[11] 무역 의존도
한 나라의 국민 경제가 어느 정도 무역에 의존하고 있는가를 나타내는 지표이다. 무역 의존도가 높을수록 국제 경제의 변화가 국민 경제에 미치는 영향이 커진다.

고득점을 위한 셀파 Tip

우리나라의 국제 관계와 외교 정책 방향

우리나라의 국제 관계	주변 국가들과 협력하면서 경쟁, 갈등이 복잡하게 전개됨.
외교 정책 방향	• 한반도 평화 정착, 다자 간 협력과 공존 • 국제기구 참여, 무역 및 기술 교류 • 민간 외교 확대, 국제법 활용 등

[12] 공공 외교
외국 국민과의 직접적인 소통을 통해 우리나라의 역사, 전통, 문화, 예술, 가치, 정책, 비전 등에 대한 공감대를 확산하고 국가 이미지를 높여 국제 사회에서 우리나라의 영향력을 높이는 외교 활동을 말한다.

자료 04 우리나라 외교 정책의 역사

1950년대	반공 외교, 미국 중심 외교
1960년대	제3세계 국가에 대한 외교 강화
1970년대	공산권 외교 강화, 사회주의 국가에 문호 개방
1980년대	북방 외교 추진, 소련, 중국 등으로 외교 영역 확대
1990년대	남북 간 긴장 완화 노력, 실리 외교 전개
2000년대	6자 회담 추진, 6·15 남북 공동 선언 채택

자료 분석 | 우리나라는 남북 분단과 냉전이라는 특수한 상황 속에서 오랜 기간 이념 중심의 대외적 관계를 유지해왔다. 이에 따라 1980년대까지만 하더라도 우리나라의 국제 관계는 미국을 비롯한 자유주의 진영 국가에 집중되었다. 하지만 이러한 서구 사회 중심의 외교 정책은 21세기의 다극화된 국제 질서하에서는 한계를 드러낼 수밖에 없었고, 외교 정책도 다변화되었다.

자료 05 중국의 이어도 영유권 주장

이어도는 제주도에서 서남쪽으로 149 km에 있는 수중 암초이다. 중국과는 247 km, 일본과는 276 km 가량 떨어진 지점에 있다. 이어도 인근 수역은 다양한 어종이 서식하는 '황금 어장'이며 중국이나 동남아시아, 유럽 등 각지로 항해하는 주요 항로이기도 하여 매우 중요한 지역이다. 우리나라는 2003년 이곳에 해양 과학 기지를 건설하여 해양 과학 연구를 진행해 오고 있다. 그런데 중국이 이어도를 자국의 영토로 편입하고자 영유권을 주장하면서 우리나라와 갈등을 빚게 된 것이다.
– 한겨레신문, 2017. 2. 22.

자료 분석 | 이어도는 배타적 경제 수역 설정을 둘러싸고 우리나라와 중국 간 갈등의 중심이 되고 있다. 우리나라는 중간선의 원칙에 따라 이어도 부근 해역을 대한민국 관할이라고 보는 반면, 중국은 대륙붕을 기준으로 정해야 한다는 점과 과거 중국 지도에 이어도 부근이 중국 해역으로 표기되어 있었음을 주장하고 있다. 그러나 중국 측이 증거로 제시하는 『산해경』 등의 고문헌에는 이어도가 중국의 영토임을 증명할 수 있는 명확한 근거가 없다.

자료 06 '동해' 명칭 표기 문제

1904년 러일 전쟁 발발 전부터 일본은 동해가 지닌 전략적 중요성을 인지하여 동해를 중심으로 한 일본 제국의 건설을 꿈꾸었다. 이에 일본은 동해를 일본해로 표기하고 일본해를 국제 사회의 정식 명칭으로 자리 잡게 하려는 계획을 추진하였다. 마침내 우리나라를 강제 지배하게 된 일본은 1929년 국제 수로 회의에서 동해를 일본해로 표기하는 결정을 끌어냈다. 이때부터 동해 지역의 국제적 명칭은 일본해로 통일되었다. 우리나라는 1997년 국제 연합 총회에서 처음으로 일본해 표기의 부당함을 제기하였고, 이후에도 꾸준히 동해 표기의 당위성을 국제 사회에 호소하고 있다. 이에 반해 일본은 일본해 단독 표기를 주장하면서, 합의안이 마련될 때까지 동해와 일본해를 함께 표시하자는 우리나라 정부의 제안도 받아들이지 않고 있다.
– 오마이뉴스, 2017. 4. 5.

자료 분석 | 제시된 사례는 우리나라와 일본 간의 국제 분쟁 사례에 해당한다. 국제 분쟁은 당사국의 주권과 직접 연관된 것이기 때문에 해결하기 어렵다. '동해' 명칭 표기 문제도 영토 주권과 직접 연관되기 때문에 쉽게 해결되지 못하고 있다. 이를 해결하기 위해서는 동아시아의 역사적, 문화적 맥락을 이해하고 주변국과의 협력을 증대하여 상호 양보와 타협을 통해 문제를 해결하는 것이 바람직하다.

1 1950년대에 우리 정부는 미국을 중심으로 하는 자유 진영 국가와 우호 관계를 맺었다.
(○ , ×)

2 1960년대 사회주의 국가들이 붕괴 조짐을 보이며 국제 정세가 급변하자 우리 정부는 적극적으로 북방 외교 정책을 펼쳤다.
(○ , ×)

3 미국은 중국의 영향력을 견제하기 위해 우리나라, 일본 등 우방국과의 군사적 협력을 강화하고 있다.
(○ , ×)

4 일본은 동북공정을 통해 식민지 시대의 역사를 왜곡하고 있다.
(○ , ×)

5 외교적 해결은 당사국이 직접 양보와 타협을 통해 원만한 합의를 이끌어내는 방식이다.
(○ , ×)

6 우리는 다자 간 협력과 공조를 바탕으로 한반도 문제의 평화적 해결을 추구해야 한다.
(○ , ×)

7 우리 외교가 더욱 힘을 발휘하기 위해서는 민간 외교보다는 정부 차원의 외교에 치중해야 한다.
(○ , ×)

8 국가 간 갈등에서 국제법을 외교적 해결 수단으로 활용해야 한다.
(○ , ×)

9 현대 사회에서는 이념이나 명분보다 실리를 중시하는 방향으로 외교 활동이 전개되고 있다.
(○ , ×)

정답 1 ○ 2 × 3 ○ 4 × 5 ○ 6 ○ 7 × 8 ○ 9 ○

개념 완성

1 국제 문제의 양상

안보 문제	종교, 인종, 자원 등을 이유로 한 국지적 전쟁 증가, 테러 증가 등
경제 문제	• 세계화로 인한 자유 무역의 확대 → 국가 간 빈부 격차(❶　　　　) 심화 • 저개발국의 기아 문제 심각 등
환경 문제	산성비, 오존층 파괴, 지구 온난화 현상 심화
인권 문제	아동 노동, 난민, 여성 인권 침해 등

2 국제 연합의 주요 기관

총회	모든 회원국이 참여하는 최고 의결 기관
안전 보장 이사회	• 국제 평화와 안전 유지에 관한 국제 연합의 실질적 의사 결정 기관 • 실질 사항의 경우에는 5개 상임 이사국 중 한 국가라도 (❷　　　　)을 행사하면 안건이 부결됨.
국제 사법 재판소	• 국가 간 분쟁에 대해 국제법을 적용하여 해결하는 국제 연합의 사법 기관 • 분쟁 당사국 간 합의가 있어야 재판이 가능하며, 당사국의 판결 불복 시 직접적인 제재 수단이 없음.

3 우리나라 국제 관계의 변화

1950년대	미국을 중심으로 하는 자유 진영 국가와 우호 관계
1960년대	제3세계 국가에 대한 외교 강화
1970년대	냉전이 완화되면서 공산주의 국가에 문호 개방
1980년대	(❸　　　　) 외교 추진 → 공산권 국가와 수교
1990년대	국제 연합(UN) 가입, 경제 협력 개발 기구(OECD) 가입, 실리 외교
2000년대	6자 회담 추진, 6·15 남북 공동 선언 채택

4 바람직한 국제 관계를 위한 우리 외교의 방향

한반도 평화 정착	북한과 평화적 교류와 협력 확대
다자 간 협력과 공존	한반도 평화와 통일에 대한 주변 국가의 지지와 협력을 이끌어 낼 필요가 있음.
국제기구의 활동에 적극 참여	국제기구를 통하여 국제 문제 해결에 적극적으로 참여하면서 한국의 기여도를 높여야 함.
무역 및 기술 교류 촉진	대외 경제 활동과 수출을 통해 경제 성장 추구, 기술 교류를 통해 국가 경쟁력 강화
민간 외교 자원의 활용	문화, 예술, 환경, 스포츠 등 다양한 분야에서 민간 외교 자원을 적극적으로 활용하는 (❹　　　　)가 필요함.
국제법 활용	국제법은 강대국도 무시할 수 없는 권위를 지님.

정답 ❶ 남북문제 ❷ 거부권 ❸ 북방 ❹ 공공 외교

---

1 국제 문제와 국제기구

01 다음 사례를 통해 파악할 수 있는 국제 문제의 특징으로 옳지 않은 것은?

> • 북한이 28일 초대형 방사포로 추정되는 단거리 발사체 2발을 동해상으로 발사했다고 합동참모본부가 밝혔다. 발사체의 발사 간격은 30여 초로 파악됐다. 북한이 초대형 방사포의 연속 발사 능력을 마침내 확보한 것으로 보인다.
> • 터키군이 통제하는 시리아 북동부에서 차량 폭탄 테러로 민간인 2명이 사망했다. 터키 국방부는 트위터에 폭발 현장 사진을 게재하고 "어린이 살해범 PKK(쿠르드 노동자당)/YPG(쿠르드 민병대)는 테러 공격을 계속하고 있다."라고 비판했다.

① 국경을 초월하여 피해가 발생한다.
② 개별 국가의 대응만으로는 해결이 어렵다.
③ 피해에 대한 보상 주체와 대상이 명확하다.
④ 개별 국가의 안보와 세계 평화를 위협한다.
⑤ 국제 사회에서 과도한 군비 경쟁을 유발한다.

02 국제 분쟁의 해결 방식 (가)~(다)에 대한 옳은 설명만을 〈보기〉에서 고른 것은?

종류	적용 사례
(가)	한국과 중국은 환경오염 문제를 협의하기 위한 장관 회의를 개최하였다.
(나)	국제 사면 위원회는 A국의 정치범 인권 침해 사례를 발표하면서 인권 탄압을 중단하라고 촉구했다.
(다)	국제 사법 재판소는 B국과 C국 간의 영토 분쟁에 대해 B국의 손을 들어주었다.

보기

ㄱ. (가)는 당사국 간의 양보와 타협을 통한 해결 방식이다.
ㄴ. (나)는 당사국 간의 협상이 원만하게 이루어질 때 취할 수 있는 방식이다.
ㄷ. (다)는 객관적이고 공정한 해결안을 기대할 수 있다.
ㄹ. (다)는 (가), (나)에 비해 신속한 해결 방식이다.

① ㄱ, ㄴ ② ㄱ, ㄷ ③ ㄴ, ㄷ
④ ㄴ, ㄹ ⑤ ㄷ, ㄹ

03 국제 연합의 주요 기관 (가)~(다)에 대한 설명으로 옳은 것은?

> (가) 회원국 전체로 구성되며 가입국 승인 및 다양한 국제 문제에 대한 결의안 채택 등의 활동을 수행한다.
> (나) 5개 상임 이사국과 10개 비상임 이사국으로 구성되며, 국제 평화와 안전의 유지 또는 회복에 필요한 군사적 조치를 취할 수 있다.
> (다) 국적이 서로 다른 15명의 재판관으로 구성되며 국가 간의 분쟁을 법적으로 해결하는 국제 연합의 사법 기관이다.

① (가)는 국제 사회에서 주권 평등의 원칙이 적용되는 사례이다.
② (나)에서는 이사국 중 3/5 이상이 찬성하면 상임 이사국이 반대하는 결의안도 채택할 수 있다.
③ (다)는 분쟁 당사국들의 합의가 없어도 재판을 진행할 수 있는 강제적 관할권을 가진다.
④ (다)의 의견은 (가)와 (나)에 구속력을 지닌다.
⑤ (가)~(다)는 강제력을 행사하는 세계 정부의 조직 기구이다.

04 국제 연합의 주요 기관 A~C에 대한 설명으로 옳은 것은? (단, A~C는 각각 국제 사법 재판소, 안전 보장 이사회, 총회 중 하나이다.)

> • A는 ○○ 지역을 무단 점유한 갑국에 대한 규탄 결의안을 찬성 180개국, 반대 18개국으로 의결했다.
> • B는 테러를 자행하는 을국에 대한 제재안을 의결하려 했으나 유일하게 반대한 병국으로 인해 의결하지 못하였다.
> • C는 △△섬을 둘러싼 영유권 분쟁에서 정국의 손을 들어주는 판결을 내렸다.

① A는 국제 연합의 실질적 의사 결정 기관이다.
② B는 A에서 투표로 선출된 15개국으로 구성된다.
③ C는 정국이 판결에 불복할 경우 직접적인 제재를 가할 수 있다.
④ A의 구성원이 아닌 경우라도 C에 제소할 수 있다.
⑤ 병국은 B와 달리 A에서는 투표권을 행사하지 못한다.

05 (가)에 대한 설명으로 옳지 않은 것은?

> (가)는 국제 연합의 사법 기관으로서 국제 사회에서 발생한 분쟁에 대하여 재판을 담당하고 있다. (가)의 판결은 현실적으로 구속력이 없다는 비판을 받기도 하지만 분쟁 당사국들이 모두 판결을 수용할 경우 국제 분쟁을 국제법에 근거하여 평화적으로 해결할 수 있다는 장점이 있다.

① 국제 연합 회원국이 아닌 국가도 제소할 수 있다.
② 동일 국적을 가진 재판관이 2인 이상 선출될 수 없다.
③ 재판관은 국제 연합 총회 및 안전 보장 이사회에서 각각 선출된다.
④ 원칙적으로 분쟁 당사국 일방의 제소에 상대국이 응하지 않더라도 재판이 가능하다.
⑤ 문명국에 의해 승인된 법의 일반 원칙, 저명한 국제법학자의 학설이 재판에 적용될 수 있다.

06 다음 사례를 통해 파악할 수 있는 국제 사법 재판소의 한계로 옳은 것은?

> 이스라엘은 테러 공격을 차단하고 주민들을 보호하겠다는 명분으로 지난 2002년부터 팔레스타인 자치 지구인 요르단강 서안에 콘크리트 분리 장벽을 건설하며 현지 주민을 고립시키고 있다. 이스라엘은 분리 장벽이 보안 장벽·안보 장벽·반테러 장벽이라며 필요성을 주장하고 있지만, 팔레스타인 주민들은 새로운 게토(과거 유럽의 차별적인 유대인 분리 거주 지구)의 성벽이나 마찬가지라며 비인간성을 지적하고 있다. 이에 따라 팔레스타인과 이스라엘은 국제 사법 재판소에 분쟁 해결을 요청하였다. 그 결과 2004년 국제 사법 재판소는 "분리 장벽은 팔레스타인 사람들의 인권을 지나치게 침해한 것으로, 이는 국제법에 어긋나며 철거되어야 한다."고 판결하였다. 그러나 이스라엘은 국제 사법 재판소의 판결 이행을 거부하고 있어 분리 장벽은 철거되지 않고 있다.

① 판결을 이행할 강제적 제재 수단이 없다.
② 재판관의 구성이 강대국 위주로 되어 있다.
③ 국제 비정부 기구가 재판에 개입하는 일이 많다.
④ 국제법이 아닌 당사국의 이해관계로 판결이 이루어진다.
⑤ 한 국가만의 제소로 재판이 시작되어 재판이 남발되고 있다.

2 우리나라의 국제 관계와 국제 질서

07 다음 자료에 나타난 우리나라 국제 관계의 변화에 대한 설명으로 옳은 것은?

〈우리나라의 수출 대상국 비중〉

〈1962년~1974년〉 (총수출액: 약 133억 달러)		〈2016년〉 (총수출액: 약 4,954억 달러)	
국가	비중(%)	국가	비중(%)
미국	38.5	중국	25.1
일본	30.4	미국	13.4
서독	3.9	홍콩	6.6
홍콩	3.8	베트남	6.6
캐나다	3.3	일본	4.9
기타 4개국	20.1	기타 200여 개국	43.4
계	100	계	100
(한국 무역 협회, 2017)		(관세청, 2017)	

① 유럽 국가의 경제적 영향력이 커졌다.
② 미국과의 무역 분쟁이 현실화되고 있다.
③ 수출 대상국이 과거에 비해 다변화하였다.
④ 일본에 대한 무역 적자의 폭이 커지고 있다.
⑤ 한국 경제에서 중국의 영향력이 약화되었다.

08 다음 자료를 통해 추론할 수 있는 내용으로 옳지 <u>않은</u> 것은?

우리나라는 아시아 대륙과 태평양을 잇는 접점으로서 대륙과 해양으로 진출하기 용이한 전략적 요충지로서의 성격을 지닌다.

① 주변국들의 끊임없는 침탈이 이루어졌다.
② 주변국들이 첨예하게 대립하기도 하였다.
③ 동아시아의 중심에서 중재자 역할을 할 수 있다.
④ 군사, 안보의 측면에서 경쟁과 대립이 지속되었다.
⑤ 국제 무역에서 세계 소비 시장의 역할을 했을 것이다.

09 밑줄 친 '한 학생'에 해당하는 사람은?

> 교사: 우리나라는 한반도를 둘러싼 국제 질서의 변화에 맞추어 외교 전략을 변화시켜 왔습니다. 우리나라의 외교 정책을 시대별로 발표해 볼까요?
>
> 갑: 1950년대에 우리 정부는 냉전 체제 속에서 공산 진영 국가를 배제한 채 미국을 중심으로 하는 자유 진영 국가와 우호 관계를 맺었습니다.
>
> 을: 1960년대에는 제3세계 비동맹 국가들의 성장에 맞추어 외교 대상 국가를 확대하는 외교 전략을 활용하였습니다.
>
> 병: 1970년대 냉전이 완화되고 중국과 미국 등 강대국들이 이념보다 실리를 추구하는 외교 전략을 펼치자, 우리 정부는 미국의 중재에 따라 중국과 수교하였습니다.
>
> 정: 1980년대 후반 사회주의 국가들이 붕괴 조짐을 보이며 국제 정세가 급변하자 우리 정부는 적극적으로 북방 외교 정책을 펼쳐 구소련과 수교하였고, 제3세계의 여러 국가와도 수교하였습니다.
>
> 무: 우리나라는 1991년 국제 연합에 가입하였고, 1996년 아시아 국가로는 두 번째로 경제 협력 개발 기구(OECD)의 회원국이 되었습니다.
>
> 교사: 모두 잘 대답했는데 한 학생은 틀린 대답을 했군요.

① 갑　②을　③ 병　④ 정　⑤ 무

10 다음과 같은 상황에서 우리나라의 외교적 방향으로 가장 적절한 것은?

> 탈냉전 시대에 접어들면서 이념 대립이 완화되고 세계화의 진행으로 세계 각국의 교류가 활발해지고 있다. 또한 오늘날에는 어느 한두 국가에 의해 국제 정세가 요동치지 않는다. 한반도 주변만 해도 일본, 중국, 러시아 등 무시할 수 없는 강대국이 둘러싸고 있고, 유럽 연합이나 아프리카 국가들도 제각기 자기 목소리를 내면서 협력과 갈등을 겪기도 한다. 이런 상황에서 우리나라는 이념에 사로잡혀 어느 한 강대국에만 의존하려는 자세를 버려야 한다.

① 외교 창구를 정부 주도로 단일화한다.
② 주도적이면서도 다변화된 외교를 전개한다.
③ 우리나라의 이익 추구에 외교적 역량을 집중한다.
④ 북한을 자극하지 않는 국제 환경을 조성해야 한다.
⑤ 미국을 위시한 자유 우방과의 유대를 강화해야 한다.

11 다음 글을 읽고 물음에 답하시오.

> 세계 곳곳에서는 정치, 경제, 문화 등의 영역에 걸쳐 다양한 문제가 발생하고 있다. 그 중에는 개별 국가나 지역을 넘어 여러 국가나 국제 사회 전반에 악영향을 미치는 문제도 있는데, 이러한 문제를 ☐(가)☐(이)라고 한다. 대표적인 ☐(가)☐에는 안보를 위협하는 전쟁과 테러, 국가 간 경제적 격차와 빈곤, 무분별한 개발에 따른 환경 오염과 생태계 파괴 등이 있다.

(1) (가)에 해당하는 용어를 쓰시오.

(2) (가)의 특징을 <u>두 가지</u> 서술하시오.

12 다음 글을 읽고 물음에 답하시오.

> A는 국제 연합의 모든 회원국이 평등하게 참여하는 최고 의결 기관이다. B는 국제 평화와 안보 유지의 책임을 지고 있는 실질적 의사 결정 기관으로, 경제 제재나 군사적 개입 등과 같이 국제 분쟁 해결을 위해 필요한 수단의 사용 여부를 결정할 수 있다.

(1) A, B에 해당하는 기관의 명칭을 각각 쓰시오.

(2) B의 의사 결정 방식을 서술하시오.

13 다음 글을 읽고 물음에 답하시오.

> 1946년에 창설된 국제 연합의 주된 사법 기관인 ㉠ 이 기구는 국제 연합 총회 및 안전 보장 이사회에서 선출한 각기 다른 국적을 가진 15명의 재판관으로 구성되어 있다. 이 기구는 국가 간의 분쟁을 법적으로 해결하는 데 중요한 역할을 하지만, 이 기구의 판결은 ㉡ 치명적인 한계점을 지니고 있다

(1) ㉠의 명칭을 쓰시오.

(2) ㉡에 대해 서술하시오.

14 (가)에 해당하는 용어를 쓰시오.

> ☐(가)☐(이)란 외국 국민과의 직접적인 소통을 통해 우리나라의 역사, 전통, 문화, 예술, 가치, 정책, 비전 등에 대한 공감대를 확산하고 국가 이미지를 높여 국제 사회에서 우리나라의 영향력을 높이는 외교 활동을 말한다. ☐(가)☐은/는 정부 간 소통과 협상 과정을 일컫는 전통적 의미의 외교와 달리 문화·예술, 지식, 미디어 등 다양한 수단과 통로를 활용하여 외국 대중에게 직접 다가가 그들의 마음을 사고 감동을 주어 긍정적인 국가 이미지를 만들어 나가는 것을 목표로 한다.

15 우리나라의 바람직한 외교 전략을 국제 관계에서의 주도적인 역할 강화에 초점을 두고 이를 실현하기 위한 구체적인 방안을 서술하시오.

01 다음 사례에 나타난 국제 문제에 대한 옳은 설명만을 〈보기〉에서 고른 것은?

▲ 유럽을 휩쓴 테러 공포   ▲ 지구 온난화

┤ 보기 ├
ㄱ. 국가 내의 문제이므로 어느 한 국가만의 문제이다.
ㄴ. 책임 소재가 분명하며 국가 간 합의 도출이 쉬운 편이다.
ㄷ. 개별 국가의 안보와 세계의 평화를 위협하는 국제 사회의 안보 문제이다.
ㄹ. 문제를 관리하고 규제할 강제성을 가진 기구가 없어 문제 해결이 쉽지 않다.

① ㄱ, ㄴ   ② ㄱ, ㄷ   ③ ㄴ, ㄷ
④ ㄴ, ㄹ   ⑤ ㄷ, ㄹ

02 다음 사례에 나타난 국제 문제 해결의 시사점으로 가장 적절한 것은?

나고야 의정서는 2010년 생물다양성협약 당사국 총회에서 채택된 '유전자원에 대한 접근 및 이익 공유(ABS)'에 관한 국제 조약이다. 유전자원의 주권을 인정하는 것으로 해외 유전자원에 접근하기 위해서는 해당국의 사전 허가가 필요하다. 의정서가 발효된 국가로부터 생약 자원을 수입해 연구 또는 제품 등을 제조할 경우 제공 국가로부터 접근 및 사용에 대한 허가를 받아야 하고, 이후 제품 판매로 발생한 이익에 대한 로열티도 지불해야 한다. 우리나라는 2017년 8월 '유전자원의 접근·이용 및 이익 공유에 관한 법률'이 시행되면서 나고야 의정서가 국내에 발효됐다.

① 자국의 이익을 최우선으로 고려해야 한다.
② 물리적 강제력을 동원한 해결이 필요하다.
③ 국제법을 통하여 국가 간 협력을 도모한다.
④ 비정부 기구가 주도적인 역할을 해야 한다.
⑤ 당사국 이외의 제3자에 의한 해결이 바람직하다.

| 평가원 기출 |

03 다음은 국제 사회의 현황과 과제에 대한 주장이다. 밑줄 친 ㉠~㉣에 대한 옳은 설명만을 〈보기〉에서 있는 대로 고른 것은?

㉠ 냉전의 종결은 여러 지역 분쟁의 조정과 민주 체제의 확산이라는 점에서 긍정적인 효과를 가져왔다. 그러나 이 과정에서 여전히 민족 간, 종교 간의 갈등이 끊이지 않고 있다. 또 선진국과 개발 도상국 간의 ㉡ 남북문제도 여전히 남아 있는 가운데 국제 질서의 변화 및 재편이라는 상황에 처해 있다. 이러한 상황 속에서 국제 연합(UN)은 ㉢ 다양한 지구촌 문제의 해결과 ㉣ 내부의 문제로 지적된 것들을 개혁해야 한다는 요구를 받는 등 대내외적으로 여러 가지 문제에 봉착해 있다.

┤ 보기 ├
ㄱ. ㉠ 이후 국제 연합(UN)의 국지적 분쟁 조정 역할은 감소하였다.
ㄴ. ㉡은 주로 정치적·이념적 대립을 의미한다.
ㄷ. ㉢의 대표적인 사례로는 환경 문제와 인권 문제가 있다.
ㄹ. ㉣의 사례로는 회원국들의 분담금 체납 문제를 들 수 있다.

① ㄱ, ㄴ   ② ㄱ, ㄹ   ③ ㄷ, ㄹ
④ ㄱ, ㄴ, ㄷ   ⑤ ㄴ, ㄷ, ㄹ

| 평가원 기출 |

04 그림은 시기별 국제 사회의 주요 선언과 우리나라의 외교 정책을 나타낸 것이다. 이에 대한 설명으로 옳은 것은?

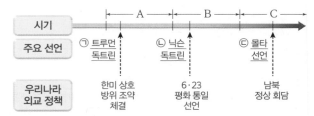

① ㉠은 냉전 체제의 확산을 막고 평화 체제를 구현하는 데 기여하였다.
② ㉡, ㉢을 계기로 세력 균형을 위한 국제 사회의 집단적 동맹 체제가 강화되었다.
③ A 시기 우리나라는 사회주의 국가와의 북방 외교에 주력하였다.
④ B 시기의 국제 질서는 A 시기에 비해 다극 체제화되었다.
⑤ C 시기에는 A 시기에 비해 국가 간 교류에서 경제적 실리보다 정치적·이념적 가치가 중시되었다.

| 교육청 기출 |
05 국제 연합의 주요 기관 A, B에 대한 옳은 설명만을 〈보기〉에서 있는 대로 고른 것은?

> 갑국은 ○○ 지역을 을국의 수도로 인정하였지만 국제 사회는 주변 국가들과의 분쟁을 야기할 수 있다는 이유로 이를 반대하였다. 이에 ○○ 지역을 을국의 수도로 인정할 수 없다는 안건이 A에 상정되어 14개 이사국이 찬성하였으나 갑국만이 반대하여 부결되었다. A에서 결의안이 부결된 이후 국제 연합의 모든 회원국으로 구성된 B에서 ○○ 지역을 을국의 수도로 인정하지 않는 결의안이 통과되었다.

┤ 보기 ├
ㄱ. 갑국은 A의 상임 이사국이다.
ㄴ. B에서는 분담금에 비례하여 투표권이 배분된다.
ㄷ. A와 달리 B는 평화 유지군을 파견할 수 있다.
ㄹ. A, B는 모두 국제 사법 재판소의 재판관을 선출할 권한을 가진다.

① ㄱ, ㄷ   ② ㄱ, ㄹ   ③ ㄴ, ㄷ
④ ㄱ, ㄴ, ㄹ   ⑤ ㄴ, ㄷ, ㄹ

| 평가원 기출 |
06 국제 연합의 주요 기관 A~C에 대한 옳은 설명만을 〈보기〉에서 고른 것은?

> 국제 연합의 모든 회원국으로 구성된 A는 국제 사회의 다양한 문제를 논의하며, 15개 이사국으로 구성된 B는 국제 평화와 안전 유지에 대한 책임을 지고 있다. 경제 사회 이사회는 경제, 사회, 문화 등의 국제 문제를 담당하며, C는 국제 연합의 주요 사법 기관이다.

┤ 보기 ├
ㄱ. A에서는 분담금에 따라 의결권을 회원국에게 차등적으로 배분한다.
ㄴ. B에서는 이사국 중 9개국 이상이 찬성하면 모든 안건을 의결할 수 있다.
ㄷ. C는 국제 관습법을 재판의 준거로 활용할 수 있다.
ㄹ. C는 원칙적으로 분쟁 당사국들이 합의하여 분쟁 해결을 요청한 경우 관할권을 가진다.

① ㄱ, ㄴ   ② ㄱ, ㄷ   ③ ㄴ, ㄷ
④ ㄴ, ㄹ   ⑤ ㄷ, ㄹ

| 평가원 기출 |
07 그림은 국제 연합의 주요 기관에 대한 대화이다. 이에 대한 설명으로 옳은 것은?

① A가 국제 사법 재판소라면 (가)에는 'A는 판결에 불복하는 당사국을 직접 제재할 수 없습니다.'가 들어갈 수 있다.
② A가 안전 보장 이사회라면 (가)에는 'A의 상임 이사국 중 한 국가라도 거부권을 행사하면 안건이 부결됩니다.'가 들어갈 수 있다.
③ 갑이 옳게 말한 학생이라면 (가)에는 'A는 국제 평화와 안전을 위해 평화 유지군을 파견할 수 있습니다.'가 들어갈 수 있다.
④ 을이 옳게 말한 학생이라면 (가)에는 'A는 국제 연합의 최고 의결 기관으로 주권 평등의 원칙이 적용됩니다.'가 들어갈 수 있다.
⑤ (가)에 'A는 국적이 모두 다른 15인의 재판관으로 구성됩니다.'가 들어간다면 옳게 말한 학생은 병이다.

08 (가)~(라)는 광복 이후 우리나라의 시기별 외교 정책의 특징이다. 이에 대한 옳은 설명만을 〈보기〉에서 있는 대로 고른 것은?

> (가) 미국을 중심으로 한 자유 진영 중심의 외교
> (나) 6·23 평화 통일 선언으로 일부 사회주의 국가에 문호 개방
> (다) 북방 외교의 시행으로 공산권 국가와의 수교
> (라) 지구촌 문제 해결에 동참하는 외교

┤ 보기 ├
ㄱ. (가)는 냉전 체제의 성립과 관련된다.
ㄴ. (나)로 남북한이 국제 연합에 동시 가입하였다.
ㄷ. (나)와 (다)는 냉전 체제의 해체 이후 가능하게 되었다.
ㄹ. (라)의 일환으로 동티모르 유엔 평화 유지 활동에 참여하였다.

① ㄱ, ㄷ   ② ㄱ, ㄹ   ③ ㄴ, ㄷ
④ ㄱ, ㄴ, ㄹ   ⑤ ㄴ, ㄷ, ㄹ

O1. 국제 관계의 변화

① 국제 사회의 변천 과정

베스트팔렌 조약(1648)	민족 단위의 주권 국가 등장. 오늘날과 같은 국제 질서 형성
제국주의 시대 (19세기 말~20세기 초)	유럽 열강들의 식민지 확보 경쟁 → 국제 사회의 무대가 전 세계로 확대
냉전 시대 (20세기 중반~1950년대 후반)	• 미국 중심의 자유 진영과 구소련 중심의 공산 진영으로 대립 • 트루먼 독트린(1947): 공산주의 국가의 위협을 받는 국가를 경제적으로 지원함.
냉전 시대의 완화와 종식 (1960년대~1990년대 초반)	• 제3세계 등장. 닉슨 독트린(1969). 중국과 소련의 분쟁으로 냉전이 완화됨. • 몰타 선언(1989). 독일 통일(1990). 구소련 해체(1991) 등으로 냉전이 종식됨.
탈냉전, 세계화 (1990년대 중반 이후)	• 이념 대립에서 벗어나 경제적 실리를 추구하는 경향임. • 민족, 종교, 영토, 자원 등 다양한 이유로 발생하는 분쟁은 증가함.

② 국제 사회를 바라보는 관점

자유주의적 관점	현실주의적 관점
• 국가는 이성적 판단이 가능함을 전제로 함. • 국제법이나 국제기구의 중요성을 강조함. • 집단 안보 전략을 통한 평화 보장	• 국제 사회는 자국의 이익을 추구하는 무정부 상태임. • 개별 국가는 스스로 자국의 안보와 이익을 지켜야 함. • 세력 균형 전략으로 국가의 안전 보장

③ 국제 사회의 행위 주체: 국가, 국제기구(정부 간 국제기구, 국제 비정부 기구), 국가 내부적 행위체, 영향력 있는 개인

O2. 국제법의 이해

① 국제법의 법원

조약	• 의미: 국가 상호 간 또는 국제기구와 국가 간에 체결한 합의로, 주로 문서 형식으로 이루어짐. • 효력: 체결 당사국에게만 적용되며, 당사국은 조약의 규정을 준수·이행할 의무를 가짐. • 종류: 양자 조약(두 국가 간), 다자 조약(셋 이상의 국가 간) • 사례: 한미 상호 방위 조약, 한중 어업 협정, 파리 기후 변화 협약 등
국제 관습법	• 의미: 국가들이 오랜 기간 반복해 오면서 국제 사회에서 법 규범의 효력을 가지게 된 관습 법규 • 효력: 별도의 체결 절차나 문서 형식의 합의문은 없으며, 모든 국가에 법적 구속력이 발생하는 포괄적 구속력을 가짐. → 국내에 적용하기 위해 별도의 입법 절차가 필요 없다. • 사례: 국내 문제 불간섭 원칙, 외교관의 면책 특권 등
법의 일반 원칙	• 의미: 여러 국가의 국내법이 공통으로 따르는 법의 보편적인 원칙 • 사례: 신의 성실의 원칙, 권리 남용 금지의 원칙, 손해 배상 책임의 원칙 등

② 국제법의 한계

입법 기관의 부재	국가를 초월한 입법 기관에 의해 제정되는 것이 아니라 국가 간 합의에 의해 만들어짐.
재판 규범으로서의 한계	일반적으로 분쟁 당사국들의 동의 없이는 국제 사법 재판소의 재판이 성립하지 않아 실질 규범으로 적용되지 못하는 경우가 발생함.
실질적 제재의 한계	강제적으로 집행할 기구가 없어서 규범을 이행하지 않더라도 실질적인 제재가 어려움.

O3. 국제 문제와 국제기구

① 국제 문제의 양상

• **안보 문제:** 자국의 안보를 위한 군비 경쟁으로 군사적 긴장 초래, 종교·인종·자원 등을 이유로 한 국지적 전쟁 증가, 비무장 민간인을 공격하는 테러 증가 등

• **경제 문제:** 세계화로 인한 자유 무역의 확대로 국가 간 빈부 격차(남북문제) 심화, 저개발 국가의 기아 문제 심각 등

- **환경 문제:** 산성비, 오존층 파괴, 지구 온난화 현상 심화 등
- **인권 문제:** 아동 노동, 내전으로 발생하는 난민, 종교적 관습 등으로 인한 여성 인권 침해, 국가 권력에 의한 인권 침해 등

② 국제 문제의 해결

외교적 해결	• 의미: 분쟁 당사국끼리 자율적인 해결이 원칙이며 절차에 합의하고 협상을 통해 해결책을 마련하거나 제3자의 조정 등을 활용함. • 한계: 종교 간 갈등 등 첨예한 대립 상황에서는 해결이 어려움.
사법적 해결	• 의미: 국제 사법 기관에 제소하여 국제법에 따라 해결함. • 한계: 재판 기간이 길고, 당사국의 판결 불복 시 강제하기 어려움.

③ 국제 연합

총회	• 모든 회원국이 참여하는 최고 의결 기관 • 국제 평화에 관한 권고, 안전 보장 이사회 비상임 이사국 선출, 새로운 가입국의 승인 등 • 주권 평등의 원칙에 따라 1국 1표를 행사함.
안전 보장 이사회	• 국제 평화와 안전 유지에 관한 국제 연합의 실질적 의사 결정 기관 • 국제 분쟁 조정 절차나 방법 권고, 침략국에 대한 경제·외교적 제재나 군사적 개입 • 5개 상임 이사국과 10개 비상임 이사국으로 구성됨. • 15개 이사국 중 9개국 이상의 찬성으로 의결하는데, 절차 사항이 아닌 실질 사항의 경우에는 상임 이사국 중 한 국가라도 거부권을 행사하면 안건이 부결됨. ⟶ 절차 사항 의결에서는 상임 이사국의 거부권 행사가 인정되지 않는다. • 한계: 상임 이사국의 거부권 행사로 중요한 의사 결정이 지연됨, 회원국들이 분담금을 제대로 내지 않아 재정적인 어려움을 겪음, 중요한 국제 문제가 국제 연합이 배제된 채 각국 대표 간의 협상으로 해결되고 있음.
국제 사법 재판소	• 국가 간의 분쟁에 대해 국제법을 적용하여 해결하는 국제 연합의 사법 기관 • 국제 연합 총회 및 안전 보장 이사회에서 선출한 서로 국적이 다른 15명의 재판관으로 구성됨. • 한계: 강제적 관할권이 없어 분쟁 당사국 간 합의가 있어야 재판이 가능함, 당사국의 판결 불복 시 직접적인 제재 수단이 없음.

04. 우리나라의 국제 관계와 국제 질서

① 우리나라의 국제 관계 변화

- **1950년대:** 미국을 중심으로 하는 자유 진영 국가와 우호 관계
- **1960년대:** 제3세계 국가에 대한 외교 강화
- **1970년대:** 냉전이 완화되면서 공산 진영 국가들과 관계 개선 노력
- **1980년대 후반:** 적극적인 북방 외교 정책을 펼쳐 공산권 국가와 수교
- **1990년대:** 국제 연합 가입(1991), 경제 협력 개발 기구(OECD)(1996) 가입
- **2000년대:** 6자 회담(2003~2007) 추진, 6·15 남북 공동 선언(2000) 채택

② 우리 외교의 바람직한 방향

- **한반도 평화 정착:** 우방국과의 동맹에 기초한 튼튼한 안보를 바탕으로 북한과 평화적 교류와 협력을 확대함.
- **다자간 협력과 공존:** 한반도 평화와 통일에 대한 주변 국가의 지지와 협력을 이끌어 낼 필요가 있음.
- **국제기구의 활동에 적극 참여:** 국제기구를 통하여 국제 문제 해결에 적극적으로 참여하면서 한국의 기여도를 높여야 함.
- **무역 및 기술 교류 촉진:** 대외 경제 활동과 수출을 통한 경제 성장 추구, 기술 교류를 통해 국가 경쟁력을 강화해야 함.
- **민간 외교 자원의 활용:** 문화, 예술, 환경, 스포츠 등 다양한 분야에서 민간 외교 자원을 적극적으로 활용(공공 외교)해야 함.

Memo.

고등사·과탐 고득점을 위한
내신 수능 기본서 셀파

사탐 시리즈

고1~고3 (통합사회/한국사/사회·문화/생활과 윤리/동아시아사/정치와 법/한국지리/
세계지리/윤리와 사상)

과탐 시리즈

고1~고3 (통합과학/물리학Ⅰ/화학Ⅰ/생명과학Ⅰ/지구과학Ⅰ)

개념을 잡아 주는 **자율학습 기본서**

고등 **셀파**

BOOK **1** | 개념 잡는 알집

정치와 법

개념을 잡아 주는 **자율학습 기본서**

고등 **셀파**

Sherpa

정치와 법

김관성· 김예리· 김현진· 나혜영· 박홍인· 서정일

BOOK **2**

믿고 보는 정답 및 해설 **딱 맞는 풀이집**

천재교육

개념을 잡아 주는 **자율학습 기본서**

고등 셀파

선생님이 옆에서 풀어 주듯 친절한 해설!
오답 해결을 위한 완벽 시스템!

각 문항에 대한 상세한 설명이 필요할 때 | **정답을 찾아가는 셀파 - Tip**

문제와 관련된 개념 정리가 필요할 때 | **내 것으로 만드는 셀파 - Tip**

자료에 대한 분석 방법을 알고 싶을 때 | **자료를 분석하는 셀파 - Tip**

서술형 문제에서 고득점이 필요할 때 | **모범 답안 & 주요 단어**

"정답인 이유, 오답인 이유를 확실하게 분석하여 문제 해결력을 키워 줍니다."

Ⅰ 민주주의와 헌법

01 정치와 법

01 정치의 의미   답 ⑤

(가)는 국가를 중심으로 권력이 행사되는 것을 정치로 보는 데 반해, (나)는 사회 집단의 갈등을 해결하고 의사를 결정하는 것을 정치로 보고 있다. (가)는 좁은 의미, (나)는 넓은 의미로 정치를 보고 있다.

정답을 찾아가는 셀파 - Tip

① (가)는 넓은 의미, (나)는 좁은 의미로 정치를 보고 있다. (×)
→ (가)는 좁은 의미, (나)는 넓은 의미로 정치를 보고 있다.

② (가)는 (나)와 마찬가지로 국가를 여러 가지 사회 집단 중 하나로 본다. (×)
→ (가)는 (나)와 달리 국가를 여러 가지 사회 집단과 다른 고유성을 가진 사회 집단으로 보고 있다.

③ (가)와 달리 (나)에서는 국가의 통치 작용을 정치로 보지 않는다. (×)
→ (나)에서도 갈등 해결을 위한 국가의 통치 작용을 정치로 본다.

④ (가)는 권력 현상을 중심으로, (나)는 개인 간 관계를 중심으로 정치를 본다. (×)
→ (가), (나) 모두 권력 현상에 관심이 있으나 (가)는 국가의 통치 작용과 관련된 것에 초점을 맞춘다는 점에서 차이가 있다.

⑤ (가)와 달리 (나)에서는 집단 간의 이해 관계 조정도 정치적 현상으로 본다. (○)

02 정치의 기능   답 ⑤

정치의 기능에는 질서 유지, 사회적 갈등 해결, 공동체의 발전 방향을 제시 등이 있다. 갑은 공동체의 발전 방향 제시, 을은 정치권력의 감시 및 견제, 병은 갈등 해결 및 이해관계 조정, 무는 질서 유지와 관련된다. ⑤ 사회 구성원의 권리 부여 및 제한은 제시된 내용과 관계 없다.

03 정치를 바라보는 관점   답 ⑤

A는 정치를 좁은 의미로 보는 관점이고, B는 정치를 넓은 의미로 보는 관점이다. ㄱ. B는 넓은 의미의 정치이므로 ㉠에는 '예'가 적합하다. ㄷ. 다원화된 현대 사회의 갈등 해결 양상을 설명하는 데 적합한 정치의 의미는 넓은 의미의 정치이다. ㄹ. 정치를 정치권력의 획득·유지·행사 활동으로 보는 관점은 좁은 의미의 정치에 해당한다. 따라서 ㉡에는 '예'가 적합하다. ㄴ. 어느 사회에서나 정치적 현상이 발생한다고 보는 것은 넓은 의미로 정치를 보는 관점에 해당한다.

04 정치의 기능   답 ④

제시된 사례에서는 정치 권력 기구가 집단 간 이해관계를 조정하여

사회적 갈등을 해결하기 위해 노력하고 있다.

05 법의 이념   답 ③

아리스토텔레스는 정의의 본질은 평등이며, 평등을 기준으로 모든 인간을 동등하게 취급하는 평균적 정의와, 능력과 공헌도에 따라 차등 대우하는 배분적 정의로 구분하였다. 평균적 정의는 형식적·절대적 평등을 통해서, 배분적 정의는 실질적·상대적 평등을 통해서 실현된다.

06 법적 안정성   답 ③

시효 제도는 법적 안정성을 위한 것으로서 법의 최상위 이념인 정의와 충돌될 수 있다. 시효 제도에 따르면 불법이라도 일정 기간이 지나면 책임을 묻기 힘들다. ③ 시효 제도로 인해 국가가 개인의 권리를 보장해 주기 어렵다고 볼 수 없다.

07 정의   답 ④

(가)는 정의이다. ㄴ. 근대 사회와 현대 사회에서 국가의 개입 여부에 대해 다르게 해석한다는 것을 통해 사회에 따라 무엇이 정의인가는 다르게 해석될 수 있다는 것을 보여 준다. ㄹ. 정의는 평균적 정의와 배분적 정의로 구분되는데, 이는 평등의 실현과 관계 있다.

08 프랑스 인권 선언   답 ⑤

⑤ 민주주의에서 인간의 기본권은 천부 인권이며, 헌법에는 이를 인정하고 보장하기 위한 방법이 규정되어 있다.

자료를 분석하는 셀파 - Tip

제1조 인간은 권리에 있어서 자유롭고 평등하게 태어나 생존한다.
제2조 모든 정치적 결사의 목적은 인간의 자연적이고 소멸될 수 없는 권리를 보전함에 있다. 그 권리란 자유, 재산, 안전, 그리고 압제에 대한 저항이다. └ 사회 계약설 └ 천부 인권 사상
제3조 모든 주권의 원리는 본질적으로 국민에게 있다. 어떠한 단체나 개인도 국민으로부터 유래하지 않는 권리를 행사할 수 없다. └ 국민 주권주의
제16조 법의 준수가 보장되지 않거나 권력 분립이 이루어지지 않은 사회는 헌법을 가지고 있다고 할 수 없다. - 권력 분립 원리

09 사회 계약설   답 ④

갑은 홉스, 을은 로크, 병은 루소로, 이들은 모두 사회 계약론자이다. ④ 사회 계약론자는 개인은 자신들의 안전과 생명 등을 지키기 위해 자발적인 동의를 바탕으로 정치권력체와 계약을 맺은 것으로 본다. ① 사회 계약설은 개인의 권리와 이익의 보장을 중시한다. ② 저항권 사상은 로크가 주장하였다. ③ 국가의 목적은 개인의 권리 보장이다. ⑤ 홉스의 주장이다.

10 형식적 법치주의와 실질적 법치주의   답 ③

①, ⑤ 갑은 절차에 따라 제정된 법이라면 무조건 따라야 한다는 형식적 법치주의를, 을은 법의 내용과 목적도 중요하다는 실질적 법치주의를 강조하고 있다. 형식적 법치주의와 실질적 법치주의 모두 사람에

의한 지배를 부정한다. ② 형식적 법치주의는 독재 정치나 전제 정치를 정당화하는 수단으로 악용될 가능성이 있다. ④ 실질적 법치주의는 현대 민주주의에서의 법치주의에 부합한다. ③ 갑은 형식적 법치주의를 민주주의 실현의 주요 요소로 보고 있다.

11 정치의 의미 　　　　　　　　답 ㉠ - 갑, 정 ㉡ - 을, 병

어느 사회에서나 정치가 존재한다고 보는 것은 정치를 넓은 의미로 바라보는 관점으로 갈등의 해결 과정에 초점을 맞춘 것이다. 반면에 정치를 국가를 기반으로 한 현상으로 보는 것은 좁은 의미로서 정치권력의 획득 및 행사 과정에 초점을 맞춘 것이다.

12 정치의 기능 　　답 갑 - 공동체의 발전 방향 제시, 을 - 사회적 갈등 해결

갑은 정치의 기능 중 공동체의 목표를 설정하고 인간다운 삶을 영위해 나갈 수 있도록 사회가 가야 할 방향을 제시하고 조건을 개선해 나가는 기능을 중시한다. 을은 사회적 희소가치 배분을 둘러싼 개인과 집단 간의 갈등과 대립을 해결하는 기능을 중시한다.

13 합목적성 　　　　　　　　　　　　　　　　답 합목적성

법의 이념 중 합목적성은 해당 사회가 지향하고 있는 사회적 목표에 부합되는 성격을 말한다.

14 법의 이념 　　　　　　　　　　답 갑 - 법적 안정성, 을 - 정의

갑은 시효 제도의 필요성을 주장하므로 법의 이념 중 법적 안정성을 중시하는 입장이다. 반면에 을은 공소 시효가 범죄자를 보호하거나 범죄를 저질렀음에도 불구하고 처벌하지 못하는 상황을 만들기도 하므로 정의의 이념과 충돌한다고 주장하는 입장이다.

15 형식적 법치주의의 한계

모범 답안 | 형식적 법치주의는 적합한 절차를 거쳐 법을 제정하고 그 법에 따라 통치가 이루어지면 법의 내용은 문제 삼지 않고 법적 정당성을 인정하므로 법률에 근거한 합법적 독재가 가능해진다. 따라서 법이 독재를 정당화해 주는 수단으로 작용하게 된다.

주요 단어 | 적법한 절차, 법적 정당성 인정, 합법적 독재, 독재 정당화

채점 기준	배점
적법한 절차에 의한 통치만 강조하여 독재 정치를 정당화하는 수단으로 악용된다는 점을 정확하게 서술한 경우	상
독재 정치를 정당화한다고만 서술한 경우	하

01 ⑤	**02** ①	**03** ⑤	**04** ③	**05** ④	**06** ①
07 ⑤	**08** ⑤	**09** ①	**10** ⑤	**11** ⑤	**12** ⑤
13 ④	**14** ⑤	**15** ②			

01 정치의 의미 　　　　　　　　　　　　　　　　답 ⑤

(가)는 정치를 국가 고유의 현상으로 보는 좁은 의미의 관점이고, (나)는 정치를 모든 사회 집단에서 나타나는 현상으로 보는 넓은 의미의 관점이다. ⑤ 소수의 통치 엘리트가 정책을 결정하는 것은 좁은 의미의 정치와 넓은 의미의 정치 모두에 해당한다.

정답을 찾아가는 셀파 - Tip

① (가)는 국가 형성 이전의 정치 현상을 설명하는 데 적합하다. (×)
　→ 정치를 좁은 의미로 파악하면 국가 형성 이전의 정치 현상을 설명하기 곤란하다.

② (가)는 학생 자치회가 자선 바자회 수익금의 사용처를 결정하는 과정을 정치라고 본다. (×)
　→ 정치를 넓은 의미로 파악하면 학생 자치회가 자선 바자회 수익금의 사용처를 결정하는 것을 정치로 본다.

③ (가)는 (나)에 비해 다원화된 현대 사회의 갈등 해결 양상을 설명하기에 용이하다. (×)
　→ 정치를 넓은 의미로 파악하면 다원화된 현대 사회의 갈등 해결 양상을 설명하기 용이하다.

④ (가)는 (나)와 달리 시민 단체가 정부 정책을 감시하고 비판하는 것을 정치라고 본다. (×)
　→ 정치를 넓은 의미로 파악하면 시민 단체가 정부 정책을 감시, 비판하는 것을 정치라고 본다.

⑤ (가), (나) 모두 소수의 통치 엘리트가 정책을 결정하는 것을 정치라고 본다. (○)

02 정치의 의미 　　　　　　　　　　　　　　　　답 ①

A는 좁은 의미로 정치를 바라보는 관점이다. ① 좁은 의미로 정치를 바라보는 관점은 국가 수준의 현상만을 정치로 보기 때문에 대통령의 국정 운영을 정치로 본다.

03 정치를 바라보는 관점 　　　　　　　　　　　　답 ⑤

A는 정치를 국가에 의한 사회 갈등 해결과 질서 유지와 같은 국가 고유의 활동으로 보고 있으므로 좁은 의미, B는 정치를 국가뿐만 아니라 다양한 사회 집단에서 나타나는 갈등 해결 방법 및 과정으로 보고 있으므로 넓은 의미로 정치를 보고 있다. ⑤ 좁은 의미와 넓은 의미로 정치를 바라보는 관점 모두 물리적 강제력을 독점한 통치 기구의 권력 활동을 정치로 본다.

정답을 찾아가는 셀파 - Tip

① A는 국가 형성 이전의 정치 현상을 설명하기에 적합하다. (×)
　→ 국가 형성 이전의 정치 현상을 설명하기 적합한 관점은 넓은 의미의 정치이다.

② B는 이익 집단 내 이해관계를 조정하는 활동을 정치로 보지 않는다. (×)
　→ 넓은 의미의 정치에서는 이익 집단 내 이해관계를 조정하는 활동을 정치로 본다.

③ A는 B와 달리 주민과 정부가 협력하여 지역 문제를 해결하는 것을 정치로 본다. (×)
　→ 넓은 의미의 정치에서는 주민과 정부가 협력하여 지역 문제를 해결하는 것을 정치로 본다.

④ B는 A와 달리 국가의 권력 현상은 다른 사회 집단의 권력 현상과 본질적으로 다르다고 본다. (×)
　→ 좁은 의미로 정치를 이해하면 국가의 권력 현상은 다른 사회 집단의 권력 현상과 본질적으로 다르다고 본다.

⑤ A와 B 모두 물리적 강제력을 독점한 통치 기구의 권력 활동을 정치로 본다. (○)

04 법의 이념
답 ③

제시된 내용은 시효 제도에 대한 설명이다. 시효 제도는 일정 기간 동안 사실 관계가 지속되면 그 상태를 권리 관계로 인정하여 법이 효력을 발휘하도록 하는 것인데, 이는 법 이념 중 법적 안정성을 실현하기 위한 것이다. ③ 공소 시효에 관한 내용이다. 공소 시효는 시효 제도의 일종으로, 범죄를 저지른 뒤 일정한 기간이 지나면 공소 시효에 걸려 설령 범인을 잡았더라도 검사는 공소를 제기할 수 없게 된다.

내 것으로 만드는 셀파 - Tip

▶ 법의 이념

정의	법이 실현하고자 하는 궁극적 목표, 옳고 그름의 판단 근거로 평균적 정의와 배분적 정의로 구분할 수 있음. 평등의 실현과 밀접한 관련이 있음.
합목적성	해당 시대나 사회가 지향하는 목적에 부합하는 것으로, 해당 사회가 지향하는 정치 이념에 따라 법 적용을 하는 것이 대표적인 사례임.
법적 안정성	개인의 사회 생활이 보호되어 안정된 상태를 이루는 것으로, 시효 제도가 대표적임.

05 평균적 정의와 배분적 정의
답 ④

정의는 평균적 정의와 배분적 정의로 구분할 수 있다. 평균적 정의는 형식적 평등을 통해서, 배분적 정의는 실질적 평등을 통해서 실현할 수 있다. (가)는 모든 인간을 동등하게 취급한다고 했으므로 평균적 정의, (나)는 능력과 공헌도에 따라 차등 대우한다고 했으므로 배분적 정의에 해당한다. ㄴ, ㄹ은 평균적 정의에, ㄱ, ㄷ은 배분적 정의에 해당한다.

내 것으로 만드는 셀파 - Tip

▶ 정의

평균적 정의	배분적 정의
• 절대적·형식적 평등 추구 • 차이를 고려하지 않고 모든 사람을 동등하게 대우함. • 적용 사례: 보통 선거권을 인정하는 것, 선거 시 모든 유권자가 재산이나 직업 등에 상관없이 동등하게 1표씩 투표하도록 하는 것 등	• 상대적·실질적 평등 추구 • 개인의 능력과 상황, 필요 등에 따른 차이를 고려함. • 현대 복지 국가에서 강조됨. • 적용 사례: 생계 유지가 힘든 사람에게 보조금을 주는 것, 소득에 따라 누진세율을 적용하는 것 등

06 법의 이념
답 ①

(가)는 평등의 의미가 내포된 것으로서 정의, (나)는 무질서보다 부정의한 법이라도 지키는 것이 낫다는 것이므로 법적 안정성, (다)는 민중이 원하면 그것이 곧 법이라고 보는 것이므로 합목적성에 해당한다. ㄱ. 배분적 정의에 따르면 법관이 피고인을 대할 때 장애를 가진 사람에 대해서 특별한 취급을 하는 것이 인정된다. ㄴ. 점유자에게 소유권을 인정하는 것은 오랜 기간의 점유 상태 자체를 인정하는 것이므로 법적 안정성과 관련된다. ㄷ. 합목적성은 법이 따라야 할 가치가 시대와 사회의 지배적 가치에 부합해야 한다는 점을 강조한다. ㄹ. 법을 자주 개정하면 법적 안정성을 해칠 수 있으며, 법률이 상황에 맞게 개정되는 것은 합목적성을 구현하는 데 기여한다.

07 참정권 확대 운동
답 ⑤

A는 시민 혁명 직후 부르주아에게만 인정되던 참정권을 노동자에게도 보장해 달라고 요구한 차티스트 운동이다. B는 20세기 초에 발생했던 여성 참정권 운동이다. ⑤ 참정권 확대 운동이 발생한 이유는 당시에 노동자, 여성, 흑인 등은 참정권이 제한되었기 때문이다.

08 형식적 법치주의와 실질적 법치주의
답 ⑤

A는 형식적 법치주의, B는 실질적 법치주의이다. ⑤ 형식적 법치주의와 실질적 법치주의 모두 국가가 국민의 재산권을 제한할 때 법률에 근거가 있어야 한다고 본다.

정답을 찾아가는 셀파 - Tip

① A는 B와 달리 입법 절차의 합법성을 중시한다. (×)
→ 형식적 법치주의와 실질적 법치주의 모두 입법 절차의 합법성을 중시한다.

② A는 B와 달리 조세법이 적법한 절차에 따라 제정되었더라도 법률 심사를 할 수 있다고 본다. (×)
→ 위헌 법률 심사를 강조하는 것은 실질적 법치주의이다.

③ B는 A와 달리 조세의 종목과 세율을 법률로 정해야 한다고 본다. (×)
→ 형식적 법치주의와 실질적 법치주의 모두 조세의 종목과 세율을 법률로 정해야 한다고 본다.

④ B는 A와 달리 다수당의 횡포와 독재 체제를 옹호하는 논리로 악용될 수 있다. (×)
→ 독재 체제를 옹호하는 논리로 악용될 수 있는 것은 형식적 법치주의이다.

⑤ A와 B는 모두 국가가 국민의 재산권을 제한할 때 법률에 근거가 있어야 한다고 본다. (○)

09 형식적 법치주의와 실질적 법치주의
답 ①

A는 의회가 제정한 법률로 죄형 법정주의의 근거를 설명하고 있는 데 반해, B는 이와 더불어 법률의 목적과 내용도 실질적 정의에 합치해야 한다고 주장하고 있다. 따라서 A는 형식적 법치주의, B는 실질적 법치주의에 해당한다. ① 형식적 법치주의와 실질적 법치주의 모두 국가 권력의 자의적 형벌권 남용을 방지하기 위해 통치자도 법의 구속을 받도록 해야 함을 강조한다.

10 민주 정치의 발전 과정
답 ⑤

(가)는 권리 장전과 입헌 군주제 확립, (나)는 독립 선언문과 대통령제 정부 형태 수립, (다)는 인권 선언과 자유와 평등 이념의 확산을 주요 내용으로 들 수 있다. (라) 근대 시민 혁명 이후에도 재산, 성별 등에 따라 참정권이 제한되었고 이를 극복하기 위해 차티스트 운동이 전개되었다. ㄱ. 영국의 시민 혁명은 의회 중심의 입헌 군주제 확립에 기여하였다.

11 사회 계약설
답 ⑤

갑은 루소, 을은 로크, 병은 홉스이다. 이들은 모두 사회 계약론자로서 사람들이 자신들의 이익을 위해 계약을 통해 국가를 만들었다고 본다. ㄷ. 로크는 입법권과 집행권의 분립을 핵심으로 하는 권력 분립을 주장하였으며, 의회를 중심으로 하는 대의 민주주의를 강조하였다. ㄹ. 사회 계약론은 국가 성립이 자연권의 보장을 위해 구성원들의 동의에 기초하여 이루어진다고 본다.

ㄱ. 갑과 을은 사회 계약을 통해 자연 상태로 회귀할 것을 주장하였다. (×)
→ 사회 계약을 통해 자연 상태로 회귀할 것을 주장한 학자는 루소이다.

ㄴ. 갑과 병은 자연권의 일부 양도를 통해 군주 주권을 확립해야 한다고 보았다. (×)
→ 루소는 국민 주권론을, 홉스는 군주 주권론을 주장하였다.

12 민주주의의 발전 과정   답⑤

A는 고대 아테네 민주 정치, B는 근대 민주 정치, C는 현대 민주 정치이다. (가)는 직접 민주주의, (나)는 간접 민주주의이다. ⑤ 근대 민주 정치와 현대 민주 정치는 입헌주의 원리를 통해 기본권을 보장하고자 하였다.

① (가)는 (나)보다 정치 공동체의 규모가 클수록 실현이 용이하다. (×)
→ 직접 민주주의는 정치 공동체의 규모가 작을수록 실현하기 용이하다.

② (나)는 (가)보다 국민 자치의 원칙에 충실하다. (×)
→ 직접 민주주의는 간접 민주주의보다 국민 자치의 원리에 충실하다.

③ A는 B보다 시민의 의사가 정책 결정에 정확하게 반영되지 않을 가능성이 크다. (×)
→ 고대 아테네 민주 정치에서보다 근대 민주 정치에서 시민의 의사가 정책 결정에 정확하게 반영되지 않을 가능성이 크다.

④ B는 C와 달리 (나)의 한계를 보완하기 위해 (가)의 요소를 도입하였다. (×)
→ 현대 민주 정치에서는 간접 민주주의의 한계를 보완하기 위해 직접 민주주의 요소를 도입하였다.

⑤ C는 A와 달리 입헌주의 원리를 통해 기본권을 보장하고자 하였다. (○)

13 형식적 법치주의와 실질적 법치주의   답④

A는 합법적 독재를 정당화하는 논리로 악용되었다고 하였으므로 형식적 법치주의, B는 적법한 절차와 더불어 법률의 내용과 목적이 인간의 존엄과 평등, 정의에 부합해야 한다고 했으므로 실질적 법치주의이다. ㄴ. 실질적 법치주의는 통치 행위의 합법성뿐만 아니라 실질적 정당성도 강조한다. ㄹ. 형식적 법치주의와 실질적 법치주의 모두 국민의 기본권 제한 시 법적 근거를 중시한다.

ㄱ. A는 법률에 근거하지 않은 국가 권력 행사도 정당하다고 본다. (×)
→ 형식적 법치주의는 적합한 절차를 거쳐 법을 제정하고 그 법에 따라 통치가 이루어지면 법적 정당성을 인정한다.

ㄷ. B와 달리 A는 부당한 국가 권력에 대해 저항권을 행사할 수 있다고 본다. (×)
→ 부당한 국가 권력에 대한 저항권 행사는 사회 계약론자인 로크의 주장이다.

구분	형식적 법치주의	실질적 법치주의
의미	합법적 절차를 거쳐 제정된 명확한 법에 의해 통치가 이루어져야 한다는 원칙	합법적 절차에 따라 제정되고, 법의 목적과 내용도 인간의 존엄성, 정의에 부합되어야 한다는 원칙
특징	독재 정치도 정당화될 수 있다는 논리로 악용됨.	민주주의의 이념 실현에 더 부합하는 원리라고 할 수 있음.

14 민주주의의 발전 과정   답⑤

(가)는 근대 민주 정치, (나)는 고대 아테네 민주 정치, (다)는 현대 민주 정치이다. ⑤ 국민 투표, 국민 발안, 국민 소환은 현대 민주 정치에서 이루어지는 직접 민주제 요소이다.

① (가)에서는 모든 성인에게 공직 참여 기회가 제공되었다. (×)
→ 근대 민주 정치에서는 참정권 제한이 있었으므로 모든 성인에게 공직 참여의 기회가 제공된 것은 아니다.

② (나)는 (다)와 달리 입헌주의를 통해 기본권을 보장하였다. (×)
→ 근대 민주 정치와 현대 민주 정치 모두 입헌주의를 통해 기본권을 보장하였다.

③ A의 구성원을 선출하는 과정에는 보통 선거의 원칙이 적용되었다. (×)
→ A는 의회이고, 근대 민주 정치에서는 참정권의 제한이 있었으므로 보통 선거 원칙이 적용된 것은 아니다.

④ B에 참여하는 시민들은 추첨을 통해 선출되었다. (×)
→ B는 민회이고, 시민들은 추첨제와 윤번제 등을 통해 공직을 담당하였다.

⑤ 국가의 중요 정책을 결정하기 위해 실시하는 국민 투표는 C에 해당한다. (○)

15 법치주의 유형   답②

A는 형식적 법치주의, B는 실질적 법치주의이다. 또한 죄형 법정주의의 파생 원칙인 (가)는 적정성의 원칙이다. ② 실질적 법치주의의 실현 방안으로 법률의 내용이 헌법에 부합되는지 여부를 심사할 수 있는 헌법 재판 제도의 도입을 들 수 있다.

① A는 법적 안정성보다 실질적 평등과 같은 정의의 실현을 강조한다. (×)
→ 형식적 법치주의와 실질적 법치주의 모두 법적 안정성을 보장한다. 실질적 법치주의는 인간의 존엄성이나 실질적 평등에 부합하는 법에 의한 통치가 이루어져야 한다고 강조한다.

② B는 법률에 대한 헌법의 우위를 보장하기 위해 헌법 재판 제도의 필요성을 강조한다. (○)

③ B는 A와 달리 개인의 권리를 제한하기 위해서는 의회가 제정한 법률에 근거가 있어야 한다고 본다. (×)
→ 형식적 법치주의와 실질적 법치주의 모두 개인의 권리 제한을 위해서는 법률에 근거해야 한다고 본다.

④ (가)가 강조될수록 형법의 보장적 기능은 약화되고, 보호적 기능은 강화된다. (×)
→ 적정성의 원칙이 강조되면 국가 권력의 자의적인 형벌권 남용을 방지할 수 있으므로 형법의 보장적 기능이 실현된다.

⑤ (가)는 사안에 적용할 법률 규정이 없는 경우에는 그와 유사한 규정을 적용해야 한다는 원칙이다. (×)
→ (가)는 적정성의 원칙으로, 죄형 법정주의를 위해 유추 해석은 금지된다.

02 헌법의 의의와 기본 원리

p. 24 ~ p. 27

탄탄 내신 문제

01 ② 02 ① 03 ⑤ 04 ② 05 ③ 06 ⑤
07 ⑤ 08 ③ 09 ③ 10 ② 11 해설 참조
12 (가) – 권력 제한, (나) – 공동체 유지 및 통합
13 (가) – 자유 민주주의, (나) – 국민 주권주의 14 해설 참조
15 해설 참조

01 헌법의 의의 답 ②
제시문은 헌법의 의의 중 최고성과 관련된다. ㄱ, ㄷ. 헌법은 국가 최고의 상위법으로서 법률, 명령, 조례, 규칙 등 하위법은 헌법에 반하여 제정될 수 없다. 헌법 재판소의 위헌 법률 심판권은 이를 보장하기 위한 제도적 장치이다.

02 근대 입헌주의 헌법과 현대 복지 국가 헌법 답 ①
② 근대 입헌주의 헌법의 국가관은 소극 국가, 야경 국가, 자유방임 국가인 반면, 현대 복지 국가 헌법의 국가관은 적극 국가, 복지 국가이므로 현대 복지 국가 헌법에서 국가의 역할을 더욱 강조하고 있다. ③ 오늘날의 헌법에는 근대 입헌주의 헌법의 성격과 현대 복지 국가 헌법의 성격이 모두 나타난다. ④ 자본주의 모순의 심화는 현대 복지 국가 헌법의 등장 배경이 되었다. ⑤ 근대 입헌주의 헌법은 자유 방임주의, 현대 복지 국가 헌법은 복지주의를 지향한다. ① 현대 복지 국가 헌법은 근대 입헌주의 헌법과 달리 사회권의 보장을 강조하였다.

03 헌법의 권력 제한 기능 답 ⑤
⑤ 제시된 헌법 조항은 권력 분립과 권력 기관 간 상호 견제를 통해 권력을 제한하여 국민의 기본권을 실질적으로 보장하고자 한다.

04 헌법의 의의 답 ②
제시문은 집회 및 시위에 관한 법률 제10조는 헌법 규정을 위반하고 있기 때문에 법적 효력을 갖지 못한다고 한 헌법 재판소의 결정을 소개하고 있다. 집회 및 결사의 자유는 자유권적 기본권으로, 헌법은 국민의 기본권을 보장하는 기능을 수행한다.

05 헌법의 기본 원리 답 ③
(가) 참정권을 보장하는 것은 국민 주권주의, 투표권자의 연령을 자의적으로 해석하는 것을 금지하는 것은 자의적인 통치를 막기 위한 규정으로서 자유 민주주의와 관계 있다. (나) 「국민기초생활보장법」을 통해 국민의 최저한도의 인간다운 생활 유지를 규정한 것은 복지 국가의 원리와 관계 있다.

06 헌법의 기본 원리의 실현 방안 답 ⑤
(가)는 복지 국가의 원리, (나)는 국민 주권주의이다. ㄱ, ㄴ. 언론·출판·집회·결사의 자유 및 선거권의 보장은 국민 주권주의를 실현하기 위한 것이다. ㄷ, ㄹ. 교육권 및 노인과 청소년의 복지 향상은 복지 국가의 원리를 실현하기 위한 것이다.

07 헌법의 기본 원리 답 ⑤
⑤ 정당 설립의 자유를 보장하는 한편, 제한의 원칙을 둔 것은 정당의 설립 목적이나 활동이 헌법에 반할 수 없다는 것을 명시한 것이다.

08 헌법의 기본 원리 답 ③
㉠과 ㉢은 자유 민주주의, ㉡은 평화 통일 지향, ㉣은 복지 국가의 원리, ㉤은 국제 평화주의를 나타내고 있다. ③ 제시된 헌법 조항은 복지 국가의 원리와 관련된다.

09 평화 통일 지향 답 ③
(가)는 평화 통일 지향에 해당한다. 우리나라는 세계 유일의 분단 국가로, 우리 헌법은 평화적인 통일을 지향하고 있음을 명시적으로 밝히고 있다. 헌법 제66조 제3항에서는 평화적 통일을 위해 노력할 것을 대통령의 의무로 규정하고 있다. 이에 따라 대통령은 대통령 취임시에 국민 앞에서 평화 통일 의지를 선서해야 하며, 조국의 평화 통일을 위해 성실한 의무를 수행하여야 한다. 대통령은 통일에 관한 중요 정책에 대한 국민 투표 부의권을 지니며, 평화 통일 정책 수립을 위해 필요한 경우 자문 기관을 둘 수 있다. ③ 우리나라의 평화 통일 정책은 자유 민주적 기본 질서에 입각하여 추진하고 있다. 북한이 채택하고 있는 세습 지배 체제와 계획 경제 체제는 자유 민주적 기본 질서에 어긋나는 것이다.

10 자유 민주주의의 실현 방안 답 ②
권력 분립의 원리, 복수 정당제, 적법 절차의 원리는 자유 민주주의를 실현하기 위한 것이다. 자유 민주주의는 개인의 자유를 보장하는 자유주의와 국민의 의사에 따라 정치가 이루어지는 민주주의가 결합된 정치 원리이다. ㄴ은 국민 주권주의, ㄹ은 복지 국가의 원리에 해당한다.

서답형 문제

11 헌법의 의의
모범 답안 | 헌법은 최고성을 가지고 있다. (최고법, 최상위법, 최상위 규범 등)
주요 단어 | 최고성, 최고법, 최상위법

채점 기준	배점
최고성, 최상위법, 최상위 규범 등의 개념을 정확하게 서술한 경우	상
법률보다 상위법이라고만 서술한 경우	중
헌법이 아닌 법률이나 하위법에 초점을 맞춰 서술한 경우	하

12 헌법의 기능 답 (가) – 권력 제한, (나) – 공동체 유지 및 통합
헌법의 기능 중 (가)는 국가 기관 상호 간의 견제와 균형을 통해 국가 권력의 자의적 행사나 남용을 엄격하게 통제하는 권력 제한 기능과

관련된다. (나)는 국가의 중요 정책을 국민 투표로 결정하도록 한 것은 국민적 합의 도출을 위한 제도적 장치로 공동체의 유지 및 통합과 관련된다.

13 헌법의 기본 원리   ᠍(가) – 자유 민주주의, (나) – 국민 주권주의

적법 절차의 원리는 국가가 국민의 기본권을 함부로 침해하지 못하도록 하기 위하여 규정한 것으로서 자유 민주주의를 실현하기 위한 것이다. 투표권과 공무 담임권은 참정권에 해당하는데, 참정권은 국민 주권주의의 실현과 관련된다.

14 복지 국가의 원리

모범 답안 | 복지 국가의 원리, 복지 국가의 원리는 빈부 격차, 환경 오염 등 자본주의의 문제점을 해결하기 위한 국가의 적극적인 역할이 요구되면서 등장하였다.

주요 단어 | 복지 국가의 원리, 빈부 격차, 환경 오염, 국가의 적극적인 역할

채점 기준	배점
복지 국가의 원리를 쓰고, 등장 배경을 정확하게 서술한 경우	상
복지 국가의 원리를 쓰고, 등장 배경을 미흡하게 서술한 경우	중
복지 국가의 원리라고만 쓴 경우	하

15 헌법의 기본 원리

모범 답안 | 국민 주권주의와 자유 민주주의, 주권 행사 방법을 제한하고 있기 때문에 국민 주권주의에 위배되며, 국민의 자유와 권리를 대통령이 정지시킬 수 있다고 하였으므로 자유 민주주의에 위배된다.

주요 단어 | 국민 주권주의, 자유민주주의

채점 기준	배점
국민 주권주의와 자유 민주주의에 위배된다고 쓰고, 그 근거를 모두 정확하게 서술한 경우	상
국민 주권주의와 자유 민주주의에 위배된다고 썼으나, 그 근거를 미흡하게 서술한 경우	중
국민 주권주의나 자유 민주주의에 위배되는 이유를 한 가지만 서술한 경우	하

도전 수능 문제   p. 28 ～ p. 31

01 ②	02 ⑤	03 ①	04 ⑤	05 ③	06 ①
07 ②	08 ①	09 ④	10 ②	11 ④	12 ③
13 ②	14 ②	15 ④	16 ④		

01 복지 국가의 원리와 문화 국가의 원리   ᠍②

A는 복지 국가의 원리, B는 문화 국가의 원리이다. (가)에는 인간다운 생활을 할 권리, 의무 교육, 여성과 연소자의 근로 보호, 사회 복지 제도 및 환경권 등과 관련된 헌법 조항 등이 들어갈 수 있다. ② (나)에는 종교·학문·예술 활동의 자유 보장, 평생 교육 진흥, 전통 문화의 진흥 등이 들 수 있다.

정답을 찾아가는 셀파 - Tip

① (가)에는 '대한민국은 국제 평화의 유지에 노력하고 침략적 전쟁을 부인한다.'가 들어갈 수 있다. (×)
→ 국제 평화주의와 관련된 헌법 조항이다.

② (나)에는 '평생 교육 진흥'이 들어갈 수 있다. (○)

③ A는 개인의 사적 영역에 대한 국가의 간섭을 최소화해야 한다는 원리이다. (×)
→ 자유 민주주의와 관련이 있다.

④ A는 B와 달리 근대 입헌주의 헌법에서부터 강조된 원리이다. (×)
→ 복지 국가의 원리는 현대 복지 국가 헌법에서 강조된다.

⑤ B는 A와 달리 여성 및 연소 근로자에 대한 특별한 보호를 강조한다. (×)
→ 복지 국가의 원리는 여성 및 연소 근로자에 대한 특별한 보호를 강조한다.

02 자유 민주주의와 복지 국가의 원리   ᠍⑤

(가)는 자유 민주주의, (나)는 복지 국가의 원리이다. A에는 법치주의, 적법 절차의 원리, 권력 분립 제도, 사법권의 독립, 복수 정당제 등이 들어갈 수 있으며, B에는 복지 제도, 사회권, 최저 임금제, 노동 삼권, 여성 및 연소 근로자 보호 등이 들어갈 수 있다.

정답을 찾아가는 셀파 - Tip

① (가)는 국민의 기본적 생활을 국가가 보장해 주는 원리이다. (×)
→ 복지 국가의 원리에 대한 설명이다.

② (나)는 자유방임적 시장 경제 질서를 유지하는 것이 국가의 주된 역할임을 강조한다. (×)
→ 자유 민주주의에 대한 설명이다.

③ (가)는 (나)와 달리 법률 제정과 정책 결정의 방향을 제시한다. (×)
→ 헌법의 기본 원리는 모두 법률 제정과 정책 결정 방향을 제시한다.

④ A에는 '국가가 저소득층을 비롯한 주거 약자에게 안정적인 주거 환경을 우선적으로 보장하는 제도'가 들어갈 수 있다. (×)
→ 복지 국가 원리를 실현하는 방안에 해당한다.

⑤ B에는 '국가가 치매를 비롯한 각종 질병으로 일상생활에 어려움을 겪고 있는 노인을 지원하는 제도'가 들어갈 수 있다. (○)

03 국민 주권주의와 복지 국가의 원리   ᠍①

(가)는 국민 주권주의, (나)는 복지 국가의 원리이다. ① 헌법 조항 중 "대한민국은 민주 공화국이다(제1조 ①항)."는 국민 주권주의와 관련된다.

정답을 찾아가는 셀파 - Tip

① ㉠에 '대한민국은 민주 공화국이다.'가 들어갈 수 있다. (○)

② ㉡에 '사유 재산의 절대적 보장'이 들어갈 수 있다. (×)
→ 복지 국가의 원리를 실현하기 위해 사유 재산에 대한 제한이 가해질 수 있기 때문에 재산권을 절대적 권리로 보지 않는다.

③ (가)는 직접 민주제의 요소를 배제하고 국민이 선출한 대표에 의해 국가 의사를 결정해야 한다는 원리이다. (×)
→ 국민 주권주의는 직접 민주제, 간접 민주제의 채택 여부와는 관련이 없다.

④ (나)는 국민 경제의 성장 및 안정을 위해 국가의 간섭이 최소화되어야 한다는 원리이다. (×)
→ 복지 국가의 원리는 국민 경제의 성장과 안정을 위해 국가의 간섭이 필요하다는 원리이다.

⑤ (가), (나)는 모두 근대 입헌주의 헌법에서부터 강조되었다. (×)
→ 복지 국가의 원리는 현대 복지 국가 헌법에서 강조되었다.

04 복지 국가의 원리　　답 ⑤

노인 장기 요양 급여제나 영유아 보육법의 직장 보육 지원 조항은 모두 복지 국가의 원리에 부합하는 제도이다. ⑤ 최저 임금제는 복지 국가의 원리의 실현 방안이다.

정답을 찾아가는 셀파 - Tip

① 언론·출판·집회·결사의 자유를 보장한다. (×)
→ 국민 주권주의와 관련이 있다.

② 대통령 선거에서 재외 국민에게 선거권을 부여한다. (×)
→ 국민 주권주의와 관련이 있다.

③ 복수 정당제를 기반으로 민주적인 정당 활동을 보장한다. (×)
→ 국민 주권주의, 자유 민주주의와 관련이 있다.

④ 상호주의에 근거해 국내 거주 외국인에게 지위를 보장한다. (×)
→ 국제 평화주의와 관련이 있다.

⑤ 근로자의 생활 안정과 노동력의 질적 향상을 위해 최저 임금제를 시행한다. (○)

05 자유 민주주의와 복지 국가의 원리　　답 ③

(가)는 개인의 자유와 권리를 존중하고 국민의 동의와 지지에 근거한 국가 권력의 행사를 강조하므로 자유 민주주의이다. (나)는 국민의 생존과 인간다운 생활을 강조하므로 복지 국가의 원리이다. ③ 국민 기초 생활 보장 제도는 복지 국가 원리의 실현 방안이다.

정답을 찾아가는 셀파 - Tip

① (가)는 남북 분단이라는 현실을 반영한 우리나라 헌법 특유의 원리이다. (×)
→ 평화 통일 지향과 관련 있다.

② (가)를 실현하기 위해 우리나라는 국제 평화 유지에 노력하고, 침략적 전쟁을 부인하고 있다. (×)
→ 국제 평화주의와 관련 있다.

③ (나)를 구현하는 방안으로 우리나라는 국민 기초 생활 보장 제도를 시행하고 있다. (○)

④ (나)에 따라 우리나라 헌법에서는 국가 기관 간 상호 견제와 균형을 유지하도록 규정하고 있다. (×)
→ 국가 기관 간 상호 견제와 균형은 자유 민주주의와 관련 있다.

⑤ (나)와 달리 (가)는 실질적 평등을 추구함에 있어 근거가 되는 원리이다. (×)
→ 복지 국가의 원리는 실질적 평등 추구의 근거가 된다.

06 복지 국가의 원리　　답 ①

제시문에 나타난 우리나라 헌법의 기본 원리는 복지 국가의 원리이다. ① 영유아 보육을 위한 국가의 지원 확대는 복지 국가의 원리를 실현하기 위한 방안에 해당한다.

정답을 찾아가는 셀파 - Tip

① 영유아 보육을 위해 국가의 지원을 확대한다. (○)

② 개발 도상 국가에 대한 대외 원조를 확대한다. (×)
→ 국제 평화주의와 관련 있다.

③ 문화재 관리를 위해 국가의 지원을 확대한다. (×)
→ 문화 국가의 원리와 관련 있다.

④ 투표율을 높이기 위해 사전 투표제를 확대한다. (×)
→ 국민 주권주의와 관련 있다.

⑤ 사생활과 관련된 개인 정보 보호 정책을 강화한다. (×)
→ 자유 민주주의와 관련 있다.

07 복지 국가의 원리와 국민 주권주의　　답 ②

A는 복지 국가의 원리, B는 국민 주권주의이다.

정답을 찾아가는 셀파 - Tip

① A에 따라 국가 기관 간 견제와 균형이 이루어지도록 하고 있다. (×)
→ 권력 분립 제도는 자유 민주주의 실현 방안이다.

② B에 따라 국민 투표를 통해 국민이 직접 국가 안위에 관한 중요 정책을 결정할 수 있도록 하고 있다. (○)

③ A와 달리 B는 국민의 사회권 보장을 통한 실질적 평등의 실현을 강조한다. (×)
→ 복지 국가의 원리는 국민의 사회권 보장을 통한 실질적 평등의 실현을 강조한다.

④ B와 달리 A는 법률 제정과 정책 결정 방향을 제시한다. (×)
→ 복지 국가의 원리와 국민 주권주의 모두 법률 제정과 정책 결정의 방향을 제시한다.

⑤ A, B 모두 근대 입헌주의 헌법에서부터 강조되었다. (×)
→ 복지 국가의 원리는 현대 복지 국가 헌법에서 강조된다.

08 복지 국가의 원리와 문화 국가의 원리　　답 ①

(가)는 복지 국가의 원리, (나)는 문화 국가의 원리이다. ① 우리 헌법에는 "국가는 균형 있는 국민 경제의 성장 및 안정과 적정한 소득의 분배를 유지하고 …… 경제에 관한 규제와 조정을 할 수 있다."라고 규정하여 복지 국가의 원리를 실현하기 위해 국가가 경제에 관한 규제와 조정을 할 수 있도록 규정하고 있다.

정답을 찾아가는 셀파 - Tip

① (가)의 실현을 위해 국가는 경제에 관한 규제와 조정을 할 수 있다. (○)

② (가)의 실현을 위해 국가는 개인의 재산권을 실질적으로 보장하고 간섭을 최소화해야 한다. (×)
→ 자유 민주주의와 관련 있다.

③ (나)의 실현을 위해 북한 주민에 대한 인도적 지원을 하고 있다. (×)
→ 평화 통일 지향과 관련 있다.

④ (나)의 실현을 위해 상호주의 원칙에 따라 외국인의 지위를 보장하고 있다. (×)
→ 국제 평화주의와 관련 있다.

⑤ (가)와 달리 (나)의 실현을 위해서는 국가의 적극적인 역할이 요구된다. (×)
→ 복지 국가의 원리를 실현하기 위해서는 국가의 적극적인 역할이 요구된다.

09 복지 국가의 원리　　답 ④

A는 복지 국가의 원리이다. ㄴ, ㄹ. 복지 국가의 원리는 빈부 격차, 환경 오염 등 자본주의의 문제점을 해결하기 위한 국가의 적극적인 역할이 요구되면서 등장하였다.

정답을 찾아가는 셀파 - Tip

ㄱ. 실질적 평등보다 형식적 평등을 실현하기 위한 것이다. (×)
→ 복지 국가의 원리는 실질적 평등을 실현하기 위한 원리이다.

ㄷ. 개인의 윤택한 삶에 필요한 문화적 환경을 조성하기 위한 것이다. (×)
→ 문화 국가의 원리와 관련 있다.

10 국민 주권주의와 복지 국가의 원리 ▸답②

(가)는 국민 주권주의, (나)는 복지 국가의 원리이다. ② 국민 투표제는 국민 주권주의의 실현 방안이다.

> **정답을 찾아가는 셀파 - Tip**
>
> ① (가)는 균형 있는 지역 경제 육성 정책의 근거가 된다. (×)
> → 복지 국가 원리에 대한 설명이다.
>
> ② (가)를 실현하기 위한 방안으로 국민 투표제를 들 수 있다. (○)
>
> ③ (나)는 개인의 자유 존중을 근본으로 하여 국가 권력의 간섭을 최소화하는 원리이다. (×)
> → 자유 민주주의 중 자유주의에 대한 설명이다.
>
> ④ (나)의 실현을 위해 우리나라 헌법에서는 국가 기관 간 상호 견제와 균형을 유지하도록 규정하고 있다. (×)
> → 권력 분립 제도는 자유 민주주의 실현 방안에 해당한다.
>
> ⑤ (가), (나) 모두 근대 입헌주의 헌법에서부터 강조되었다. (×)
> → 복지 국가의 원리는 현대 복지 국가 헌법에서 강조되었다.

11 국민 주권주의 ▸답④

제시문과 관련된 헌법의 기본 원리는 국민 주권주의이다. 이를 실현하기 위한 방안으로는 국민의 참정권(선거권, 공무 담임권 등) 보장, 언론·출판·집회·결사의 자유 보장, 복수 정당제 및 민주적 선거 제도 운영, 지방 자치 제도 실시 등이 있다.

12 복지 국가의 원리와 국제 평화주의 ▸답③

(가)는 복지 국가의 원리, (나)는 국제 평화주의이다. ① 위헌 법률 심판 제도나 헌법 소원 심판 등은 헌법의 최고 규범성을 전제로 한다. ② 민주 국가가 헌법을 토대로 국가를 운영하는 것은 국민의 기본권을 보장하기 위한 것이다. ④ 복지 국가의 원리는 국민의 인간다운 생활을 보장하기 위해 현대에 들어와 강조되었다. ⑤ 행정부가 외국인의 법적 지위를 보장하는 것은 국제 평화주의 원리를 실현하는 방안에 해당한다. ③ 복지 국가의 원리를 실현하기 위해 등장한 기본권은 사회권이다. 사회권은 적극적 권리, 열거적 권리의 특성을 지닌다. 절차적 권리는 청구권, 방어적 권리는 자유권에 대한 설명이다.

13 국제 평화주의와 평화 통일 지향 ▸답②

(가)는 국제 평화주의, (나)는 평화 통일 지향에 해당한다. ㄱ. 상호주의에 따른 외국인의 법적 지위 보장은 국제 평화주의의 실현 방안에 해당한다. ㄷ. 평화 통일 정책의 수립과 실천은 평화 통일 지향의 실현 방안에 해당한다.

> **정답을 찾아가는 셀파 - Tip**
>
> ㄴ. (가)의 실현 방안으로 '재외 국민의 선거권 보장'이 적절하다. (×)
> → 국민 주권주의의 실현 방안에 해당한다.
>
> ㄹ. (나)의 실현 방안으로 '모든 유형의 전쟁을 금지하는 법률 제정'이 적절하다. (×)
> → 국제 평화주의의 실현 방안으로 침략적 전쟁을 금지한다.

14 헌법의 기본 원리 실현 방안 ▸답②

① 재외 국민에게도 선거권을 부여하는 것은 국민 주권주의 실현 방안에 해당한다. ③ 건강 보험 확대는 국민의 복지 증진에 기여한다. ④

저개발국 원조는 국제 평화주의에 입각한 것이다. ⑤ 북한 주민에 대한 인도적 지원은 평화 통일에 기여한다. ② 자유 민주주의의 실현 방안에는 권력 분립주의, 법치주의, 적법 절차의 원리, 복수 정당제 등이 있다. 대통령의 법률안 거부권 폐지는 정부 형태에 관한 것으로서 자유 민주주의와 관련 없다.

> **내 것으로 만드는 셀파 - Tip**
>
> ▸ **우리 헌법의 기본 원리와 실현 방안**
>
> | 국민 주권주의 | 참정권 보장(국민 투표제, 민주적 선거 제도), 언론·출판·집회·결사의 자유 보장, 복수 정당제 및 선거 제도, 지방 자치 제도 등 |
> |---|---|
> | 자유 민주주의 | 법치주의, 적법 절차의 원리, 권력 분립 제도, 사법권의 독립, 복수 정당제, 상향식 의사 결정 과정 등 |
> | 복지 국가의 원리 | 국가에 사회 보장 및 사회 복지의 증진 의무 부여, 사회권 보장, 근로자에 대한 적정 임금 보장과 최저 임금제, 여성 및 연소자 근로자의 특별 보호 등 |
> | 국제 평화주의 | 침략적 전쟁의 부인, 국제법 존중, 국제 평화 유지 활동 참여, 상호주의에 따른 외국인의 지위 존중 등 |
> | 평화 통일 지향 | 평화 통일 정책의 수립과 실천, 대통령에게 평화 통일을 위해 노력할 의무 부과, 민주 평화 통일 자문 회의 설치, 남북 교류 협력 추진 등 |
> | 문화 국가의 원리 | 종교·학문·예술 활동의 자유 보장, 평생 교육 진흥, 의무 교육 제도 등 |

15 복지 국가의 원리 ▸답④

A는 복지 국가의 원리이다. 헌법 조항에서 '균등한 향상', '모든 국민의 인간다운 삶 보장', '적정한 소득의 분배', '균형 있는 경제의 성장', '최저 임금제', '경제에 관한 규제와 조정', '여자와 연소자의 근로 특별 보호', '사회 보장 제도', '쾌적한 환경에서 살 권리', '의무 교육', '노동 삼권' 등은 복지 국가의 원리를 나타낸 것이다. 제시된 과제를 옳게 수행한 학생은 을, 정이다.

16 복지 국가의 원리 ▸답④

제시된 헌법 조항은 헌법의 기본 원리 중 복지 국가의 원리와 관련된다. ④ 최저 임금제 실시는 복지 국가 원리의 실현 방안에 해당된다.

> **정답을 찾아가는 셀파 - Tip**
>
> ① 시민들의 평화적인 집회와 시위를 보장한다. (×)
> → 자유 민주주의와 관련 있다.
>
> ② 통일 정책 수립을 위한 자문 기구를 설치한다. (×)
> → 평화 통일 지향과 관련 있다.
>
> ③ 우리 군대를 국제 연합의 평화 유지 활동에 파견한다. (×)
> → 국제 평화주의와 관련 있다.
>
> ④ 법률이 정하는 바에 의하여 최저 임금 제도를 시행한다. (○)
>
> ⑤ 지방 자치제를 통해 주민 스스로 지역의 문제를 해결하도록 한다. (×)
> → 국민 주권주의와 관련 있다.

03 기본권의 보장과 제한

01 참정권 ⓐ ①

① 국민 투표권은 참정권에 해당하며 국민으로서 갖는 권리이다. 따라서 외국인은 대한민국 국민이 아니기 때문에 국민 투표권을 부여하지 않는다. ②, ③, ⑤는 자유권, ④는 평등권으로서 인간의 존엄성 실현을 위한 본질적인 권리이다.

02 천부 인권 ⓐ ①

자연법은 헌법 이전에 이미 존재하는 법으로서 시공을 초월하여 보편적으로 적용되는 법이다. 제시된 헌법 조항에서는 기본권을 자연법적 권리로 본다.

정답을 찾아가는 셀파 - Tip

① 기본권은 자연법적 권리이다. (○)
② 행복 추구권은 기본권의 핵심이다. (×)
 → 대한민국 헌법에만 해당된다.
③ 국가의 존립 목적은 기본권 보장이다. (×)
 → 국가의 존립 목적은 기본권 보장이 맞지만, 제시문과 관련이 없다.
④ 모든 기본권은 자유와 평등으로 귀결된다. (×)
 → 제시문과 관련이 없다.
⑤ 헌법은 기본권을 명시하기 위해 제정되었다. (×)
 → 헌법은 기본권을 보장하기 위해 제정되었다.

내 것으로 만드는 셀파 - Tip

자연권	실정권
• 천부 인권	• 실정법상의 권리
• 국가 성립 이전에 인간이라는 이유만으로 부여된 권리로서 국가가 함부로 제한할 수 없음.	• 사람이 혹은 국가가 제정한 법에 의해서 부여된 권리로서 법에 의해 제한할 수도 있음.
• 자연법은 자연의 질서에 바탕을 둔 항구적인 법으로, 시간과 공간을 초월한 보편성을 가지고 있음.	• 실정법은 사람이나 국가가 현실적으로 제정하거나 경험적 사실에 의거하여 형성된 법으로, 사회마다 다름.

03 사회권 ⓐ ④

제시된 헌법 조항에서 보장하는 권리는 사회권이다. ④ 사회권은 국가를 전제로 국가에 의해 실현되는 권리이기 때문에 국민으로서의 권리의 성격이 강하다. 따라서 사회권은 천부 인권적 성격보다 실정법적 성격이 강한 권리이다.

04 평등권 ⓐ ②

① 우리 헌법상 법 앞의 평등은 실질적 평등을 의미한다. ③ ㉠은 형식적 평등, ㉡은 실질적 평등에 해당한다. ④ 평등의 실현은 정의의 실현과 연결된다. ⑤ 형식적 평등을 주장하는 사람들은 실질적 평등의 실현을 위한 정책들을 차별로 인식할 가능성이 높다. ② 실질적 평등은 형식적 평등이 실현된 이후에 이루어지는 것이 아니며, 그 범주와 내용이 다르다.

05 평등권 ⓐ ④

「국가 유공자 등 예우 및 지원에 관한 법률」에서 공무원 시험 응시생 중 국가 유공자에게 가산점을 주는 항목이 위헌이라는 판결이 났다. 해당 법률의 제정 취지는 국가를 위해 희생한 것에 대한 보상, 즉 실질적 평등의 실현이지만, 헌법 재판소는 가산점 제도가 국민의 평등권과 공무 담임권을 침해하는 것이라고 보았다.

06 자유권과 청구권 ⓐ ⑤

㉠은 자유권, ㉡은 청구권에 해당한다. ⑤ 청구권은 기본권 보장을 위한 기본권으로서 수단적·절차적 권리이다.

정답을 찾아가는 셀파 - Tip

① ㉠ - 단체 행동권을 예로 들 수 있다. (×)
 → 단체 행동권은 노동 삼권 중 하나로 사회권에 해당한다.
② ㉠ - 헌법에 열거된 것만 보장하는 개별적 권리이다. (×)
 → 자유권은 헌법에 열거되지 않았다는 이유로 경시되지 않는 포괄적 권리이다.
③ ㉠ - 인간다운 생활을 국가로부터 보장받기 위한 권리이다. (×)
 → 인간다운 생활을 국가로부터 보장받기 위한 권리는 사회권이다.
④ ㉡ - 소극적이고 방어적인 성격을 갖는다. (×)
 → 자유권은 국가 권력이 행사되지 않음으로써 보장되는 소극적 권리이고, 국가 권력에 의한 침해를 배제하는 방어적 권리이다.
⑤ ㉡ - 실체적 기본권을 실현하기 위한 절차적 권리이다. (○)

내 것으로 만드는 셀파 - Tip

▶ **기본권의 성격**

포괄적 권리	• 의미: 헌법에 열거되어 있지 않아도 경시되지 않는 천부 인권적 권리 • 종류: 행복 추구권, 자유권, 평등권
열거적 권리	• 의미: 헌법에 구체적인 규정이 있어야만 보장되는 권리 • 종류: 참정권, 사회권, 청구권

07 행복 추구권 ⓐ ⑤

⑤ 우리나라 헌법 제10조는 "모든 국민은 인간으로서의 존엄과 가치를 가지며, 행복을 추구할 권리를 가진다."라고 규정하고 있다. (가)에 들어갈 권리는 행복 추구권이다. 행복 추구권은 근대 입헌 민주주의의 핵심인 개인주의와 자유주의를 사상적 기반으로 한 권리로서 기본권적인 성격보다는 다의적이고 추상적인 목표로서의 성격을 가지고 있다.

08 기본권의 성격 ⓐ ②

국가 이전의 권리는 평등권, 자유권이며, 이 중 국가로부터 차별받지 않을 권리인 A는 평등권이다. 따라서 B는 자유권이다. 국가를 전제로 한 권리는 사회권, 참정권인데 20세기 이후에 등장한 권리는 사회권이다. 따라서 D는 참정권이다. ㄱ. 평등권, 자유권은 천부 인권, 핵심적 권리, 본질적 권리이다. ㄹ. 평등권, 자유권은 자연권적 성격이, 사회권, 참정권은 실정권적 성격이 강하다.

09 기본권의 제한   🄓 ⑤

⑤ 제시된 헌법 조항을 제정한 이유는 국가가 국민의 기본권 제한을 함부로 하지 못하도록 하기 위해서이다. 이와 같은 조항이 없을 경우 자의적으로 국민의 기본권을 제한하여 국민의 기본권이 침해될 수 있기 때문이다.

10 과잉 금지의 원칙   🄓 ④

제시된 법 조항은 수질 오염을 방지하기 위하여 상수원 지역 주변에는 축사 건축을 금지한 법률이다. 이는 지역 주민의 기본권을 제한한 사례라고 할 수 있는데, 국민의 기본권을 제한하기 위해서는 목적의 정당성, 방법의 적정성, 법익의 균형성, 피해의 최소성 등 과잉 금지의 원칙을 지켜야 한다. ㄷ. 법익의 균형성 측면에서는 시민 건강이라는 이익이 지역 주민들에게 발생하는 경제적 손실보다 크다고 보았다.

서답형 문제

11 사회권

모범 답안 | 사회권, 열거적 권리, 적극적 권리, 현대적 권리로서의 성격을 가지고 있다.
주요 단어 | 사회권, 열거적 권리, 적극적 권리, 현대적 권리

채점 기준	배점
사회권을 쓰고, 사회권의 성격 세 가지를 정확하게 서술한 경우	상
사회권을 쓰고, 사회권의 성격을 두 가지만 서술한 경우	중
사회권을 쓰고, 사회권의 성격을 한 가지만 서술한 경우	하

12 자유권과 사회권

모범 답안 | 근대 사회에서는 자유권을, 현대 사회에서는 사회권을 강

조하고 있다. 자유권은 국가로부터의 자유로서 소극적 권리, 포괄적 권리이고, 사회권은 국가에 의한 자유로서 적극적 권리, 열거적 권리이다.

채점 기준	배점
자유권과 사회권을 쓰고, 각 기본권의 성격을 모두 정확하게 서술한 경우	상
자유권과 사회권을 쓰고, 각 기본권의 성격을 한 가지만 서술한 경우	중
자유권과 사회권만 쓴 경우	하

13 청구권

모범 답안 | 청구권(국가 배상 청구권), 기본권 보장을 위한 수단적 권리이며, 적극적 권리, 절차적 권리이다.
주요 단어 | 청구권, 수단적 권리, 적극적 권리, 절차적 권리, 기본권 보장을 위한 기본권

채점 기준	배점
청구권이라고 쓰고, 청구권의 성격 세 가지를 정확하게 서술한 경우	상
청구권이라고 쓰고, 청구권의 성격을 두 가지만 서술한 경우	중
청구권이라고 쓰고, 청구권의 성격을 한 가지만 서술한 경우	하

14 신체의 자유를 보장하기 위한 헌법상 제도   🄓 자유권

제시된 제도는 국가가 개인의 자유를 제한할 때에는 반드시 법이 정한 원칙과 절차를 따라야 한다는 것이다. 이것은 자유권 중 신체의 자유와 관련 있다.

15 기본권의 제한

모범 답안 | 국민의 모든 자유와 권리는 보장받아야 하지만 국가 안전 보장, 질서 유지 또는 공공복리를 위하여 필요한 경우에 한하여 법률로써 제한할 수 있다고 헌법에 규정되어 있기 때문이다.
주요 단어 | 국가 안전 보장, 질서 유지, 공공복리, 법률

채점 기준	배점
기본권 제한의 목적과 형식을 정확하게 서술한 경우	상
기본권 제한의 목적과 형식을 미흡하게 서술한 경우	중
기본권 제한의 목적만 서술한 경우	하

16 과잉 금지의 원칙

모범 답안 | 과잉 금지의 원칙은 기본권 제한의 목적이 정당하고, 방법이 적절해야 하며, 기본권 제한으로 인한 피해를 최소화하고, 침해되는 사익보다 보호하려는 공익이 더 커야 한다는 원칙이다.

채점 기준	배점
목적의 정당성, 방법의 적정성, 피해의 최소성, 법익의 균형성을 모두 정확하게 서술한 경우	상
과잉 금지의 원칙 중 두 가지만 서술한 경우	중
과잉 금지의 원칙 중 한 가지만 서술한 경우	하

도전 수능 문제
p. 40 ~ p. 41

| 01 ① | 02 ① | 03 ② | 04 ④ | 05 ④ | 06 ④ |
| 07 ① | 08 ① | | | | |

01 기본권의 유형과 내용
답 ①

(가)는 재판 청구권, (나)는 공무 담임권, (다)는 종교의 자유에 대한 설명이다. 따라서 (가)는 청구권, (나)는 참정권, (다)는 자유권에 해당한다. ① 청원권, 국가 배상 청구권도 청구권에 해당한다.

정답을 찾아가는 셀파 - Tip

① (가)는 청원권이나 국가 배상 청구권과 동일한 성격의 권리이다. (○)

② (나)는 국가 성립 이전에도 인정되는 자연권의 성격을 가진다. (×)
→ 청구권은 국가를 전제로 한 권리로, 실정법적 권리이다.

③ (다)는 바이마르 공화국 헌법에 기원을 두고 있다. (×)
→ 사회권에 대한 설명이다.

④ (가)는 (나)와 달리 그 자체가 권리의 목적으로서의 성격을 갖는다. (×)
→ 자유권에 대한 설명이다.

⑤ (나)와 (다)는 '국가로부터의 자유'를 지향한다. (×)
→ 자유권은 국가로부터의 자유, 참정권은 국가에의 자유를 지향한다.

내 것으로 만드는 셀파 - Tip

▶ 기본권의 유형

평등권	법 앞의 평등, 교육의 기회 균등, 근로 관계와 가족 생활에서의 양성 평등 등
자유권	신체의 자유, 양심의 자유, 종교의 자유, 언론·출판·집회·결사의 자유, 주거의 자유, 사생활의 비밀과 자유, 통신의 자유, 재산권 행사의 자유 등
참정권	선거권, 공무 담임권, 국민 투표권
사회권	인간다운 생활을 할 권리, 교육권, 노동 삼권, 환경권 등
청구권	청원권, 재판 청구권, 범죄 피해자 구조 청구권, 형사 보상 청구권, 국가 배상 청구권 등

02 기본권의 유형과 내용
답 ①

A는 자유권, B는 청구권, C는 평등권이다. ① 청구권은 국가에 특정 행위를 요구할 수 있는 수단적·절차적 권리이다.

정답을 찾아가는 셀파 - Tip

① A와 달리 B는 국가에 특정한 행위를 요구하거나 다른 기본권이 침해되었을 때 행사할 수 있는 권리이다. (○)

② B와 달리 A는 입법자가 법률을 통해 기본권을 구체화할 때 행사할 수 있는 권리이다. (×)
→ 자유권은 포괄적 성격의 권리이다.

③ B와 달리 C는 수단적 성격의 권리로서 국가의 존재를 전제로 한다. (×)
→ 청구권에 대한 설명이다.

④ C는 A를 행사하기 위한 전제 조건으로 현대 복지 국가 헌법에서부터 보장되기 시작하였다. (×)
→ 자유권, 평등권은 국가 이전의 천부 인권적 권리이다.

⑤ B와 달리 A, C는 기본권 제한의 한계를 준수하는 경우에도 제한될 수 없는 본질적 권리이다. (×)
→ 자유권, 청구권, 평등권은 기본권 제한의 한계를 준수하면 제한될 수 있는 권리이다.

03 기본권의 유형과 내용
답 ②

A는 자유권, B는 청구권, C는 사회권, D는 참정권이다. ② 역사적인 등장 시기로 따져보면 '자유권 - 참정권 - 사회권'의 순으로 발전해 왔다. 사회권은 현대적 권리로 최근에 등장한 권리이다.

정답을 찾아가는 셀파 - Tip

① B는 C보다 우월한 가치가 있는 기본권이다. (×)
→ 우월성 여부를 판단하기 불가능하다.

② C는 A보다 최근에 등장한 현대적인 권리이다. (○)

③ D는 A보다 수동적이고 방어적인 권리이다. (×)
→ 자유권은 수동적·방어적 권리이다.

④ A와 C는 국가 성립 이전부터 인정되는 권리이다. (×)
→ 자유권은 국가 성립 이전부터 인정되는 권리이다.

⑤ B와 D는 헌법에 열거되지 않아도 보장받을 수 있는 포괄적 권리이다. (×)
→ 자유권은 포괄적 권리이고, 사회권은 열거적 권리이다.

04 기본권의 유형과 내용
답 ④

A는 자유권, B는 평등권, C는 청구권이다. ④ 자유권은 소극적·방어적 권리로서 국가로부터의 자유를 의미한다면, 청구권은 국가에 요구해야 실현 가능한 적극적 권리의 성격을 갖는다.

정답을 찾아가는 셀파 - Tip

① A는 현대 복지 국가 헌법에서부터 보장된 기본권이다. (×)
→ 사회권에 대한 설명이다.

② B는 국가에 특정 행위를 요구할 수 있는 절차적 권리이다. (×)
→ 청구권에 대한 설명이다.

③ C는 민주주의 이념 중 하나로 다른 기본권 보장의 전제 조건이다. (×)
→ 평등권에 대한 설명이다.

④ A는 소극적·방어적 권리, C는 적극적 권리에 해당한다. (○)

⑤ A는 B와 C의 보장과 실현을 위한 수단적 성격의 권리이다. (×)
→ 청구권은 자유권과 평등권의 실현을 위한 수단적 성격의 권리이다.

05 기본권의 유형과 내용
답 ④

(가)는 자유권, (나)는 평등권, (다)는 기본권 제한의 원칙이 명시된 헌법 규정이다.

정답을 찾아가는 셀파 - Tip

① (가)에 규정된 기본권은 다른 기본권이 침해되었을 때 이를 구제하기 위한 수단적 권리이다. (×)
→ 청구권에 대한 설명이다.

② (가)에 규정된 기본권은 인간다운 생활의 보장을 국가에게 적극적으로 요구할 수 있는 권리이다. (×)
→ 사회권에 대한 설명이다.

③ (나)에 따르면 합리적 이유의 유무와 관계없이 모든 차별이 허용되지 않는다. (×)
→ 합리적 차별은 평등에 부합된다고 본다.

④ (다)는 국가 권력의 남용을 방지하여 국민의 기본권을 보장하는 것을 목적으로 한다. (○)

⑤ (다)에 따르면 기본권을 제한하는 목적의 정당성이 인정된다면 수단의 적합성은 고려될 필요가 없다. (×)
→ 기본권 제한시 수단의 적합성이 고려되어야 하며, 과잉 금지의 원칙을 지켜야 한다.

06 자유권과 청구권

집회 및 시위의 자유를 침해하였으므로 A는 자유권, 재판에 불복하여 항고할 기회를 제한하였으므로 B는 청구권에 해당한다. ④ 청구권은 국가에 대해 일정한 행위나 급부를 요구할 수 있는 권리이다.

정답을 찾아가는 셀파 - Tip

① A는 내국인에게만 보장되는 권리이다. (×)
→ 자유권은 모든 인간에게 보장되는 권리이다.

② B는 다른 기본권 실현의 전제 조건이 되는 본질적 권리이다. (×)
→ 평등권에 대한 설명이다.

③ A는 B와 달리 헌법에 열거되어야 보장되는 권리이다. (×)
→ 자유권은 헌법에 열거되지 않아도 보장되는 포괄적 권리이다.

④ B는 A와 달리 국가에 특정 행위를 요구할 수 있는 절차적 권리이다. (○)
→ 자유권은 목적적 권리이고, 청구권은 절차적·수단적 권리이다.

⑤ A, B 모두 국가 설립 이전부터 인정받아 온 권리이다. (×)
→ 자유권은 국가 성립 이전부터 인정된 권리이고, 청구권은 국가를 전제로 행사할 수 있는 권리이다.

내 것으로 만드는 셀파 - Tip

▶ 기본권의 특성

- 자유권 – 역사적으로 가장 오래된 권리, 본질적 권리, 핵심적 권리, 포괄적 권리, 방어적 권리, 소극적 권리, 국가 이전의 권리
- 평등권 – 본질적 권리, 모든 권리에 적용되는 원칙으로서의 권리, 국가 이전의 권리
- 참정권 – 능동적 권리, 적극적 권리, 국민으로서의 권리
- 사회권 – 적극적 권리, 열거적 권리, 가장 최근에 등장한 권리, 국가에 의해 실현되는 권리
- 청구권 – 수단적 권리, 적극적 권리, 국가를 전제로 한 권리

07 기본권의 특징

A는 사회권, B는 청구권, C는 자유권이다. ① 교육권은 사회권에 해당한다.

정답을 찾아가는 셀파 - Tip

① A의 예로 교육을 받을 권리를 들 수 있다. (○)

② B는 모든 개별적인 기본권의 내용을 담은 포괄적인 권리이다. (×)
→ 청구권은 법에 명시된 것만 보장받는 열거적 권리이다.

③ C는 기본권 중 가장 최근에 등장한 현대적 권리이다. (×)
→ 현대적 권리는 사회권의 특징이다.

④ C는 기본권 보장을 위한 수단적 성격의 권리이다. (×)
→ 수단적 성격의 권리는 청구권이다.

⑤ A는 C와 달리 소극적·방어적 성격의 권리이다. (×)
→ 소극적·방어적 성격의 권리는 자유권이다.

08 기본권의 제한

갑은 도로교통법을 어긴 죄로 재판을 받게 되자, 자신의 자유권을 침해당했다고 판단하여 헌법 재판을 청구하였다. ㄱ. 헌법 재판소는 질서 유지를 위해 개인의 기본권을 제한한 법률이 합헌이라고 판결하였다. 만약 도로 교통법이 갑의 기본권을 제한한 것이 목적의 정당성을 충족하지 못하면 위헌 결정이 내려졌을 것이다. ㄴ. 헌법 재판소는 갑의 자유와 권리의 본질적인 내용이 침해된 것은 아니라고 보았다.

정답을 찾아가는 셀파 - Tip

ㄷ. (나)에서 갑이 침해당했다고 생각하는 기본권은 '기본권 보장을 위한 기본권'으로 수단적 권리의 성격을 갖는다. (×)
→ 수단적 권리의 성격을 갖는 것은 청구권이다.

ㄹ. (다)에서 갑은 인간다운 생활을 위해 국가에 일정한 배려를 요구할 수 있는 적극적 권리의 행사를 제안받았다. (×)
→ 사회권과 관련된 설명으로, 제시된 사례와 관계 없다.

내 것으로 만드는 셀파 - Tip

▶ 기본권의 제한

목적	국가 안전 보장, 질서 유지, 공공복리
형식	법률
한계	• 내용: 자유와 권리의 본질적 내용 침해 금지 • 정도: 과잉 금지의 원칙(목적의 정당성, 방법의 적정성, 피해의 최소성, 법익의 균형성)
제한 규정의 의의	국가 권력의 한계를 정하여 국민의 기본권 보장
관련 헌법 규정	제 37조 ② 국민의 모든 자유와 권리는 국가 안전 보장·질서 유지 또는 공공복리를 위하여 필요한 경우에 한하여 법률로써 제한할 수 있으며, 제한하는 경우에도 자유와 권리의 본질적인 내용은 침해할 수 없다.

II 민주 국가와 정부

01 정부 형태

01 의원 내각제의 특징 답 ②

갑국의 정부 형태는 의원 내각제이다. 의원 내각제는 의회 다수당의 대표가 총리가 되어 행정부를 구성하므로 권력 융합적인 정부 형태이다. ② 의원 내각제에서 내각은 의회에 법률안을 제출할 수 있다. ①, ③, ④, ⑤는 대통령제의 특징이다.

02 대통령제의 특징 답 ①

제시된 그림의 정부 형태는 국민이 선거를 통해 행정부와 입법부를 각각 구성하는 대통령제이다. ㄱ. 대통령제에서 입법부는 국민의 선거로 구성되므로 대통령이 해산할 수 없다. ㄴ. 대통령제에서는 대통령이 법률안 거부권으로 의회 다수당의 횡포를 견제할 수 있다.

정답을 찾아가는 셀파 - Tip

ㄷ. 대통령이 입법부에 대해 정치적 책임을 진다. (×)
→ 대통령제에서 대통령은 국민에 대해 정치적 책임을 진다.

ㄹ. 의회와 행정부의 정치적 대립이 신속하게 해결될 수 있다. (×)
→ 의원 내각제의 특징이다.

03 의원 내각제의 단점 답 ⑤

의원 내각제에서 의회 과반 의석을 차지한 정당이 없는 경우를 군소 정당 난립이라고 한다. 군소 정당이 난립하면 국정 불안정이 초래될 수 있다. 몇 개 정당이 연합하여 과반 의석이 되면 연립 내각이 구성되며 내각 불신임권과 의회 해산권이 행사될 가능성이 높다.

04 의원 내각제 답 ④

ㄴ. t+1기에는 과반 의석을 차지한 정당이 없으므로 두 개 이상의 정당이 연합하여 연립 내각을 구성하였을 것이다. ㄹ. 갑국은 의원 내각제 정부 형태이므로 의회 과반 의석을 차지한 정당에서 행정부 수반을 배출한다. t기에는 A당이 55%의 의석률이므로 A당에서 행정부 수반을 배출하여 단독으로 내각을 구성하였을 것이다.

정답을 찾아가는 셀파 - Tip

ㄱ. t기의 국가 원수는 A당 대표이다. (×)
→ 의원 내각제에서는 국가 원수와 행정부 수반이 각각 별도로 존재하므로 A당 대표가 국가 원수인지는 알 수 없다.

ㄷ. t기와 달리 t+1기에는 여소야대의 정치 상황이 발생하였을 것이다. (×)
→ 의원 내각제에서 과반 의석을 확보한 정당이 없으면 연합하여 과반 의석이 확보된 경우 연립 내각이 구성되므로 여소야대의 상황은 나타나지 않는다.

05 대통령제와 의원 내각제 정부 형태 답 ③

A는 대통령제, B는 의원 내각제에 해당한다. ㄴ. 의원 내각제에서 내각은 의회를 해산할 수 있다. ㄷ. 대통령제에서 행정부의 수반의 임기는 보장된다.

정답을 찾아가는 셀파 - Tip

ㄱ. A의 행정부 수반은 의회에 대해 정치적 책임을 진다. (×)
→ 행정부 수반이 의회에 대해 정치적 책임을 지는 정부 형태는 의원 내각제이다.

ㄹ. (가)에는 '의회 다수당의 횡포를 견제할 수 있는가?'가 들어갈 수 있다. (×)
→ 의회 다수당의 횡포를 견제할 수 있는 정부 형태는 대통령제이다. 따라서 (가)에 들어갈 질문으로 적합하지 않다.

06 이원 집정부제 답 ③

이원 집정부제는 대통령제와 의원 내각제를 절충한 형태로 대통령과 의회가 별도의 직접 선거를 통해 구성되며, 내각은 대통령이 임명한 총리가 구성한다. 외교와 국방 분야는 대통령이, 일반 행정 분야는 총리가 담당한다. 대통령과 총리의 소속 정당이 다를 경우 정치적 혼란이 발생하기 쉽지만, 소속 정당이 일치할 경우 강력한 국정 수행이 가능하다. ③ 대통령은 국민에 대해 정치적 책임을 지므로 의회에 대해 연대 책임을 지는 것은 아니다.

07 우리나라 정부 형태의 변화 답 ③

(가)는 4·19 혁명, (나)는 6월 민주화 운동이다. 4·19 혁명 이후에 제3차 개헌으로 의원 내각제가 채택되었고, 6월 민주화 운동 이후에 제9차 개헌으로 직선제에 의한 대통령 단임제가 채택되었다. ③ 유신 개헌은 대통령 간선제, 국민의 기본권 보장 축소, 대통령 권한 강화를 주요 내용으로 하는 제7차 개헌이다. 6월 민주화 운동 이후에 이루어진 개헌은 대통령 직선제, 국민의 기본권 보장 확대, 권력 분립 강화를 주요 내용으로 한다.

08 우리나라 정부 형태의 특징 답 ③

우리나라는 대통령제를 기본으로 의원 내각제적 요소를 가미한 정부 형태이다. 대통령제는 엄격한 권력 분립을 특징으로 하기 때문에 입법권, 행정권, 사법권이 분리되어 견제와 균형을 이룬다. 의원 내각제는 권력 융합을 특징으로 하기 때문에 행정부가 입법에 영향을 주거나 입법부가 행정 각료의 해임을 요구할 수 있다. ③ 제53조 ②항은 대통령의 법률안 거부권으로, 의회 다수당의 횡포를 견제할 수 있다.

정답을 찾아가는 셀파 - Tip

① 제40조는 의원 내각제적 요소이다. (×)
→ 입법권이 국회에 속하는 것은 대통령제와 의원 내각제의 공통 요소이다.

② 제52조는 권력 분립형 정부 형태의 특징이다. (×)
→ 의원 내각제(권력 융합형) 정부 형태의 특징이다.

③ 제53조 ②항을 통해 정부는 다수당의 횡포를 견제할 수 있다. (○)

④ 제63조 ④항은 대통령에게 구속력을 발휘한다. (×)
→ 대통령이 반드시 따라야 하는 것은 아니다.

⑤ 제52조와 제53조 ②항으로 국정 운영의 신속성과 능률성이 보장된다. (×)
→ 의결된 법률안에 대해 재의를 요구하는 것이므로 신속성과 능률성이 저하될 우려가 있다.

09 우리나라 헌법 개정과 정부 형태 변화 　　　　　 답 ③

(가)는 3차 개정 헌법, (나)는 7차 개정 헌법, (다)는 9차 개정 헌법이다. 3차 개정 헌법은 4·19 혁명, 9차 개정 헌법은 6월 민주화 운동을 계기로 등장하였다. ③ (다)는 6월 민주화 운동을 계기로 등장하였으며, 국민의 기본권 보장 강화를 위해 헌법 재판소를 설치하였다.

10 우리나라 정부 형태의 의원 내각제적 요소 　　　　 답 ④

우리나라의 정부 형태는 대통령제를 근간으로 하지만 의원 내각제적 요소를 일부 도입한 혼합형 정부 형태에 해당한다. 국회 의원의 국무 위원 겸직 가능, 정부의 법률안 제출권, 국회의 국무총리 임명 동의권 및 국무총리·국무 위원 해임 건의권 등은 의원 내각제적 요소에 해당한다. ㄷ. 대통령의 법률안 거부권은 대통령제 요소에 해당한다.

서답형 문제

11 의원 내각제

모범 답안 | (1) 의원 내각제
(2) A당은 C당과 연합하여 의회 의석의 과반을 확보한 뒤 연립 내각을 구성하고 A당 의석이 C당 의석보다 많으므로 행정부 수반을 배출할 수 있었을 것이다.
주요 단어 | 의회 과반 의석, 연립 내각, 행정부 수반

채점 기준	배점
A당과 C당이 연합하여 의회 과반 의석 확보 후 행정부 수반을 배출했다고 정확하게 서술한 경우	상
연립 내각을 구성하였다고 서술한 경우	중
A당 의석이 C당 의석보다 많으므로라고 서술한 경우	하

12 대통령제

모범 답안 | (1) 법률안 거부권
(2) 대통령제, 법률안 거부권으로 의회 다수당의 횡포를 막을 수 있고, 대통령의 임기 동안 안정적인 국정 운영이 가능하다. 반면 대통령에게 권한이 집중될 경우 독재의 우려가 있으며, 입법부와 행정부의 대립 시 해결이 곤란하다.
주요 단어 | 대통령제, 의회 다수당 횡포 방지, 안정적인 국정 운영, 독재 우려, 입법부와 행정부 대립 시 해결 곤란

채점 기준	배점
대통령제를 쓰고, 장단점을 한 가지 이상 정확하게 서술한 경우	상
대통령제를 쓰고, 장단점 중 각 한 가지만 서술한 경우	중
대통령제라고만 쓴 경우	하

13 의원 내각제

모범 답안 | 의원 내각제, 내각은 법률안 제출권을 갖고, 의회 해산권을 통해 의회를 견제할 수 있다. 반면에 의회는 내각에 대한 불신임권 행사를 통해 내각을 견제할 수 있다.
주요 단어 | 의원 내각제, 법률안 제출권, 의회 해산권, 내각 불신임권

채점 기준	배점
의원 내각제를 쓰고, 견제 권한 중 세 가지를 정확하게 서술한 경우	상
의원 내각제를 쓰고, 견제 권한 중 두 가지를 서술한 경우	중
의원 내각제를 쓰고, 견제 권한 중 한 가지만 서술한 경우	하

14 의원 내각제의 장점 　　　　 답 책임 정치

의원 내각제는 내각의 존속이 의회의 신임 여부에 달려 있기 때문에 내각이 의회의 요구에 민감하고, 이로 인해 책임 정치 구현에 적합한 정부 형태이다.

15 우리나라 정부 형태

모범 답안 | 우리나라의 대통령은 국민의 선거에 의해 직접 선출되고, 국가 원수와 행정부 수반의 지위를 동시에 가지며, 법률안 거부권을 행사할 수 있다. 또한 국회는 대통령에 대하여 불신임 결의를 할 수 없고, 대통령도 국회를 해산할 수 없다.
주요 단어 | 국민에 의한 직접 선출, 법률안 거부권, 국가 원수와 행정부 수반 지위, 국회의 대통령 불신임 결의 불가, 대통령도 국회 해산 불가

채점 기준	배점
우리나라 정부 형태인 대통령제의 특징을 네 가지 이상 정확하게 서술한 경우	상
우리나라 정부 형태인 대통령제의 특징을 세 가지 서술한 경우	중
우리나라 정부 형태인 대통령제의 특징을 두 가지 서술한 경우	하

도전 수능 문제 　　　　　　　 p. 54 ~ p. 57

01 ③	02 ③	03 ②	04 ①	05 ①	06 ②
07 ③	08 ④	09 ③	10 ③	11 ⑤	12 ⑤
13 ⑤	14 ②	15 ④	16 ②		

01 전형적인 정부 형태 　　　　 답 ③

갑국은 내각 불신임권으로 입법부가 행정부를 견제하므로 의원 내각제를, 을국은 법률안 거부권으로 행정부가 입법부를 견제하므로 대통령제를 채택했음을 알 수 있다.

① (가)에는 '의회 해산권'이 들어갈 수 있다. (×)
→ (가)에는 대통령제에서 입법부가 행정부를 견제하는 수단이 들어가야 하므로 탄핵 소추권, 각종 동의 및 승인권이 들어갈 수 있다.

② (나)에는 '탄핵 소추권'이 들어갈 수 있다. (×)
→ (나)에는 의원 내각제에서 행정부가 입법부를 견제하는 수단이 들어가야 하므로 의회 해산권이 들어갈 수 있다.

③ 갑국에서는 의회 의원이 각료를 겸할 수 있다. (○)

④ 갑국에서는 을국과 달리 행정부 수반과 국가 원수가 동일인이다. (×)
→ 대통령제에서는 행정부 수반이 국가 원수의 지위도 가진다.

⑤ 을국에서는 갑국과 달리 의회 의원이 국민에 의해 선출된다. (×)
→ 대통령제와 의원 내각제 모두 국민이 의회 의원을 선출한다.

02 전형적인 정부 형태   답 ③

행정부 수반이 법률안 거부권을 행사할 수 있고, 여소야대 현상이 나타날 수 있는 갑국은 대통령제 정부 형태이다. 의회의 내각 불신임권, 행정부 수반의 의회 해산권이 인정되는 을국은 의원 내각제 정부 형태이다.

① 갑국에서는 내각이 의회에 대해 책임을 진다. (×)
→ 의원 내각제 정부 형태의 특징이다.

② 갑국에서는 의회 의원이 각료를 겸직할 수 있다. (×)
→ 의원 내각제 정부 형태의 특징이다.

③ 을국에서는 입법부와 행정부의 권력이 융합되어 있다. (○)

④ 을국에서는 행정부 수반이 국가 원수의 지위를 가진다. (×)
→ 의원 내각제에서는 행정부 수반과 국가 원수가 겸직할 수 없다.

⑤ 을국과 달리 갑국에서는 행정부가 법률안을 제출할 수 있다. (×)
→ 의원 내각제에서는 대통령제와 달리 행정부가 법률안을 제출할 수 있다.

03 정치 상황에 대한 이해   답 ②

(가) 시기는 대통령 소속 정당이 의회 내 과반수 의석을 차지하므로 여대야소 상황이다. (나) 시기는 B당이 의회 내 과반수 의석을 차지하고 있으므로 여소야대의 상황이다. (다) 시기는 대통령 소속 정당이 B당이지만, B당은 의회 내 과반수 의석을 차지하지 못했으므로 여소야대의 상황이다. ㄱ. (가) 시기는 여대야소의 상황이므로 대통령이 자신의 정책을 가장 강력하게 추진할 수 있는 시기이다. ㄹ. (나) 시기와 달리 (다) 시기에 C당은 A당과 연합하면 의회 내 과반수 의석을 확보할 수 있다. 따라서 (나) 시기에 비해 (다) 시기에 C당이 B당을 견제하기 용이했을 것이다.

ㄴ. (가) 시기에 비해 (나) 시기에 의회가 통과시킨 법률안에 대해 대통령이 거부권을 행사할 가능성이 낮을 것이다. (×)
→ (가) 시기 대통령은 A당 소속이고, 의회 다수당도 A당이므로 여대야소 상황이다. (나) 시기는 의회 다수당이 B당으로 바뀌어서 여소야대 상황이다. 그러므로 (가) 시기에 비해 (나) 시기에 의회가 통과시킨 법률안에 대해 대통령이 거부권을 행사할 가능성이 높을 것이다.

ㄷ. (가) 시기에 비해 (다) 시기에 행정부와 의회 사이의 협조가 원활하게 이루어졌을 것이다. (×)
→ 여대야소 상황인 (가) 시기에 비해 여소야대 상황인 (다) 시기에는 행정부와 의회 사이의 협조가 원활하게 이루어지지 못했을 것이다.

04 대통령제   답 ①

행정부 수반의 소속 정당이 과반 의석을 차지한 A당이 아니라 B당이므로 갑국은 전형적인 대통령제 정부 형태를 채택하고 있다. ① 전형적인 대통령제에서는 행정부 수반과 국가 원수가 동일 인물이다.

05 대통령제와 의원 내각제의 특징   답 ①

갑은 전형적인 대통령제를, 을은 전형적인 의원 내각제 정부 형태를 주장한다. ㄱ. 대통령제는 엄격하게 권력이 분립된 정부 형태이다. ㄴ. 의원 내각제는 행정부와 입법부의 관계가 상호 의존적인 정부 형태이다. ㄷ. 갑은 전형적인 대통령제를 주장하므로 행정부는 국회에 대해 정치적 책임을 지지 않아야 한다고 본다. ㄹ. 을은 전형적인 의원 내각제를 주장하므로 국가 원수와 행정부 수반이 일치되어야 한다고 보는 진술은 틀린 진술이다.

06 전형적인 정부 형태   답 ②

갑국은 전형적인 대통령제, 을국은 전형적인 의원 내각제 정부 형태를 채택하고 있다. ② 의원 내각제에서 내각은 의회 해산권을 통해 의회를 견제한다.

① 갑국에서 행정부는 의회에 대해 정치적 책임을 진다. (×)
→ 행정부가 의회에 대해 정치적 책임을 지는 것은 의원 내각제이다.

② 을국에서 행정부는 의회를 해산할 수 있는 권한을 가진다. (○)

③ 갑국과 달리 을국에서 행정부 수반과 국가 원수는 동일인이다. (×)
→ 행정부 수반과 국가 원수가 동일인인 정부 형태는 대통령제이다.

④ 을국과 달리 갑국에서 행정부는 법률안 제출권을 가진다. (×)
→ 행정부가 법률안 제출권을 가지는 정부 형태는 의원 내각제이다.

⑤ 갑국과 을국 모두에서 행정부 수반의 임기는 보장된다. (×)
→ 행정부 수반의 임기가 보장되는 것은 대통령제이다.

07 대통령제에서의 정치 상황   답 ③

여당이 선거에서 패배하며 의회 권력을 야당에 갖게 되어도 행정부 수반의 지위를 유지할 수 있는 여소야대의 상황이므로 A국의 정부 형태는 대통령제임을 알 수 있다. ③ 여당이 패배하여 의회 의석수가 여소야대의 상황이므로 의회가 통과시킨 법률안에 대해 대통령이 거부권을 행사할 가능성이 높을 것이다.

① 갑당이 국정 운영의 책임을 지게 되었다. (×)
→ 대통령제에서는 국정 운영의 책임이 대통령에게 있다.

② 의회에서 여당의 의사가 더 잘 반영될 것이다. (×)
→ 여소야대의 상황이므로 의회에서 여당의 의사 반영이 어려울 것이다.

③ 행정부 수반이 법률안 거부권을 행사할 가능성이 높아졌다. (○)

④ 갑당이 행정부 구성에 참여하여 동거 정부가 구성될 수 있다. (×)
→ 대통령제에서 행정부 구성은 대통령의 권한이다.

⑤ 의회와 행정부의 상호 협조를 통한 능률적인 정책 수행이 가능하게 되었다. (×)
→ 여소야대의 상황이므로 의회와 행정부의 상호 협조보다는 대립할 가능성이 높다.

08 정부 형태의 특징　답 ④

갑국은 행정부 수반의 소속 정당이 과반 의석을 확보한 정당이 아니므로 갑국은 대통령제, 을국은 의원 내각제 정부 형태에 해당한다. ④ 대통령제에서 행정부 수반은 법률안 거부권을 가진다.

정답을 찾아가는 셀파 - Tip

① (가)에 '행정부 수반이 국가 원수의 지위를 동시에 가지는가?'가 들어가면, 갑국의 행정부 수반은 임기가 보장되지 않는다. (×)
→ 행정부 수반이 국가 원수의 지위를 동시에 가지는 갑국은 대통령제, 을국은 의원 내각제이다. 대통령제에서 행정부 수반의 임기는 보장된다.

② (가)에 '의회가 내각을 불신임할 수 있는가?'가 들어가면, 갑국과 달리 을국의 의회 의원은 각료를 겸직할 수 있다. (×)
→ 의회가 내각을 불신임할 수 있는 갑국은 의원 내각제, 을국은 대통령제이다. 의원 내각제에서는 의회 의원이 각료를 겸직할 수 있다.

③ (나)에 '국민이 선거를 통해 행정부 수반을 직접 선출하는가?'가 들어갈 수 있다. (×)
→ 의원 내각제와 달리 대통령제에서는 국민이 선거를 통해 행정부 수반을 직접 선출한다.

④ (나)에 '의회 내 과반 의석을 확보한 정당이 존재하는가?'가 들어가면, 을국과 달리 갑국의 행정부 수반은 법률안 거부권을 가진다. (○)

⑤ (나)에 '의회 의석을 확보한 정당이 2개만 존재하는가?'가 들어가면, (가)에 '행정부가 법률안을 제출할 수 있는가?'가 들어갈 수 있다. (×)
→ 양당제일 경우 갑국은 대통령제, 을국은 의원 내각제이다. 대통령제에서는 행정부가 법률안을 제출할 수 없다.

09 전형적인 정부 형태　답 ③

전형적인 의원 내각제에서는 의회에서 행정부 수반이 선출되므로 갑국과 병국은 전형적인 대통령제, 을국과 정국은 전형적인 의원 내각제 정부 형태를 채택하고 있다. ③ 의원 내각제에서는 의회 의원이 각료를 겸직할 수 있다.

정답을 찾아가는 셀파 - Tip

① 갑국과 달리 을국은 행정부 수반이 국가 원수의 지위를 가진다. (×)
→ 의원 내각제에서는 행정부 수반이 국가 원수를 겸직하지 않는다.

② 을국과 달리 병국은 행정 권력이 의회의 신임을 받는 동안에만 유지된다. (×)
→ 의원 내각제에서는 행정부 수반이 의회에 대해 정치적 책임을 지므로 의회의 신임을 받는 동안에만 행정 권력이 유지된다.

③ 병국과 달리 정국은 의회 의원이 각료를 겸직할 수 있다. (○)

④ 갑국에 비해 병국은 행정부 정책 추진을 위한 법률 제·개정이 용이할 것이다. (×)
→ 갑국은 행정부 수반의 소속 정당이 의회 내 과반수 의석을 차지하므로 병국에 비해 행정부 정책 추진을 위한 법률 제·개정이 용이할 것이다.

⑤ 을국과 달리 병국, 정국은 연립 내각이 구성된다. (×)
→ 연립 내각은 의회 과반수 의석을 차지한 정당이 없는 의원 내각제에서 구성되므로 정국만 해당된다.

10 전형적인 정부 형태　답 ③

국회 의원과 정부가 법률안을 제출할 수 있는 정부 형태는 의원 내각제이므로 A는 의원 내각제이다. 법률안 거부권은 대통령제 요소이므로 B는 대통령제이다.

정답을 찾아가는 셀파 - Tip

① A에서 의회 의원은 각료를 겸직할 수 없다. (×)
→ 의원 내각제에서 의회 의원은 각료를 겸직할 수 있다.

② B에서 행정부 수반은 의회 해산권을 가진다. (×)
→ 대통령제에서 행정부 수반은 의회 해산권이 없다.

③ 우리나라에서 대통령이 국가 원수로서의 지위와 행정부 수반으로서의 지위를 동시에 가지는 것은 B의 요소에 해당한다. (○)

④ '제67조 제1항 대통령은 국민의 보통·평등·직접·비밀 선거에 의하여 선출한다.'는 (가)에 들어갈 수 있다. (×)
→ 대통령제에서 행정부 수반인 대통령은 국민이 선거로 선출한다.

⑤ '제63조 제1항 국회는 국무총리 또는 국무 위원의 해임을 대통령에게 건의할 수 있다.'는 (나)에 들어갈 수 있다. (×)
→ 국회가 국무총리 또는 국무 위원의 해임을 대통령에게 건의할 수 있는 것은 의원 내각제적 요소에 해당한다.

11 전형적인 정부 형태　답 ⑤

의회 의원이 각료를 겸직할 수 있는 정부 형태인 A는 의원 내각제이다. 그러므로 B는 대통령제이다. 대통령제에서 행정부 수반은 법률안 거부권을 가지며, 행정부가 법률안을 제출할 수 없다. ㄱ. 의원 내각제에서 행정부 수반은 국민이 아닌 의회에서 선출된다. ㄴ. 대통령제에서 의회는 행정부를 불신임할 수 없다.

12 대통령제　답 ⑤

갑국은 행정부 수반을 선출하는 선거와 의회 의원 선거가 별도로 진행되므로 대통령제 정부 형태를 채택하고 있다. t+1 시기와 달리 t+2 시기에는 여당인 A당의 의석률이 50%를 넘지 않으므로 t+1 시기에 비해 t+2 시기에 행정부와 의회 간 갈등이 발생할 가능성이 높다.

정답을 찾아가는 셀파 - Tip

① t 시기에 행정부의 강력한 정책 추진이 용이할 것이다. (×)
→ t 시기에는 여당인 C당의 의석률이 32%이므로 행정부의 강력한 정책 추진이 용이하지 않을 것이다.

② t 시기에 비해 t+1 시기에 연립 내각이 등장할 가능성이 높다. (×)
→ 연립 내각은 의원 내각제에서 나타날 수 있다.

③ t 시기에 비해 t+1 시기에 행정부 수반의 법률안 거부권 행사 가능성이 높다. (×)
→ t 시기와 달리 t+1 시기에는 여당의 의석률이 50%를 넘기 때문에 t 시기에 비해 t+1 시기에 행정부 수반의 법률안 거부권 행사 가능성이 낮다.

④ t+1 시기에 비해 t+2 시기에 의회가 내각을 불신임할 가능성이 높다. (×)
→ 의회의 내각 불신임권 행사는 의원 내각제에서 가능하다.

⑤ t+1 시기에 비해 t+2 시기에 행정부와 의회 간 갈등이 발생할 가능성이 높다. (○)

13 전형적인 정부 형태　답 ⑤

갑국의 t 시기의 정부 형태는 의원 내각제, t+n 시기의 정부 형태는 대통령제이다. ⑤ 의원 내각제인 t 시기에는 A당이 의회 과반수 의석을 차지하여 단독 정부를 구성하였고, 대통령제인 t+n 시기에는 대통령 소속 정당인 A당이 의회 과반수 의석을 차지하고 있지 않은 여소야대 현상이 나타난 상태이다. 따라서 t 시기에 비해 t+n 시기에 입법부와 행정부 간 대립 가능성이 높아서 행정부의 강력한 정책 추진을 위한 법률 제·개정이 어려울 것이다.

① t 시기는 t + n 시기와 달리 연립 내각이 구성되었을 것이다. (×)
→ t 시기에는 A당이 과반 의석을 확보하여 단독으로 내각을 구성할 것이다.

② t 시기는 t + n 시기와 달리 행정부 수반의 임기가 보장되어 정책의 지속성을 확보하기가 용이했을 것이다. (×)
→ 행정부 수반의 임기가 보장되어 정책의 지속성을 확보하기가 용이한 정부 형태는 대통령제이다.

③ t + n 시기는 t 시기에 비해 다수당의 횡포 가능성이 높았을 것이다. (×)
→ 다수당의 횡포 가능성은 의회 과반 의석을 차지한 정당이 존재하는 t 시기에 더 높았을 것이다.

④ t + n 시기는 t 시기에 비해 의회 내에서 A 정당의 영향력은 감소한 반면 B 정당의 영향력은 증가했을 것이다. (×)
→ t 시기에 비해 t+n 시기에 A 정당의 영향력은 감소했으나, B 정당도 의석 수가 감소하여 영향력이 증가했다고 보기 어렵다.

⑤ t + n 시기는 t 시기에 비해 입법부와 행정부 간 대립 가능성이 높아 행정부의 강력한 정책 추진을 위한 법률 제·개정은 어려웠을 것이다. (○)

14 우리나라 정부 형태의 의원 내각제적 요소 답 ②

우리나라는 대통령제를 기본으로 의원 내각제적 요소를 가미한 정부 형태를 채택하고 있다. (가)에는 의원 내각제적 요소가 들어가야 한다. ② 행정부가 법률안을 제출할 수 있는 것은 의원 내각제적 요소에 해당한다. 대통령제는 엄격한 권력 분립의 형태이므로 행정부는 집행에 해당하는 기능만 수행한다.

15 우리나라 정부 형태의 의원 내각제적 요소 답 ④

우리나라 정부 형태의 의원 내각제적 요소를 서술한 채점 결과가 2점이므로 (가)에는 의원 내각제적 요소가 들어가야 한다. ①, ②, ③, ⑤는 의원 내각제적 요소에 해당한다. ④ 대통령에 대한 국회의 탄핵 소추는 대통령제 요소에 해당한다.

16 우리나라 정부 형태의 의원 내각제적 요소 답 ②

(가)의 내용을 통해 순수한 대통령제와 같이 의회와 행정부의 관계가 완전히 독립되어 있다고 볼 수 없으므로, (가)에는 의원 내각제적 요소의 의미를 담고 있는 헌법 조항이 들어가야 한다. ㄴ. 법률안 거부권은 대통령제 요소에 해당한다. ㄷ. 행정권이 대통령을 수반으로 하는 정부에 있다는 것은 대통령이 행정부 수반을 겸한다는 의미이므로 대통령제 요소에 해당한다.

02 우리나라의 국가 기관

01 ②	02 ④	03 ③	04 ③	05 ②	06 ①

07 ⑤   08 ②   09 ①   10 ③   11 (1) 국회 재적 의원 2/3 이상의 찬성 (2) 국민 투표   12 일사부재의의 원칙
13 (가) – 위헌 법률 심판 (나) – (위헌 심사형) 헌법 소원 심판
14 (1) 사면권 (2) 사법부   15 (1) ㉠ – 상고, ㉡ – 항고 (2) 해설 참조

01 국회의 구성과 운영 답 ②

우리나라 국회는 의안의 전문적 심의를 위해 위원회 제도를 두고 있으며, 상임 위원회와 특별 위원회로 구분된다. 또한 현행 헌법은 국회 의원의 수를 200명 이상으로 규정하고 있다. 을. 우리나라 국회는 단원제 형태로 임기 4년의 국회 의원(지역구 의원, 비례 대표 의원)으로 구성되었다. 정. 한 회기 중에 의결하지 못한 안건은 다음 회기에 계속 이어서 심의한다.

▶ **우리나라 국회의 구성과 운영**

구성	• 지역구 의원과 비례 대표 의원으로 구성됨(현행 300명). • 의장 1인과 부의장 2인 • 위원회: 본회의에서 심의할 안건을 미리 조사하여 심의하는 합의체(상임 위원회, 특별 위원회) • 교섭 단체: 20인 이상의 의원으로 구성되는 원내 단체로, 국회 의사 진행에 필요한 중요 안건을 협의함.
운영	• 정기회와 임시회 • 회의 공개의 원칙: 본회의는 특별한 규정이 없는 한 공개함. • 일사부재의의 원칙: 한번 부결된 안건은 같은 회기 내에 다시 제출하지 못함. • 회기 계속의 원칙: 한 회기 중에 의결하지 못한 안건은 다음 회기에서 계속 심의함.

02 법률 제정 절차 답 ④

제시된 그림은 법률 제정 절차이다. ④ 대통령은 의결된 법률안을 공포하지 않고 거부할 수 있는 법률안 거부권을 가지고 있다.

① ㉠에는 국회 출석 의원 과반수의 찬성이 있어야 한다. (×)
→ 국회 의원의 법률안 발의는 10인 이상의 찬성이 필요하다.

② ㉡은 전형적인 의원 내각제에서는 존재하지 않는 절차이다. (×)
→ 정부의 법률안 제출은 전형적인 의원 내각제적 요소이다.

③ ㉢은 국회 의원 20인 이상으로 구성되며, 국회 중요 의사를 협의하고 조정한다. (×)
→ 상임 위원회는 본회의에서 심의할 안건을 미리 조사한다.

④ ㉣은 의결된 법률안을 공포하지 않고 거부할 수 있다. (○)

⑤ ㉣이 재의를 요구한 경우 본회의에서는 재적 의원 과반수 이상의 찬성으로 재의결할 수 있다. (×)
→ 대통령이 법률안에 대해 재의를 요구한 경우 본회의에서는 재적 의원 과반수 출석과 출석 의원 2/3 이상의 찬성으로 재의결할 수 있다.

03 국회의 권한   답 ③

(가)는 국회의 국가 기관 구성 권한에, (나)는 국회의 국정 통제 권한에 해당한다. 국회에서 헌법 재판소장의 임명 동의권이 부결됨으로써 대통령은 후보자 ○○○를 헌법 재판소장에 임명할 수 없게 되었다. 국정 조사는 국회가 행정부의 권한을 견제하는 수단이다. ㄱ. (가)는 국회의 국가 기관 구성 권한에 해당한다. ㄹ. 국회가 정기적으로 국정 전반을 통제하는 것은 국정 감사이다.

04 국회의 구성과 운영   답 ③

분야별로 구성되는 위원회는 해당 위원회에 속하는 의안을 미리 조사하여 심의하는 협의체이다.

05 대통령의 권한 행사 통제 제도   답 ②

대통령의 권한은 강력하기 때문에 권한이 남용되는 것을 방지하고 신중하게 국정을 운영하도록 하기 위해 다양한 통제 제도를 두고 있다. 국무 회의의 심의, 국회 동의 및 승인, 문서 및 부서 제도 등이 해당된다.

06 행정부의 주요 조직   답 ①

A는 감사원, B는 국무 회의, C는 국무총리이다. ㄱ. 감사원은 세입, 세출의 결산 검사권이 있다. ㄴ. 국무 회의는 행정부의 주요 정책을 심의하는 최고 심의 기관으로서, 국무 회의의 의결 사항은 대통령을 구속하지 않는다.

07 행정부의 주요 조직   답 ⑤

⑤ 대통령이 감사원장과 국무총리를 임명하기 위해서는 국회의 동의를 받아야 한다.

08 심급 제도   답 ②

ㄱ, ㄷ. 심급 제도는 하급 법원의 판결이나 결정·명령에 불복하는 경우 상소하여 상급 법원에서 재판을 다시 받을 수 있도록 하는 제도이다. ㄴ. 1심 판결을 행정 법원이 내렸으므로 ○○ 법원은 고등 법원이다. 헌법을 해석하는 기관은 헌법 재판소이고, 사법부의 최고 법원은 대법원이다. ㄹ. 행정 법원은 지방 법원과 동급 법원이므로 3심제를 원칙으로 한다.

09 사법권의 독립   답 ①

사법권의 독립은 공정한 재판을 실행함으로써 국민의 기본권을 보장하는 것을 목적으로 하며, 법원의 독립, 법관의 신분 보장, 법관의 재판상 독립을 전제로 한다. 헌법 제103조는 법관의 재판상 독립, 제106조 ①항은 법관의 신분 보장을 규정한 것이다.

10 헌법 소원 심판   답 ③

㉠은 공권력에 의해 기본권을 침해받은 당사자, (가)는 권리 구제형 헌법 소원 심판, (나)는 위헌 심사형 헌법 소원 심판이다. 위헌 심사형 헌법 소원은 재판 당사자가 법원에 위헌 법률 심판 제청을 신청하였으나 법원이 이를 받아들이지 않았을 때 당사자가 직접 청구한다. ①, ⑤ 위헌 심사형 헌법 소원은 당사자가 청구해야 한다. ② 헌법 소원 심판은 심급 제도에 적용되지 않는다. ④ 위헌 심사형 헌법 소원 심판은 재판 당사자가 신청하거나 법원이 직권으로 제청할 수도 있다.

11 헌법 개정 절차   답 (1) 국회 재적 의원 2/3 이상의 찬성 (2) 국민 투표

헌법 개정은 국회 재적 의원 과반수 또는 대통령의 발의로 제안된다. 제안된 헌법 개정안은 국회 재적 의원 3분의 2 이상의 찬성으로 의결되며, 국민 투표로 최종 확정된다.

12 국회의 회의 원칙
답 일사부재의의 원칙

일사부재의의 원칙은 의회 의사 진행의 원활화, 특히 소수파의 의사 진행 방해에 대한 배제가 주요 목적이다.

13 헌법 재판소 권한
답 (가) – 위헌 법률 심판 (나) – (위헌 심사형) 헌법 소원 심판

위헌 법률 심판 제청을 재판 중인 법원에 신청했다가 기각되었을 때, 신청 당사자가 직접 헌법 재판소에 헌법 소원 심판을 청구하는 것을 위헌 심사형 헌법 소원이라고 한다.

14 대통령의 국정 조정 권한
답 (1) 사면권 (2) 사법부

대통령은 국가 원수로서 국정 조정 권한을 가진다. 국민 투표 부의권, 헌법 개정안 제안권, 국회 임시회 소집권 등을 가지며, 사법과 관련해서는 사면권을 행사할 수 있다.

15 심급 제도

모범 답안 | (1) ㉠ – 상고, ㉡ – 항고
(2) 법원에 급을 두어 여러 번 재판을 받게 함으로써 공정한 재판을 실현하여 국민의 기본권을 보장하는 것을 목적으로 한다.
주요 단어 | 여러 번 재판, 공정한 재판, 국민의 기본권 보장

채점 기준	배점
공정한 재판을 통한 국민의 기본권 보장을 정확하게 서술한 경우	상
국민의 기본권 보장이라고 서술한 경우	중
공정한 재판 실현이라고만 서술한 경우	하

도전 수능 문제
p. 66 ~ p. 67

| 01 ① | 02 ③ | 03 ③ | 04 ③ | 05 ② | 06 ① |
| 07 ② | 08 ① | | | | |

01 헌법 개정 및 법률 제·개정 절차
답 ①

ㄱ. 헌법 개정안의 국회 의결을 위해서는 국회 재적 의원 2/3 이상의 찬성을 얻어야 한다. ㄴ. 국민 투표에서 국회 의원 선거권자 과반수 투표와 투표자 과반수의 찬성이 있으면 헌법 개정은 확정된다. ㄷ. 국회 의원이 법률안 발의시 국회 의원 10인 이상의 동의가 필요하다. ㄹ. 교섭 단체는 국회 의사 진행에 필요한 중요 안건 등을 협의하지만 법률 제·개정 절차의 공식적인 주체는 아니다. 법률안의 직권 상정은 국회 의장의 권한이다.

02 우리나라의 국가 기관
답 ③

A는 국회, B는 대법원, C는 헌법 재판소이다. ③ 헌법 재판소는 위헌 정당 해산 심판권을 가진다.

정답을 찾아가는 셀파 - Tip

① A의 장(長)은 국무 회의의 부의장이 된다. (×)
→ 국무 회의의 부의장은 국무총리이다.

② B는 국정을 감사하거나 특정한 국정 사안에 대하여 조사할 수 있다. (×)
→ 국회는 국정을 감사하거나 특정한 국정 사안에 대하여 조사할 수 있다.

③ C는 정당의 목적이나 활동이 민주적 기본 질서에 위배된다는 정부의 제소가 있을 때 그 정당의 해산 심판을 담당한다. (○)

④ C가 위헌 법률 심판권을 행사하기 위해서는 A의 위헌 법률 심판 제청이 전제되어야 한다. (×)
→ 헌법 재판소가 위헌 법률 심판권을 행사하기 위해서는 법원의 위헌 법률 심판 제청이 전제되어야 한다.

⑤ B의 장(長)과 달리 C의 장(長)을 대통령이 임명할 때에는 A의 동의가 필요하다. (×)
→ 대법원장, 헌법 재판소장을 대통령이 임명할 때에는 국회의 동의가 필요하다.

03 법원과 헌법 재판소
답 ③

(가)는 법원, (나)는 헌법 재판소이다. 헌법 재판소는 위헌 법률 심판 권한으로 국회를 견제할 수 있다.

정답을 찾아가는 셀파 - Tip

① (가)가 ㉠을 받아들이면 해당 법률 조항은 효력을 상실한다. (×)
→ 헌법 재판소에서 위헌 결정이 내려지면 해당 법률 조항은 효력을 상실한다.

② (가)는 갑의 신청 없이 ㉡을 할 수 없다. (×)
→ 법원은 직권으로 위헌 법률 심판 제청을 할 수 있다.

③ (나)는 ㉡에 의한 법률의 위헌 여부를 심판하는 권한으로 국회를 견제할 수 있다. (○)

④ 갑이 ㉢에 불복하는 경우 항고할 수 있다. (×)
→ 갑은 위헌 법률 심판 제청 신청이 기각되면 위헌 심사형 헌법 소원 심판을 청구할 수 있다.

⑤ (가), (나) 모두 공정한 재판을 보장하기 위해 심급 제도를 두고 있다. (×)
→ 헌법 재판소는 심급 제도를 두고 있지 않다.

04 우리나라의 국가 기관
답 ③

A는 국회, B는 감사원, C는 대통령, D는 국무 회의이다. ③ 대통령이 사면권을 행사하려면 국회의 동의를 얻어야 한다.

정답을 찾아가는 셀파 - Tip

① A는 입법 사항에 관한 조약을 체결·비준한다. (×)
→ 대통령이 입법 사항에 관한 조약을 체결·비준한다.

② B는 D의 소속하에 있지만 업무의 독립성을 보장받는다. (×)
→ 감사원은 대통령 직속의 독립적 헌법 기관이다.

③ C가 일반 사면을 명하려면 A의 동의를 얻어야 한다. (○)

④ C의 긴급 재정·경제 처분은 B의 승인을 얻어야 한다. (×)
→ 대통령이 긴급 재정·경제 처분권을 행사하려면 국회의 승인을 받아야 한다.

⑤ D의 모든 구성원은 A의 동의를 받아 C가 임명한다. (×)
→ 국무 회의의 구성원 중 각부 장관은 국회의 동의를 얻지 않아도 대통령이 임명할 수 있다.

05 우리나라의 국가 기관
답 ②

ㄴ. 국민으로부터 직접 민주적 정당성을 부여받은 국가 기관은 국회, 대통령이다. 감사원은 국가의 세입·세출 결산 검사의 권한을 가진

다. ㄹ. 국정 감사권을 가진 국가 기관은 국회이고, 행정 기관 및 공무원의 직무에 관한 감찰을 하는 국가 기관은 감사원이다. 감사원장은 국회의 동의를 얻어 대통령이 임명한다. ㄱ. 조약의 체결·비준에 대한 동의권은 국회의 권한이고, 국회와 대통령은 헌법 재판소 재판관 구성 권한을 가진다. ㄷ. 법률안 재의 요구권은 대통령의 권한이고, 헌법 개정에 관한 권한은 국회, 대통령이 가지고 있다. 국회의 장(長), 즉 국회 의장은 탄핵 소추의 대상이 아니다.

06 국회의 권한　　　　　　　　　　　答 ①

㉠은 국회의 국가 기관 구성 권한, ㉡은 국회의 국정 통제 권한, ㉢은 대통령의 법률안 거부권, ㉣은 국회의 입법에 관한 권한이다. ① 국회는 국무총리, 감사원장, 대법원장, 헌법 재판소장 임명 등에 대한 동의권을 가진다.

정답을 찾아가는 셀파 - Tip

① ㉠은 감사원장 임명 시에도 실시된다. (O)
② ㉡은 입법부가 정기적으로 실시하는 행정부 견제 수단이다. (×)
　→ 입법부가 정기적으로 실시하는 행정부 견제 수단은 국정 감사이다.
③ 대통령은 헌법 개정안에 대해서 ㉢을 할 수 있다. (×)
　→ 대통령은 헌법 개정안에 대해서는 재의를 요구할 수 없다.
④ △△법 개정안은 ㉣ 이후 국민 투표로 확정된다. (×)
　→ 국민 투표로 확정되는 것은 헌법 개정안이다.
⑤ ㉡은 ㉣과 달리 국회의 입법 권한에 해당한다. (×)
　→ 국정 조사는 국정 통제 권한에 해당한다.

07 법원 조직　　　　　　　　　　　答 ②

항소 법원인 A는 고등 법원 또는 지방 법원 본원 합의부이고, 상고심을 담당하는 B는 대법원, 헌법 소원 심판 권한이 있는 C는 헌법 재판소이다. ② 대법원은 대통령, 국회 의원, 비례 대표 시·도의원, 시·도지사 선거 소송을 관할한다. ① 항소 법원이 지방 법원이든, 고등 법원이든 상관없이 상고심은 대법원이 담당한다. ③ 대법원장은 헌법 재판소 재판관 3인을 지명하고, 헌법 재판소 재판관 9명에 대한 임명은 대통령의 권한이다. ④ 헌법 소원 심판의 청구권자는 국민이다. ⑤ 탄핵 소추는 국회의 권한이다.

08 우리나라의 헌법 기관　　　　　　答 ①

A는 대통령, B는 국회, C는 국무총리, D는 감사원, E는 대법원이다. ① 대통령은 헌법상 임기가 보장되지만 국무총리는 임기가 보장되지 않는다.

정답을 찾아가는 셀파 - Tip

① A는 C와 달리 헌법상 임기가 보장된다. (O)
② B는 예산안에 대한 심의·의결권을, D는 결산 심사권을 가진다. (×)
　→ 국회는 예산안에 대한 심의·의결권 및 결산 심사권을 가진다. 감사원은 결산 검사권을 가진다.
③ C와 달리 E의 장(長)은 B의 동의를 얻어 A가 임명한다. (×)
　→ 국무총리와 대법원장은 국회의 동의를 얻어 대통령이 임명한다.
④ D는 국정을 감시·통제하는 국정 감사권을 통해 C를 견제한다. (×)
　→ 국회는 국정 감사권을 통해 행정부 등을 견제한다.
⑤ E는 A와 B 상호 간의 권한 쟁의에 대한 심판권을 가진다. (×)
　→ 권한 쟁의 심판권은 헌법 재판소의 권한이다.

03 지방 자치의 의의와 과제

탄탄 내신 문제　　　　　　　　　　p. 72 ~ p. 75

01 ②	02 ②	03 ⑤	04 ④	05 ⑤	06 ⑤
07 ②	08 ③	09 ④	10 ①	11 권력 분립	
12 조례	13 (1) 주민 소환 제도 (2) 해설 참조			14 재의 요구권	
15 해설 참조		16 해설 참조			

01 지방 자치의 의의　　　　　　　　答 ②

A는 지방 자치이다. 지방 자치를 통해 각 지역의 실정에 맞는 정치와 행정이 이루어질 수 있다. ② 지방 자치는 지역 주민들이 구성한 지방 자치 단체를 통해 지역 사무를 처리하므로 국가 전체의 통일적인 정책 수행이 이루어지기 어렵다.

02 지방 자치의 종류　　　　　　　　答 ②

A는 단체 자치, B는 주민 자치이다. ㄱ. 정치 권력을 중앙 정부와 지방 정부로 나누어 부여하므로 수직적 권력 분립이 실현된다. ㄹ. 주민 자치는 풀뿌리 민주주의의 실현에 기여한다. ㄴ. 주민 자치는 지역 주민이 지방의 공공 문제를 처리하는 것이므로 중앙 정부가 지방 정부를 견제하는 수단이 되지 않는다. ㄷ. 단체 자치가 주민 자치에 비해 주민의 정치적 효능감을 높이는 데 기여한다고 보기 어렵다.

03 지방 자치 단체의 구성　　　　　　答 ⑤

광역 자치 단체는 광역 단체장과 광역 의회로 구성되어 있고, 기초 자치 단체는 기초 단체장과 기초 의회로 구성되어 있다. 지역 주민의 선거에 의해 광역 단체장과 광역 의회 의원, 기초 단체장과 기초 의회 의원을 선출한다. ⑤ 지역 주민은 광역 단체장과 광역 의회 의원, 기초 단체장과 기초 의회 의원을 주민 소환을 통해 해임할 수 있다.

내 것으로 만드는 셀파 - Tip

▶ 지방 자치 단체의 종류와 구성

종류	• 광역 자치 단체: 특별시, 광역시, 특별자치시, 도, 특별자치도 • 기초 자치 단체: 시, 군, 구(자치구)
구성	• 지방 의회 　- 지위: 주민의 대표 기관, 최고 의사 결정 기관, 집행 기관의 감시 및 견제 기관 　- 권한: 조례의 제정 및 개폐, 지방 자치 단체 예산의 심의·확정 및 결산 심사, 지방 행정 사무에 대한 감사와 조사 등 • 지방 자치 단체장 　- 지위: 지방 자치 단체를 대표하는 집행 기관 　- 권한: 지방의 각종 행정 사무 처리, 규칙 제정, 지방 의회의 의결에 대한 재의 요구 등

04 지방 자치 단체의 종류　　　　　　答 ④

우리나라의 특별시·특별자치시·광역시·도·특별자치도는 광역 자치 단체이고, 시·군·구(자치구)는 기초 자치 단체이다. ④ 조례의 효력은 기초 자치 단체 전체에 미친다. ① 외교·국방에 관한 사무 처리는 중앙 정부에서 한다. ② 광역 자치 단체와 기초 자치 단체 모두 지방 정부이다. ③ 구청장은 구의 집행 기관이다. ⑤ 조례는 지방 의회 (광역 의회 및 기초 의회)에서 제정한다.

05 지방 자치 단체의 구성　　　　답 ⑤

㉠은 광역 의회, ㉡은 광역 자치 단체장, ㉢은 교육감, ㉣은 기초 의회, ㉤은 기초 자치 단체장이다. ⑤ ㉠~㉤은 모두 지방 선거에서 주민이 직접 선출한다.

06 지방 자치의 변천　　　　답 ⑤

⑤ 1991년에 주민 선거를 통해 지방 의회를 구성하고, 1995년에 지방 자치 단체장을 주민이 직접 선거로 선출하였다. ① 제헌 헌법에서 지방 자치 제도를 규정하였고, 1952년에 지방 의회 선거를 실시하였다. ②, ③ 4·19 혁명 이후에 지방 자치 단체장 선거를 실시하였다. ④ 5·16 군사 정변 이후 5차 개정 헌법에서는 지방 의회는 사라지고, 지방 자치 단체장을 중앙 정부에서 임명하였다.

07 주민 참여 제도　　　　답 ②

ㄱ, ㄷ. 단체장의 업무 추진에서 권한 남용이 심각한 경우 주민 소환을 통해 파면하거나 주민 감사를 청구할 수 있다. ㄴ. 단체장은 주민이 선출하므로 중앙 정부에서 해임할 수 없다. ㄹ. 탄핵 제도는 국회가 대통령을 비롯한 고위 공무원 및 법관을 견제할 수 있는 수단이다. 지방 자치에서는 제도화되어 있지 않다.

08 주민 참여 제도　　　　답 ③

ㄴ, ㄷ. 주민 참여 예산 제도와 주민 소환 제도는 지역 지문이 지방 정치에 참여할 수 있는 방법이다. ㄱ. 우리나라는 주민이 직접 조례를 제정하는 것이 아니고, 일정 수 이상의 주민들이 단체장에게 조례 제정 및 개폐 청구를 할 수 있다. ㄹ. 지역의 주요 사항을 주민이 직접 결정하는 것은 주민 투표이다.

09 주민 참여 제도　　　　답 ④

(가)는 주민 참여 예산 제도, (나)는 주민 조례 제정 및 개폐 청구 제도이다. ㄴ, ㄹ. (가), (나) 모두 민주적 의사 결정, 주민의 자치 의식 및 책임 의식 향상에 기여한다. ㄱ. 주민이 지방 자치 단체의 예산 편성 과정에 직접 참여한다고 해서 효율성이 높아진다고 보기 어렵다. ㄷ. 주민 참여 예산 제도, 주민 조례 제정 및 개폐 청구 제도 모두 직접 민주 정치 요소를 지닌 제도이다.

10 지방 자치의 과제　　　　답 ①

제시된 사례는 ○○시에서 경전철 노선 사업을 하려던 철길이 주민들의 청원에 의해 공원 사업으로 변경된 것을 보여준다. 청원은 지역 주민의 희망 사항이나 개선 사항을 서면으로 요구하는 제도로, 주민의 적극적인 요구와 참여가 있어야 효과를 거둘 수 있다.

11 지방 자치의 의의　　　　답 권력 분립

단체 자치의 측면에서 지방 자치는 국가의 통치권과 행정권의 일부가 각 지방 정부에 위임 또는 부여되어 지방 주민 또는 그 대표자의 의사와 책임 아래 행사하는 체계이다. 이를 통해 중앙 정부와 지방 정부 간의 수직적 권력 분립이 실현된다.

12 지방 자치 단체의 법규　　　　답 조례

지방 자치 단체의 법규에는 지방 의회가 제정하는 조례와 단체장이 제정하는 규칙이 있다. (가)는 조례이다.

13 주민 참여 제도

모범 답안 | (1) 주민 소환 제도
(2) 주민 소환 제도의 장점은 지방 행정의 투명성과 책임성을 높일 수 있다는 것이다. 단점은 잦은 주민 소환은 안정적인 지방 행정 운영을 어렵게 하고, 선거 실시로 인한 예산 낭비의 우려가 있다는 것이다.
주요 단어 | 투명성, 책임성, 안정적인 지방 행정 운영 어려움, 예산 낭비 우려

채점 기준	배점
주민 소환 제도의 장·단점을 모두 정확하게 서술한 경우	상
주민 소환 제도의 장·단점 중 각 한 가지만 옳게 서술한 경우	중
주민 소환 제도의 장·단점을 미흡하게 서술한 경우	하

14 지방 자치 단체장의 권한　　　　답 재의 요구권

재의 요구권은 집행 기관이 의회의 의결에 이의가 있는 경우에 이의 수리를 거부하고 의회에 반송할 수 있는 권리로, 집행 기관의 거부권을 의미한다.

15 지방 자치의 의의

모범 답안 | 지방 정책의 결정에 주민이 참여함으로써 주민 자치를 실현하고자 한다.
주요 단어 | 지방 정책 결정, 주민 참여, 주민 자치 실현

채점 기준	배점
주민 참여로 주민 자치를 실현함을 정확하게 서술한 경우	상
주민 자치라고만 서술한 경우	중
주민 참여라고 서술한 경우	하

16 우리나라 지방 자치의 문제점

모범 답안 | 지방 자치 단체의 독립성과 자율성이 보장받지 못하고 있다.
주요 단어 | 독립성, 자율성, 보장

채점 기준	배점
지방 자치 단체의 독립성과 자율성이 보장받지 못함을 정확하게 서술한 경우	상
지방 자치 단체의 독립성과 자율성을 보장받지 못함을 미흡하게 서술한 경우	하

01 지방 자치 제도 답 ④

A는 지방 자치 단체장, B는 지방 의회이다. ④ 지방 의회 의원은 지역 주민이 직접 선출하는 임기 4년의 지역구 의원과 비례 대표 의원으로 구성된다.

정답을 찾아가는 셀파 - Tip

① 주민은 ㉠의 폐지를 청구할 수 없다. (×)
→ 주민은 조례 제정 및 개폐 청구권을 갖는다.

② ㉡은 주민 투표를 통해야만 최종 확정된다. (×)
→ 지방 자치 단체 예산의 심의·확정권은 지방 의회가 갖는다.

③ A는 중앙 정부에서 위임한 사무를 담당하지 않는다. (×)
→ 지방 자치 단체장은 집행 기관으로서 중앙 정부에서 위임한 사무도 담당한다.

④ B의 의원은 지역구 의원과 비례 대표 의원으로 구분된다. (○)

⑤ A는 B와 달리 담당 사무에 관하여 ㉠을 제정할 수 있다. (×)
→ 조례 제정권은 지방 의회의 권한이다.

02 지방 자치 단체 답 ⑤

우리나라 지방 자치 단체의 기관 중 A는 지방 자치 단체장, B는 지방 의회이다. ⑤ 지방 의회는 지방 행정 사무 전반에 대한 감사권과 특정 사안에 대한 조사권으로 지방 자치 단체장을 견제할 수 있다.

정답을 찾아가는 셀파 - Tip

① A는 지방 자치 단체 예산의 심의·확정권을 갖는다. (×)
→ 지방 의회는 지방 자치 단체 예산의 심의·확정권을 갖는다.

② B는 집행 기관으로서 법령의 범위 안에서 제정한 조례를 집행한다. (×)
→ 지방 자치 단체장은 집행 기관으로서 법령의 범위 안에서 제정한 조례를 집행한다.

③ B의 장(長)은 지방 자치 단체를 대표하고 행정 사무를 총괄한다. (×)
→ 지방 자치 단체장은 지방 자치 단체를 대표하고 행정 사무를 총괄한다.

④ A와 B 간에 수직적 권력 분립이 나타난다. (×)
→ 지방 자치 단체장과 지방 의회 간에는 수평적 권력 분립이 나타난다.

⑤ B는 지방 자치 단체의 사무에 관한 감사·조사권으로 A를 견제할 수 있다. (○)

03 주민 참여 제도 답 ①

제시된 첫 번째 사례는 주민 소환 제도이고, 두 번째 사례는 조례 제정이다. ① 주민 소환 제도는 위법·부당한 행위를 저지르거나 직무가 태만한 지방 자치 단체장 및 지방 의회 의원(지역구)을 주민들이 투표를 통해 해임할 수 있는 제도이다. ② 주민의 투표에 의해 해임하므로 주민의 직접 참여에 해당한다. ③ 조례는 지방 의회에서 제정한다. ④ 조례는 의결 기관인 지방 의회에서 제정한다. ⑤ 지방 자치는 중앙 정부와의 수직적 권력 분립에 기여한다.

04 지방 자치 제도 답 ①

A는 기초 자치 단체이고, B는 광역 자치 단체이다. (가)는 기초 의회이고, (나)는 광역 자치 단체장이다. ① 지방 의회는 지역구 의원과 비례 대표 의원으로 구성된다.

정답을 찾아가는 셀파 - Tip

① (가)는 지역구 의원과 비례 대표 의원으로 구성된다. (○)

② (가)는 규칙 제·개정 및 폐지권을 가지고 있다. (×)
→ 지방 의회는 조례 제·개정 및 폐지권을 가지고 있다.

③ (나)는 지방 자치 단체 예산에 대한 심의 및 확정권을 가진다. (×)
→ 광역 자치 단체장은 지방 의회의 의결 사항에 대한 집행권을 가진다.

④ (가)는 (나)와 달리 주민 소환제를 적용할 수 있다. (×)
→ 지방 의회 의원과 단체장은 모두 주민 소환제 적용 대상이다.

⑤ A는 의결 기관, B는 집행 기관에 해당한다. (×)
→ A는 기초 자치 단체, B는 광역 자치 단체이다.

05 지방 자치의 과제 답 ①

제시된 그림에서 지방 재정 자립도가 경기도를 제외하고는 50% 이하이고, 전국적으로도 53.7%이므로 낮다고 볼 수 있다. ㄱ, ㄴ. 지방 재정 자립도가 낮으면 중앙 정부의 재정 지원을 받아야 하므로 지방 정부의 자율성이 약화될 수 있고, 지방 재정에서 지방세보다는 국세의 비중이 높을 것이다.

06 주민 참여 제도 답 ③

(가)는 주민 투표, (나)는 주민 소환, (다)는 주민 참여 예산 제도이다.

정답을 찾아가는 셀파 - Tip

① (가)는 헌법에 보장된 청구권의 행사에 해당한다. (×)
→ 주민 투표는 참정권의 행사에 해당한다.

② (나)는 지방 의회 의원을 대상으로 하지 않는다. (×)
→ 주민 소환은 지방 의회 의원(지역구)과 단체장을 대상으로 한다.

③ (다)는 지역 주민들의 편의를 위한 사업 추진에 기여할 수 있다. (○)

④ (가)는 (나)와 달리 지방 재정 운용의 투명성을 확보할 수 있다. (×)
→ 지방 재정 운용의 투명성을 확보할 수 있는 것은 주민 참여 예산제이다.

⑤ (나)는 (다)와 달리 간접 민주제 요소에 해당한다. (×)
→ 주민 소환은 직접 민주제 요소에 해당한다.

07 지방 자치 단체의 종류 답 ③

지방 자치 단체의 종류, 지방 의회의 조직과 권한, 의원 선거 및 지방 자치 단체의 장의 선출이나 기타 지방 자치 단체의 조직과 운영은 지방 자치법으로 정한다. ③ 주민 소환에 관한 내용은 지방 자치법으로 정할 수 있다.

08 지방 자치의 과제 답 ②

제시문은 오늘날 세계적인 추세는 분권화이고, 이를 통해 효과적인 지방 자치가 가능하다는 내용이다. ㄱ, ㄷ. 교육 자치의 확대 시행, 다양한 주민 참여 제도 도입 등은 지방 자치 활성화에 기여한다. ㄴ. 지방 재정 교부금을 확대해야 한다는 것은 지방 정부가 중앙 정부에 재정적 의존도가 높아진다는 것을 의미하므로 분권화에 적합하지 않다. ㄹ. 국가 정책의 능률성과 통일성을 확보하면 지방 자치를 활성화하기 어렵다.

III 정치 과정과 참여

01 정치 과정과 정치 참여

01 정치 과정 답 ①

① 원활한 정치 과정을 위해서는 민주적 정당성과 시민의 참여가 이루어져야 한다. 갈등을 해소하는 과정이 민주적이고 합리적인 절차에 따라 이루어져야 정당성을 갖출 수 있다.

정답을 찾아가는 셀파 - Tip

① 원활한 정치 과정을 위해 민주적 정당성과 시민의 참여가 필요하다. (○)
② 현대 민주 사회에서는 정치 과정의 참여 주체가 단일화되어가고 있다. (×)
→ 현대 민주 사회에서는 정치 과정의 참여 주체가 다양해지고 있다.
③ 정치 과정에 시민의 의사를 반영할수록 대의제의 한계는 커지게 된다. (×)
→ 대의제에서는 시민의 의사를 정치 과정에 제대로 반영하는 것이 필수적이며, 정치 과정에 시민의 의사를 반영함으로써 대의제의 한계를 보완할 수 있다.
④ 정치 과정에서의 투입은 산출된 정책이 평가를 통해 수정되는 과정이다. (×)
→ 산출된 정책이 평가를 통해 수정되는 과정은 환류이다.
⑤ 정치 과정은 사회 구성원들이 표출하는 다양한 이해관계를 바탕으로 정책을 만들어가는 산출 과정만을 의미한다. (×)
→ 정치 과정은 개인 또는 집단의 이익이 표출·집약되고, 이들의 이익에 영향을 미치는 정책이 결정 및 집행되며, 이에 대한 평가를 통해 새로운 참여와 요구를 낳는 일련의 과정을 의미한다.

02 정책 결정 과정 답 ②

ㄱ. (가)는 투입, (나)는 산출이다. 정책 결정 과정에서 투입은 국민의 요구와 지지를 의미하며, 산출은 정책 결정 기구를 통해 정책이 결정되는 것을 의미한다. 산출된 정책은 국민의 평가를 거쳐 재투입되는 환류 과정을 거친다. ㄹ. 민주주의 국가에서는 전체주의 국가에서보다 환류 과정이 활발하게 나타난다.

정답을 찾아가는 셀파 - Tip

ㄴ. 정치적 효능감이 낮은 사회일수록 (가)가 활발하다. (×)
→ 정치적 효능감이 높은 사회일수록 국민의 요구와 지지가 활발하다.
ㄷ. 의회와 정당은 모두 ㉠에 해당한다. (×)
→ 의회는 정책 결정 기구에 해당하지만, 정당은 정책 결정 기구에 해당하지 않는다.

03 이스턴의 정책 결정 모형 답 ④

제시된 그림은 이스턴의 정책 결정 모형이다. ㉠은 투입, ㉡은 정책 결정 기구, ㉢은 산출, ㉣은 환류이다. ④ 환류는 산출된 정책에 대한 사회의 평가가 재투입되는 과정이다. ① 언론과 이익 집단에 의해서도 투입 활동이 이루어진다. ② 행정부, 입법부, 사법부는 정책 결정 기구에 해당한다. ③ 법원의 관결은 ㉡ 단계에서 이루어진다. ⑤ 선거는 국민의 의사를 표출하는 과정이므로 투입과 환류 모두에 해당된다.

04 정치 과정 답 ④

정치 과정은 사회의 다양한 문제를 둘러싼 요구가 정책 결정 기구에 투입되어 정책으로 나타나는 모든 과정을 의미한다. 정책 투입은 요구와 지지로 표현되며, 산출에는 정책 결정뿐만 아니라 실행하는 과정까지 포함된다. 환류를 통해 새로운 정책이 만들어지게 되거나 기존의 정책이 수정될 수 있다. ④ 피드백 과정에서는 정책 결정 기구에 의해 수립된 정책이 실제로 집행된 이후에 이에 대한 국민의 평가가 이루어진다.

05 정책 결정 과정 답 ②

제시된 그림은 투입 산출 체계를 바탕으로 이루어지는 정치 체계를 나타낸 것이다. ㄱ. 입법 청원 활동은 투입의 대표적인 예이다. ㄹ. 자신의 요구가 정책에 잘 반영될수록 정치적 효능감이 높아질 수 있다.

정답을 찾아가는 셀파 - Tip

ㄴ. 시민 단체와 달리 이익 집단은 ㉡에 해당한다. (×)
→ 시민 단체와 이익 집단 모두 정책 결정 기구에 해당하지 않는다.
ㄷ. 선거를 통해 ㉣이 이루어질 수 없다. (×)
→ 선거는 투입과 환류의 사례에 해당한다.

06 정치 참여 답 ③

제시문에는 ○○ 지역의 주민들이 예산 편성 과정에 참여하는 내용이 나타나 있다. 이 과정에서 예산 편성 과정의 투명성이 높아지고, 예산 편성 과정에서 주민들의 정치적 효능감이 높아졌을 것이다.

정답을 찾아가는 셀파 - Tip

을: 주민들의 정치적 무관심이 증가하였을 것입니다. (×)
→ 예산 편성 과정에 주민들이 참여하면서 정치적 관심이 증가하였을 것으로 추론할 수 있다.
병: 예산 편성 과정을 통해 지방 재정 자립도가 제고되었을 것입니다. (×)
→ 제시문에 나타난 ○○ 지역의 예산 편성 과정을 통해 지방 재정 자립도가 제고되었는지는 추론할 수 없다.

07 시민의 정치 참여 답 ④

○○ 마을의 벽화 마을 사업은 지역 주민의 적극적인 참여로 지역 발전을 이끌어 낸 사례에 해당한다. ④ 정부 주도가 아닌 지역 주민의 적극적인 참여를 통해 벽화 마을 사업이 진행되어 순조로운 지역 개발이 이루어질 수 있었다.

08 시민의 정치 참여 기능 　　　　　　　　　　답 ①

시민의 정치 참여는 정책 결정에 정당성을 부여하여 정부의 자의적인 결정을 막고 책임 있는 정책 결정이 이루어지게 하며, 사회 구성원의 이익을 반영한 정책 결정이 이루어지도록 한다. 또한 시민들은 정치에 참여하면서 새로운 지식을 습득하고 가치 및 태도를 함양하면서 정치 사회화가 이루어지게 된다. ① 시민의 정치 참여가 정부의 정책 결정에 신속성과 효율성을 높여준다고 단정할 수 없다.

09 정치 참여 유형 　　　　　　　　　　　　답 ④

ㄱ. 국가 기관에 문서로 제출하는 청원은 개별적 참여 방법의 사례이다. ㄴ. 시민 단체에 가입하여 활동하는 것은 집단적 참여 방법의 사례이다. ㄷ. 일반적으로 개별적 참여 방법보다 집단적 참여 방법을 활용할 때 정치 과정에서 자신이 원하는 것을 더 효과적으로 표현하고 달성할 수 있다. ㄹ. 일반적으로 개별적 참여 방법보다 집단적 참여 방법이 지속성이 높다.

내 것으로 만드는 셀파 - Tip

▶ 정치 참여 유형

개인적 참여	선거에 참여, 언론사에 독자 투고, 진정 및 청원서 제출 등
집단적 참여	정당이나 이익 집단, 시민 단체의 활동에 참여 등

10 시민의 정치 참여 유형 　　　　　　　　답 ②

(가)는 서명 운동이고, (나)는 ○○산을 지키는 주민 연대의 주민의 요구 모습이며, (다)는 옴부즈맨 제도를 보여주는 것으로, 시민들이 다원화된 이익을 고려하여 정치적 의사를 표현하고 있다.

정답을 찾아가는 셀파 - Tip

① 선거를 통한 정치 참여가 나타나고 있다. (×)
　→ 선거는 개인적 정치 참여로 (가)~(다)에는 나타나 있지 않다.

② 시민들이 다양한 정치적 요구를 표출하고 있다. (○)

③ 민원 조사관이 정부의 활동이나 공무원의 권한 남용 등을 조사·감시하는 제도를 나타낸다. (×)
　→ 옴부즈맨 제도에 대한 설명이다.

④ 국민이 행정 기관, 국회, 법원 등 국가 기관에 국민의 희망이나 의사를 문서로 요구할 수 있는 제도가 시행되고 있다. (×)
　→ 청원에 대한 설명이다.

⑤ 공공 기관이 중요한 안건에 대해 이해 관계자나 해당 분야의 전문가에게 공개 석상에서 의견을 듣는 제도가 나타나 있다. (×)
　→ 공청회에 대한 설명이다.

11 정치 과정 　　답 (가) – 정치 과정, (나) – 투입, (다) – 산출, (라) – 환류

정치 과정은 개인 또는 집단의 이익이 표출·집약되고, 이들의 이익에 영향을 미치는 정책이 결정 및 집행되며, 이에 대한 평가를 통해 새로운 참여와 요구를 낳는 과정을 말한다. 정치 과정은 투입, 산출, 환류의 순서로 이루어지며, 이러한 환류의 과정을 통해 반복된다.

12 원활한 정치 과정을 위한 요건

모범 답안 | (1) 민주적 정당성

(2) 갈등을 해소하는 과정이 민주적이고 합리적인 절차에 따라 이루어져야 민주적 정당성을 갖출 수 있다.

주요 단어 | 갈등을 해소하는 과정, 민주적·합리적인 절차, 준수, 민주적 정당성

채점 기준	배점
민주적·합리적 절차 준수와 민주적 정당성을 모두 정확하게 서술한 경우	상
민주적·합리적 절차 준수와 민주적 정당성을 미흡하게 서술한 경우	중
민주적·합리적 절차 준수와 민주적 정당성 중 한 가지만 서술한 경우	하

13 집단적 정치 참여 유형

모범 답안 | (가)는 이익 집단, (나)는 시민 단체이다. 이익 집단은 자신들의 특수한 이익 실현을 위해 정책 결정 과정에 영향을 미친다. 반면에 시민 단체는 공익을 위해 정치 과정에 참여한다.

채점 기준	배점
각각의 정치 참여 집단을 쓰고, 그 특징에 대해 정확하게 서술한 경우	상
각각의 정치 참여 집단을 썼으나, 그 특징에 대해 미흡하게 서술한 경우	중
각각의 정치 참여 집단과 그 특징 중 한 가지만 서술한 경우	하

14 정치 참여의 의의

모범 답안 | (1) 대의제

(2) 정치권력을 감시 및 통제함으로써 독재 정치를 방지하고, 정책에 대한 정당성을 부여하여 안정적인 정책 집행을 가능하게 한다.

주요 단어 | 정치권력의 감시 및 통제, 독재 정치 방지, 정책에 대한 정당성 부여

채점 기준	배점
정치권력의 감지 및 통제와 정책에 대한 정당성 부여를 정확하게 서술한 경우	상
정치권력의 감지 및 통제와 정책에 대한 정당성 부여를 미흡하게 서술한 경우	중
정치권력의 감시 및 통제와 정책에 대한 정당성 부여 중 한 가지만 서술한 경우	하

15 정치 참여에 영향을 주는 요소

모범 답안 | (1) (가) – 정치적 효능감, (나) – 정치적 무관심

(2) (가)는 정치적 효능감으로, 자신이 정치 과정에 영향을 줄 수 있고, 정치 체계가 자신의 참여에 반응할 것이라는 기대감을 의미한다. (나)

는 정치적 무관심으로, 정책 결정 과정에 참여하기를 거부하거나 관심을 보이지 않는 태도를 의미한다.

주요 단어 | 자신이 정치 과정에 영향을 줄 수 있음, 정치 체계가 자신의 참여에 반응할 것이라는 기대감, 정책 결정 과정에 참여하기를 거부하거나 관심을 보이지 않는 태도

채점 기준	배점
정치적 효능감과 정치적 무관심의 의미를 정확하게 서술한 경우	상
정치적 효능감과 정치적 무관심의 의미를 미흡하게 서술한 경우	중
정치적 효능감과 정치적 무관심의 의미 중 한 가지만 서술한 경우	하

16 집단적 정치 참여 방법의 장점

모범 답안 | 일반적으로 집단적 정치 참여 방법은 개인적 정치 참여 방법에 비해 지속성이 높기 때문에 정치 과정에서 자신이 원하는 것을 더 효과적으로 표현하고 달성할 수 있다.

주요 단어 | 지속성 높음, 효과적으로 표현하고 달성 가능

채점 기준	배점
집단적 정치 참여 방법이 개인적 정치 참여 방법에 비해 지속성이 높기 때문에 자신이 원하는 것을 더 효과적으로 표현하고 달성할 수 있다고 정확하게 서술한 경우	상
집단적 정치 참여 방법이 개인적 정치 참여 방법에 비해 지속성이 높다고만 서술한 경우	하

도전 수능 문제 | p. 90 ~ p. 91

01 ①   **02** ③   **03** ⑤   **04** ②   **05** ⑤   **06** ②
07 ③   **08** ④

01 정치 과정   탑 ①

① 정치 과정에서의 정책 결정 기구 사례로는 입법부, 행정부, 사법부를 들 수 있다.

정답을 찾아가는 셀파 - Tip

① 입법부는 ㉠에 해당한다. (○)
② 집단과 달리 개인은 ㉡에 참여할 수 없다. (×)
→ 집단뿐만 아니라 개인도 투입 과정에 참여할 수 있다.
③ 시민의 입법 청원 활동은 ㉢의 사례에 해당한다. (×)
→ 시민의 입법 청원 활동은 산출이 아닌 투입 과정에 해당한다.
④ 언론은 ㉣에 참여할 수 없다. (×)
→ 언론은 환류 과정에 참여할 수 있다.
⑤ ㉡~㉣은 모두 정치 외적 요소인 경제, 사회, 문화의 영향을 받지 않는다. (×)
→ 투입, 산출, 환류 과정 모두 정치 외적 요소인 경제, 사회, 문화의 영향을 받는다.

02 정치 참여 방법   탑 ③

③ 인터넷 활용을 통한 정치 참여는 공간적 제약뿐만 아니라 시간적 제약도 완화시켜 국민의 정치 참여 활성화에 기여할 수 있다.

정답을 찾아가는 셀파 - Tip

① ㉠이 활성화될수록 정치권력에 대한 국민의 감시 기능은 약화된다. (×)
→ 청원이 활성화될수록 정치권력에 대한 국민의 감시 및 통제 기능은 강화된다.
② ㉡은 정치 과정 중 산출에 해당한다. (×)
→ 국민의 개선 요구는 산출이 아닌 투입, 환류에 해당한다.
③ ㉢을 통해 정치 참여의 공간적 제약을 완화할 수 있다. (○)
④ ㉣은 국민의 의견 제시 기회를 축소시킨다. (×)
→ 공개 청원 제도는 국민의 의견 제시 기회를 확대시킬 수 있다.
⑤ ㉢은 ㉣과 달리 국민의 정치적 효능감 향상에 기여할 수 있다. (×)
→ 온라인 제출과 공개 청원 제도 모두 국민의 정치적 효능감 향상에 기여할 수 있다.

03 정치 참여 집단과 정치 과정   탑 ⑤

A는 시민 단체, B는 정당, C는 이익 집단에 해당한다. ⑤ 정당은 정권 획득을 목적으로 하고, 시민 단체는 공익 추구를 목적으로 한다.

정답을 찾아가는 셀파 - Tip

① (가)는 ㉠, (나)는 ㉢에 해당한다. (×)
→ (가)와 (나)는 모두 투입에 해당한다.
② (다)는 (라)와 달리 ㉣에 해당한다. (×)
→ 법률안이 의회에서 의결되어 확정된 것은 산출, 이익 집단의 의견 표출은 투입에 해당한다.
③ B는 ㉡에 해당한다. (×)
→ 정당은 정책 결정 기구에 해당하지 않는다.
④ A는 C와 달리 대의제의 한계를 보완하는 역할을 한다. (×)
→ 시민 단체와 이익 집단은 모두 대의제의 한계를 보완하는 역할을 한다.
⑤ B는 A와 달리 정권 획득을 목적으로 한다. (○)

04 정치 참여 방법   탑 ②

갑은 선거, 을은 시민 단체 활동, 병은 입법 청원을 정치 참여 방법으로 제시하고 있다. ② 선거는 정치권력에 정당성을 부여하는 기능을 한다.

정답을 찾아가는 셀파 - Tip

① ㉠과 달리 ㉡은 정책 결정 기구에 해당한다. (×)
→ 정부와 국회는 모두 정책 결정 기구에 해당한다.
② 갑이 제시한 정치 참여 방법은 선출된 정치권력에 정당성을 부여하는 기능을 한다. (○)
③ 병이 제시한 정치 참여 방법은 정치 과정에서 산출에 해당한다. (×)
→ 입법 청원을 국회에 제출하는 것은 투입에 해당한다.
④ 병과 달리 을이 제시한 정치 참여 방법은 정치 참여 주체의 정치적 효능감을 향상시키는 기능을 한다. (×)
→ 갑, 을, 병이 제시한 정치 참여 방법은 모두 정치 참여 주체의 정치적 효능감을 향상시키는 기능을 한다.
⑤ 갑, 을, 병이 제시한 정치 참여 방법은 모두 직접 민주 정치 실현을 목적으로 한다. (×)
→ 선거는 대의제를 실현하는 제도이므로 직접 민주 정치 실현을 목적으로 하는 것은 아니다.

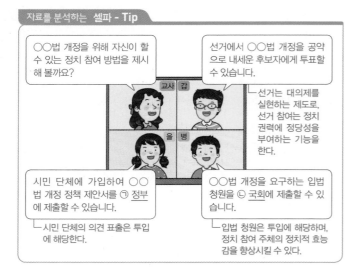

○○법 개정을 위해 자신이 할 수 있는 정치 참여 방법을 제시해 볼까요?

선거에서 ○○법 개정을 공약으로 내세운 후보자에게 투표할 수 있습니다.

교사 갑

└ 선거는 대의제를 실현하는 제도로, 선거 참여는 정치 권력에 정당성을 부여하는 기능을 한다.

을 병

시민 단체에 가입하여 ○○법 개정 정책 제안서를 ⊙ 정부에 제출할 수 있습니다.

└ 시민 단체의 의견 표출은 투입에 해당한다.

○○법 개정을 요구하는 입법 청원을 ⓒ 국회에 제출할 수 있습니다.

└ 입법 청원은 투입에 해당하며, 정치 참여 주체의 정치적 효능감을 향상시킬 수 있다.

05 정치 참여 방법
⑤

⊙과 ⓒ은 인터넷 활용을 통한 정치 참여, ⓒ은 유권자의 투표 참여를 높이기 위한 사전 투표이다. ⑤ 인터넷을 활용한 정치 참여는 시·공간적 제약을 완화할 수 있다.

① ⓒ은 전체 유권자의 수를 확대하는 효과가 있다. (×)
→ 사전 투표가 유권자의 투표 참여를 높일 수는 있어도 전체 유권자의 수를 확대할 수는 없다.

② ⓒ과 달리 ⓒ은 정치권력에 정당성을 부여하는 기능을 한다. (×)
→ ⓒ, ⓒ 모두 국민의 정치 참여로 정치권력에 정당성을 부여할 수 있다.

③ ⓒ과 달리 ⊙은 국민의 정치적 효능감 향상에 기여할 수 있다. (×)
→ ⊙, ⓒ 모두 국민의 정치적 효능감 향상에 기여할 수 있다.

④ ⊙, ⓒ 모두 직접 민주주의를 실현하는 방법이다. (×)
→ 선거는 대의제를 실현하는 제도로 국민이 정치에 참여하는 가장 기본적인 방법이다.

⑤ ⊙, ⓒ 모두 정치 참여의 시·공간적 제약을 완화할 수 있는 방법이다. (○)

06 정치 참여 방법
②

(가)는 시민 단체를 통한 집단적 정치 참여, (나)는 선거를 통한 개인적 정치 참여, (다)는 인터넷 활용을 통한 정치 참여, (라)는 정당을 통한 집단적 정치 참여에 해당한다. 인터넷 활용을 통한 정치 참여는 시·공간의 제약을 완화시켜 시민의 정치 참여 활성화에 기여할 수 있다.

ㄴ. (나)는 (라)와 달리 정치 과정에서 투입 기능을 담당한다. (×)
→ (가)~(라) 모두 정치 과정에서 투입 기능을 담당한다.

ㄹ. (라)는 (가), (나), (다)와 달리 정치권력을 감시하고 통제하는 기능을 가진다. (×)
→ (가)~(라) 모두 정치권력을 감시하고 통제하는 기능을 가진다.

07 정치 참여 방법
③

(가)와 (나)는 (다)와 (라)에 비해 지속성이 강하고, (나)와 (라)는 (가)와 (다)에 비해 집합성이 강하다. ③ 공공 기관의 홈페이지에 개인

적 민원을 일회적으로 제기하는 것은 지속성과 집합성이 모두 약한 사례에 해당한다.

① 환경 단체에 가입하여 활동하는 것은 (라)보다 (가)에 가깝다. (×)
→ 환경 단체에 가입하여 활동하는 것은 집합성과 지속성이 강한 (나)에 가깝다.

② 종합 병원 설립을 위한 주민 공청회에 한 차례 참여한 것은 (다)보다 (나)에 가깝다. (×)
→ 종합 병원 설립을 위한 주민 공청회에 한 차례 참여한 것은 (라)에 가깝다.

③ 공공 기관의 홈페이지에 개인적 민원을 일회적으로 제기하는 것은 (나)보다 (다)에 가깝다. (○)

④ 당원으로서 매회 전당 대회에 참여하는 것은 (가)보다 (라)에 가깝다. (×)
→ 당원으로서 매회 전당 대회에 참여하는 것은 (나)에 가깝다.

⑤ (다)는 (나)보다 정부의 정책 결정에 미치는 영향력이 큰 방법이다. (×)
→ 정부의 정책 결정에 미치는 영향력의 크기를 비교하기는 어렵다.

08 정치 참여 방법
④

④ 온라인 서명 운동과 같은 인터넷을 통한 정치 참여는 시·공간적 제약을 완화할 수 있는 방법이다.

① (가)에서는 시민이 정책을 직접 결정하였다. (×)
→ 정책 제안서를 정당에 제출한 것을 시민이 정책을 직접 결정하였다고 보기는 어려우며, 정책 결정권은 국가 기관이 가진다.

② (나)에서는 개인적 정치 참여가 아닌 집단적 정치 참여가 나타났다. (×)
→ 투표는 개인적 정치 참여 방법이다.

③ (다)에서는 상향식 의사 결정 과정이 나타났다. (×)
→ (다)에서는 □□군이 주민들과 사전 협의 없이 의사 결정을 하였기에 하향식 의사 결정 과정이 나타났다고 볼 수 있다.

④ (라)에서는 시·공간적 제약을 완화할 수 있는 정치 참여가 이루어졌다. (○)

⑤ (마)에서는 권위주의적 정책 결정이 이루어졌다. (×)
→ (마)에서는 민주적인 정책 결정이 이루어졌다.

02 선거와 선거 제도

01 선거의 기능   🅐 ①

제시문에는 유권자가 선거를 통해 대표자를 재신임하거나 교체할 수 있다는 것이 나타나 있다. 이는 선거의 정치권력의 통제 기능과 관련된다.

02 평등 선거   🅐 ④

제시문은 교사의 질문에 대해 학생들이 민주 선거 원칙 A에 위배되는 사례를 발표한 것이다. ㄱ. 갑은 평등 선거 원칙에 위배된 사례를, 을은 보통 선거 원칙에 대해 설명하고 있다. ㄷ. ㉠은 을이다. ㄹ. A는 평등 선거 원칙이므로 반대 개념은 차등 선거이다. ㄴ. (가)에는 평등 선거 원칙에 위배되는 사례가 들어가야 한다.

내 것으로 만드는 셀파 - Tip

▶ **민주 선거의 원칙**

보통 선거	일정한 나이에 달한 모든 국민에게 선거권을 부여하는 원칙
평등 선거	모든 유권자가 같은 수의 표를 행사하고 표의 등가성을 보장하는 원칙
직접 선거	유권자가 대리인을 거치지 않고 본인이 직접 투표하는 원칙
비밀 선거	유권자가 누구에게 투표하였는지를 다른 사람이 알지 못하도록 하는 원칙

03 민주 선거의 원칙   🅐 ②

(가)는 일정한 나이에 달한 모든 국민에게 선거권을 부여하는 보통 선거의 원칙을 위반하고 있다. (나)는 모든 유권자가 평등하게 같은 수의 표를 행사하고 표의 등가성을 보장하는 평등 선거의 원칙을 위반하고 있다.

04 민주 선거의 원칙   🅐 ①

㉠은 직접 선거의 원칙을 위반하고 있으며, ㉡은 평등 선거의 원칙을 위반하고 있다. ㄱ은 직접 선거, ㄴ은 평등 선거, ㄷ은 보통 선거, ㄹ은 비밀 선거이다.

05 선거구 제도   🅐 ⑤

한 선거구에서 1명의 대표를 선출하는 A는 소선거구제, 한 선거구에서 2명 이상의 대표를 선출하는 B는 중·대선거구제이다. 개별 선거구의 지역적 범위는 소선거구제가 중·대선거구제보다 작다. 또한 중·대선거구제가 소선거구제보다 다당제를 형성하기에 유리하다. 정. 후보자가 난립할 가능성은 중·대선거구제가 소선거구제보다 높다.

06 대표 결정 방식   🅐 ⑤

(가)는 단순 다수 대표제, (나)는 비례 대표제이다. ⑤ 일반적으로 단순 다수 대표제는 정당별 득표율과 의석률이 일치하지 않는다.

07 중선거구 제도   🅐 ④

갑국은 50개의 선거구에서 100(=60+30+10)석의 지역구 국회 의원을 선출한다. 이를 통해 한 선거구에서 2명의 국회 의원을 선출하는 중선거구제를 채택하고 있음을 추론할 수 있다. 중선거구제는 정치 신인이나 군소 정당 후보의 당선 가능성이 높아져 국민의 지지 의사가 다양하게 반영되는 선거구제에 해당한다.

정답을 찾아가는 셀파 - Tip

① 선거 결과 A당은 지역구 득표율에 비해 과소 대표되었다. (×)
→ A당의 전체 의석률은 60(=90÷150×100)%인데, 지역구 득표율은 50%로 과다 대표되었다.

② 선거 결과 B당은 지역구 득표율에 비해 과다 대표되었다. (×)
→ B당의 전체 의석률은 30(=45÷150×100)%인데, 지역구 득표율도 30%로 정확히 일치하였다.

③ 비례 대표 의석은 각 정당의 지역구 득표율에 따라 배분되었을 것이다. (×)
→ 각 정당별 비례 대표 의석수가 지역구 의석수의 절반과 정확히 일치하는 것으로 보아 비례 대표 의석은 각 정당의 지역구 의석률에 따라 배분되었음을 추론할 수 있다.

④ 지역구 선거에서 국민의 의사를 다양하게 반영할 수 있는 선거구제를 채택하고 있다. (○)

⑤ 거대 정당 후보의 당선 가능성을 높이는 것이 비례 대표 의석 도입의 목적이었을 것이다. (×)
→ 비례 대표제는 군소 정당 후보의 당선 가능성이 비교적 높다.

08 선거구 제도와 대표 결정 방식   🅐 ④

ㄴ. 갑국의 지역구 의원 선거는 소선거구제와 단순 다수 대표제를 채택하고 있다. ㄹ. 비례 대표제는 사표 발생이 적은 장점이 있다.

정답을 찾아가는 셀파 - Tip

ㄱ. 의회 의원 선거에서 유권자는 1인 1표를 행사한다. (×)
→ 유권자는 지역구 의원과 비례 대표 의원 선출로 1인 2표를 행사한다.

ㄷ. 지역구 선거의 대표 결정 방식은 절대다수 대표제이다. (×)
→ 다른 후보자보다 한 표라도 더 많은 표를 얻은 후보자가 당선되므로 단순 다수 대표제이다.

09 우리나라의 선거 제도   🅐 ①

① 우리나라 대통령 선거에서는 가장 많은 표를 얻은 후보자를 당선자로 결정하는 방식인 단순 다수 대표제를 시행하고 있다. 대통령 선거에서 결선 투표제를 시행하는 나라는 프랑스이다.

내 것으로 만드는 셀파 - Tip

▶ **우리나라의 선거 제도**

단순 다수 대표제	대통령, 국회 의원, 지방 자치 단체장, 광역 의회 의원 선거 등
중·대선거구제	기초 의회 의원 선거
비례 대표제	국회 의원, 광역 의회 의원, 기초 의회 의원 선거에서는 정당 명부식 비례 대표제 병행

10 선거구제와 대표 결정 방식 답 ⑤

ㄹ. 갑국과 을국은 모두 지역구 의원 선거에서 소선거구제를 채택하고 있으며, 갑국은 단순 다수 대표제, 을국은 절대다수 대표제를 채택하고 있다. ㄷ. 절대다수 대표제는 단순 다수 대표제에 비해 당선자의 대표성을 높일 수 있다. ㄱ. 제시된 자료를 통해서는 알 수 없다. ㄴ. 갑국과 을국 모두 소선거구제를 채택하고 있다.

내 것으로 만드는 셀파 - Tip

▶ 선거구 제도와 대표 결정 방식

선거구제	소선거구제	한 선거구에서 1인의 대표 선출
	중·대선거구제	한 선거구에서 2인 이상의 대표 선출
대표 결정 방식	다수 대표제	• 단순 다수 대표제: 가장 많은 표를 얻은 후보자 또는 득표한 순서에 따라 일정 수의 후보자를 당선자로 결정하는 방식 • 절대다수 대표제: 유효 표의 일정 비율 이상을 얻어야 당선되는 방식
	비례 대표제	각 정당이 얻은 득표율에 비례하여 의석을 배분하고 당선자를 결정하는 방식

서답형 문제

11 선거의 기능

모범 답안 | (1) 국민 주권
(2) 정치권력을 통제하여 대표와 정당을 심판할 수 있는 효과적 수단으로 책임 정치를 보장하는 수단이 된다.

주요 단어 | 정치 권력 통제, 대표와 정당 심판, 책임 정치 보장

채점 기준	배점
정치권력을 통제하여 책임 정치 보장을 정확하게 서술한 경우	상
정치권력 통제라고만 서술한 경우	하

12 선거구 제도

모범 답안 | (1) A - 소선거구제, B - 중·대선거구제
(2) A는 소선거구제로, 선거 운동 비용이 적게 들고, 선거 관리가 용이하며, 유권자의 후보 파악이 용이하고, 정국이 안정될 수 있다는 장점이 있다. 그러나 사표가 많이 발생하고, 군소 정당의 의회 진출이 어렵다는 단점이 있다. B는 중·대선거구제로, 사표가 적게 발생하고, 국민의 다양한 의사가 반영될 수 있다는 장점이 있다. 그러나 선거 관리가 어렵고, 선거 운동 비용이 늘어날 수 있으며, 유권자의 후보 파악이 어렵고, 정국이 불안정해질 수 있으며, 투표 가치의 차등 문제가 발생하는 단점이 있다.

주요 단어 | A의 장점: 선거 운동 비용이 적게 듦, 선거 관리 용이, 유권자의 후보 파악 용이, 정국 안정 / A의 단점: 사표 발생, 군소 정당 의회 진출 어려움 / B의 장점: 사표 적게 발생, 다양한 의사 반영 가능 /

B의 단점: 선거 관리 어려움, 선거 운동 비용 많이 듦, 유권자의 후보 파악 어려움, 정국 불안정, 투표 가치 차등 문제

채점 기준	배점
소선거구제와 중·대선거구제의 장·단점을 한 가지 이상 정확하게 서술한 경우	상
소선거구제와 중·대선거구제의 장점 또는 단점만 두 가지 이상 서술한 경우	중
소선거구제와 중·대선거구제의 장·단점 중 한 가지만 서술한 경우	하

13 대표 선출 방식과 선거 결과

자료를 분석하는 셀파 - Tip

구분	A당	B당	C당	D당
1	⃝310	180	290	110
2	⃝390	240	350	70
3	250	⃝310	90	270
4	⃝360	210	210	190
5	300	330	⃝410	90
6	⃝320	310	280	160
7	⃝370	290	150	190
8	⃝410	240	190	160
9	140	⃝420	210	250
10	170	⃝360	160	320
총 득표수(표)	3,020	2,890	2,340	1,810
득표율(%)	30	28.7	23.3	18
의석수(석)	6	3	1	0
의석률(%)	60	30	10	0

총 10개의 선거구에서 총 10명의 국회 의원을 선출하므로 다수 대표제이다. 표에서 동그라미를 친 부분이 당선에 기여한 투표수이다. 이를 모두 더하면 3,660표인데, 총 투표수인 10,060(=3,020+2,890+2,340+1,810)표에서 이를 뺀 6,400표가 사표에 해당한다. 따라서 사표의 비율이 총 투표수의 약 64%에 이를 정도로 매우 높다. 이에 따라 의석률과 득표율 간의 격차도 매우 커지게 되는데 특히 A당의 경우 그 격차가 30%에 달한다.

모범 답안 | (1) 다수 대표제
(2) 갑국의 선거 결과를 살펴보면 사표가 많아 의석률과 득표율 간의 격차가 크다는 문제점을 알 수 있다. 이는 소수 대표제나 비례 대표제의 도입을 통해 보완할 수 있다.

주요 단어 | 다수 대표제, 사표 발생, 의석률과 득표율 간의 격차 큼, 소수 대표제나 비례 대표제 도입

채점 기준	배점
대표 선출 방식을 쓰고, 그 문제점과 보완 방법을 정확하게 서술한 경우	상
대표 선출 방식을 썼으나, 그 문제점과 보완 방법을 미흡하게 서술한 경우	중
대표 선출 방식만 서술한 경우	하

14 선거 공영제

모범 답안 | 선거 공영제, 선거 공영제는 후보자의 균등한 선거 운동 기회를 보장하고, 선거 운동의 과열을 방지하기 위해 실시되었다.

채점 기준	배점
선거 공영제를 쓰고, 그 목적을 정확하게 서술한 경우	상
선거 공영제를 썼으나, 그 목적을 미흡하게 서술한 경우	중
선거 공영제만 쓴 경우	하

도전 수능 문제
p. 100 ~ p. 103

01 ②	02 ④	03 ②	04 ②	05 ⑤	06 ①
07 ⑤	08 ③	09 ③	10 ②	11 ④	12 ③
13 ④					

01 선거의 기능
답 ②

② 선거에서 투표율이 이전 선거에 비해 높아진 이유에 대해 을은 정당들의 차별적 공약이 투표율을 높였다고 본다. 따라서 투표율과 정당 간 정책 차별성 사이의 상관성이 높다고 본다.

정답을 찾아가는 셀파 - Tip

① 갑은 선거가 기존 정책에 대한 평가의 성격을 가진다고 보지 않는다. (x)
→ 갑은 집권당이 시행한 정책에 대한 유권자의 부정적 인식이 투표율을 높였다고 보므로 선거가 기존 정책에 대한 평가의 성격을 가진다고 본다.

② 을은 투표율과 정당 간 정책 차별성 사이의 상관성이 높다고 본다. (O)

③ 갑은 을과 달리 선거가 국민 의사를 집약하는 기능을 한다고 본다. (x)
→ 갑, 을 모두 선거가 국민 의사를 집약하는 기능을 한다고 본다.

④ 을은 갑과 달리 선거가 정당에 대한 통제적 성격을 가진다고 본다. (x)
→ 갑, 을 모두 선거가 정당에 대한 통제적 성격을 가진다고 본다.

⑤ 갑, 을 모두 정당 간 경쟁이 국민의 주권 의식을 높이는 데 부정적 영향을 미친다고 본다. (x)
→ 을은 정당 간 정책 경쟁이 투표율을 높였다고 보므로 국민의 주권 의식을 높이는 데 긍정적 영향을 미친다고 본다.

02 공정한 선거를 위한 제도
답 ④

A는 선거구 법정주의, B는 선거 공영제이다. ㄴ. 일반적으로 선거구는 인구 수(선거인 수), 지리적 여건, 행정 구역 등을 감안하여 획정된다. ㄹ. 선거 공영제는 선거 운동 기회의 균등한 보장, 선거 운동의 과열 방지 등을 주된 목표로 삼고 있다.

정답을 찾아가는 셀파 - Tip

ㄱ. A는 선거 비용의 집행·결산을 공적으로 관리하기 위한 제도이다. (x)
→ 선거 공영제에 대한 설명이다.

ㄷ. B는 직접 선거, 비밀 선거 원칙을 실현하기 위한 제도이다. (x)
→ 선거 공영제는 직접 선거, 비밀 선거 실현과 관련 없는 제도이다.

03 선거 제도
답 ②

ㄱ. 현재 갑국의 의석수는 100석이고 선거구도 100개이므로 갑국

의 선거구 제도는 소선거구제이다. 소선거구제의 대표 결정 방식은 다수 대표제이다. ㄷ. 득표율에 비해 의석수를 가장 적게 획득한 정당은 득표율과 지역구 선거에 의한 의석률을 비교하여 판단하면 C당이다.

정답을 찾아가는 셀파 - Tip

ㄴ. 현행 선거구 제도의 일반적 특징으로 군소 정당의 난립을 들 수 있다. (x)
→ 군소 정당의 난립은 중·대선거구제의 일반적 특징이다. 소선거구제에서는 양당제가 확립될 가능성이 높다.

ㄹ. 변경될 선거 제도를 최근 선거 결과에 적용한다면, A당과 달리 B, C당의 득표율과 의석률 간의 격차는 줄어든다. (x)
→ 변경될 선거 제도를 최근 선거 결과에 적용한다면 다음과 같은 선거 결과가 나타난다.

구분	A당	B당	C당
득표율(%)	45	35	20
지역구 의석수(석)	70	25	5
비례 대표 의석수(석)	45	35	20
총 의석수(석)	115	60	25
의석률(%)	57.5	30	12.5

각 정당의 득표율과 의석률 간의 격차는 변경될 선거 제도를 적용하면 최근 선거 결과에 비해 A당은 의석률이 줄어 격차가 줄어들고, B당과 C당은 의석률이 늘어 격차가 줄어든다.

04 민주 선거 원칙
답 ②

(가)는 비밀 선거 원칙, (나)는 보통 선거 원칙에 해당한다. ② 자신이 기표한 투표자를 외부에 공개하는 것은 비밀 선거 원칙에 위배된다.

정답을 찾아가는 셀파 - Tip

① 수형자의 선거권에 대한 전면적·획일적 제한은 (가)에 위배된다. (x)
→ 수형자의 선거권에 대한 전면적·획일적 제한은 보통 선거 원칙에 위배된다.

② 기표소 안에서 자신이 기표한 투표지를 촬영하여 외부에 공개하는 행위는 (가)에 위배된다. (O)

③ 유권자가 대리인을 통해 투표하는 것은 (나)에 위배된다. (x)
→ 대리 투표를 금지하는 것은 직접 선거 원칙에 해당한다.

④ 선거구 간 인구 편차를 줄이려는 노력은 (나)를 실현하기 위한 것이다. (x)
→ 선거구 간 인구 편차를 줄이려는 노력은 평등 선거 원칙을 실현하기 위한 것이다.

⑤ 한 선거구에 3년 미만 거주한 자에게 2표, 3년 이상 거주한 자에게 3표를 부여하는 것은 (나)에 위배된다. (x)
→ 한 선거구 내에서 투표권을 차등적으로 부여하는 것은 평등 선거 원칙에 위배된다.

05 선거 제도
답 ⑤

⑤ 갑국은 단순 다수 대표제와 비례 대표제로 의회 의원을 선출한다. 비례 대표제에서 정당 득표율이 5% 이상인 정당에만 의석을 배분한다는 규정으로 인해 사표가 발생한다. ① 지역구 유권자 수의 차이가 최대 4배이므로 선거구 간 당선에 기여한 표의 가치 차이가 발생한다. ② 비례 대표 의원 선출 방식은 다당제, 지역구 의원 선출 방식은 양당제를 형성하는 데 유리하다. ③ 유권자 수의 차이가 최대 4배라는 점은 평등 선거의 원칙에 위배된다. ④ 군소 정당은 비례 대표 정당 의석 배분 기준이 낮거나 없는 것이 유리하다.

06 대표 결정 방식 · 답 ①

A는 정당 명부식 비례 대표제, B는 단순 다수 대표제, C는 결선 투표제이다. ① 결선 투표제는 1차 투표의 최다 득표자가 당선되지 않을 수도 있다.

① C는 1차 투표의 최다 득표자가 당선되지 않을 수도 있다. (○)

② B는 A에 비해 득표율과 의석률의 비례성이 높게 나타난다. (×)
→ 정당 명부식 비례 대표제는 단순 다수 대표제에 비해 득표율과 의석률의 비례성이 높다.

③ B는 C에 비해 당선자의 대표성은 높지만 선출 절차가 복잡하다. (×)
→ 결선 투표제는 두 차례의 선거가 실시될 수 있으므로 단순 다수 대표제에 비해 선출 절차가 복잡하다.

④ A는 B, C에 비해 의회 다수파가 안정적으로 의석을 확보하기에 유리하다. (×)
→ 결선 투표제가 정당 명부식 비례 대표제와 단순 다수 대표제에 비해 의회 다수파가 안정적으로 의석을 확보하기에 유리한 것은 아니다.

⑤ B, C는 A에 비해 당선자가 국민 대표가 아닌 정당 대표로 전락할 우려가 높다. (×)
→ 정당 명부식 비례 대표제는 정당 대표로 전락할 우려가 있다.

07 선거 제도 · 답 ⑤

갑국은 지역구 의석수, 을국은 지역구 후보의 득표 비율, 병국은 정당의 득표 비율에 따라 비례 대표 의석을 배분하면서 일정 정도의 득표나 의석을 획득하지 못한 경우 비례 대표 의석 배분을 하지 않는 장치를 공통으로 두고 있다. ⑤ 병국의 경우, 지역구 의원에게 투표한 표를 비례 대표 의원에게 투표한 것으로 간주하지 않고, 직접 정당에 투표하도록 함으로써 갑국이나 을국에 비해 직접 선거 원칙에 충실한 방식을 택하고 있다.

① 갑국의 경우 지역구 선거에서 의석을 얻은 모든 정당은 최소 1석의 비례 대표 의석을 확보한다. (×)
→ 갑국은 지역구 의석 5석 미만을 얻은 정당은 지역구 선거에서 3% 이상 득표하지 못하면 비례 대표 의석을 확보하지 못하도록 하고 있다.

② 을국의 경우 지역구 선거에서 5석 미만을 얻은 정당은 비례 대표 의석을 배분받을 수 없다. (×)
→ 을국은 지역구 의석수 5석 미만이라도 5% 이상 득표한 정당은 득표율에 따라 비례 대표 의석을 배분받도록 하고 있다.

③ 갑국의 비례 대표 의석 배분 방식은 병국에 비해 평등 선거의 원칙에 충실하다. (×)
→ 무소속 후보자를 지지하는 유권자들과 정당 후보 지지자들 간의 평등이 실현될 수 있도록 정당 명부식 비례 대표를 선출하는 병국이 평등 선거 원칙에 충실하다.

④ 병국은 을국과 달리 지역구 선거 결과가 비례 대표 의석 배분에 영향을 미치지 않는다. (×)
→ 을국과 병국 모두 지역구 선거 결과가 비례 대표 의석 배분에 영향을 미친다.

⑤ 병국의 비례 대표 의석 배분 방식은 갑국과 을국에 비해 직접 선거의 원칙에 충실하다. (○)

08 선거 공영 제도 · 답 ③

선거 공영제는 선거의 공정성 확보 및 선거 운동에서의 균등한 기회 보장 등을 위해 도입된 제도이다. 정. 평등 선거 원칙에 대한 설명이다.

09 선거 결과 분석 · 답 ③

갑국의 대통령 선거에서는 절대다수 대표제 중 결선 투표제를 채택하고 있다. ③ 1차 투표에서 가장 많이 득표한 A 후보자의 득표율은 31.2%에 불과하지만 2차 투표를 통해 득표율이 53.1%가 되었으므로 2차 투표는 당선인의 대표성을 높이는 기능을 하였다.

① 상대 다수 대표제로 A가 대통령으로 당선되었다. (×)
→ 갑국은 절대다수 대표제를 실시하였다.

② 1차 투표의 결과와 상관없이 2차 투표를 실시하였다. (×)
→ 1차 투표에서 가장 많이 득표한 A 후보자의 득표율이 과반이 되지 못하는 31.2%이므로 2차 투표를 실시한 것이다.

③ 2차 투표는 당선인의 대표성을 높이는 기능을 하였다. (○)

④ 후보자 난립을 방지하기 위한 선거 제도를 활용하였다. (×)
→ 제시된 자료로는 알 수 없으며, 결선 투표제는 후보자 난립을 방지하기 위한 선거 제도가 아니다.

⑤ B는 A보다 1차 투표에서의 사표를 더 많이 흡수하였다. (×)
→ 제시된 자료로는 알 수 없다.

10 선거 결과 분석 · 답 ③

갑국의 의회 의원 선거에서는 지역구 대표 300명을 선출하는 다수 대표제와 100명의 비례 대표 의원을 선출하는 비례 대표제를 시행하고 있다. ㄴ. 유권자는 지역구 후보자에게만 1표를 행사한다. ㄹ. 지역구 당선자에게 투표하지 않은 유권자의 표를 정당별로 합산하여 비례 대표 의석을 배분한다. 따라서 지역구 대표로 당선된 후보자에 투표한 유권자의 표는 비례 대표 선출에 기여하지 못한다.

ㄱ. 무소속 후보자의 의회 진출이 불가능하다. (×)
→ 무소속 후보는 지역구 대표로 의회에 진출할 수 있다.

ㄷ. 지역구 대표 선출 과정보다 비례 대표 선출 과정에서 직접 선거의 원칙이 충실히 구현된다. (×)
→ 비례 대표 선출 과정에서 정당 후보 결정에 유권자의 의사를 반영하기 어렵기 때문에 지역구 대표 선출 과정보다 비례 대표 선출 과정에서 직접 선거의 원칙이 충실히 구현된다고 볼 수 없다.

11 선거 결과 분석 · 답 ④

갑국의 현행 선거 결과와 선거 제도 개편안에 따른 예상 선거 결과는 다음과 같다.

구분	A당	B당	C당	D당	E당	계
현행	8석 (61.5%)	3석 (23.1%)	2석 (15.4%)	0석	0석	13석 (100%)
1안	11석 (55%)	5석 (25%)	3석 (15%)	1석 (5%)	0석	20석 (100%)
2안	7석 (46.7%)	4석 (26.7%)	3석 (20%)	1석 (6.7%)	0석	15석 (100%)
정당 투표 득표율	38%	27%	26%	7%	2%	100%

④ C당의 의석률은 〈1안〉의 경우 15%, 〈2안〉의 경우 20%이고, 정당 투표 득표율은 26%이다. 따라서 〈1안〉, 〈2안〉 모두에서 C당의 의석률은 정당 투표 득표율보다 낮다.

13 선거 결과 분석 · 답 ④

갑국 의회의 선거 결과는 다음과 같다.

구분		A당	B당	C당	D당
지역구 의원 선거	득표율(%)	50	15	25	10
	의석률(%)	45	20	20	15
	지역구 의원 의석수(석)	90	40	40	30
비례 대표 의원 선거	득표율(%)	33	26	35	6
	의석률(%)	33	26	35	6
	비례 대표 의원 의석수 (석)	33	26	35	6
총의석수(석)		123	66	75	36
총의석률(%)		41	22	25	12

ㄱ. 지역구 의원 선거에서 득표율 20% 미만인 정당은 B당과 D당이다. B당은 득표율 15%, 의석률 20%이므로 과대 대표되었고, D당도 득표율 10%, 의석률 15%이므로 과대 대표되었다. ㄷ. 지역구 의원 선거 득표율과 총의석률의 격차는 지역구 의원 선거 득표율과 총의석률이 일치하는 C당이 가장 작다. ㄹ. A당과 D당의 총의석률의 합은 53%(=41%+12%)이고, B당과 C당의 총의석률의 합은 47%(=22%+25%)이다. 따라서 A당과 D당의 총의석률의 합은 B당과 C당의 총의석률의 합보다 크다. ㄴ. 의회 의원 선거 결과 300석 중 과반수 의석을 차지한 정당은 없다.

12 선거 결과 분석 · 답 ③

현행 및 개편안의 선거 결과는 다음과 같다.

구분		A당	B당	C당	D당	계
현행	의회 의석률(%)	46	40	8	6	100
	정당 득표율(%)	32	44	8	16	100
	비례 대표 의석수(석)	30×0.32 =9.6 → 10	30×0.44 =13.2 → 13	30×0.08 =2.4 → 2	30×0.16 =4.8 → 5	30
	지역구 의석수(석)	36	27	6	1	70
	의회 의석수(석)	46	40	8	6	100
개편안	정당 득표율(%)	32	44	8	16	100
	비례 대표 의석수(석)	80×0.32 =25.6 → 26	80×0.44 =35.2 → 35	80×0.08 =6.4 → 6	80×0.16 =12.8 → 13	80
	지역구 의석수(석)	36	27	6	1	70
	의회 의석수(석)	62	62	12	14	150

ㄴ. 개편안 적용 시 A당과 B당의 의회 의석수는 모두 62석으로 같다. ㄷ. 개편안 적용 시 C당의 정당 득표율과 의회 의석률은 모두 8%이다.

03 다양한 정치 주체와 시민 참여

01 정당 제도 유형   답 ④

정당 제도는 일당제와 복수 정당제로 구분되며, 복수 정당제는 양당제와 다당제로 구분된다. ④ 양당제는 다당제에 비해 정치적 책임 소재가 명확하다.

정답을 찾아가는 셀파 - Tip

① 양당제는 대부분의 권위주의 국가에서 나타난다. (×)
→ 전체주의하에서 정당이 독점적인 정치권력을 행사하는 일당제가 사례가 될 수 있다.
② 일당제에서는 정당이 권력 획득을 위해 경쟁한다. (×)
→ 일당제는 비경쟁적 정당 제도이다.
③ 일당제가 양당제에 비해 정권 교체 가능성이 높다. (×)
→ 양당제가 일당제에 비해 정권 교체 가능성이 높다.
④ 다당제보다 양당제에서 정치적 책임 소재가 명확하다. (○)
⑤ 다당제는 다수당의 횡포로 소수의 의견이 무시되기 쉽다. (×)
→ 다당제보다 양당제에서 다수당의 횡포 가능성이 높다. 양당제보다 다당제에서 국민의 다양한 의견이 정책 결정 과정에 투입될 가능성이 높다.

02 정당 제도   답 ⑤

제시된 자료를 통해 갑국은 양당제, 을국은 다당제가 형성된 것을 알 수 있다. ㄷ, ㄹ. 양당제는 다당제에 비해 정국이 비교적 안정적으로 운영되며, 정치적 책임 소재가 분명하여 책임 정치가 확립될 가능성이 높다.

정답을 찾아가는 셀파 - Tip

ㄱ. 갑국과 달리 을국에서는 민주주의 원리에 부합하는 정당 제도가 형성될 것이다. (×)
→ 양당제와 다당제 모두 민주주의 원리에 부합하는 정당 제도이다.
ㄴ. 갑국에 비해 을국에서는 다양한 소수 의견을 반영하기 어려운 정당 제도가 형성될 것이다. (×)
→ 다당제는 양당제에 비해 다양한 소수 의견을 반영하기에 용이하다.

내 것으로 만드는 셀파 - Tip

▶ **양당제와 다당제**

구분	양당제	다당제
장점	• 정국이 비교적 안정적으로 운영됨. • 정치적 책임이 분명함.	• 국민의 다양한 의견이 정치에 반영될 수 있음. • 정당 간 대립 시 중재가 용이함.
단점	• 다수당의 횡포가 우려됨. • 국민의 다양한 의견이 정치에 반영되기 어려움.	• 군소 정당이 난립할 경우 정국이 불안정해짐. • 정치적 책임 소재가 불분명해질 수 있음.
대표 국가	미국, 영국 등	독일, 노르웨이 등

03 정당의 기능   답 ④

④ 정당은 당정 협의회를 통해 정부에 의회의 의견을 전달함으로써 정부와 의회를 매개하는 기능을 한다.

04 정당 제도의 유형   답 ④

A는 다당제, B는 양당제이다. ㄴ. 다당제는 양당제보다 정당 간 대립 시 중재가 용이하다. ㄹ. 양당제는 다수당의 횡포가 발생할 가능성이 높다.

정답을 찾아가는 셀파 - Tip

ㄱ. A는 B와 달리 자유 민주주의 원리를 실현할 수 있다. (×)
→ 양당제와 다당제는 모두 복수 정당제의 유형으로서 자유 민주주의 원리를 실현할 수 있다.
ㄷ. (가)에는 '정치적 책임 소재의 명확성'이 들어갈 수 있다. (×)
→ 정치적 책임 소재가 명확한 것은 양당제의 특징이다.

자료를 분석하는 셀파 - Tip

▶ **양당제와 다당제 구분하기** ─유권자의 정당 선택 범위는 다당제가 양당제보다 더 넓다.

특징	비교
유권자의 정당 선택 범위	A > B
소수 의사 반영 가능성	A > B

└소수 의사 반영 가능성은 다당제가 양당제보다 더 크다.

05 정치 참여 주체   답 ②

㉠은 이익 집단, ㉡은 시민 단체이다. ㄱ. 이익 집단은 특수 이익의 실현을 목표로 한다. ㄹ. 이익 집단과 시민 단체는 정치 과정에서 여론을 형성하고 시민의 요구를 표출하는 투입 기능을 수행하는 공통점이 있다.

정답을 찾아가는 셀파 - Tip

ㄴ. ㉡은 정치권력의 획득을 목적으로 한다. (×)
→ 정치권력의 획득을 목적으로 하는 집단은 정당이다.
ㄷ. ㉠은 의회와 정부를 매개하는 기능을, ㉡은 정치 사회화의 기능을 수행한다. (×)
→ 의회와 정부를 매개하는 역할을 하는 집단은 정당이고, 정치 사회화의 기능은 정당, 시민 단체, 이익 집단의 공통점에 해당한다.

06 정치 참여 주체   답 ①

A는 시민 단체, B는 이익 집단, C는 정당이다. ㄱ. 시민 단체는 공익을 실현하기 위해 시민이 자발적으로 결성한 비영리 단체이다. ㄴ. 이익 집단과 시민 단체 모두 정치 사회화 기능을 수행한다.

정답을 찾아가는 셀파 - Tip

ㄷ. C는 대의 민주주의의 한계를 보완하기 위해 등장한 집단이다. (×)
→ 대의 민주주의의 한계를 보완하기 위해 등장한 집단은 이익 집단, 시민 단체이다.
ㄹ. C는 A와 달리 정부의 정책 결정 및 집행 과정에 영향력을 행사한다. (×)
→ 세 집단 모두 정부의 정책 결정 및 집행 과정에 영향력을 행사한다.

07 정치 참여 방법   답 ④

① 시민 단체는 공익 추구를 목적으로 활동한다. ② 입법 청원은 대

의 민주 정치의 한계를 보완하는 기능을 한다. ③ 시민들은 토론회 등을 통해 정치 과정에 참여 가능하다. ⑤ 이익 집단은 정치적 책임을 지지 않는다. ④ 정책을 결정하고 집행하는 권한을 갖는 것은 정부이다.

내 것으로 만드는 셀파 - Tip

▶ 정당, 이익 집단, 시민 단체 비교

정당	• 공익 추구 • 정권 획득이 목표임. • 정치적 책임을 짐. • 정치 사회화 기능을 수행함.
이익 집단	• 자신들만의 특수 이익 추구가 목표임. • 정치적 책임을 지지 않음. • 정치 사회화 기능을 수행함.
시민 단체	• 공익 추구가 목표임. • 정치적 책임을 지지 않음. • 정치 사회화 기능을 수행함.

08 정당과 시민 단체   답 ⑤

(가)는 정당, (나)는 시민 단체에 해당한다. ⑤ 정당과 시민 단체 모두 정치 과정에서 정치 사회화 기능을 수행한다.

정답을 찾아가는 셀파 - Tip

① (가)는 자신들의 특수 이익을 실현하고자 한다. (×)
→ 이익 집단에 대한 설명이다.
② (나)는 국민에 대해 정치적 책임을 진다. (×)
→ 국민에 대해 정치적 책임을 지는 집단은 정당이다.
③ (가)는 (나)와 달리 정부에 대한 감시와 비판의 기능을 수행한다. (×)
→ 정당과 시민 단체 모두 정부에 대한 감시와 비판의 기능을 수행한다.
④ (나)는 (가)와 달리 정치적 충원 기능을 수행한다. (×)
→ 정치적 충원은 선거에서 후보자를 공천하는 정당의 기능에 해당한다.
⑤ (가), (나) 모두 정치 사회화 기능을 수행한다. (○)

09 정치 참여 주체   답 ①

ㄱ. 갑, 을, 병, 무 모두 언론의 역할에 대해 옳게 발표하였다. ㄴ. 대부분의 언론은 특정한 관점을 지니고 정치적·사회적 현상들을 해석하기에 중립적인 관점에서 벗어나 어느 한쪽에 치우친 보도가 이루어지기도 한다. 따라서 옳지 않게 발표한 학생은 정이다.

정답을 찾아가는 셀파 - Tip

ㄷ. (가)에는 "서로 다르다."가 들어갈 수 없다. (×)
→ 옳게 말한 사람의 수는 네 명이고, 옳지 않게 말한 사람의 수는 한 명이기 때문에 "서로 다르다."는 들어갈 수 있다.
ㄹ. (가)에는 "각각 두 명으로 서로 같다."가 들어갈 수 있다. (×)
→ 옳게 말한 사람의 수는 네 명이고, 옳지 않게 말한 사람의 수는 한 명으로 서로 다르다.

10 언론의 기능   답 ④

④ 제시문은 언론이 특정 쟁점을 선별적으로 보도함으로써 사람들의 사고의 틀을 형성한다고 보고 있다. 이는 언론이 여론 형성에 영향을 미칠 수 있음을 보여준다.

서답형 문제

11 정당의 기능

모범 답안 | 정당은 각종 선거에 출마하는 후보를 심사하여 추천함으로써 정치적 충원 기능을 수행한다.
주요 단어 | 선거에 출마하는 후보를 심사하여 추천, 정치적 충원 기능

채점 기준	배점
'정치적 충원 기능'의 표현을 넣어 정확하게 서술한 경우	상
'정치적 충원 기능'의 표현은 없지만 의미가 통하는 내용으로 서술한 경우	중
'정치적 충원 기능'에 대해 미흡하게 서술한 경우	하

12 정치 참여 주체

모범 답안 | (1) (가) - 시민 단체, (나) - 이익 집단
(2) 시민 단체와 이익 집단의 공통점으로는 두 집단 모두 정치 주체로서 정부를 비판하고 감시하여 정치권력을 견제할 뿐만 아니라, 다양한 의견을 표출하여 대의제의 한계를 보완하고 있다. 차이점으로는 이익 집단은 정책 결정 과정에 자신들의 이익과 요구가 반영될 수 있도록 압력을 가한다. 이에 비해 시민 단체는 시민들이 자발적으로 공공의 문제 해결에 참여하여 사회 문제를 해결하려고 한다. 이익 집단은 영리성, 사익성을 추구하지만, 시민 단체는 비영리성, 공익성을 추구한다.
주요 단어 | 공통점 – 정치권력 견제, 대의제의 한계 보완 / 차이점 – 압력 행사, 영리성, 사익성 추구, 공공의 문제 해결에 참여, 비영리성, 공익성 추구

채점 기준	배점
공통점과 차이점을 모두 한 가지 이상 정확하게 서술한 경우	상
공통점 혹은 차이점을 미흡하게 서술한 경우	중
공통점 혹은 차이점 중 한 가지만 서술한 경우	하

13 정치 참여 주체

모범 답안 | A는 정당, B는 시민 단체, C는 이익 집단이다. 정당, 이익 집단, 시민 단체 중에서 공익을 추구하는 것은 정당, 시민 단체이고, 사익을 추구하는 것은 이익 집단이며, 정치적 책임을 지는 것은 정당이기 때문이다.
주요 단어 | A는 정당, B는 시민 단체, C는 이익 집단, 공익을 추구하는 것은 정당, 시민 단체, 사익을 추구하는 것은 이익 집단, 정치적 책임을 지는 것은 정당

채점 기준	배점
A~C의 정치 참여 주체를 각각 쓰고, 그 이유에 대해 정확하게 서술한 경우	상
A~C의 정치 참여 주체를 각각 쓰고, 그 이유에 대해 미흡하게 서술한 경우	중
A~C의 정치 참여 주체만 쓴 경우	하

14 시민 단체의 문제점

모범 답안 | (1) 시민 단체가 관료제화되어 회원의 의사 결정 참여 기회가 제한된다.

주요 단어 | 관료제화, 회원의 외사 결정 참여 기회 제한

채점 기준	배점
시민 단체의 관료제화의 문제점을 정확하게 서술한 경우	상
시민 단체의 관료제화의 문제점을 미흡하게 서술한 경우	하

모범 답안 | (2) 시민의 저조한 참여로 정치적 영향력이 감소하고 있으며, 재정적 독립성이 부족하여 시민 단체의 자율성이 훼손될 우려가 있다. 또한 시민 단체가 특수 이익이나 정책을 지지하거나 특정 세력과 결탁하여 이익 집단화되고 있다.

주요 단어 | 시민의 저조한 참여, 정치적 영향력 감소, 재정적 독립성 부족, 시민 단체의 자율성 훼손 우려, 이익 집단화

채점 기준	배점
시민 단체의 문제점을 두 가지 이상 정확하게 서술한 경우	상
시민 단체의 문제점을 미흡하게 서술한 경우	중
시민 단체의 문제점을 한 가지만 서술한 경우	하

도전 수능 문제
p. 112 ~ p. 113

01 ②	02 ④	03 ③	04 ③	05 ②	06 ⑤
07 ②	08 ⑤				

01 정당 제도의 유형
답 ②

제시된 그림에서 정치적 책임 소재가 더 명확한 B가 양당제이고, A는 다당제이다. ㄱ. 다당제는 양당제에 비해서 군소 정당 난립으로 정국이 불안정할 가능성이 높다. ㄷ. 연립 정부가 구성될 가능성은 양당제보다 다당제에서 높게 나타난다.

02 정당 제도의 유형
답 ④

그림에서 A와 B는 (가), (나)에 들어갈 기준에 따라 '양당제'나 '다당제' 중의 하나에 해당된다. ㄴ. '다수당의 횡포가 나타날 가능성'이 높은 정당 제도는 양당제이고, 낮은 정당 제도는 다당제이다. ㄹ. '정치적 책임 소재의 명확성'이 높거나 큰 정당 제도는 양당제이다.

03 정당의 공천 방식
답 ③

ㄴ, ㄷ. A당과 비교할 때 B당의 공천 방식은 상향식 의사 결정 방식으로 일반 국민도 공천 신청이 가능하다. ㄱ. 일반 국민도 공천 신청이 가능한 방식이 그렇지 못한 공천 방식에 비해 정당의 정체성 유지에 유리하다고 보기 어렵다. ㄹ. B당의 공천 방식은 일반 국민도 공천 신청이 가능하므로 외부 인사 영입에 유리하다.

04 정치 참여 주체
답 ③

A는 이익 집단, B는 시민 단체, C는 정당이다. ③ 정당은 당정 협의회 등을 통해 정부와 의회를 연결함으로써 양자 간의 매개 역할을 담당한다.

05 시민 단체와 정당
답 ②

A는 시민 단체, B는 정당에 해당한다. ② 정당은 공직 선거에 후보자를 추천하고 공약을 제시한다.

06 정치 참여 주체
답 ⑤

A는 시민 단체, B는 정당, C는 이익 집단이다. ⑤ 정당은 당정 협의회 등을 통해 정부와 의회를 매개하며 정치적 책임을 진다.

07 정치 참여 주체
답 ②

A는 이익 집단, B는 정당, C는 시민 단체이다. ② 정당은 공직 선거에서 후보자를 공천한다.

08 언론을 통한 정치 참여
답 ⑤

갑은 SNS를 통한 정치 참여가 진정한 참여 민주주의를 만들 것이라고 보지만, 을은 검증되지 않은 정보의 확산으로 인해 야기될 혼란을 우려하고 있다. ⑤ 갑과 을의 예측은 상반된 측면이 있지만 SNS가 갖는 사회적 영향력에 대해서는 모두 동의하고 있다고 볼 수 있다.

Ⅳ 개인 생활과 법

01 민법의 기초

01 민법의 내용 답 ⑤

A법은 민법이다. ⑤ 불법 행위에 대한 내용은 민법에 규정되어 있기는 하지만, 불법 행위로 타인에게 손해를 입혔을 경우 손해 배상 책임이 발생하는 것이지, 국가가 직접 제재할 수 있는 것은 아니다.

02 사법의 사례 답 ③

개인과 개인 간의 사적인 생활 관계를 규율하는 법인 A법은 사법을 의미한다. ㄴ. 유언에 관한 내용, ㄷ. 계약에 관한 내용은 사법인 민법에 규정되어 있다. ㄱ. 국민이 세금을 납부하는 것, ㄹ. 기본권을 침해당한 국민이 헌법 소원 심판을 청구하는 것은 공법에 규정되어 있다.

03 민법의 사례 답 ③

밑줄 친 '이 법'은 민법이다. ㄴ. '미성년자가 혼인을 한 때에는 성년자로 본다.'는 민법 제826조 제2항 내용이다. ㄷ. '권리의 행사와 의무의 이행은 신의에 좇아 성실히 하여야 한다.'는 민법 제2조 제1항의 내용이다. ㄱ. '모든 국민은 직업 선택의 자유를 가진다.'는 헌법 제15조 내용이다. ㄹ. '타인의 재물을 절취한 자는 6년 이하의 징역 또는 1천만 원 이하의 벌금에 처한다.'는 형법 제329조의 내용이다.

04 민법의 기능 답 ②

민법은 재산 관계와 가족 관계를 규율하고, 법의 일반 원칙을 제시하는 기능을 한다. 계약에 관한 내용이나 불법 행위에 의한 손해 배상은 재산 관계에 해당하고, 혼인, 이혼, 상속 등에 관한 내용은 가족 관계에 해당한다. 따라서 (가)에는 ㄱ, ㄷ이, (나)에는 ㄴ, ㄹ이 해당된다.

05 소유권 공공복리의 원칙 답 ④

○○ 지방 법원은 오랫동안 자유롭게 이용하던 길을 을이 자신의 사유지라는 이유로 통행을 제한하는 것은 을의 재산권 행사가 남용되었다고 보았다. 소유권 공공복리의 원칙은 개인의 소유권도 공공복리를 위하여 필요한 경우에 한하여 법률로써 제한될 수 있는 상대적 권리임을 의미한다.

06 계약 공정의 원칙 답 ③

제시된 사례는 계약 공정의 원칙을 위반하였다. 계약 공정의 원칙은 계약의 내용이 사회 질서에 위반되거나 현저하게 공정하지 못한 경우에는 법적 효력이 발생하지 않는다는 원칙이다. 대형 연예 기획사와 연예인 지망생들과의 계약이 매우 불공정하게 이루어졌으므로 해당 계약은 계약 공정의 원칙에 따라 효력이 발생하지 않는다.

① 개인 소유 재산에 대한 사적 지배를 인정한다는 원칙이다. (✕)
→ 사유 재산권 존중의 원칙에 대한 설명이다.
② 소유권은 공공복리에 적합하도록 행사해야 한다는 원칙이다. (✕)
→ 소유권 공공복리의 원칙에 대한 설명이다.
③ 불평등한 관계에 있는 계약 당사자들 간의 부당한 계약을 방지하기 위한 원칙이다. (○)
④ 가해자에게 고의나 과실이 없더라도 일정한 요건하에 손해 배상 책임을 진다는 원칙이다. (✕)
→ 무과실 책임의 원칙에 대한 설명이다.
⑤ 개인이 자신의 의사에 기초하여 상대방과 자유롭게 법률관계를 형성할 수 있다는 원칙이다. (✕)
→ 사적 자치의 원칙에 대한 설명이다.

07 과실 책임의 원칙과 무과실 책임의 원칙 답 ①

(가)는 과실 책임의 원칙, (나)는 무과실 책임의 원칙이다. 과실 책임의 원칙을 비롯한 근대 민법의 기본 원칙은 사회·경제적 강자가 약자를 지배하거나 자신의 책임을 회피하는 수단으로 악용되기도 하였다.

① (가)는 경제적 강자가 자신의 책임을 회피하는 수단으로 악용되기도 한다. (○)
② (나)는 사유 재산에 대한 절대적 지배권을 인정하는 근거가 된다. (✕)
→ 사유 재산권 존중의 원칙에 대한 설명이다.
③ (가)는 (나)와 달리 현대 사회에서는 적용되지 않는다. (✕)
→ 과실 책임의 원칙과 무과실 책임의 원칙은 모두 현대 사회에서 적용된다.
④ (나)는 (가)와 달리 개인주의, 자유주의를 바탕으로 한다. (✕)
→ 개인주의, 자유주의를 바탕으로 하는 것은 과실 책임의 원칙이다.
⑤ (가), (나) 모두 근대 시민 사회에서 주요 원리로 적용되었다. (✕)
→ 근대 시민 사회에서 주요 원리로 적용되는 것은 과실 책임의 원칙이다.

08 수정·보완된 민법의 기본 원칙 답 ②

자본주의가 발달함에 따라 여러 가지 문제점이 발생하면서 근대 민법의 기본 원칙에 대한 수정·보완이 요구되었다. 따라서 소유권 영역에는 사유 재산권 존중의 원칙이 소유권 공공복리의 원칙으로, 계약 영역에서는 사적 자치의 원칙이 계약 공정의 원칙으로, 책임 영역에서는 과실 책임의 원칙이 무과실 책임의 원칙으로 수정·보완되었다. ㄱ. (가)는 소유권 공공복리의 원칙, (나)는 계약 공정의 원칙이다. ㄷ. 계약 공정의 원칙에 따라 사회 질서에 반하거나 공정성을 잃은 계약은 법적 효력이 인정되지 않는다.

ㄴ. (가)를 적용한 사례로 우리나라의 제조물 책임법을 들 수 있다. (✕)
→ 제조물 책임법은 무과실 책임의 원칙을 적용한 사례이다.
ㄹ. (가), (나) 모두 국가나 사회보다 개인이 우선한다는 사상을 기본 이념으로 한다. (✕)
→ 개인주의는 근대 민법의 기본 이념이다.

▶ 근대 민법의 기본 원칙

사유 재산권 존중의 원칙	개인 소유의 사적 지배를 인정하고 국가나 다른 개인이 이를 함부로 간섭하거나 제한하지 못한다는 원칙
사적 자치의 원칙	법률관계를 형성하는 것은 개인의 자유로운 의사에 맡겨야 하고 국가가 개입해서는 안 된다는 원칙
과실 책임의 원칙	행위자가 자신에게 고의나 과실이 있는 경우에만 손해 배상 책임을 진다는 원칙

09 무과실 책임의 원칙
답 ⑤

(가)는 무과실 책임의 원칙이다. 공작물 등의 설치 또는 보존상의 하자로 타인에게 손해가 발생한 경우 일차적으로 점유자가 책임을 진다. 단, 점유자가 손해 방지를 위한 주의를 다하였음을 증명하면 책임이 면제되고, 소유자는 고의나 과실이 없더라도 무과실 책임을 지게 된다.

10 민법의 기본 원칙
답 ②

A는 사유 재산권 존중의 원칙, B는 계약 자유의 원칙, C는 계약 공정의 원칙, D는 무과실 책임의 원칙이다. ② 계약 자유의 원칙은 개인이 자율적인 판단에 기초하여 법률관계를 형성해 나갈 수 있다는 원칙이다.

① A에 따라 개인의 재산권은 상대적 성격의 권리로 본다. (×)
→ 사유 재산권 존중의 원칙은 개인의 재산에 대해 국가나 다른 개인이 간섭하거나 제한하지 못하도록 하기 때문에 소유권에 대한 절대성을 인정한다.

② B에 따라 국가나 타인의 간섭을 받지 않고 자기의 법률관계를 스스로 정할 수 있다. (○)

③ B와 달리 C는 자유로운 의사를 바탕으로 한 개인 간의 계약을 인정하지 않는다. (×)
→ 근대 민법의 원칙과 수정·보완된 민법의 원칙 모두 자유로운 의사를 바탕으로 한 개인 간의 계약을 인정한다.

④ D의 사례로 개발 제한 구역의 지정을 들 수 있다. (×)
→ 개발 제한 구역의 지정은 소유권 공공복리의 원칙이 적용된 사례이다.

⑤ C, D는 모두 사회·경제적 강자가 약자를 지배하는 수단으로 악용될 수 있다. (×)
→ 사회·경제적 강자가 약자를 지배하는 수단으로 악용될 수 있는 것은 근대 민법의 원칙이다.

11 사법의 종류
답 민법, 상법

법은 규율하는 생활 관계의 성격에 따라 사법과 공법으로 구분할 수 있다. 이 중 개인과 개인 간의 사적인 생활 관계를 규율하는 법은 사법이며, 민법과 상법은 대표적인 사례이다.

12 민법의 기본 원칙
답 ㉠ – 계약 자유의 원칙, ㉡ – 과실 책임의 원칙

제시문의 '자신의 의사에 따라 자유롭게 결정할 수 있고'에서 계약 자유의 원칙을 유추할 수 있으며, '잘못이 있으면 그 책임도 스스로 지는 것'에서 과실 책임의 원칙을 유추할 수 있다.

13 수정·보완된 민법의 기본 원칙
답 무과실 책임의 원칙

A사의 폐수 방류로 인해서 어장이 피해를 입었다고 볼 수 있으므로, A사는 무과실 책임의 원칙에 따라 고의나 과실이 없더라도 손해 배상을 책임져야 한다.

14 민법의 기본 원칙

모범 답안 | 자유롭고 평등한 개인을 기본 요소로 하는 개인주의와 자유주의를 기본 이념으로 한다.
주요 단어 | 개인주의, 자유주의

채점 기준	배점
개인주의와 자유주의를 모두 정확하게 서술한 경우	상
개인주의와 자유주의의 의미를 미흡하게 서술한 경우	중
개인주의와 자유주의 중 한 가지만 서술한 경우	하

15 법의 일반 원칙
답 권리 남용 금지의 원칙

겉으로 보기에는 권리의 행사인 것처럼 보이지만 실질적으로는 권리의 공공성에 반하기 때문에 정당한 권리 행사로 보기 어려운 행위를 금지한다.

16 근대 민법의 기본 원칙의 문제점

모범 답안 | 사회·경제적 강자가 약자를 지배하거나 자신의 책임을 회피하는 수단으로 악용되기도 하였다.
주요 단어 | 사회·경제적 강자, 약자 지배, 책임 회피

채점 기준	배점
근대 민법의 기본 원칙의 문제점을 정확하게 서술한 경우	상
근대 민법의 기본 원칙의 문제점을 미흡하게 서술한 경우	중
사회·경제적 강자가 약자를 지배한다는 내용과 자신의 책임을 회피하는 수단이라는 내용 중 한 가지만 서술한 경우	하

p. 126 ~ p. 127

01 ⑤	02 ①	03 ②	04 ②	05 ②	06 ③
07 ③	08 ④				

01 수정·보완된 민법의 기본 원칙
답 ⑤

⑤ 무과실 책임의 원칙은 자신에게 직접적인 고의나 과실이 없는 경

우에도 타인에게 피해를 준 경우 일정한 요건에 따라 책임을 져야 한다는 원칙이다.

정답을 찾아가는 **셀파 - Tip**

① (가)는 무과실 책임의 원칙, (나)는 소유권 공공복리의 원칙이다. (×)
→ (가)는 소유권 공공복리의 원칙, (나)는 무과실 책임의 원칙이다.

② (가)에 따르면 행위자는 자신에게 과실이 있는 경우에만 손해 배상 책임을 진다. (×)
→ 행위자가 자신에게 과실이 있는 경우에만 손해 배상 책임을 진다는 것은 과실 책임의 원칙이다.

③ (가)는 개인이 국가의 간섭 없이 자신의 의사에 기초하여 상대방과 자유롭게 법률관계를 형성할 수 있다는 원칙이다. (×)
→ 개인이 국가의 간섭 없이 자신의 의사에 기초하여 상대방과 자유롭게 법률관계를 형성할 수 있다는 원칙은 계약 자유의 원칙이다.

④ (나)에 따라 개인의 사유 재산권에 대한 절대적 지배가 인정된다. (×)
→ 개인의 사유 재산권에 대한 절대적 지배가 인정되는 원칙은 사유 재산권 존중의 원칙이다.

⑤ (나)는 고의나 과실이 없는 경우에도 타인에게 피해를 준 경우 일정한 요건에 따라 책임을 져야 한다는 원칙이다. (○)

내 것으로 만드는 **셀파 - Tip**

▶ 수정·보완된 민법의 기본 원칙

소유권 공공복리의 원칙	개인의 소유권이 공공의 이익에 부합하도록 행사되어야 한다는 원칙
계약 공정의 원칙	계약의 내용이 사회 질서에 반하거나 공정하지 못한 경우에는 법적 효력이 발생하지 않는다는 원칙
무과실 책임의 원칙	개인의 고의나 과실이 없는 경우에도 일정한 요건에 따라 배상 책임을 질 수 있다는 원칙

02 민법의 기본 원칙
답 ①

A는 사유 재산권 존중의 원칙, B는 계약 공정의 원칙, C는 과실 책임의 원칙, D는 무과실 책임의 원칙이다. ① 소유권 공공복리의 원칙은 개인의 소유권을 공공복리를 위해 필요한 경우 제한할 수 있다는 원칙이므로 개인의 소유권을 상대적 권리로 간주한다.

정답을 찾아가는 **셀파 - Tip**

① ㉠은 개인의 소유권을 상대적 권리로 간주한다. (○)

② ㉡은 경제적 약자의 보호를 목적으로 한다. (×)
→ 경제적 약자를 보호할 목적으로 하는 것은 민법의 수정·보완된 원칙이다.

③ 환경 보전을 위한 개발 제한 구역 지정은 A에 부합한다. (×)
→ 개발 제한 구역 지정은 개인 사유 재산에 대해 일정하게 제한을 가하는 것이므로 소유권 공공복리의 원칙에 부합한다.

④ B로 인해 개인 간의 자유로운 계약 체결은 인정되지 않는다. (×)
→ 계약 공정의 원칙에 따르면 계약 내용이 사회 질서에 반하거나 공정하지 못한 경우에 그 계약은 무효가 된다. 따라서 개인 간의 자유로운 계약 체결을 인정하지 않는 것은 아니다.

⑤ D는 C와 달리 과실에 의한 경우에도 배상 책임을 인정한다. (×)
→ 과실 책임의 원칙은 고의나 과실이 있는 경우에는 손해 배상 책임을 진다.

03 계약 공정의 원칙
답 ②

□□위원회는 온라인 강의 학원의 이용 약관 조항이 수강생에게 매우

불리하다고 보아, 해당 이용 약관 조항은 무효라고 판단하였다. □□위원회의 판단에 나타난 민법의 기본 원리는 계약 공정의 원칙이다. 계약 공정의 원칙은 계약의 내용이 사회 질서에 위반되거나 현저하게 공하지 못한 경우에는 법적 효력이 발생하지 않는다는 원칙이다.

자료를 분석하는 **셀파 - Tip**

수강 기간이 1개월을 넘는 온라인 강의는 앞으로 언제든지 계약을 해지하고 남은 금액을 돌려받을 수 있게 되었다. □□위원회는 최근 온라인 강의 수강 계약의 중도 해지를 제한한 <u>온라인 강의 학원의 이용 약관 조항</u>이 고객의 권리를 과도하게 제한하여 무효라고 판단하였다. 이에 따라 해당 학원에 시정 명령을 내렸다.
└ 온라인 학원과 고객 간의 불공정한 계약이라고 보았음.

04 수정·보완된 민법의 기본 원칙
답 ②

A는 계약 공정의 원칙, B는 무과실 책임의 원칙이다. ② 무과실 책임의 원칙은 고의나 과실이 없는 경우에도 일정한 요건에 따라 배상 책임을 진다는 원칙이다.

정답을 찾아가는 **셀파 - Tip**

① A에 따라 행위자는 자신에게 고의나 과실이 있는 경우에만 책임을 진다. (×)
→ 과실 책임의 원칙에 대한 설명이다.

② B는 고의나 과실이 없는 경우에도 일정한 요건에 따라 배상 책임을 진다. (○)

③ A는 B와 달리 사회적 약자의 보호 필요성이 대두되면서 등장하였다. (×)
→ 수정·보완된 민법의 기본 원칙은 모두 사회적 약자의 보호 필요성이 대두되면서 등장하였다.

④ B는 A와 달리 소유권을 절대적 권리로 강조한다. (×)
→ 소유권을 절대적 권리로 강조한 것은 사유 재산권 존중의 원칙이다.

⑤ A, B는 모두 근대 민법에서부터 강조된 원칙이다. (×)
→ 계약 공정의 원칙, 무과실 책임의 원칙은 모두 근대 민법의 기본 원칙을 수정·보완한 원칙이다.

05 민법의 기본 원칙
답 ②

(가)는 계약 자유의 원칙, (나)는 계약 공정의 원칙이다. ② 계약 자유의 원칙은 개인이 자율적인 판단에 기초하여 법률관계를 형성해 나갈 수 있다는 원칙이다. ① 소유권을 행사함에 있어서 공공복리에 적합해야 한다는 원칙은 소유권 공공복리의 원칙이다. ③ 개인의 재산에 대한 절대적 지배를 인정하는 원칙은 사유 재산권 존중의 원칙이다. ④ 개인의 고의나 과실이 없는 경우에도 일정한 요건에 따라 배상 책임을 진다는 원칙은 무과실 책임의 원칙이다. ⑤ 근대 민법의 기본 원칙이 수정·보완된 원칙은 (나)이다.

06 계약 공정의 원칙
답 ③

A는 계약 공정의 원칙이다. 계약 공정의 원칙은 서로 평등하지 못한 계약 당사자들이 부당한 계약을 맺는 것을 막기 위한 노력으로 경제적 약자에게 일방적으로 불리한 내용의 계약이 체결되는 것을 방지하고자 한다. 따라서 계약 공정의 원칙에 따라 반사회적 법률 행위, 불공정한 법률 행위는 무효로 한다.

① 개인의 소유권을 절대적으로 보장해야 한다. (×)
→ 사유 재산권 존중의 원칙에 대한 설명이다.

② 소유권을 행사함에 있어 공공복리에 적합해야 한다. (×)
→ 소유권 공공복리의 원칙에 대한 설명이다.

③ 사회 질서에 반하고 공공의 이익을 위협하는 계약을 무효로 한다. (○)

④ 개인은 자율적인 판단에 기초하여 법률관계를 형성해 나갈 수 있다. (×)
→ 계약 자유의 원칙에 대한 설명이다.

⑤ 다른 사람의 행위에 대해서는 책임을 지지 않는다는 의미에서 자기 책임의 원칙이라고도 한다. (×)
→ 과실 책임의 원칙에 대한 설명이다.

07 수정·보완된 민법의 기본 원칙 　답 ③

A는 계약 공정의 원칙, B는 무과실 책임의 원칙, C는 소유권 공공복리의 원칙이다. ㄴ. 공작물 등의 점유자가 손해 방지를 위한 주의를 다하였음을 증명하면 책임이 면제되고, 이 경우에 공작물 등의 소유자는 과실 여부와 관계없이 책임을 지므로 무과실 책임의 원칙이 적용된 것이다. ㄷ. 소유권 공공복리의 원칙에 따르면 개인의 소유권도 공공의 이익을 위해서라면 경우에 따라 제한될 수 있는 상대적 권리이다. ㄱ. 계약 당사자가 자신의 법률관계를 형성할 때 국가의 간섭을 받아서는 안 된다는 것은 계약 자유의 원칙이다. ㄹ. 근대 민법의 기본 원리는 현대 사법에서도 기본적으로 적용되는 원리이다.

08 계약 공정의 원칙 　답 ④

변호사의 조언에 나타난 민법의 기본 원리는 계약 공정의 원칙이다. 민법에서는 당사자의 궁박, 경솔 또는 무경험으로 인하여 현저하게 공정을 잃은 법률 행위는 무효라고 본다.

① 국가는 개인 소유의 재산에 함부로 간섭하지 못한다. (×)
→ 사유 재산권 존중의 원칙에 대한 설명이다.

② 개인은 각자의 자율적인 판단에 기초하여 법률관계를 형성할 수 있다. (×)
→ 계약 자유의 원칙에 대한 설명이다.

③ 개인의 소유권 행사가 공공의 이익을 침해한다면 경우에 따라 제한될 수 있다. (×)
→ 소유권 공공복리의 원칙에 대한 설명이다.

④ 계약의 내용이 사회 질서에 반하거나 공정하지 못한 경우에는 법적 효력이 발생하지 않는다. (○)

⑤ 타인의 손해에 대하여 직접적인 고의나 과실이 없더라도 일정한 요건에 따라 법적 책임을 질 수 있다. (×)
→ 무과실 책임의 원칙에 대한 설명이다.

02 재산 관계에 관련된 법

탄탄 내신 문제　　　　　　　　　p. 132 ~ p. 135

01 ③	02 ③	03 ③	04 ⑤	05 ③	06 ②
07 ①	08 ③	09 ④	10 ④		
11 ㉠ – 무효, ㉡ – 취소		12 채무 불이행		13 해설 참조	
14 금전	15 해설 참조		16 해설 참조		

01 계약의 성립 　답 ③

계약의 효력이 발생하기 위한 요건 중 하나는 계약 당사자가 행위 능력과 의사 능력을 갖추고 있어야 한다. ③ 의사 무능력자의 법률 행위는 무효가 된다.

02 무효와 취소 　답 ③

(가)는 무효, (나)는 취소이다. 의사 무능력자의 법률 행위, 반사회적 법률 행위, 불공정한 법률 행위는 무효이며, 미성년자의 법정 대리인의 동의 없는 단독적 법률 행위, 속임수나 협박 또는 강요에 의해 의사 표시를 한 경우에는 취소할 수 있다. ㄱ. A의 협박에 못 이겨 오토바이를 구입하였다면 갑은 해당 계약을 취소할 수 있다. ㄴ. 도박은 반사회적 법률 행위이므로 무효가 된다.

03 미성년자의 법률 행위 　답 ③

미성년자는 제한 능력자로서 법률 행위를 할 때 법정 대리인의 동의가 있어야 한다. ③ 계약 당시 법정 대리인의 동의를 얻지 않았지만 나중에 법정 대리인이 추인을 하게 되면 법률 행위는 유효하게 된다.

04 미성년자의 법률 행위 　답 ⑤

미성년자는 단독으로 유효한 행위를 할 수 없는 제한 능력자에 해당하므로 법률 행위를 할 경우 원칙적으로 법정 대리인의 동의를 얻어야 한다. 법정 대리인의 동의를 얻지 않은 미성년자의 단독적 법률 행위는 미성년자 본인 또는 법정 대리인이 취소할 수 있다.

05 미성년자의 법률 행위 　답 ③

ㄴ. 미성년자가 법정 대리인의 동의를 얻지 않은 단독적 법률 행위에 대해서 미성년자 본인 또는 법정 대리인이 법률 행위를 취소할 수 있다. 미성년자인 갑이 부모의 동의를 얻지 않고 한 계약이기 때문에 취소가 가능하다. ㄷ. 미성년자와 거래한 상대방은 미성년자 측에 해당 법률 행위에 대해서 철회권을 행사할 수 있는데, 이 경우 상대방은 거래 당시 미성년자라는 것을 몰랐을 경우에만 가능하다. 병은 미성년자인 갑과 계약 당시 미성년자라는 것을 알았으므로 철회권을 행사할 수 없다.

06 불법 행위의 성립 요건 　답 ②

불법 행위가 성립하기 위해서는 가해 행위, 고의 또는 과실, 위법성, 손해의 발생, 인과 관계, 책임 능력의 요건이 모두 갖추어져야 한다. ② 8세인 을은 책임 능력이 없으므로 을의 행위는 불법 행위가 성립하지 않는다. 따라서 갑은 을에게 손해 배상 책임을 물을 수 없고, 을의 감독자에게 책임 무능력자의 감독자 책임을 물을 수 있다.

▶ **불법 행위의 성립 요건**

가해 행위	가해자가 피해자에게 손해를 발생시키는 행위를 해야 함.
고의 또는 과실	가해자의 행위가 일부러 한 행동이거나 실수로 저지른 행위이어야 함.
위법성	가해자의 행위가 법이 보호할 가치가 있는 이익을 위법하게 침해해야 함.
손해 발생	가해자의 행위로 인해 피해자의 손해가 발생해야 함.
인과 관계	가해 행위와 피해자의 손해 사이에 상당 인과 관계가 있어야 함.
책임 능력	행위자가 자신의 행위에 대해 책임질 수 있는 능력이 있어야 함.

07 사용자의 배상 책임 답 ①

제시문은 사용자의 배상 책임에 대한 설명이다. 피용자가 업무와 관련하여 타인에게 손해를 가한 경우 피용자가 불법 행위 책임을 지면, 사용자는 피용자의 선임 및 사무 감독상의 과실에 대한 손해 배상 책임을 지게 된다. 다만 사용자가 피용자의 선임 및 그 사무 감독에 상당한 주의를 다하였음을 증명하면 책임이 면제된다.

08 공작물 등의 점유자·소유자 책임 답 ③

③ 자신의 행위에 고의나 과실이 없더라도 책임을 지는 것을 무과실 책임이라고 한다. 특수 불법 행위 중 무과실 책임을 지는 경우는 공작물 등의 소유자 책임이다. 공작물 등에 의해서 제3자가 피해를 입은 경우 점유자의 책임이 면제되면 소유자는 고의나 과실이 없더라도 책임을 진다.

① 심신 상실 상태인 갑이 친구 A의 지갑을 훔친 경우 (×)
→ 심신 상실 상태인 경우는 책임 능력이 없기 때문에 불법 행위가 성립하지 않는다.

② 을(17세)이 친구 B와 함께 같은 반 친구를 심하게 폭행한 경우 (×)
→ 을은 책임 능력이 있기 때문에 일반 불법 행위 책임을 진다.

③ 병의 건물 창문이 떨어져 행인이 다쳤는데, 임차인 C의 책임이 면책된 경우 (○)

④ 정의 자녀 D(8세)가 친구를 때려 다치게 하였지만 정이 감독을 게을리하지 아니한 경우 (×)
→ 정은 감독 의무를 게을리 하지 않았다는 것을 직접 입증하면 책임이 면제된다.

⑤ 무(23세)의 맹견이 행인을 물어 크게 다쳤는데, 잠시 돌봐주고 있던 E의 책임이 면제된 경우 (×)
→ 점유하는 동물이 타인에게 손해를 가한 경우 동물의 점유자에게 손해 배상의 책임이 있다. 단, 동물의 종류와 성질에 따라 그 보관에 상당한 주의를 기울였음을 증명하면 책임을 지지 않는다.

09 특수 불법 행위 답 ④

갑은 사용자의 배상 책임을 지며, B는 동물 점유자의 책임을 진다.
④ 동물의 점유자는 동물의 종류와 성질에 따라 그 보관에 상당한 주의를 기울였음을 증명하면 책임이 면제된다.

① 갑과 을이 연대하여 손해 배상 책임을 진다. (×)
→ 갑은 사용자의 배상 책임을, 을은 불법 행위 책임을 진다. 단, 사용자가 피용자의 선임 및 그 사무 감독에 상당한 주의를 다 하였음을 증명하면 책임이 면제된다.

② 을의 불법 행위 책임이 인정되면 갑은 원칙적으로 병의 손해에 대해 원상으로 회복시켜 주어야 한다. (×)
→ 손해 배상은 금전 배상이 원칙이다.

③ B의 행위가 고의가 없으면 손해 배상 책임을 지지 않는다. (×)
→ 불법 행위의 책임은 고의나 과실을 구분하지 않기 때문에 B의 행위가 고의가 없었더라도 과실이 있다면 그에 대한 책임을 진다.

④ B가 상당한 주의를 기울였음을 증명하면 책임이 면제된다. (○)

⑤ 갑, A는 모두 특수 불법 행위 책임을 진다. (×)
→ 갑은 사용자의 배상 책임을 진다. A는 반려견의 소유자로서, 일반 불법 행위 책임이 인정될 만한 특별한 사유가 있을 경우 '동물의 점유자 책임'과는 별도로 추가적인 책임을 질 수도 있다.

10 일반 불법 행위와 특수 불법 행위 답 ④

미성년자가 타인에게 손해를 가한 경우 책임 능력의 유무에 따라 부모가 책임을 지는 경우가 다르다. 갑이 행위 당시 책임 능력이 없었다면 을은 책임 무능력자의 감독자 책임을 지게 되고, 갑이 책임 능력이 있었다면 일반 불법 행위 책임을 진다.

서답형 문제

11 계약의 무효와 취소 답 ⑦ – 무효, ㉡ – 취소

의사 무능력자의 법률 행위, 반사회적 법률 행위, 불공정한 법률 행위는 무효이며, 미성년자가 법정 대리인의 동의 없이 단독으로 체결한 계약이나 속임수, 협박 또는 강요에 의해 의사 표시를 한 경우는 취소할 수 있다.

12 채무 불이행 답 채무 불이행

채무자의 책임 있는 사유로 채무 이행이 불가능한 경우, 채무자가 채무의 이행을 하였으나 그것이 채무의 내용에 따른 것이 아닌 불완전한 경우 등은 채무 불이행의 사례에 해당한다.

13 불법 행위의 성립 요건

모범 답안 | 제시된 판결문에서 법원은 A 회사의 행위와 갑의 피해 사이에 인과 관계가 없다고 보았다.

주요 단어 | A 회사의 행위와 갑의 피해, 인과 관계

채점 기준	배점
A 회사의 행위와 갑의 피해 사이에 인과 관계가 없다고 정확하게 서술한 경우	상
인과 관계가 없다고만 서술한 경우	하

14 손해 배상의 원칙 답 금전

손해 배상 방식은 금전 배상이 원칙이며, 재산적 손해뿐만 아니라 정신적 손해(위자료)도 배상해야 한다. 사람의 신체를 훼손하거나 골동품을 파손한 경우 등은 원상 회복이 현실적으로 불가능하기 때문이다.

15 미성년자의 계약

모범 답안 | 을과의 계약 당시 을이 미성년자라는 것을 알고 있었으므로 을과의 계약을 철회할 수 없습니다.

주요 단어 | 계약, 미성년자임을 알고 있음, 철회 불가

채점 기준	배점
계약 당시 을이 미성년자임을 알았으므로 계약을 철회할 수 없다는 내용을 정확하게 서술한 경우	상
계약을 철회할 수 없다고만 서술한 경우	하

16 공작물 등의 점유자·소유자 책임

모범 답안 | 공작물의 점유자인 을이 손해 방지를 위한 주의를 다하였음을 증명한 경우이다.

주요 단어 | 공작물, 점유자, 손해 방지

채점 기준	배점
공작물의 점유자가 손해 방지를 위한 주의를 다하였음을 입증하여 책임이 면제됨을 정확하게 서술한 경우	상
공작물의 점유자가 손해 방지를 위한 주의를 다하였음을 입증하여 책임이 면제됨을 미흡하게 서술한 경우	중
점유자의 책임이 면제되었다고만 서술한 경우	하

도전 수능 문제
p. 136 ~ p. 139

01 ④	02 ②	03 ①	04 ⑤	05 ④	06 ③
07 ②	08 ③	09 ④	10 ③	11 ④	12 ②
13 ②	14 ⑤	15 ③	16 ④		

01 불법 행위와 손해 배상 답 ④

④ 사용자인 을이 피용자인 갑의 선임 및 사무에 상당한 주의를 다하였음을 증명하면 책임이 면제된다. 이 경우 피용자인 갑은 정에 대한 일반 불법 행위 책임을 진다.

정답을 찾아가는 셀파 - Tip

① 갑의 병에 대한 채무 불이행 책임이 성립한다. (×)
→ 을과 병이 계약을 체결한 것이므로 채무 불이행 책임은 을이 진다.

② 갑의 정에 대한 채무 불이행 책임이 성립한다. (×)
→ 갑은 정에 대한 불법 행위에 대한 손해 배상 책임을 진다.

③ 을의 병에 대한 채무 불이행 책임이 성립하지 않는다. (×)
→ 을과 병이 계약을 체결한 것이므로 채무 불이행 책임은 을이 진다.

④ 을의 정에 대한 특수 불법 행위 책임이 성립하지 않는 경우에도 갑의 정에 대한 일반 불법 행위 책임이 성립한다. (○)

⑤ 정이 입은 재산적 손해는 정신적 손해와 달리 금전으로 배상하는 것을 원칙으로 한다. (×)
→ 정신적 손해와 재산적 손해 모두 금전 배상이 원칙이다.

02 계약의 성립 답 ②

② 미성년자와 거래한 상대방은 주인이 있을 때까지 계약 체결의 의사 표시를 철회할 수 있다. 다만, 미성년자와 거래한 상대방이 계약을 체결할 당시 미성년자임을 몰랐을 경우에만 철회권을 행사할 수 있다. 병은 계약 당시 갑이 미성년자라는 것을 알고 있었으므로 철회권을 행사할 수 없다.

정답을 찾아가는 셀파 - Tip

① 갑과 달리 을은 계약을 취소할 수 있다. (×)
→ 미성년자가 법정 대리인의 동의를 얻지 않고 한 계약은 미성년자 본인 또는 법정 대리인이 취소할 수 있으므로, 갑과 을 모두 계약을 취소할 수 있다.

② 병은 갑에게 계약 체결의 의사 표시를 철회할 수 없다. (○)

③ 정이 일정 기간 이내에 취소의 의사 표시를 하지 않으면 계약은 유효한 것으로 확정된다. (×)
→ 정은 계약 당시 의사 능력이 없었기 때문에 해당 계약은 무효가 된다.

④ 무는 정에게 계약을 취소할 것인지의 확답을 촉구할 권리가 있다. (×)
→ 확답 촉구권은 미성년자와 거래한 상대방을 보호하기 위한 제도이다.

⑤ 갑과 달리 정은 법률상 행위 능력에 제한을 받는 자에 해당한다. (×)
→ 갑은 미성년자로서 19세 미만인 자로 민법상 제한 능력자에 해당하여 행위 능력이 제한된다.

03 미성년자의 계약 답 ①

ㄱ. 갑이 상대방을 속이지 않았다면 갑 또는 법정 대리인이 계약을 취소할 수 있다. 을은 부모의 동의를 얻었으므로 해당 계약은 유효하기 때문에 을의 부모는 노트북 매매 계약을 취소할 수 없다. ㄴ. 미성년자와 거래한 상대방이 계약을 체결할 당시 미성년자임을 몰랐을 경우에만 철회권을 행사할 수 있다. 따라서 B의 경우에 을은 계약 체결 당시 갑이 미성년자임을 알지 못했으므로 노트북 매매 계약 체결의 의사 표시를 철회할 수 있다.

정답을 찾아가는 셀파 - Tip

ㄷ. C의 경우에 갑의 부모는 노트북 매매 계약을 취소할 수 있다. (×)
→ 미성년자가 계약 당시 법정 대리인의 동의를 받은 것처럼 속였다면 취소권이 배제된다. 해당 계약은 확정적으로 유효하기 때문에 갑 또는 갑의 법정 대리인은 취소할 수 없다.

ㄹ. B와 달리 C의 경우에 을은 갑의 부모에게 노트북 매매 계약의 취소 여부를 확답해 줄 것을 촉구할 수 있다. (×)
→ C의 경우는 계약을 취소할 수 없으므로 거래 상대방의 경우도 매매 계약의 취소 여부를 확답해 줄 것을 촉구할 수 없다.

04 미성년자의 계약 답 ⑤

갑은 A와 계약 당시 법정 대리인의 동의를 받았으므로 갑과 A의 계약은 유효한 계약이 된다. 반면 을은 법정 대리인의 동의를 받지 않았으므로 을 또는 정은 해당 계약을 취소할 수 있고, 계약 당시 A는 을이 미성년자라는 것을 알고 있었으므로 A는 을과의 계약을 철회할 수 없다. 따라서 A는 갑, 을 모두에게 계약 체결의 의사 표시를 철회할 수 없다.

05 미성년자의 계약 답 ④

④ 미성년자가 부모의 동의를 받은 것처럼 위조하거나 자신이 성인인 것처럼 상대방을 속인 경우라면 취소권이 배제된다.

① (가) 상황에서 갑의 부모는 계약을 취소할 수 없다. (×)
→ 미성년자가 계약을 할 때 법정 대리인의 동의를 받지 않으면 미성년자 본인 또는 법정 대리인이 계약을 취소할 수 있다.

② (가) 상황에서 을은 계약 체결의 의사 표시를 철회할 수 있다. (×)
→ 을은 계약 당시 갑이 미성년자임을 알기 때문에 철회권을 행사할 수 없다.

③ (가) 상황에서 을은 갑에게 계약을 취소할 것인지에 대한 확답을 요구할 수 있다. (×)
→ 을은 계약 당시 갑이 미성년자임을 알기 때문에 확답 촉구권을 행사할 수 없다.

④ (나) 상황에서 갑과 갑의 부모는 모두 계약을 취소할 수 없다. (○)

⑤ 갑은 미성년자이므로 (가), (나) 상황과 관계없이 계약은 무효이다. (×)
→ 미성년자가 법정 대리인의 동의 없이 한 법률 행위는 무효가 아니라 일단 효력이 발생한다.

06 미성년자의 계약   **답 ③**

미성년자인 갑은 제한 능력자이므로 부모의 동의를 얻어 법률 행위를 할 수 있다. ㄴ. 을의 사기에 의해 갑이 계약을 체결하였다면 속임수에 의한 의사 표시를 한 경우이므로 취소할 수 있다. 병은 갑의 법정 대리인이므로 계약을 취소할 수 있다. ㄷ. 갑의 법정 대리인의 동의를 얻지 않고 체결한 계약에 대해 거래 상대방인 을은 계약 당시 갑이 미성년자임을 몰랐을 경우에 계약 체결의 의사 표시를 철회할 수 있다. 따라서 계약 당시 갑이 미성년자임을 을이 알았다면 을은 계약 체결의 의사 표시를 철회할 수 없다.

ㄱ. ㉠, ㉢의 상황에서 을은 병에게 계약을 취소할 것인지에 대한 확답을 촉구할 권리가 있다. (×)
→ 갑이 계약 당시 병의 동의가 있었으며, 갑과 거래한 을은 갑이 미성년자라는 것을 알고 있는 상황이므로, 해당 계약은 유효한 계약이 된다. 계약이 유효하게 이루어진 경우는 취소할 수 없으므로 미성년자와 거래한 상대방도 확답 촉구권을 행사할 수 없다.

ㄹ. ㉡, ㉣의 상황에서 을은 갑이 미성년자임을 이유로 계약을 취소할 수 있다. (×)
→ 법정 대리인의 동의를 얻지 않은 미성년자의 계약에 대해 미성년자임을 이유로 계약을 취소할 수 있는 주체는 미성년자 본인과 미성년자의 법정 대리인이다. 거래 상대방은 확답을 촉구할 권리, 철회권 등을 갖는다.

07 특수 불법 행위   **답 ②**

② 피용자인 을이 병에게 손해를 입혔을 때 사용자인 갑은 사용자의 배상 책임을 지게 된다. 사용자가 피용자의 행위에 대해서 배상 책임을 진다는 것은 피용자의 행위가 불법 행위로 성립한다는 것이다. 즉 피용자의 행위가 불법 행위가 되지 않으면 사용자도 배상 책임을 지지 않는다. ① 을은 성인이기 때문에 을의 부모가 불법 행위 책임을 지지 않는다. ③ 을의 행위가 고의가 아닌 과실이라도 손해 배상 책임을 지게 된다. ④ 공작물 등에 의해서 제3자가 손해를 입었을 때는 1차적으로 점유자인 A가 손해 배상 책임을 진다. ⑤ 점유자인 A의 책임이 면제되는 경우에만 소유자인 B에게 무과실 책임을 물을 수 있다.

08 계약의 무효와 취소   **답 ③**

계약 당사자는 계약 당시에 행위 능력과 의사 능력을 갖추고 있어야 한다. ㄴ, ㄷ. 의사 무능력자의 법률 행위, 반사회적 법률 행위, 불공정한 법률 행위는 무효이다. ㄱ, ㄹ. 미성년자가 법정 대리인의 동의 없이 단독으로 체결한 계약이나 속임수, 협박, 강요에 의해 의사 표시를 한 경우는 취소할 수 있다.

09 특수 불법 행위   **답 ④**

④ 피용자인 D의 불법 행위 책임이 인정되지 않으면 사용자인 A에게도 손해 배상 책임이 발생하지 않는다. ① A는 공작물의 점유자이므로 C의 손해에 대해서 과실 책임을 진다. ② A가 손해 방지를 위한 주의를 다하였음을 증명하면 책임이 면제되고, 소유자인 B가 C의 손해에 대해 무과실 책임을 지게 된다. ③ 피용자인 D로 인해서 E가 손해를 입었으므로 A는 사용자의 배상 책임을 지게 된다.

A는 B가 소유한 건물을 임차하여 식당을 운영하고 있다. 어느 [공작물 소유자] [공작물 점유자이며, D의 사용자] 날 손님 C가 파손된 식당 바닥으로 인해 넘어져 전치 4주의 상해를 입었다. 한편, A의 식당 종업원인 D는 뜨거운 음식을 나르다가 실 [A가 운영하는 식당의 피용자] 수로 엎질러 손님 E에게 전치 6주의 상해를 입혔다. C, E는 자신들이 입은 손해에 대해 A에게 배상을 요구하고 있다.

10 불법 행위   **답 ③**

ㄴ. 미성년자인 A의 책임 능력이 인정되면 A의 법정 감독 의무자인 B는 특수 불법 행위 책임이 아닌 일반 불법 행위 책임을 지게 된다. ㄷ. 사용자 배상 책임이 인정되기 위해서는 피용자의 행위가 불법 행위로 성립해야 한다. 따라서 사용자인 을의 병에 대한 특수 불법 행위 책임이 성립하는 경우에도 피용자인 갑의 병에 대한 불법 행위 책임이 인정된다.

ㄱ. 사고 당시 A의 책임 능력이 인정되지 않는다면 B가 A에 대한 감독 의무를 게을리하지 않았더라도 B는 C에 대하여 특수 불법 행위 책임을 진다. (×)
→ 미성년자인 A의 책임 능력이 인정되지 않는다면 법정 감독 의무자는 특수 불법 행위 책임을 진다. 그러나 감독 의무를 게을리하지 않았다는 것을 증명하면 면책된다.

ㄹ. 을의 병에 대한 사용자 배상 책임이 성립하는 경우 갑과 을의 병에 대한 공동 불법 행위자의 책임이 인정된다. (×)
→ 을의 병에 대한 사용자 배상 책임이 성립한다고 해서 사용자와 피용자가 공동 불법 행위자의 책임을 지는 것은 아니다.

▶ **특수 불법 행위**

책임 무능력자의 감독자 책임	책임 능력이 없는 자가 타인에게 손해를 가한 경우 이를 감독할 법정 의무가 있는 자가 손해 배상 책임을 짐.
사용자의 배상 책임	피용자가 업무와 관련하여 타인에게 손해를 가한 경우 피용자가 불법 행위 책임을 지면, 사용자는 피용자의 선임 및 사무 감독상의 과실에 대한 손해 배상 책임을 짐.

11 공작물 등의 점유자·소유자 책임   **답 ④**

④ 공작물 등의 설치 또는 보존상의 하자로 타인에게 손해를 가한

경우 점유자가 1차적으로 손해 배상 책임을 지는데, 점유자가 책임을 질 때는 과실 책임이 된다. 갑이 손해 방지를 위한 주의를 다하였음을 증명하지 못하면 갑은 병의 손해에 대해 과실 책임을 진다.

① 갑과 을이 연대하여 손해 배상 책임을 진다. (×)
→ 공작물의 점유자와 소유자가 공동 불법 행위자의 책임을 지는 것은 아니다.

② 을이 손해 방지에 주의를 다하였음을 증명하면 책임이 면제된다. (×)
→ 공작물 소유자는 무과실 책임을 지게 된다.

③ 갑이 손해 방지를 위한 주의를 다하였음을 증명하면, 을은 병의 손해에 대해 과실 책임을 진다. (×)
→ 갑은 책임이 면제되고, 공작물 소유자인 을은 무과실 책임을 지게 된다.

④ 갑이 손해 방지를 위한 주의를 다하였음을 증명하지 못하면, 갑은 병의 손해에 대해 과실 책임을 진다. (○)

⑤ 갑이 책임을 질 경우 일반 불법 행위 책임을, 을이 책임을 질 경우 특수 불법 행위 책임을 진다. (×)
→ 공작물 점유자와 소유자 모두 특수 불법 행위 책임을 지게 된다.

12 미성년자의 계약 답 ②

ㄱ. 미성년자가 계약을 할 때 법정 대리인의 동의를 받지 않으면 법정 대리인은 미성년자의 동의 없이 계약을 취소할 수 있다. ㄷ. 병은 거래 당시 을이 미성년자임을 몰랐다면 계약 체결의 의사 표시를 철회할 수 있다. ㄴ. 미성년자와 거래한 병은 미성년자인 을이 아니라 을의 법정 대리인인 갑에게 계약의 취소 여부에 대한 확답을 요구할 수 있다. ㄹ. 계약 당시 을이 속임수로써 병으로 하여금 성인으로 믿게 하였다면 그 행위는 취소할 수 없다.

13 미성년자의 계약 답 ②

② 미성년자가 계약을 할 때 법정 대리인의 동의를 받은 것처럼 상대방을 속였다면 미성년자 본인이나 법정 대리인에게 취소권이 배제된다.

① 갑이 정을 속이고 체결한 모니터 구매 계약은 무효입니다. (×)
→ 갑이 부모의 동의를 받은 것처럼 속인 경우는 취소권이 배제된다.

② 갑과 병은 모두 모니터 구매 계약을 취소할 수 없습니다. (○)

③ 을의 무선 마우스 구매 계약은 계약서를 작성하지 않았으므로 무효입니다. (×)
→ 계약 시에 계약서 작성은 필수적 요소가 아니다.

④ 을은 미성년자이므로 무선 마우스 구매 계약을 취소할 수 있습니다. (×)
→ 용돈과 같이 법정 대리인에 의해 범위를 정하여 처분이 허락된 재산은 미성년자가 단독으로 할 수 있는 법률 행위에 해당한다.

⑤ 병은 무선 마우스 구매 계약을 취소할 수 있습니다. (×)
→ 을은 자신의 용돈으로 계약을 했으므로 병은 무선 마우스 구매 계약을 취소할 수 없다.

14 특수 불법 행위 답 ⑤

⑤ 갑과 을은 공동으로 병을 폭행하였고, B와 C는 공동으로 D를 폭행하였으므로 갑과 을, B와 C는 모두 공동 불법 행위자의 책임을 진다.

① 갑과 을의 법정 대리인은 책임 무능력자의 감독자 책임을 진다. (×)
→ 갑과 을은 책임 능력이 있으므로 법정 대리인은 책임 무능력자의 감독자 책임을 지지 않는다.

② 갑과 을은 병에게 재산적 손해에 대해서만 손해 배상 책임이 있다. (×)
→ 손해 배상은 재산적 손해뿐만 아니라 정신도 손해도 배상해야 한다.

③ A는 사용자의 배상 책임을 진다. (×)
→ 사용자 배상 책임을 지기 위해서는 피용자의 행위가 업무와 관련되어야 하는데, 퇴근 후에 일어난 일은 업무와 관련되었다고 보기 어렵다.

④ B와 C는 D의 손해에 대해 무과실 책임을 진다. (×)
→ B, C는 공동으로 D에게 손해를 입혔으므로 과실 책임을 진다.

⑤ 갑과 을, B와 C는 각각 공동 불법 행위자의 책임을 진다. (○)

15 동물의 점유자 책임 답 ③

ㄴ. A는 자신의 개를 안전하게 관리해 줄 것을 내용으로 하는 계약을 체결하였는데, 개가 상처를 입었으므로 B에게 채무 불이행을 이유로 손해 배상을 청구할 수 있다. ㄷ. 정당방위나 긴급 피난 등이 인정되면 위법성이 조각되어 불법 행위가 성립하지 않는다. ㄱ. 점유하는 동물이 타인에게 손해를 가한 경우 동물의 점유자가 손해 배상 책임을 진다. A는 반려견의 소유자이고, B는 점유자이다. 불법 행위는 고의나 과실을 구분하지 않기 때문에 B가 실수로 목줄을 놓쳤다고 해서 불법 행위 책임을 지지 않는 것은 아니다. ㄹ. A와 B가 공동으로 C에게 손해를 끼친 것이 아니므로 공동 불법 행위자의 책임을 지는 것은 아니다.

▶ 특수 불법 행위

동물의 점유자 책임	점유하는 동물이 타인에게 손해를 가한 경우 동물의 점유자가 손해 배상 책임을 짐.
공동 불법 행위자의 책임	여러 사람이 공동으로 타인에게 손해를 가한 경우 연대하여 손해 배상 책임을 짐.

16 불법 행위 답 ④

④ 〈상황 2〉에서 을은 갑의 사용자로서 피용자에 대한 선임 및 그 사무 감독에 대한 주의를 해야 할 의무가 있다. 이에 대한 의무를 이행하지 못하였을 경우 을은 사용자의 배상 책임을 진다. ①, ② 〈상황 1〉에서 갑이 미성년자이더라도 책임 능력이 있으므로 A에게 일반 불법 행위 책임을 지게 된다. 이 경우 미성년 자녀를 둔 갑의 부모는 자녀에 대한 감독 의무를 게을리한 것에 대한 일반 불법 행위 책임을 진다. ③, ⑤ 〈상황 2〉에서 갑은 성인이며 피용자로서 제3자에게 피해를 주었으므로 일반 불법 행위 책임을 진다.

03 가족 관계에 관련된 법

탄탄 내신 문제 p. 144 ~ p. 147

01 ④	02 ④	03 ②	04 ①	05 ⑤	06 ③
07 ①	08 ③	09 ④	10 ①	11 이혼 숙려 기간	
12 유류분 제도		13 을 – 9억 원, A – 6억 원, B – 6억 원			
14 해설 참조		15 해설 참조		16 해설 참조	

01 혼인의 요건   답 ④

(가)는 혼인의 요건을 갖추지 못한 경우이기 때문에 혼인의 무효 또는 취소 사유에 해당하며, (나)는 혼인의 실질적 요건은 갖추었지만 형식적 요건을 갖추지 못하였으므로 사실혼에 해당한다. (다)는 실질적 요건과 형식적 요건을 모두 갖추었으므로 법률혼에 해당한다. ④ 부부로서 생활하고 있으나 혼인 신고를 하지 않은 사실혼은 친족 관계가 발생하지 않으며, 배우자의 사망 시 상속이 발생하지 않는다.

정답을 찾아가는 셀파 - Tip

① 18세인 자가 법정 대리인의 동의를 얻어 유효한 혼인을 한 경우는 (가)에 해당한다. (×)
→ 18세인 자는 미성년자로서 혼인을 하기 위해서는 법정 대리인의 동의가 있어야 한다. 18세 미성년자가 유효한 혼인을 하게 되면 법률혼으로 인정되며, 성년 의제의 효과가 발생하게 된다.

② 당사자의 자유로운 혼인 의사의 합치가 없는 경우는 (나)에 해당한다. (×)
→ 혼인을 하기 위해서는 당사자의 자유로운 의사가 있어야 하는데, 당사자의 자유로운 의사 없이 혼인이 이루어졌다면 이는 혼인의 무효가 된다.

③ (가), (나)는 모두 혼인의 무효에 해당한다. (×)
→ 혼인의 무효 또는 취소 사유에 해당하는 것은 (가)이다.

④ (나)는 (다)와 달리 친족 관계가 발생하지 않는다. (○)

⑤ (나), (다)는 모두 배우자의 사망 시 상속을 받을 수 있다. (×)
→ 사실혼은 배우자의 사망 시 상속이 발생하지 않는다.

02 미성년자의 혼인   답 ④

혼인을 하게 되면 친족 관계 발생, 부부 간 동거, 부양 및 협조 의무, 생계비 공동 부담, 일상 가사 대리권 등이 발생한다. ㄹ. 일상 가사와 관련하여 배우자가 진 빚에 대해 다른 배우자가 이를 갚아야 할 의무가 있다. ㄱ. 갑과 을은 18세의 미성년자이지만 부모의 동의를 얻어 혼인을 하였고, 혼인 신고서도 제출하였기 때문에 법률혼 부부가 된다. ㄷ. 미성년자가 혼인을 하게 되면 성년 의제가 되는데, 이는 민법상 성년으로 간주되는 것이지 모든 법률에 적용되는 것은 아니다.

03 협의상 이혼과 재판상 이혼   답 ②

① A는 당사자 간 합의하여 이루어지는 이혼인 협의상 이혼이고, B는 재판상 이혼이다. ② 협의상 이혼은 이혼 숙려 기간을 거쳐야 한다. ③ 협의상 이혼은 행정 관청에 이혼 신고를 하면 이혼의 효력이 발생한다. 재판상 이혼은 이혼의 판결이 확정되면 이혼의 효력이 발생한다. ④, ⑤ 협의상 이혼, 재판상 이혼 모두 손해 배상 청구권, 재산 분할 청구권이 발생한다.

04 혼인과 이혼   답 ①

갑과 을은 합의하여 이혼을 하였으므로, 갑과 을의 이혼은 협의상 이혼이다. 협의상 이혼은 '법원에 이혼 의사 확인 신청 → 이혼 숙려 기간 → 법원의 이혼 의사 확인 → 이혼 신고'의 순서로 진행된다. ① 결혼식은 혼인의 형식적 요건과 관련이 없다.

자료를 분석하는 셀파 - Tip

• 2016. 3. 5. 갑과 을, ㉠ 결혼식을 치름.
   └ 혼인의 요건과는 관련이 없다.

• 2016. 3. 8. 행정 관청에 ㉡ 혼인 신고서를 제출함.
   └ 법률혼 인정

• 2017. 4. 5. 갑과 을 사이에 ㉢ 병이 출생함.
        └ 갑과 을의 혼인 중 출생자이다.

• 2022. 1. 3. 갑과 을은 이혼하기로 합의한 후 법원에 ㉣ 이혼 의사 확인 신청서를 제출함.
        └ 협의상 이혼

• 2022. 4. 5. ㉤ 법원의 이혼 의사 확인 및 ㉥ 이혼 신고서 제출함.
      └ '이혼 숙려 기간' 이후 단계이다. └ 이혼의 효력이 발생한다.

05 이혼의 법적 효과   답 ⑤

갑과 을은 합의하여 이혼을 하였으므로, 갑과 을의 이혼은 협의상 이혼이다. 부부가 이혼을 하더라도 친자 관계가 소멸되는 것은 아니기 때문에 갑은 병에 대한 면접 교섭권이 발생한다. 혼인 중에 형성한 재산은 부부 공동의 재산으로 보기 때문에 을은 갑에게 재산 분할을 청구할 수 있다. ⑤ 갑과 을은 협의상 이혼을 하였으므로 민법에서 정한 이혼 사유를 필요로 하지 않는다.

내 것으로 만드는 셀파 - Tip

▶ 이혼의 유형

협의상 이혼	당사자 간의 합의로 이루어지는 이혼으로 이혼 사유에 제한이 없음.
재판상 이혼	법이 정한 사유에 해당하는 경우 법원의 판결에 의하여 이루어지는 이혼

06 양자와 친양자   답 ③

ㄴ. 양자로 입양된 경우 친생 부모와의 친족 관계는 유지되며, 양부모의 친생자와 같은 지위를 가진다. 무가 갑과 을의 양자로 입양이 되었으므로 무는 양부모의 친생자와 같은 지위를 가지며, 친생 부모인 병과 정과의 친족 관계는 유지된다. ㄷ. 친양자로 입양된 경우 친생 부모와의 친족 관계는 소멸되며 양부모의 혼인 중의 출생자로 간주된다. E는 A와 B의 친양자로 입양이 되었으므로 E는 양부모의 혼인 중의 출생자로 간주되며, 친생 부모인 C와 D와의 친족 관계는 소멸된다.

정답을 찾아가는 셀파 - Tip

ㄱ. 병의 사망 시 무는 상속을 받을 수 없다. (×)
→ 양자로 입양된 경우 친생 부모와의 친족 관계는 유지되므로 병이 사망하더라도 무는 상속을 받을 수 있다.

ㄹ. 무와 E는 각각 갑과 A의 성(姓)과 본(本)을 따라야 한다. (×)
→ 양자는 양부모의 성과 본을 따르지 않지만, 친양자는 양부모의 성과 본을 따라야 한다.

내 것으로 만드는 셀파 - Tip

▶ 양자와 친양자

양자	• 양부모의 친생자와 같은 지위를 가짐. • 친생 부모와의 친족 관계는 유지됨.
친양자	• 양부모의 혼인 중의 출생자로 간주됨. • 양부모의 성(姓)과 본(本)을 따름. • 친생 부모와의 친족 관계는 소멸됨.

07 친권
답 ①

A는 친권이다. 친권은 미성년 자녀를 보호·교양할 권리임과 동시에 의무로 거소 지정권, 자녀가 자신의 명의로 취득한 재산에 대한 관리권 등이 있다. ㄱ. 친권은 부모가 혼인 중인 때에는 부모가 공동으로 행사하는 것이 원칙이지만, 이혼하는 경우에는 부모의 협의로 친권자를 정하여야 하고, 협의가 되지 않을 경우에는 가정 법원이 친권자를 지정한다. ㄴ. 친권 남용 시에는 친권이 상실될 수 있다.

08 가족 관계 및 상속
답 ③

ㄴ. 정은 병을 친양자로 입양하였으므로 병은 을과 정의 혼인 중의 출생자로 간주된다. ㄷ. 친양자로 입양된 경우에는 친생 부모와의 친족 관계가 종료되므로 갑의 사망 시 병은 갑의 재산을 상속받을 수 없다.

> **정답을 찾아가는 셀파 - Tip**
>
> ㄱ. 갑과 을은 이혼 숙려 기간을 거쳐야 하는 이혼을 하였다. (×)
> → 갑과 을은 법원에 이혼 소송을 제기하여 이혼을 하였으므로, 갑과 을의 이혼은 재판상 이혼이 된다. 재판상 이혼은 이혼 숙려 기간을 필요로 하지 않는다.
>
> ㄹ. 정이 병을 친양자로 입양하더라도 갑의 병에 대한 면접 교섭권은 유지된다. (×)
> → 친양자로 입양이 되면 친생 부모와의 친족 관계는 소멸되므로, 갑의 병에 대한 면접 교섭권도 소멸된다.

09 상속 관계
답 ④

ㄴ. 상속 제1순위는 피상속인의 직계 비속이며, 친생자, 양자 등을 구분하지 않는다. ㄹ. 상속인이 여러 명인 경우에는 동순위의 상속인 간에는 균등하게 상속이 된다.

> **정답을 찾아가는 셀파 - Tip**
>
> ㄱ. 을은 자녀의 상속분보다 50%를 가산하여 상속받을 수 있다. (×)
> → 갑과 을은 혼인을 하였지만 혼인 신고를 하지 않았으므로 사실혼 관계이며, 사실혼 배우자는 상속을 받을 수 없다.
>
> ㄷ. 정보다 병의 상속분이 많다. (×)
> → 자녀의 혼인 여부와 상관없이 동순위 상속인 간에는 균등하게 상속이 이루어진다.

10 유언의 방식
답 ①

ㄱ. 유언은 법에 정한 형식을 갖추어야 한다. ㄴ. 상속은 유언이 있을 경우에는 유언의 내용을 따르되, 유언이 없거나 유언이 무효이면 민법에서 정한 비율대로 법정 상속이 이루어진다. ㄷ. 유언이 유효할 경우 상속인은 일정 비율 한도 내에서 유류분 반환을 청구할 수 있는데, 이 경우 자신의 상속 순위일 경우에만 유류분 반환을 청구할 수 있다. 따라서 1순위 직계 비속이 존재하기 때문에 상속 제2순위는 을에게 유류분 반환을 청구할 수 없다. ㄹ. 유효한 유언장이 여러 개일 경우 가장 최근 유언장만 유효하다.

서답형 문제

11 협의상 이혼
답 이혼 숙려 기간

협의상 이혼의 당사자는 일정 기간이 지난 후에 가정 법원으로부터 이혼 의사를 확인받을 수 있는데, 이 일정 기간을 이혼 숙려 기간이라고 한다.

12 상속
답 유류분 제도

유류분 제도는 상속인을 보호하기 위하여 상속인에게 법정 상속분의 일정 비율을 법적으로 보장해 주는 제도이다.

13 상속분 계산
답 을 - 9억 원, A - 6억 원, B - 6억 원

갑의 직계 비속인 딸 A, 아들 B, 배우자인 을이 공동으로 1순위 상속자이다. 갑의 재산인 21억 원을 딸 : 아들 : 배우자가 각각 1 : 1 : 1.5의 비율로 상속받게 되므로, 상속분은 각각 A는 6억 원, B는 6억 원, 을은 9억 원이다. 아버지 병과 형 정은 상속 2순위이므로 상속을 받지 못한다.

14 혼인의 법적 효과
모범 답안 | 갑이 진 빚은 일상 가사에 관한 빚(채무)이 아니기 때문에 배우자가 갚지 않아도 됩니다.
주요 단어 | 일상 가사, 채무 갚지 않아도 됨

채점 기준	배점
일상 가사에 관한 빚이 아니라는 내용과 갚지 않아도 된다는 내용을 모두 정확하게 서술한 경우	상
일상 가사에 관한 빚이 아니라는 내용과 갚지 않아도 된다는 내용 중 하나만 서술한 경우	하

15 친양자 제도
모범 답안 | 친양자인 C는 A와 B의 혼인 중의 출생자로 간주되고, 친생 부모인 D와 E와의 친족 관계는 소멸된다. 또한 양부모의 성과 본을 따른다.
주요 단어 | 친양자, 혼인 중의 출생자, 친생 부모와 친족 관계 소멸, 양부모의 성과 본을 따름.

채점 기준	배점
친양자의 지위와 친자 관계를 정확하게 서술한 경우	상
친양자의 지위와 친자 관계를 미흡하게 서술한 경우	하

16 친권의 성격
모범 답안 | A는 친권으로 자녀에 대한 권리보다는 미성년 자녀를 보호하고 양육해야 하는 의무로서의 성격이 강하다.
주요 단어 | 친권, 권리, 의무, 미성년, 양육

채점 기준	배점
친권이라 쓰고, 자녀에 대한 권리보다는 의무로서의 성격이 강하다고 정확하게 서술한 경우	상
친권이라 쓰고, 권리로서의 성격이 있다거나 의무로서의 성격이 있다고만 서술한 경우	중
친권이라고만 쓴 경우	하

도전 수능 문제 p. 148 ~ p. 149

01 ④	02 ①	03 ⑤	04 ⑤	05 ②	06 ④
07 ②	08 ③				

01 협의상 이혼과 재판상 이혼
답 ④

㉠은 협의상 이혼, ㉡은 재판상 이혼이다. ④ 원칙적으로 이혼 숙려 기간을 거쳐야 하는 이혼은 협의상 이혼이다. ① 법에 정해진 이혼 사

유가 있어야만 가능한 이혼은 재판상 이혼이다. ② 혼인 중에 형성된 재산은 부부 공동의 재산으로 보기 때문에 이혼에 책임이 있는 자라 하더라도 재산 분할을 청구할 수 있다. ③ 협의상 이혼, 재판상 이혼 모두 자녀를 양육하지 않는 부모의 일방에게 면접 교섭권이 인정된다. ⑤ 협의상 이혼은 법률이 정한 절차에 따라 이혼 신고를 하면 이혼의 효력이 발생하며, 재판상 이혼은 소송을 통해 이혼 판결이 확정되면 이혼의 효력이 발생한다.

02 양자와 친양자   **답** ①

① 양자로 입양이 되면 양부모의 친생자와 같은 지위를 가지며, 친양자로 입양이 되면 양부모의 혼인 중의 출생자로 간주된다. ② 갑이 유언 없이 사망한다면 병과 무 모두 상속을 받을 수 있다. ③, ④ 친양자로 입양이 되면 친생 부모와의 친족 관계는 소멸되지만, 예외적으로 A와 C처럼 재혼한 경우 A와 D의 친족 관계는 유지된다. ⑤ 친양자로 입양을 하기 위해서는 가정 법원의 심판이 필요하다.

03 가족 관계 관련 법   **답** ⑤

⑤ C가 정의 성(姓)과 본(本)을 따른다는 것은 을과 정이 혼인할 때 자녀의 성과 본을 정의 성과 본으로 따르기로 한 것이다. 따라서 정이 B를 친양자로 입양하는 경우에도 B는 정의 성과 본을 따르게 된다.

> **정답을 찾아가는 셀파 - Tip**
>
> ① 갑과 을의 이혼은 가정 법원에서 이혼 의사를 확인받는 즉시 그 효력이 발생한다. (×)
> → 갑과 을의 이혼은 협의상 이혼이므로 행정 관청에 이혼 신고서를 제출하면 이혼의 효력이 발생한다.
>
> ② ㉠ 이후에도 병은 A의 친권자가 될 수 없다. (×)
> → 양자로 입양을 하게 되면 양부모가 친권자가 된다.
>
> ③ ㉠ 이후 A가 유언 없이 사망하였다면 병은 을과 달리 A의 재산을 상속받을 수 있다. (×)
> → 양자로 입양될 경우 친생 부모와의 친족 관계는 유지되므로, 병과 을 모두 A의 재산을 상속받을 수 있다.
>
> ④ ㉡ 이후 B가 유언 없이 사망하였다면 정은 갑과 달리 B의 재산을 상속받을 수 없다. (×)
> → 친양자로 입양될 경우 친생 부모와의 친족 관계는 소멸되므로, 갑은 B의 재산을 상속받을 수 없지만, 정은 상속받을 수 있다.
>
> ⑤ C가 정의 성(姓)과 본(本)을 따른 경우, ㉡으로 인해 B는 정의 성과 본을 따른다. (○)

04 가족 관계 관련 법   **답** ⑤

⑤ 병은 A를 친양자로 입양을 하였으므로 갑과 A의 친자 관계는 소멸된다. A와 B는 혼인 신고를 하지 않았으므로 법률혼으로 인정되지 않는다. 따라서 A의 사망 시 갑과 B는 모두 A의 재산을 상속받을 수 없다. ① 이혼 숙려 기간을 거쳐야 하는 이혼은 협의상 이혼이다. ② 원칙적으로 이혼할 경우 양육권을 가지지 않는 부모의 일방과 자녀는 상호 면접 교섭권을 갖는다. ③ 이혼에 대한 책임이 있는 자라 하더라도 혼인 중 형성한 공동 재산에 대해 재산 분할을 청구할 수 있다. ④ 친양자로 입양될 경우 양부모의 혼인 중의 출생자로 간주된다.

05 상속   **답** ②

ㄱ. B가 정의 친양자로 입양이 되었기 때문에 갑과 B의 친자 관계는 소멸된다. 따라서 A는 갑의 재산을 상속받을 수 있지만 B는 상속받을

수 없다. ㄷ. 갑이 A를 양육하기로 하고 갑과 병이 재혼을 했다고 해서 병과 A의 친자 관계가 형성되는 것은 아니다. 따라서 C는 병의 재산을 상속받을 수 있지만, A는 상속받을 수 없다.

> **정답을 찾아가는 셀파 - Tip**
>
> ㄴ. 을이 유언 없이 사망한다면, D는 을의 재산을 상속받을 수 있으나 B는 상속받을 수 없다. (×)
> → B, D 모두 을과 친자 관계가 형성되기 때문에, 을이 사망할 경우 을의 재산을 상속받을 수 있다.
>
> ㄹ. 정이 유언 없이 사망한다면, D는 정의 재산을 상속받을 수 있으나 B는 상속받을 수 없다. (×)
> → B, D 모두 정이 사망할 경우 정의 재산을 상속받을 수 있다.

06 가족 관계 관련 법   **답** ④

④ 병이 A를 친양자로 입양을 하였다면 을과 A의 친자 관계는 소멸되므로 을이 유언 없이 사망한다면 A는 을의 재산을 상속받을 수 없다. ① 갑과 을이 이혼하고 을이 B를 양육한다고 하더라도 갑과 B의 친자 관계는 유지되므로, 갑의 사망 시 B는 갑의 재산을 상속받을 수 있다. ②, ③ 병이 A를 양자로 입양하였다면, A는 병의 친생자와 같은 지위를 가지며, 병의 사망 시 A는 병의 재산을 상속받을 수 있다. ⑤ 일반 입양도 미성년자가 양자일 경우 가정 법원의 허가를 받아야 한다.

> **자료를 분석하는 셀파 - Tip**
>
> 갑과 을은 법률상 혼인을 하였고 그 사이에서 A와 B가 태어났다. 이후 갑과 을은 이혼하였고, 갑은 A를, 을은 B를 양육하였다. 3
> └ 갑과 을의 친족 관계 소멸   └ 갑과 B, 을과 A의 친자 관계 유지
> 년 후 갑과 병은 법률상 혼인을 하였고, 병은 미성년자인 A를
> [(가)]로 입양하였다.

07 유언   **답** ②

ㄱ. ㉠, ㉢의 경우 상속 제1순위 직계 비속이 존재하지 않기 때문에 2순위인 병이 ○○ 재단을 상대로 유류분 반환을 청구할 수 있다. ㄹ. ㉡, ㉣의 경우 갑과 을은 사실혼이므로 을은 갑의 재산을 상속받을 수 없다. 따라서 갑의 재산인 10억 원을 병이 모두 상속받게 된다.

> **정답을 찾아가는 셀파 - Tip**
>
> ㄴ. ㉠, ㉣의 경우 을의 법정 상속액은 5억 원이다. (×)
> → 을의 법정 상속액은 6억 원, 병의 법정 상속액은 4억이다.
>
> ㄷ. ㉡, ㉢의 경우 을은 ○○ 재단을 상대로 유류분 반환을 청구할 수 있다. (×)
> → 을은 사실혼 배우자이므로 갑의 재산을 상속받을 수 없으며, 따라서 유류분 반환을 청구할 수 없다.

08 가족 관계 관련 법   **답** ③

③ 친양자로 입양을 하게 되면 친생 부모와의 친자 관계는 소멸되며, 양부모의 혼인 중의 출생자로 간주된다. ① 법원의 판결을 통해 혼인 관계를 해소시키는 이혼은 재판상 이혼이다. ② 협의상 이혼이라 하더라도 가정 법원에서 이혼 의사를 확인받아야 하며, 이혼 신고를 해야만 이혼의 효력이 발생한다. ④ 유언장이 무효이면 제1순위 직계 비속인 A, B와 배우자인 병이 공동으로 상속을 받으며, 제2순위인 정은 상속을 받을 수 없다. ⑤ 유언장이 무효이고 A가 상속을 포기한다면 B와 병이 상속을 받게 된다.

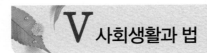

01 형법의 의의와 기능

탄탄 내신 문제   p. 158 ~ p. 161

01 ①	**02** ⑤	**03** ②	**04** ⑤	**05** ③	**06** ①
07 ④	**08** ④	**09** ②	**10** ③	**11** 명확성	

12 (1) (가) – 소급효 금지의 원칙, (나) – 유추 해석 금지의 원칙 (2) 해설 참조 (3) 해설 참조   **13** (가) – 피해자의 승낙 (나) – 정당 행위

01 형법   📖 ①

(가)는 형법의 일부분으로 형식적 의미의 형법과 실질적 의미의 형법에 모두 해당하지만, (나)는 식품위생법 중 범죄와 형벌을 규율하고 있는 부분으로 실질적 의미의 형법에만 해당한다.

02 죄형 법정주의의 의미   📖 ⑤

(가)는 근대적 의미, (나)는 현대적 의미의 죄형 법정주의이다. ⑤ 현대적 의미의 죄형 법정주의에 따르면 법관 또는 입법자의 자의적인 판단으로부터 국민의 자유와 권리를 보장할 수 있게 되었다.

03 적정성의 원칙   📖 ②

행위에 비해 지나치게 무거운 형벌을 정하고 있어 형벌 체계상 정당성과 균형을 벗어났다고 한 것으로 보아 헌법 재판소는 해당 규정이 적정성의 원칙에 위배되었다고 판단하였음을 알 수 있다.

04 명확성의 원칙   📖 ⑤

'A 원칙'은 명확성의 원칙이다. 제시문에서 심판 대상 조항의 정치 단체와 비정치 단체를 구별하는 것은 사실상 불가능하다고 한 것으로 보아 헌법 재판소는 해당 규정이 명확성의 원칙에 위배되었다고 판단하였음을 알 수 있다. 이 원칙에 따르면 범죄 행위가 어떤 것이고 위반 시 어떤 처벌을 받는지 예측 가능하도록 법률에 명확히 규정되어 있어야 한다.

05 범죄의 성립 요건   📖 ③

범죄의 성립 요건에는 구성 요건 해당성, 위법성, 책임이 해당된다. 위법성 조각 사유에는 정당 행위, 정당방위, 긴급 피난, 자구 행위, 피해자의 승낙이 있고, 책임 조각 사유에는 형사 미성년자 또는 심신 상실자의 행위, 강요된 행위 등이 있다. ⓒ에 알맞은 용어는 '책임'이다. 고의 또는 과실은 범죄의 성립 요건이 아니라 불법 행위의 성립 요건이다.

06 범죄의 성립 요건   📖 ①

A는 구성 요건에 해당하지 않는 행위, B는 구성 요건에 해당하지만 위법성이 조각되는 행위, C는 구성 요건에 해당하고 위법성이 인정되지만 책임이 조각되는 행위, D는 범죄 행위이다. ㄱ. 다른 사람이 떨어뜨린 물건을 몰래 주워 왔다면 점유 이탈물 횡령죄에 해당할 수 있지만, 그것이 자기 소유의 물건이라면 점유 이탈물 횡령죄의 구성 요건에 해당하지 않는다. ㄴ. 야구 경기 중 자신의 타구에 다른 사람이 맞아 다쳤더라도 해당 행위는 정당 행위에 해당하여 위법성이 조각된다.

정답을 찾아가는 셀파 - Tip

> ㄷ. C – 병은 심신 미약자로서 친구들의 꼬임에 빠져 친구들이 보석 상점에서 물건을 훔치는 동안 망을 봐 주었다. (×)
> → D에 해당한다. 심신 미약자의 행위는 책임 감경 사유에 해당하므로 범죄는 성립되지만 형의 감경이 가능하다.
>
> ㄹ. D – 정은 가족을 해치겠다는 협박에 못 이겨 자신이 관리하는 회사의 기밀 문서를 넘겨 주었다. (×)
> → C에 해당한다.

07 위법성 조각 사유와 책임 조각 사유   📖 ④

(가)는 위법성이 인정되지만 책임이 조각되어 범죄가 성립하지 않고, (나)는 위법성이 조각되어 범죄가 성립하지 않는다. 따라서 ⊙만 '예'이고, ⓛ~ⓔ은 '아니요'이다.

08 위법성 조각 사유   📖 ④

A는 정당방위, B는 긴급 피난이다. 긴급 피난에는 자기뿐만 아니라 타인의 법익에 대한 현재의 위난을 피하기 위한 행위도 포함된다.

정답을 찾아가는 셀파 - Tip

> ① 행위자에게 책임이 없다면, A의 해당 여부는 판단할 필요가 없다. (×)
> → 위법성 여부는 책임에 우선하여 판단한다.
>
> ② 지나가던 행인이 소매치기범을 현장에서 체포한 것은 A의 사례에 해당한다. (×)
> → 정당 행위의 사례에 해당한다.
>
> ③ 범죄의 구성 요건에 해당하지 않더라도 B의 해당 여부에 대한 판단은 필요하다. (×)
> → 구성 요건에 해당해야 위법성 여부를 판단한다.
>
> ④ 건물에 매달려 있는 사람을 구하기 위해 창문을 깨뜨린 것은 B의 사례에 해당한다. (○)
>
> ⑤ 어떤 행위가 A 또는 B에 해당한다고 인정되면 행위자의 형은 감경된다. (×)
> → 위법성 조각 사유에 해당하면 범죄가 불성립된다.

내 것으로 만드는 셀파 - Tip

▶ **위법성 조각 사유**

정당 행위	법령에 의한 행위 또는 업무로 인한 행위, 기타 사회 상규에 위배되지 않는 행위
정당방위	자기 또는 타인의 법익에 대한 현재의 부당한 침해를 방위하기 위한 상당한 이유가 있는 행위
긴급 피난	자기 또는 타인의 법익에 대한 현재의 위난을 피하기 위한 상당한 이유가 있는 행위
자구 행위	법정 절차에 의해 청구권을 보전하기 불가능한 경우에 그 청구권의 실행 불능 또는 현저한 실행 곤란을 피하기 위한 상당한 이유가 있는 행위
피해자의 승낙	처분할 수 있는 자의 승낙에 의하여 그 법익을 훼손한 행위로서 법률에 특별한 규정이 없는 한 처벌되지 않는 행위

09 형벌의 종류
답 ②

② 자유형에는 징역, 금고, 구류가 있는데, 징역에는 정역이 부과되지만, 금고와 구류에는 정역이 부과되지 않는다. ① 보호 관찰은 보안 처분의 일종으로 형벌이 아니므로 확정 판결을 받은 행위에 대해 추가적으로 부과하는 것도 가능하다. ③ 범죄와 관련된 물건을 압수하여 국고에 귀속하는 형벌은 몰수이다. ④, ⑤ 징역, 금고, 구류는 자유형에 해당하고, 벌금, 과료는 재산형에 해당한다.

10 형벌과 보안 처분
답 ③

(가)는 보안 처분, (나)는 형벌이다. ③ 보안 처분은 형벌이 아니므로 원칙적으로 죄형 법정주의가 적용되지 않는다.

서답형 문제

11 명확성의 원칙
답 명확성

명확성의 원칙은 어떤 행위가 범죄이며 각각의 범죄에 대해 어떤 형벌이 부과되는지가 법률에 구체적이고 명확하게 규정되어 있어야 한다는 원칙이다.

12 죄형 법정주의의 내용
모범 답안 | (1) (가) – 소급효 금지의 원칙, (나) – 유추 해석 금지의 원칙
(2) 범죄 행위자에게 유리하게 작용하는 경우
(3) 국가의 자의적인 형벌권 행사로부터 국민의 자유와 권리를 보호하는 것이다.
주요 단어 | 자의적인 형벌권 행사 방지, 국민의 자유와 권리 보호

채점 기준	배점
죄형 법정주의 목적을 정확하게 서술한 경우	상
죄형 법정주의 목적만 미흡하게 서술한 경우	하

13 위법성 조각 사유
답 (가) – 피해자의 승낙, (나) – 정당 행위

위법성 조각 사유에는 정당 행위, 정당방위, 긴급 피난, 자구 행위, 피해자의 승낙 등이 해당된다.

14 위법성 조각 사유와 책임 조각 사유
모범 답안 | (가)의 사례에서 강도에게 상해를 입힌 행위는 정당방위에 해당하여 위법성이 조각되므로 범죄가 성립하지 않는다. (나)의 사례에서 의뢰인의 비밀을 상대 변호사에게 알려 준 행위는 강요된 행위에 해당하여 책임이 조각되므로 범죄가 성립하지 않는다.
주요 단어 | 정당방위, 위법성 조각, 강요된 행위, 책임 조각

채점 기준	배점
(가), (나) 사례의 범죄 불성립 이유를 모두 정확하게 서술한 경우	상
(가), (나) 사례의 범죄 불성립 이유를 미흡하게 서술한 경우	중
(가), (나) 사례 중 한 가지 사례의 범죄 불성립 이유만 서술한 경우	하

15 보안 처분
모범 답안 | 보안 처분, 보안 처분은 범죄자의 재범을 방지하고 사회 복귀를 도움으로써 범죄로부터 사회 질서를 보호하기 위한 목적에서 시행되고 있다.

주요 단어 | 보안 처분, 재범 방지, 사회 복귀, 사회 질서 보호

채점 기준	배점
보호 처분이라고 쓰고, 그 목적을 정확히 서술한 경우	상
보호 처분이라고만 쓴 경우	하

도전 수능 문제
p. 162 ~ p. 163

01 ①	02 ④	03 ①	04 ④	05 ③	06 ⑤
07 ②					

01 유추 해석 금지의 원칙
답 ①

'A 원칙'은 유추 해석 금지의 원칙이다. ㄱ, ㄷ. 유추 해석 금지의 원칙은 어떤 사항을 직접 규정한 법률이 없을 때 그와 비슷한 사항을 규정한 법률을 행위자에게 불리하게 적용하지 못한다는 원칙으로, 범죄의 성립과 형벌에 모두 적용되며, 법관의 자의적인 판단에 의한 처벌 방지를 그 목적으로 한다.

정답을 찾아가는 셀파 - Tip
ㄴ. 범죄와 처벌이 균형을 갖추어야 한다는 원칙이다. (×)
→ 적정성의 원칙이다.
ㄹ. 범죄 행위가 어떤 것인지를 누구나 예측할 수 있게 법률로 명확하게 규정하여야 한다는 것을 의미한다. (×)
→ 명확성의 원칙이다.

02 적정성의 원칙
답 ④

제시문에 나타난 죄형 법정주의의 파생 원칙은 적정성의 원칙이다. ④ 적정성의 원칙은 범죄 행위의 경중과 행위자가 부담해야 할 형벌의 정도가 서로 균형을 이루어야 한다는 원칙이다.

03 범죄의 성립 요건
답 ①

A는 범죄의 구성 요건, B는 명확성의 원칙, C는 유추 해석 금지의 원칙이다. ① 범죄의 구성 요건을 유형화함으로써 국가 권력의 자의적인 형벌권 남용을 방지할 수 있으므로 이를 통해 형법의 보장적 기능이 구현된다.

04 범죄의 성립 요건
답 ④

④ 법원은 정의 행위가 객관적 법질서에 반한다고 보았으므로 위법성은 인정하였다. 하지만 법원은 정에게 부득이한 사정이 있어 법적 비난 가능성이 없다고 하였으므로 책임이 조각된다고 보았다.

정답을 찾아가는 셀파 - Tip
① 갑의 체포는 범죄 구성 요건에 해당하지 않는다. (×)
→ 체포죄의 구성 요건에 해당하나 정당 행위로서 위법성이 조각된다.
② 을을 개정된 형법으로 처벌해도 소급효 금지 원칙 위반이 아니다. (×)
→ 행위자에게 불리하므로 소급효 금지 원칙에 위반된다.
③ 병의 폭행은 정당방위로서 위법성이 조각된다. (×)
→ 자구 행위로서 위법성이 조각된다.
④ 정의 행위는 위법성이 인정되나 책임이 조각된다. (○)
⑤ 무의 행위는 범죄 구성 요건에 해당하나 위법성이 조각된다. (×)
→ 법원은 폭행죄의 구성 요건에 해당하지 않는 행위로 판단하였다.

05 범죄의 성립 요건　　　　　　　　　　　　　　　답 ③

③ 법원은 갑의 행위가 사회 상규에 위배되지 않는 행위로서 정당 행위에 해당하여 위법성이 조각되므로 범죄가 성립하지 않는다고 보았다.

06 범죄의 성립 요건　　　　　　　　　　　　　　　답 ⑤

A는 구성 요건 해당성, B는 위법성, C는 책임이다. ⑤ 사회 상규에 위배되지 않는 행위는 정당 행위에 해당하며, 정당 행위는 위법성 조각 사유 중 하나이다.

정답을 찾아가는 셀파 - Tip

① 경찰관이 적법한 절차에 따라 현행범을 체포하였다면, A에 해당하지 않아 범죄가 성립하지 않는다. (×)
→ 현행범 체포는 위법성 조각 사유 중 정당 행위에 해당한다.

② B가 인정되지 않아 무죄 선고를 받은 자에게도 치료 감호 처분은 가능하다. (×)
→ 치료 감호 처분은 책임이 조각되어 무죄 선고를 받은 심신 상실자 등에게 내릴 수 있다.

③ 저항할 수 없는 폭력에 의해 강요된 절도 행위를 하였다면, B가 인정되지 않아 범죄가 성립하지 않는다. (×)
→ 저항할 수 없는 폭력에 의해 강요된 절도 행위는 책임이 조각된다.

④ 심신 장애로 인하여 사물을 변별할 능력이 없는 자라도 방화를 하였다면, C가 인정되어 범죄가 성립한다. (×)
→ 심신 상실자의 행위는 책임이 조각된다.

⑤ 사회 상규에 위배되지 않는 행위를 하였다면, A에 해당하더라도 B가 인정되지 않아 범죄가 성립하지 않는다. (○)

07 범죄의 성립 요건　　　　　　　　　　　　　　　답 ②

A는 위법성, B는 책임이다. ② (나)에서 을의 행위는 정당 행위로서 위법성이 인정되지 않아 범죄가 성립하지 않는다. 위법성은 법질서 전체의 관점에서 볼 때 부정적이라는 판단을 의미한다.

정답을 찾아가는 셀파 - Tip

① (가)는 행위자에 대한 법적 비난 가능성이 인정되지 않아 범죄가 성립하지 않는 사례이다. (×)
→ 법적 비난 가능성이 없다는 것은 책임이 없다는 것이다.

② (나)는 법질서 전체의 관점에서 볼 때 부정적으로 판단되지 않아 범죄가 성립하지 않는 사례이다. (○)

③ (다)는 법률로 정해 놓은 범죄 행위 유형에 해당하지 않아 범죄가 성립하지 않는 사례이다. (×)
→ 법률로 정해 놓은 범죄 행위 유형에 해당하지 않는다는 것은 범죄의 구성 요건 해당성이 없다는 것이다.

④ 저항할 수 없는 폭력에 의하여 강요된 행위로 타인에게 상해를 입힌 경우는 A가 인정되지 않아 범죄가 성립되지 않는 사례이다. (×)
→ 저항할 수 없는 폭력에 의하여 강요된 행위는 책임 조각 사유에 해당한다.

⑤ 자신의 집에 침입하여 생명을 위협하는 강도를 제압하는 과정에서 강도에게 상해를 입힌 경우는 B가 인정되지 않아 범죄가 성립하지 않는 사례이다. (×)
→ 정당방위이므로 위법성 조각 사유에 해당한다.

탄탄 내신 문제　　　　　　　　　　　　　p. 168 ~ p. 171

01 ④	**02** ②	**03** ②	**04** ②	**05** ①	**06** ⑤
07 ⑤	**08** ③	**09** ④	**10** ①		

11 (개) – 고발, (내) – 고소　　　　**12** 미란다 원칙
13 (1) 형사 재판(소송) (2) ㉠ – 피고인, ㉡ – 검사
14 (1) 가정(지방) 법원 소년부 (2) 해설 참조
15 (1) 국민 참여 재판 (2) 해설 참조 (3) 해설 참조

01 형사 절차　　　　　　　　　　　　　　　답 ④

일반적으로 경찰이 범죄 혐의가 있는 사람을 체포하여 수사를 개시하고 필요에 따라 구속하여 수사한 후 검찰에 송치한다. 검사는 송치된 피의자에 대한 수사를 진행하여 혐의가 있다고 판단되면 기소함으로써 수사 절차는 종료된다. 이후 법원에서 공판 절차가 진행되고 피고인의 혐의가 인정되면 형을 선고하며, 선고된 형이 확정되면 검사의 지휘로 형을 집행한다. (가)~(마)를 순서대로 정리하면 '(마)-(다)-(라)-(나)-(가)'이다.

02 형사 절차　　　　　　　　　　　　　　　답 ②

A는 기소, B는 선고이다. ② 집행 유예는 형을 선고하면서 그 집행을 일정 기간 미루는 것으로 일정한 범죄를 저지르지 않고 유예 기간이 경과하면 형 선고의 효력이 상실된다. 따라서 집행 유예가 선고되면 일단 피고인은 석방된다.

정답을 찾아가는 셀파 - Tip

① A는 경찰이 청구하고 검사가 발부한 영장에 의하여 이루어져야 한다. (×)
→ 기소는 검사가 한다.

② B에서 징역형이 선고되더라도 그 집행이 유예되면 피고인은 석방된다. (○)

③ ㉠은 범죄자의 자수나 피해자의 고소에 의해서만 개시될 수 있다. (×)
→ 수사는 고발, 체포, 인지 등에 의해서도 개시된다.

④ ㉡이 진행되는 동안 구속된 피고인은 구속 적부 심사를 신청할 수 있다. (×)
→ 구속 적부 심사는 구속 후 기소 전까지 신청 가능하다.

⑤ ㉢은 법관의 지휘 아래 검사가 실시한다. (×)
→ 형이 확정될 경우 검사의 지휘에 따라 집행된다.

03 수사 절차에서의 인권 보장 제도　　　　　　　답 ②

(가)는 구속 영장 실질 심사, (나)는 구속 적부 심사 제도이다. ② 구속 영장 실질 심사는 피의자를 구속하기 전에 실시하며, 구속 적부 심사 제도는 구속된 피의자가 신청 가능하다. 따라서 두 제도 모두 기소된 피고인에게는 적용될 수 없다.

04 재판 절차에서의 인권 보장 제도　　　　　　　답 ②

ㄱ. 피고인에 대한 유죄 판결이 확정되면, 더 이상 무죄 추정의 원칙이 적용되지 않는다. ㄹ. 집행 유예 판결을 받은 피고인과 무죄 판결을

받은 피고인은 모두 석방된다.

정답을 찾아가는 셀파 - Tip

ㄴ. 1심 판결이 확정되더라도 검사는 수사를 보강하여 을을 같은 혐의로 기소할 수 있다. (×)
→ 일사부재리의 원칙에 위배된다.

ㄷ. 1심 판결에 따라 을은 갑과 달리 법원에 형사 보상을 청구할 수 있다. (×)
→ 무죄 판결이 확정되어야 형사 보상 청구가 가능하다. 제시문에서 판결의 확정 여부는 알 수 없다.

05 형사 절차
답 ①

① 1심에서 유죄 판결을 받더라도 형이 확정될 때까지는 피고인의 신분을 유지한다. ② 항소심에 불복할 경우 대법원에 상고할 수 있다. ③, ④ 보석 결정이 내려지면 구속 재판을 받던 피고인은 석방되며, 납부한 보증금의 반환은 유무죄가 아닌 재판부가 제시한 조건의 준수 여부에 따라 이루어진다. ⑤ ㉠~㉣은 공판 절차에서 이루어진다.

06 기소(공소 제기)
답 ⑤

⑤ 피고인뿐만 아니라 공소 제기 전 피의자 신분에서도 변호인의 조력을 받을 권리는 보장된다.

정답을 찾아가는 셀파 - Tip

① 본 서류는 갑의 변호인이 작성한다. (×)
→ 공소장은 검사가 작성한다.

② 본 서류의 제출로 갑은 피의자의 신분이 된다. (×)
→ 공소가 제기되면 피의자는 피고인으로 신분이 변동된다.

③ 본 서류의 내용에 이의가 있는 경우 갑은 항소할 수 있다. (×)
→ 일반적으로 피고인은 공판 절차를 통해 공소 제기의 부당성을 주장한다.

④ 본 서류의 제출 후에도 갑은 구속 적부 심사를 신청할 수 있다. (×)
→ 구속 적부 심사는 구속 후 기소 전까지 신청 가능하다.

⑤ 본 서류의 제출 전에도 갑은 변호인의 조력을 받을 권리를 갖는다. (○)

07 범죄 피해자 구조 제도
답 ⑤

범죄 피해자 구조 제도는 생명 또는 신체의 피해에 대한 가해자의 배상이 불충분한 경우 국가가 구조금을 지급하는 제도이다.

08 형사 보상 제도
답 ③

'A 제도'는 형사 보상 제도이다. 형사 보상 제도는 억울하게 구금된 경우 그로 인한 물질적·정신적 피해의 보상을 국가에 청구할 수 있는 제도이다. 형사 보상 제도를 통해 구제받을 수 있는 경우에는 피의자로서 미결 구금된 사람이 무죄 취지의 불기소 처분을 받은 경우, 피고인으로서 미결 구금되었던 사람이 무죄 판결이 확정된 경우, 판결이 확정되어 형의 집행을 받았거나 받았던 사람이 재심을 통해 무죄 판결이 확정된 경우 등 무죄 판결이 확정된 경우에 청구할 수 있다.

09 소년 보호 사건
답 ④

④ 19세 미만인 을은 병과 달리 형사 법원에서 가정 법원 소년부로 송치되어 소년법상 보호 처분을 받을 수 있다. 10세 이상 14세 미만은 형벌이 불가(검찰 송치 불가)하고, 소년법상 보호 처분이 가능(가정

(지방) 법원 소년부 송치 가능)하다. 14세 이상 19세 미만은 형벌 및 소년법상 보호 처분이 가능(검찰 및 가정(지방) 법원 소년부 송치, 형사 재판 가능)하다.

정답을 찾아가는 셀파 - Tip

① 경찰은 조사 후 갑을 검찰에 송치할 수 있다. (×)
→ 14세 미만인 소년은 검찰에 송치할 수 없다.

② 원칙적으로 을은 경찰서장이 직접 가정 법원 소년부로 송치할 수 있다. (×)
→ 14세 이상인 소년은 원칙적으로 검사에게 송치한다.

③ 검사는 사안이 경미하다고 판단하면 병에게 소년법상 조건부 기소 유예 처분을 내릴 수 있다. (×)
→ 19세 이상인 사람은 소년이 아니므로 소년법 적용이 불가하다.

④ 병과 달리 을은 형사 법원에서 가정 법원 소년부로 송치될 수 있다. (○)

⑤ 갑~병 모두 형사 법원에서 재판을 받을 수 있다. (×)
→ 14세 미만인 소년에 대해서는 형사 재판이 불가하다.

10 국민 참여 재판
답 ①

① 국민 참여 재판은 지방 법원 합의부 관할 1심 형사 사건을 대상으로 하므로 판결에 불복하는 경우 고등 법원에 항소할 수 있다. ② 집행 유예가 선고된 경우 피고인은 석방된다. ③ 국민 참여 재판의 배심원은 법률 전문가가 아닌 일반 국민으로 구성된다. ④, ⑤ 배심원의 평결 및 양형 의견은 모두 권고적 효력을 가져 판사의 판결을 구속하지 않는다.

서답형 문제

11 고발과 고소
답 (가) - 고발, (나) - 고소

고발은 제3자가 수사 기관에 범죄 사실을 신고하여 처벌을 요청하는 것이고, 고소는 범죄 피해자 또는 그와 일정한 관계에 있는 고소권자가 수사 기관에 직접 범인의 처벌을 요청하는 것이다. 고소와 고발로 수사가 개시된다.

12 형사 절차 단계에서의 인권 보호 원칙
답 미란다 원칙

수사 기관이 피의자를 체포 또는 신문할 때 일정한 권리(진술 거부권, 변호인의 조력을 받을 권리 등)를 미리 알려주어야 하는 의무가 있다는 원칙을 미란다 원칙이라고 한다.

13 형사 재판
답 (1) 형사 재판(소송) (2) ㉠ - 피고인, ㉡ - 검사

형사 재판은 공소 제기 이후 법원에서 진행되는 공판 절차로서, 피고인의 형사 책임 유무와 그 정도를 판단하는 일련의 소송 절차이다. 형사 재판의 당사자는 검사와 피고인이다.

14 소년 보호 사건의 처리 절차
모범 답안 | (1) 가정(지방) 법원 소년부
(2) ㉠ - 가정(지방) 법원 소년부에서 해당 소년에게 형사 처분이 필요하다고 판단한 경우, ㉡ - 검사가 해당 소년에게 소년법상 보호 처분

받은 피고인은 모두 석방된다.

정답을 찾아가는 셀파 - Tip

ㄴ. 1심 판결이 확정되더라도 검사는 수사를 보강하여 을을 같은 혐의로 기소할 수 있다. (×)
→ 일사부재리의 원칙에 위배된다.

ㄷ. 1심 판결에 따라 을은 갑과 달리 법원에 형사 보상을 청구할 수 있다. (×)
→ 무죄 판결이 확정되어야 형사 보상 청구가 가능하다. 제시문에서 판결의 확정 여부는 알 수 없다.

05 형사 절차 · 답 ①

① 1심에서 유죄 판결을 받더라도 형이 확정될 때까지는 피고인의 신분을 유지한다. ② 항소심에 불복할 경우 대법원에 상고할 수 있다. ③, ④ 보석 결정이 내려지면 구속 재판을 받던 피고인은 석방되며, 납부한 보증금의 반환은 유무죄가 아닌 재판부가 제시한 조건의 준수 여부에 따라 이루어진다. ⑤ ㉠~㉣은 공판 절차에서 이루어진다.

06 기소(공소 제기) · 답 ⑤

⑤ 피고인뿐만 아니라 공소 제기 전 피의자 신분에서도 변호인의 조력을 받을 권리는 보장된다.

정답을 찾아가는 셀파 - Tip

① 본 서류는 갑의 변호인이 작성한다. (×)
→ 공소장은 검사가 작성한다.

② 본 서류의 제출로 갑은 피의자의 신분이 된다. (×)
→ 공소가 제기되면 피의자는 피고인으로 신분이 변동된다.

③ 본 서류의 내용에 이의가 있는 경우 갑은 항소할 수 있다. (×)
→ 일반적으로 피고인은 공판 절차를 통해 공소 제기의 부당성을 주장한다.

④ 본 서류의 제출 후에도 갑은 구속 적부 심사를 신청할 수 있다. (×)
→ 구속 적부 심사는 구속 후 기소 전까지 신청 가능하다.

⑤ 본 서류의 제출 전에도 갑은 변호인의 조력을 받을 권리를 갖는다. (○)

07 범죄 피해자 구조 제도 · 답 ⑤

범죄 피해자 구조 제도는 생명 또는 신체의 피해에 대한 가해자의 배상이 불충분한 경우 국가가 구조금을 지급하는 제도이다.

08 형사 보상 제도 · 답 ③

'A 제도'는 형사 보상 제도이다. 형사 보상 제도는 억울하게 구금된 경우 그로 인한 물질적·정신적 피해의 보상을 국가에 청구할 수 있는 제도이다. 형사 보상 제도를 통해 구제받을 수 있는 경우에는 피의자로서 미결 구금된 사람이 무죄 취지의 불기소 처분을 받은 경우, 피고인으로서 미결 구금되었던 사람이 무죄 판결이 확정된 경우, 판결이 확정되어 형의 집행을 받았거나 받았던 사람이 재심을 통해 무죄 판결이 확정된 경우 등 무죄 판결이 확정된 경우에 청구할 수 있다.

09 소년 보호 사건 · 답 ④

④ 19세 미만인 을은 병과 달리 형사 법원에서 가정 법원 소년부로 송치되어 소년법상 보호 처분을 받을 수 있다. 10세 이상 14세 미만은 형벌이 불가(검찰 송치 불가)하고, 소년법상 보호 처분이 가능(가정 (지방) 법원 소년부 송치 가능)하다. 14세 이상 19세 미만은 형벌 및 소년법상 보호 처분이 가능(검찰 및 가정(지방) 법원 소년부 송치, 형사 재판 가능)하다.

정답을 찾아가는 셀파 - Tip

① 경찰은 조사 후 갑을 검찰에 송치할 수 있다. (×)
→ 14세 미만인 소년은 검찰에 송치할 수 없다.

② 원칙적으로 을은 경찰서장이 직접 가정 법원 소년부로 송치할 수 있다. (×)
→ 14세 이상인 소년은 원칙적으로 검사에게 송치한다.

③ 검사는 사안이 경미하다고 판단하면 병에게 소년법상 조건부 기소 유예 처분을 내릴 수 있다. (×)
→ 19세 이상인 사람은 소년이 아니므로 소년법 적용이 불가하다.

④ 병과 달리 을은 형사 법원에서 가정 법원 소년부로 송치될 수 있다. (○)

⑤ 갑~병 모두 형사 법원에서 재판을 받을 수 있다. (×)
→ 14세 미만인 소년에 대해서는 형사 재판이 불가하다.

10 국민 참여 재판 · 답 ①

① 국민 참여 재판은 지방 법원 합의부 관할 1심 형사 사건을 대상으로 하므로 판결에 불복하는 경우 고등 법원에 항소할 수 있다. ② 집행 유예가 선고된 경우 피고인은 석방된다. ③ 국민 참여 재판의 배심원은 법률 전문가가 아닌 일반 국민으로 구성된다. ④, ⑤ 배심원의 평결 및 양형 의견은 모두 권고적 효력을 가져 판사의 판결을 구속하지 않는다.

서답형 문제

11 고발과 고소 · 답 (가) - 고발, (나) - 고소

고발은 제3자가 수사 기관에 범죄 사실을 신고하여 처벌을 요청하는 것이고, 고소는 범죄 피해자 또는 그와 일정한 관계에 있는 고소권자가 수사 기관에 직접 범인의 처벌을 요청하는 것이다. 고소와 고발로 수사가 개시된다.

12 형사 절차 단계에서의 인권 보호 원칙 · 답 미란다 원칙

수사 기관이 피의자를 체포 또는 신문할 때 일정한 권리(진술 거부권, 변호인의 조력을 받을 권리 등)를 미리 알려주어야 하는 의무가 있다는 원칙을 미란다 원칙이라고 한다.

13 형사 재판 · 답 (1) 형사 재판(소송) (2) ㉠ - 피고인, ㉡ - 검사

형사 재판은 공소 제기 이후 법원에서 진행되는 공판 절차로서, 피고인의 형사 책임 유무와 그 정도를 판단하는 일련의 소송 절차이다. 형사 재판의 당사자는 검사와 피고인이다.

14 소년 보호 사건의 처리 절차

모범 답안 | (1) 가정(지방) 법원 소년부
(2) ㉠ - 가정(지방) 법원 소년부에서 해당 소년에게 형사 처분이 필요하다고 판단한 경우, ㉡ - 검사가 해당 소년에게 소년법상 보호 처분

이 필요하다고 판단하는 경우, ⓒ - 형사 법원에서 해당 소년에게 소년법상 보호 처분이 필요하다고 판단하는 경우

15 국민 참여 재판

모범 답안 | (1) 국민 참여 재판
(2) 피고인에 관한 평의를 진행하여 유무죄 여부의 평결을 내리고 유죄일 경우 적정한 형을 토의한다.
(3) 사법의 민주적 정당성 및 재판의 투명성이 제고된다.
주요 단어 | 사법의 민주적 정당성, 재판의 투명성 제고

채점 기준	배점
국민 참여 재판의 의의를 정확하게 서술한 경우	상
국민 참여 재판의 의의를 한 가지만 서술한 경우	하

도전 수능 문제
p. 172 ~ p. 175

01 ①	02 ①	03 ④	04 ②	05 ⑤	06 ②
07 ②	08 ⑤	09 ②	10 ③	11 ③	12 ③
13 ③	14 ⑤	15 ②	16 ④		

01 형사 절차　답 ①
① 수사 절차에서 증거로 사용될 물건에 대하여 영장주의에 따라 압수가 가능하다. ② 피고인 신문은 기소 이후 공판 과정에서의 절차이다. ③ 기소 유예 처분의 주체는 법원이 아닌 검사이다. ④ 항소는 1심 판결에 불복하여 2심 재판을 청구하는 것을 의미한다. ⑤ 형의 집행은 검사의 지휘로 이루어진다.

02 형사 절차의 인권 보장 제도　답 ①
① 유죄 판결이 확정될 때까지는 피의자뿐만 아니라 피고인에게도 무죄 추정의 원칙이 계속 적용된다. ② 변호인의 조력을 받을 권리는 구속 전에도 행사할 수 있다. ③ 구속 적부 심사는 법원에 청구한다. ④ 범인이 아니라고 판단되면 검사는 피의자에게 무혐의 처분을 내려야 한다. ⑤ 형사 보상을 청구하려면 무죄 판결이 확정되어야 한다.

03 형사 절차　답 ④
④ 수사 단계에서의 진술 거부권 고지 의무의 주체는 수사 기관인 사법 경찰관, 검사 등이고, 공판 단계에서의 진술 거부권 고지 의무의 주체는 판사이다. ①, ② 영장은 검사가 신청하여 법관이 발부하고, 영장 실질 심사는 구속 전에 실시한다. ③ 수사 단계에서부터 국선 변호인의 선임이 가능하다. ⑤ 형은 검사의 지휘에 따라 집행된다.

04 형사 절차　답 ②
ㄱ. 구속 적부 심사는 판사에 의해 이루어지지만, 선도 조건부 기소 유예 처분은 검사에 의해 이루어진다. ㄷ. 보석 제도는 기소 후 피고인 신분에서 활용할 수 있는 제도이다.

ㄴ. ⓛ 확정 후 그 효력이 상실 또는 취소됨이 없이 유예 기간이 지나면 을에 대한 공소 제기가 없었던 것으로 간주된다. (×)
→ 기소가 없었던 것으로 간주되는 것이 아니라 형 선고의 효력이 상실된다.
ㄹ. A는 법원의 배상 명령을 통해 국가로부터 피해 구조금을 지급받을 수 있다. (×)
→ 국가로부터 피해 구조금을 지급받는 것은 범죄 피해자 구조 제도이다.

05 형사 절차　답 ⑤
⑤ 구속 적부 심사를 통해 구속이 필요 없다고 판단될 경우 피의자는 석방된다. ① 제3자가 수사를 요청하기 위해 제출하는 문서는 고발장이다. ② 현행범 체포와 긴급 체포는 영장주의의 예외이다. ③ 피의자는 진술 거부권과 변호인의 조력을 받을 권리를 모두 행사할 수 있다. ④ 검사가 구속 영장을 청구하면 판사가 피의자를 대면 심문하여 발부 여부를 판단한다.

06 형사 절차　답 ②
② 피의 사실이 인정되지만 여러 가지 상황을 고려하여 기소하지 않는 기소 유예 처분은 유죄 판결의 가능성이 있지만 불기소 처분을 내리는 경우에 해당한다. ① 고소장은 수사 기관에 제출한다. ③ 유죄 판결 시 보안 처분도 함께 부과할 수 있다. ④ 선고 유예 판결의 확정 후 그 기간이 경과하면 면소된 것으로 간주한다. ⑤ 형 집행 중에는 보석을 신청할 수 없다.

07 형사 절차　답 ②
② 기소로 인해 피의자는 피고인으로 신분이 변동되고, 검사는 해당 재판의 원고가 된다.

① ㉠ 단계 이전에 갑은 구속 전 피의자 심문을 법원에 신청할 수 있다. (×)
→ 검사가 피의자에 대해 구속 영장을 청구하면 법관은 지체 없이 피의자를 심문하여야 한다. 피의자가 구속 전 피의자 심문을 법원에 신청해야 이루어지는 것은 아니다.
② ㉡으로 인해 검사는 소송 당사자로서의 지위를 갖게 된다. (○)
③ ㉢ 단계에 이르러야 비로소 갑은 진술 거부권을 가진다. (×)
→ 피의자나 피고인은 수사 및 형사 재판 절차에서 진술 거부권을 가진다.
④ 갑이 형사 보상을 청구하기 위해서는 ㉣ 시점에 구금되어 있어야만 한다. (×)
→ 수사 과정이나 재판 과정에서 구금된 적이 있다면 무죄 판결이 확정되는 시점에 구금되어 있지 않더라도 형사 보상을 청구할 수 있다.
⑤ ㉣ 이후 을은 배상 명령 제도를 활용할 수 있다. (×)
→ 배상 명령 제도는 형사 재판 과정에서 유죄 판결을 선고할 때 활용될 수 있다.

08 형사 절차　답 ⑤
⑤ 형사 재판과 민사 재판은 별개로 진행된다. 따라서 갑, 을 모두 형사 책임 여부와 관계없이 민사상 손해 배상 책임을 질 수 있다. ① 형사 보상을 청구하려면 무죄 취지의 불기소 처분을 받아야 한다. ② 피고인의 항소 여부와 관계없이 검사는 항소할 수 있다. 을이 항소를 포기하더라도 검사가 징역 6월의 형벌이 가볍다고 판단하면 항소할

수 있다. ③ 형기 만료 전에 석방될 수 있는 제도는 가석방 제도이다. ④ 형사 재판의 당사자는 검사와 피고인이다.

09 형사 절차의 인권 보장 제도   답 ②

② 형사 보상은 무죄 판결이 확정된 경우에 청구할 수 있는데, 벌금형은 유죄 판결에 해당하므로 형사 보상을 청구할 수 없다.

정답을 찾아가는 셀파 - Tip

① 갑은 영장 실질 심사를 통해 석방되었을 것이다. (×)
→ 구속 후 기소 전이므로 구속 적부 심사를 통해 석방되었을 것이다.

② A가 '벌금형'이라면 갑은 형사 보상을 청구할 수 없다. (○)

③ 갑의 1심 재판은 지방 법원 단독 판사가 담당하였을 것이다. (×)
→ 지방 법원 단독 판사 판결의 항소심은 지방 법원 본원 합의부가 담당하였을 것이다.

④ A가 '무죄'라면 갑은 항소심 재판부에 을을 상대로 한 배상 명령을 신청할 수 있다. (×)
→ 배상 명령은 피해자가 신청 가능하다.

⑤ 수사 절차에서와 달리 1심 재판에서 갑은 진술 거부권을 보장받지 못했을 것이다. (×)
→ 진술 거부권은 공판 절차에서도 보장된다.

10 형사 절차의 인권 보장 제도   답 ③

ㄴ. 형사 피해자에게는 형사 절차에 참여할 권리가 있으므로 가해자에 대한 재판에서의 의견 진술 기회가 부여된다. ㄷ. 보호 관찰은 선고 유예, 집행 유예, 가석방 처분 등을 받는 경우 함께 부과될 수 있다. ㄱ. 피해자의 고소로 수사가 개시되었다. ㄹ. 범죄 피해자 구조 제도는 생명 또는 신체의 피해인 경우에만 적용된다.

11 형사 절차   답 ③

③ 제시된 사례에 나타난 형사 재판의 당사자는 피고인인 갑과 검사(원고)인 병이다.

정답을 찾아가는 셀파 - Tip

① 구속된 갑은 영장 실질 심사를 통해 구속 상태에서 벗어날 수 있다. (×)
→ 구속 영장 실질 심사는 구속 전 절차이다.

② 병은 수사 과정에서 구속 적부 심사를 법원에 청구할 수 있다. (×)
→ 구속 적부 심사는 피의자가 청구할 수 있다.

③ 기소 후 진행된 형사 재판의 당사자는 갑과 병이다. (○)

④ 을은 갑의 선고 결과에 불복하여 상소할 수 있다. (×)
→ 피해자는 형사 재판의 당사자가 아니므로 상소할 수 없다.

⑤ 갑은 위의 판결이 확정되면 형사 보상을 청구할 수 있다. (×)
→ 집행 유예는 유죄 판결이므로 형사 보상 청구가 불가하다.

12 소년 보호 사건   답 ③

③ 소년법상 보호 처분은 형벌에 해당되지 않으므로 전과 기록이 남지 않는다. ①, ② 14세인 소년은 형벌과 소년법상 보호 처분 모두의 대상이 된다. ④ 형사 재판의 당사자는 피고인인 갑과 검사이다. ⑤ 현행범을 체포한 행위는 정당 행위에 해당하므로 범죄가 성립하지 않는다.

13 소년 보호 사건   답 ③

③ 검사가 갑과 을의 행위를 범죄로 판단한 경우 사안에 따라 가정 법원(지방 법원) 소년부에 송치할 수도 있고, 조건부 기소 유예 처분을 내릴 수도 있으며, 기소하여 형사 재판을 받도록 할 수도 있다.

정답을 찾아가는 셀파 - Tip

① 을, 병은 갑과 달리 선도 조건부 기소 유예 처분을 받을 수 없다. (×)
→ 14세 이상인 갑, 을과 달리 병은 14세 미만이므로 선도 조건부 기소 유예 처분의 대상이 아니다.

② 갑과 을의 행위는 병의 행위와 달리 구성 요건에 해당하며 위법하다. (×)
→ 갑, 을, 병의 행위는 모두 위법하며 구성 요건에 해당한다. 다만 병의 책임은 조각된다.

③ 검사가 갑과 을의 행위를 범죄로 판단하더라도 갑과 을을 가정 법원 소년부로 송치할 수 있다. (○)

④ 검사가 갑과 을을 가정 법원 소년부로 송치하면 가정 법원 소년부가 형의 선고를 유예할 수 있다. (×)
→ 가정 법원 소년부는 소년법상 보호 처분을 부과할 수 있다. 형의 선고 유예는 형사 법원에서 이루어진다.

⑤ 병이 소년법상 보호 처분을 받는다면 갑, 을의 부모와는 달리 병의 부모는 민사상 책임이 면제된다. (×)
→ 소년법상 보호 처분을 받는 것과 미성년자 부모의 민사상 책임 면제 여부는 상관이 없다.

14 형사 절차   답 ⑤

⑤ 검사는 수사 기관으로 수사 절차에 관여하고, 기소는 검사에 의해 이루어진다. 또한 검사는 기소 후 형사 재판의 당사자(원고)로서 공판 절차에 관여하며, 형의 집행은 검사의 지휘에 따라 이루어진다. 따라서 검사는 ㉠~㉣의 절차에 모두 관여한다. ① 수사는 고소, 고발, 수사 기관의 인지 등에 의해 개시된다. 범죄 피해자가 수사 기관에 직접 범인의 처벌을 요청하는 것은 고소이다. ② 구속 적부 심사 청구는 기소 전에 가능하다. ③ 기소는 검사에 의해 이루어진다. ④ 집행 유예는 일정 기간이 지나면 형 선고의 효력을 상실시키는 제도이다.

15 소년 보호 사건   답 ②

② 14세 이상인 소년은 형벌, 소년법상 보호 처분, 선도 조건부 기소 유예 처분의 대상이다. ① 10세 미만은 형벌이나 처분을 받지 않는다. ③ 소년법상 보호 처분은 가정 법원(지방 법원) 소년부에서 부과할 수 있다. ④ 선도 조건부 기소 유예 처분은 민사상 책임과 별개로 이루어진다. ⑤ 폭력을 행사하여 자신의 노트북을 되찾은 행위는 범죄가 성립된다.

16 형사 절차   답 ④

④ 가석방된 사람에게는 원칙적으로 가석방 기간 중에 보호 관찰이 부과된다. ① 구속 영장 실질 심사는 구속 전에 이루어진다. ② 구속 적부 심사는 구속 후 기소 전에 가능하다. ③ 유죄 판결의 확정 전까지는 무죄로 추정된다. ⑤ 가석방은 법무부 장관 소속의 가석방 심사 위원회에서 결정한다.

01 근로자의 권리 보장   답 ③

③ 근로 기준법과 최저 임금법에 규정된 근로 조건의 기준은 최저 기준이므로 사용자는 이 기준을 근거로 근로 조건을 저하시킬 수 없다. ① 근로의 권리는 바이마르 헌법에서 최초로 헌법상 권리로 규정되었다. ②, ⑤ 근로의 권리는 국가 안전 보장, 질서 유지, 공공복리를 위해 제한할 수 있는 권리이고, 그 보장을 위해서는 국가의 적극적인 역할이 요구된다. ④ 최저 임금제는 근로 기준법과 최저 임금법에서 규정하고 있다.

02 쟁의 행위   답 ②

ㄱ. 노동조합 및 노동관계 조정법에 따르면 파업, 태업은 근로자가, 직장 폐쇄는 사용자가 활용 가능한 쟁의 행위이다. ㄷ. 정당한 쟁의 행위에 대해서는 민·형사 책임이 면제된다.

03 근로 계약   답 ①

① 근로 계약은 근로자가 사용자에게 근로를 제공하고 사용자는 이에 대하여 임금을 지급하는 것을 목적으로 체결된 계약을 의미한다.

04 근로 조건   답 ①

ㄱ. 근무 시간이 8시간인 경우 1시간 이상의 휴게 시간을 부여해야 한다. ㄴ. 1주일에 15시간 이상 일하고 개근한 경우 유급 휴일을 부여해야 한다.

정답을 찾아가는 셀파 - Tip

ㄷ. 1일 근로 시간이 8시간 30분으로 근로 기준법에 위배된다. (×)
→ 1일 근로 시간은 휴게 시간 30분을 제외한 8시간이다.
ㄹ. 임금을 근로자에게 직접 주지 않고 통장에 입금하는 것은 근로 기준법에 위배된다. (×)
→ 근로자 명의의 통장에 입금하는 것은 적법하다.

05 부당 해고와 부당 노동 행위   답 ⑤

ㄷ. 노동조합 가입을 이유로 근로자를 해고하는 것은 부당 노동 행위이자 부당 해고로서 노동조합 및 노동관계 조정법에 위배된다. ㄹ. 결혼, 임신, 출산 등을 이유로 근로자를 해고하는 것은 부당 해고로서 근로 기준법과 남녀고용평등법에 위배된다. ㄱ. 제시된 근로 계약은 모두 해당 부분에 한해 무효이다. ㄴ. 노동조합 및 노동관계 조정법에 위배되는 것은 ㉠이다.

내 것으로 만드는 셀파 - Tip

▶ 부당 해고와 부당 노동 행위

부당 해고	사용자가 근로자를 정당한 이유나 절차 없이 해고하는 경우(피해 근로자가 구제 신청 가능)
부당 노동 행위	사용자가 노동(근로) 삼권을 침해하는 행위(피해 근로자뿐만 아니라 노동조합도 구제 신청 가능)

06 부당 노동 행위   답 ②

부당 노동 행위는 사용자가 노동(근로) 삼권을 침해하는 행위를 의미한다. 노동조합 활동을 이유로 해고나 불이익을 부과하거나 노동조합 불가입이나 탈퇴, 특정한 노동조합 가입 등을 고용 조건으로 하는 행위, 정당한 이유 없이 단체 교섭을 거부하는 행위 등이 이에 해당한다.

07 근로자 권리의 침해와 구제   답 ④

④ 근로자가 지방 노동 위원회에 구제 신청을 하면, 지방 노동 위원회는 구제 명령 또는 기각 결정을 내리게 되고 이에 불복한 사용자 또는 근로자는 중앙 노동 위원회에 재심을 신청할 수 있다.

정답을 찾아가는 셀파 - Tip

① ㉠은 형사 소송에 해당한다. (×)
→ 민사 소송에 해당한다.
② ㉣은 민사 소송에 해당한다. (×)
→ 행정 소송에 해당한다.
③ ㉠의 피고는 ○○사이고, ㉣의 피고는 을이다. (×)
→ ㉠의 피고는 ○○사, ㉣의 피고는 중앙 노동 위원회 위원장이다.
④ ㉡은 지방 노동 위원회, ㉢은 중앙 노동 위원회에서 담당한다. (○)
⑤ ㉡은 ㉢과 달리 을에 대한 해고가 부당하다는 내용을 담고 있었을 것이다. (×)
→ ㉡, ㉢ 모두 해고의 부당성을 인정하였다.

08 근로자 권리의 침해와 구제   답 ③

③ ○○사가 3개월간 월급의 50%만 지급한 것은 임금 체불에 해당하므로 관할 고용 노동관서에 임금 체불 진정을 접수하거나, ○○사를 근로 기준법 위반으로 고소할 수 있다. 또한 1년 이상 근무했다면 근로 기준법에 따라 퇴직금도 받을 수 있다.

09 청소년의 근로 보호   답 ④

④ 근로 기준법에서는 18세 미만자의 동의가 있는 경우, 고용 노동부 장관의 인가를 받아 야간 근로와 휴일 근로를 할 수 있도록 하고 있다. ① 임금도 연소 근로자가 독자적으로 청구할 수 있다. ② 연소 근로자의 근로 계약은 법정 대리인이 대리할 수 없다. ③ 미성년자의 근로 계약은 보호자의 동의를 얻어 본인이 직접 체결해야 한다. ⑤ 어떤 경우에도 도덕상 또는 보건상 유해·위험한 사업에 사용할 수 없다.

10 청소년의 근로 보호   답 ⑤

⑤ 1주일에 15시간 이상 일하고 개근한 경우, 성인 근로자와 마찬가지로 연소 근로자에게도 1일의 유급 휴일을 부여하여야 한다. ① 휴게 시간을 제외한 1일 근로 시간은 7시간으로 적법하다. ② 계약한 임금이 최저 임금에 미치지 못하므로 해당 부분에 한해 무효이다. ③ 토요

일까지 주 6일을 동일한 조건으로 근무하게 되면, 1주 근로 시간이 42시간이 되어 연소 근로자의 동의가 있다고 하더라도 가능한 근로 시간의 범위를 벗어나게 된다. ④ 15세 이상의 연소 근로자는 취직 인허증 없이도 취업할 수 있다.

서답형 문제

11 노동(근로) 삼권 답 (가) – 단체 교섭권, (나) – 단체 행동권

노동 삼권 중 (가)는 근로자가 노동조합을 통해 근로 조건에 관하여 사용자 측과 단체 교섭을 할 권리인 단체 교섭권과 관련된다. (나)는 근로자가 그 주장을 관철할 목적으로 파업이나 태업 등과 같이 업무를 저해하는 행위(쟁의 행위)를 할 권리인 단체 행동권과 관련된다.

12 노동법

모범 답안 | (1) (가) – 노동조합 및 노동관계 조정법, (나) – 근로 기준법
(2) (가)는 근로자의 노동 삼권을 보장하고, 노동관계의 공정한 조정을 위해 제정되었다. (나)는 근로 조건의 기준을 정하여 근로자의 기본적 생활을 보장하기 위해 제정되었다.
주요 단어 | 노동 삼권의 보장, 근로 조건의 기준 제시

채점 기준	배점
(가), (나) 법률의 제정 목적을 모두 정확하게 서술한 경우	상
(가), (나) 법률의 제정 목적을 미흡하게 서술한 경우	중
(가), (나) 법률 중 한 가지 법률의 제정 목적만 정확하게 서술한 경우	하

13 청소년의 근로 보호 답 ㉠ 15, ㉡ 7, ㉢ 35, ㉣ 5, ㉤ 15

원칙적으로 15세 이상의 청소년만 근로할 수 있으며, 1일 7시간, 주 35시간 이하로 근무할 수 있다. 근로자의 동의하에 1일 1시간, 주 5시간 연장 근로는 가능하다. 일주일에 15시간 이상 일하고 1주일 동안 개근하면 하루의 유급 휴가를 받을 수 있다.

14 부당 해고와 부당 노동 행위

모범 답안 | (1) (가) – 부당 해고, (나) – 부당 노동 행위
(2) 첫 번째 사례에서 해고의 사유와 시기는 반드시 서면으로 통지해야 하고, 적어도 30일 전에 예고해야 하는데 사용자가 구두로 해고 사실을 통보한 것은 부당 해고에 해당한다. 두 번째 사례에서 사용자가 노동조합의 조직을 방해할 목적으로 회사 문을 닫겠다고 한 것은 부당 노동 행위에 해당한다.
주요 단어 | 서면 통지, 30일 전 예고, 노동 조합 조직 방해

채점 기준	배점
부당 해고와 부당 노동 행위의 근거를 모두 정확하게 서술한 경우	상
부당 해고와 부당 노동 행위의 근거를 미흡하게 서술한 경우	중
부당 해고와 부당 노동 행위의 근거 중 한 가지만 서술한 경우	하

(3) 부당 노동 행위와 달리 부당 해고의 경우에는 근로자가 민사 소송(해고 무효 확인의 소)을 제기할 수 있다.
주요 단어 | 부당 해고, 민사 소송, 해고 무효 확인의 소

채점 기준	배점
민사 소송을 제기할 수 있다고 정확하게 서술한 경우	상
소송을 제기할 수 있다고만 서술한 경우	하

15 근로자 권리의 침해와 구제

모범 답안 | (가)의 상황은 임금 체불에 해당한다. 이때 근로자는 임금 체불 진정을 제기하거나 근로 기준법 위반 혐의로 사용자를 고소할 수 있다. (나)에서 사용자는 근로자에게 연장 근로를 요구하고 있다. 연장 근로는 당사자 간에 합의하면 1주 12시간까지 가능하다. 만약 합의가 없었다면 근로자는 연장 근로를 거부할 수 있다.
주요 단어 | 임금 체불 진정, 제기, 사용자 고소, 연장 근로, 당사자 간 합의

채점 기준	배점
(가), (나) 상황에 대한 대처 방법을 모두 정확하게 서술한 경우	상
(가), (나) 상황 중 한 가지 상황에 대한 대처 방법만 서술한 경우	중
(가), (나) 상황에 대한 대처 방법을 미흡하게 서술한 경우	하

도전 수능 문제 p. 184 ~ p. 185

01 ③ **02** ③ **03** ② **04** ⑤ **05** ③ **06** ④

01 사회법의 발달 답 ③

사회법은 사적 자치 원칙의 한계로 각종 불평등 문제가 발생하게 되자 이를 해결하기 위해 사유 재산권 존중의 원리가 지배하는 사법 영역에 국가가 개입하여 공법적 규제를 가할 수 있도록 제정된 법이다.

02 청소년의 근로 보호 답 ③

ㄴ. 연소 근로자의 근로 시간은 연장 근로의 경우 1일 1시간, 1주 5시간을 초과할 수 없다. ㄷ. 연소 근로자의 휴일 근로는 원칙적으로 금지된다.

정답을 찾아가는 셀파 - Tip

ㄱ. 갑이 계약대로 근무할 경우 1일 임금은 90,000원입니다. (×)
→ 휴게 시간을 제외한 근로 시간은 8시간이므로 1일 임금은 80,000원이다.
ㄹ. 병은 갑, 을의 연소자 증명서를 사업장에 비치해야 합니다. (×)
→ 18세 이상인 근로자는 연소 근로자가 아니므로 증명서 비치는 불필요하다.

03 근로자 권리의 침해와 구제 답 ②

② 갑이 적법한 절차에 따라 행정 소송을 제기한 것으로 보아 중앙 노동 위원회의 재심 판정 절차를 거쳤음을 알 수 있다. ① 단체 교섭권은 근로자의 권리이다. ③ 갑과 을이 해고 무효 확인 소송 제기 전에 지방 노동 위원회의 구제 절차를 거쳤는지는 알 수 없다. ④ 갑, 병은 을과 달리 사용자에 의해 노동(근로) 삼권이 침해되었다. ⑤ 을의 해고에 대해 을뿐만 아니라 노동조합도 노동 위원회에 구제 신청을 할 수 없다.

04 부당 노동 행위 답 ⑤

(가)는 부당 노동 행위이다. ⑤ 노동조합 대표자와의 단체 교섭을 정당한 이유 없이 거부하는 행위는 부당 노동 행위에 해당한다. ① 최저 임금 미만의 임금 지급은 근로 기준법 및 최저 임금법 위반에, ② 문자 메시지를 통한 해고 통보는 부당 해고에, ③ 출산 시 퇴직하겠다는 서약서 강요는 근로 기준법과 남녀고용평등법 위반에, ④ 근로 계약서에 명시되지 않은 작업 지시는 근로 기준법 위반에 각각 해당한다.

05 근로자 권리의 침해와 구제   답 ③

갑은 부당 해고 및 부당 노동 행위, 을은 부당 해고를 이유로 구제 절차를 진행할 수 있다. ③ 부당 해고에 의한 피해 근로자는 노동 위원회에 구제 신청을 하는 것과 별도로 법원에 해고 무효 확인 소송을 제기할 수 있다.

① (가)에서 A 회사의 노동조합은 갑과 을에 대한 해고에 대해 노동 위원회에 구제 신청을 할 수 있다. (×)
→ 갑에 대한 해고는 부당 해고이자 부당 노동 행위에 해당하므로 노동조합도 구제 신청을 할 수 있지만, 을에 대한 해고는 부당 해고에만 해당된다.

② (가)에서 갑과 을은 ○○지방 노동 위원회에 A 회사의 해고로 인해 근로 삼권이 침해되었다고 주장하였다. (×)
→ 을에 대한 해고는 노동(근로) 삼권과 무관하다. 근로 삼권을 침해하는 사용자의 행위를 부당 노동 행위라고 한다.

③ (나)에서 을은 ○○지방 노동 위원회의 결정과 별도로 A 회사를 상대로 해고의 효력을 다투는 소를 제기할 수 있다. (○)

④ (다)에서 중앙 노동 위원회는 갑과 달리 을에 대한 해고가 부당 해고에 해당하지 않는다고 판정하였다. (×)
→ 중앙 노동 위원회는 ○○지방 노동 위원회와 달리 갑에 대한 해고는 부당 해고가 아니라고 판단하고, 을에 대한 해고는 부당 해고로 판단하였다.

⑤ (다)에서 A 회사는 중앙 노동 위원회 위원장을 상대로 갑에 대한 해고의 무효를 확인하는 민사 소송을 제기할 수 있다. (×)
→ 해고 무효 확인 소송은 근로자가 사용자를 상대로 제기 가능하다. 중앙 노동 위원회의 재심 판정에 불복하는 당사자는 중앙 노동 위원회 위원장을 상대로 행정 소송을 제기할 수 있다.

06 청소년의 근로 보호   답 ④

근로 계약 체결 시 취직 인허증이 요구되지 않으므로 갑과 을은 모두 15세 이상임을 알 수 있다. 그런데 갑은 을과 달리 연소자 증명서가 요구되지 않으므로 18세 이상인 근로자에 해당하고, 을은 18세 미만인 연소 근로자에 해당한다. ④ 연소 근로자의 근로 시간은 연장 근로의 경우 1일 1시간, 1주 5시간을 초과할 수 없다.

① 을의 친권자 또는 후견인은 을의 근로 계약을 대리할 수 있다. (×)
→ 연소 근로자의 근로 계약은 친권자나 후견인의 동의를 얻어 본인이 직접 맺어야 한다.

② 을은 갑과 달리 주말 근로가 원칙적으로 금지되므로 근무일을 변경해야 한다. (×)
→ 연소 근로자에게 원칙적으로 금지되는 것은 주말 근로가 아니라 야간 근로와 휴일 근로이다. 갑과 을의 근무일은 수요일부터 일요일까지이므로 이들의 휴일은 월요일과 화요일이다. 따라서 근무일을 변경할 필요가 없다.

③ 근로 계약이 이미 체결되었으므로 갑은 병에게 법정 최저 임금을 요구할 수 없다. (×)
→ 임금은 법정 최저 임금 이상이어야 하므로 최저 임금 미만을 받도록 근로 계약이 체결된 경우 해당 조항은 무효가 된다. 따라서 갑은 법정 최저 임금을 병에게 요구할 수 있다.

④ 을과 병이 근무일의 연장 근로에 대해 추가적으로 합의하더라도 병은 을을 1일 2시간씩 더 근로하게 할 수 없다. (○)

⑤ 갑은 을과 달리 친권자 또는 후견인의 동의 없이 병에게 단독으로 임금을 청구할 수 있다. (×)
→ 연소 근로자인 을도 친권자 또는 후견인의 동의 없이 병에게 단독으로 임금을 청구할 수 있다.

Ⅵ 국제 관계와 한반도

01 국제 관계의 변화와 국제법

탄탄 내신 문제 | p. 194 ~ p. 199

01 ①	02 ②	03 ②	04 ⑤	05 ③	06 ⑤
07 ④	08 ⑤	09 ①	10 ①	11 ⑤	12 ①
13 ⑤	14 ②	15 ③	16 ④	17 ④	18 ⑤

19 (1) 베스트팔렌 조약 (2) 해설 참조
20 (1) (가) – 현실주의적 관점, (나) – 자유주의적 관점 (2) 해설 참조
21 (1) 세계화 (2) 해설 참조   22 해설 참조   23 해설 참조

01 베스트팔렌 조약   답 ①

밑줄 친 '이 조약'은 1648년에 체결된 베스트팔렌 조약이다. ① 이 조약에 참가한 국가들은 주권 평등, 영토 존중, 국내 문제 불간섭 등의 원칙에 합의하였고, 이로써 주권과 영토를 가진 국민 국가가 국제 사회의 주체로 등장하였다.

정답을 찾아가는 셀파 - Tip

① 국민 국가 중심의 국제 사회가 성립되었다. (○)
② 국제 사회에서 정치적 이념 대립이 격화되었다. (×)
　→ 제2차 세계 대전 이후의 상황이다.
③ 경제적 실리 추구가 국제 관계의 중심이 되었다. (×)
　→ 1990년대 중반 이후의 상황이다.
④ 유럽 강대국들의 식민지 쟁탈전이 본격화되었다. (×)
　→ 19세기 초 제국주의 시대의 상황이다.
⑤ 세계화와 함께 지역 블록화 현상이 가속화되었다. (×)
　→ 2000년대 세계화 시대의 현상이다.

02 국제 사회의 변천 과정   답 ②

② 닉슨 독트린은 아시아 지역의 문제에 대해 미국이 개입하지 않겠다는 선언으로, 냉전 체제의 긴장 완화에 영향을 미쳤다.

정답을 찾아가는 셀파 - Tip

① (가)는 국제 연합 창설의 기초가 되었다. (×)
　→ 트루먼 독트린은 냉전 체제가 강화된 계기가 되었다.
② (나)는 냉전 체제를 완화시키는 결과를 가져왔다. (○)
③ (다)는 제3세계의 영향력을 견제하기 위한 노력이다. (×)
　→ 몰타 선언으로 인해 냉전 체제가 종식되었다.
④ (라)는 아프리카 노동자의 고임금 기대가 주요 원인이었다. (×)
　→ 유럽 난민 사태는 내전을 피하기 위해 발생하였다.
⑤ (마)는 이념 중심의 양극 체제가 출현하게 된 계기가 되었다. (×)
　→ 세계 기후 정상 회의는 국제 문제의 해결을 위한 국제 사회의 협력 사례이다.

03 국제 사회의 변화 과정   답 ②

(가)는 1989년 몰타 선언, (나)는 1969년 닉슨 독트린, (다)는 1947년 트루먼 독트린이다. ㄱ. 몰타 선언으로 냉전 체제가 종료되었고, 국

제 사회는 체제나 이념의 대결에서 벗어나 각국의 이해관계에 따라 국가 간의 협력과 교류가 증가했고, 상호 의존 관계가 확대되었다. ㄷ. 트루먼 독트린은 공산화 위협에 직면한 나라에 대한 경제적·군사적 원조를 내용으로 한다. 이로써 국제 사회는 미국과 소련을 중심으로 한 자본주의와 공산주의 진영의 이념 대립으로 냉전을 맞이하게 되었다.

정답을 찾아가는 셀파 - Tip

ㄴ. (나)는 정치적 이념 대립이 심화되는 배경이 되었다. (×)
　→ 닉슨 독트린으로 냉전 체제가 종료되면서 정치적 이념 대립이 종결되었다.
ㄹ. 역사적으로 (다) → (가) → (나) 순으로 발생하였다. (×)
　→ 역사적으로 (다) → (나) → (가) 순으로 발생하였다.

내 것으로 만드는 셀파 - Tip

▶ 국제 사회의 변천 과정

베스트팔렌 조약(1648)	민족 단위의 주권 국가 등장
제국주의 시대 (19세기 말~20세기 초)	유럽 열강들의 식민지 확보 경쟁
냉전 시대(20세기 중반 ~1950년대 후반)	• 미국 중심의 자유 진영과 구소련 중심의 공산 진영으로 대립 • 트루먼 독트린(1947)
냉전 완화 (1960년대~1970)	• 제3세계 등장, 닉슨 독트린(1969) • 중국과 소련의 분쟁
냉전 종식 (1990년대 초반)	몰타 선언(1989), 독일 통일(1990), 구소련의 해체 등
탈냉전, 세계화 (1990년대 중반 이후)	• 경제적 실리 추구 경향 • 민족, 종교, 영토, 지원 등의 이유로 분쟁 증가

04 국제 관계의 변화   답 ⑤

(가) 시기는 제2차 세계 대전 이후 미국 중심의 자유 진영과 소련 중심의 공산 진영의 대립이 시작되는 냉전 시대이다. (나) 시기는 국제 정세의 변화로 냉전이 완화되는 시기이며, (다) 시기는 냉전이 종식되는 시기이다. ⑤ 1980년대 후반에 들어서면서 국제 사회는 몰타 선언(1989), 독일 통일(1990), 구소련의 해체(1991) 등으로 냉전이 종식되었다. 탈냉전 시대로 들어선 국제 사회는 다양한 세력의 영향력이 확대되면서 다극 체제로 변모하였고, 각국은 이해관계에 따라 자유롭게 협력하게 되었다. 그 결과 이념에 따른 갈등은 줄었지만 민족, 종교, 영토, 자원 등 다양한 이유로 발생하는 분쟁은 오히려 증가하고 있다.

정답을 찾아가는 셀파 - Tip

① (가) 시기에는 유럽 열강의 식민지 지배가 활발하였다. (×)
　→ 미국 중심의 자유 진영과 소련 중심의 공산 진영 간의 이념 대립이 심화되었다.
② (나) 시기에는 제3세계 국가들의 국제적 위상이 낮아졌다. (×)
　→ 제3세계 국가들의 국제 연합 진출로 국제적 위상이 높아졌다.
③ (다) 시기에는 다극 체제가 양극 체제로 전환되었다. (×)
　→ (다) 시기에는 양극 체제가 다극 체제로 전환되었다.
④ (가) 시기에는 (다) 시기보다 경제적 실리 추구 경향이 활발하였다. (×)
　→ 경제적 실리 추구 경향은 탈냉전 시대인 (다) 시기에 더욱 활발하였다.
⑤ (다) 시기에는 (나) 시기보다 다양한 요인에 의한 갈등이 늘어났다. (○)

05 국제 관계의 성격　답③

중국의 인공섬 구축, 러시아의 크림 반도 장악, 일본의 군국주의 헌법 수정 경향 등은 국제 관계가 이성의 논리보다는 힘의 논리에 의해 영향을 받고 있음을 보여준다. 국제 사회에서는 주권 평등의 원칙이 엄격하게 지켜지지 않아 강대국이 주도하여 중요한 결정을 하기도 하고, 개별 국가들은 자국의 이익을 실현하기 위하여 다른 나라와 경쟁하고 갈등하며 무력을 동원하기도 한다.

06 국제 관계의 성격　답⑤

⑤ 주요 20개국이 합의한 암호 화폐 탈세와 자금 세탁 등을 방지하기 위한 규제안은 국제 규범이다. 제시된 사례는 국제 규범을 통해 테러 자금 조달 방지 문제를 해결하고자 하는 경우이다. ① 국제 사회에는 주도적인 중앙 정부가 없다. ② 국제 규범을 통해 문제를 해결하는 국제 협력의 사례이다. ③ 국제 자금 세탁 방지 기구는 정부 간 국제기구이다. ④ 제시된 사례와 관계 없다.

07 국제 사회를 보는 관점　답④

갑은 국제 사회에서 힘의 논리를 강조하므로 현실주의적 관점, 을은 국제법이나 국제 여론을 중시하므로 자유주의적 관점을 갖고 있다. ④ 자유주의적 관점은 국제 관계가 보편적인 규범인 국제법에 의해 규율된다고 본다.

08 국제 사회를 보는 자유주의적 관점　답⑤

⑤ 국제 사회를 보는 자유주의적 관점에서 개별 국가는 이성을 갖고 있으며, 이성에 따라 국제 문제를 평화적으로 해결한다고 본다. 따라서 자유주의적 관점에서는 국제 문제를 해결함에 있어서 국제법이나 국제기구의 역할을 중시한다.

> **정답을 찾아가는 셀파 - Tip**
>
> ① ㉠에는 '2점'이 들어간다. (×)
> → 힘의 논리는 현실주의적 관점이므로 ㉠에는 '0점'이 들어간다.
>
> ② (가)에는 '국가 간의 상호 의존적 관계를 중시한다.'가 들어갈 수 있다. (×)
> → (가)는 0점이므로 현실주의적 관점이 들어가야 한다. 국가 간의 상호 의존적 관계를 중시하는 것은 자유주의적 관점이다.
>
> ③ (가)에는 '집단 안보 전략으로 평화를 유지할 수 있다고 본다.'가 들어갈 수 있다. (×)
> → (가)는 0점이므로 현실주의적 관점이 들어가야 한다. 집단 안보 전략으로 평화를 유지할 수 있다고 보는 것은 자유주의적 관점이다.
>
> ④ (나)에는 '개별 국가는 자국의 이익을 배타적으로 추구한다고 본다.'가 들어갈 수 있다. (×)
> → (나)는 2점이므로 자유주의적 관점이 들어가야 한다. 개별 국가가 자국의 이익을 배타적으로 추구한다고 보는 것은 현실주의적 관점이다.
>
> ⑤ (나)에는 '국제기구를 통해 국제 사회의 협력을 이룰 수 있다고 본다.'가 들어갈 수 있다. (○)

09 국제 사회를 보는 자유주의적 관점　답①

제시문에서는 국제기구와 합의된 규범의 실천을 강조하고 있으므로 국제 사회를 보는 자유주의적 관점이 나타나 있다. ① 자유주의적 관점에서는 국제 여론의 기능을 중시하며, 평화를 실현하기 위해서는

어느 한 국가가 공격을 받을 때 국제 사회가 이에 함께 저항하는 '집단 안보' 체제가 필요하다고 본다. 반면에 국제 정치에는 도덕적 원칙들이 적용되기 어렵고, 홉스가 가정한 자연 상태와 유사하다고 보는 관점은 현실주의적 관점이다.

10 세계화의 영향　답①

① 갑은 다국적 기업의 진출로 인해 개발 도상국이 선진국으로부터 기술을 이전받아 경제 성장과 고용 증진에 도움이 된다고 주장한다. 따라서 세계화는 국가 간 빈부 격차 완화에 기여할 것이라고 본다. 반면에 을은 자유 무역의 확대로 선진국은 독점 자본이 형성되면서 더욱 부유해지지만, 개발 도상국은 경쟁력이 취약한 산업의 도태를 가져와 오히려 국가 간 빈부 격차가 심화될 것이라고 본다. 즉 "세계화가 국가 간 빈부 격차를 심화시키는가?"의 질문에 갑은 부정, 을은 긍정의 대답을 할 것이다.

> **정답을 찾아가는 셀파 - Tip**
>
> ① 세계화는 국가 간 빈부 격차를 심화시키는가? (○)
>
> ② 세계화를 보호 무역의 확대 과정으로 보아야 하는가? (×)
> → 갑과 을 모두 부정의 대답을 할 것이다.
>
> ③ 다국적 기업의 진출을 세계화의 사례로 볼 수 있는가? (×)
> → 갑과 을 모두 긍정의 대답을 할 것이다.
>
> ④ 개발 도상국은 선진국으로부터 기술을 이전받게 되는가? (×)
> → 갑은 긍정, 을은 부정의 대답을 할 것이다.
>
> ⑤ 세계화는 지구촌 구성원들의 삶의 질 향상에 기여하는가? (×)
> → 갑은 긍정, 을은 부정의 대답을 할 것이다.

11 국제법의 법원　답⑤

(가)는 조약, (나)는 국제 관습법, (다)는 법의 일반 원칙이다. 국제 사법 재판소는 조약, 국제 관습법, 법의 일반 원칙 등 국제법을 적용하여 사법적 절차에 따라 국가 간 분쟁을 해결한다.

> **정답을 찾아가는 셀파 - Tip**
>
> ① 우리나라의 경우 (가)의 체결권은 국회에 있다. (×)
> → 조약 체결권은 대통령에게 있다.
>
> ② (나)는 체결 당사국에 대해서만 법적 구속력을 지닌다. (×)
> → 국제 관습법은 모든 국가에 포괄적으로 적용된다.
>
> ③ (다)는 별도의 입법 절차를 거쳐야만 국내에서 법적 효력을 가진다. (×)
> → 법의 일반 원칙은 별도의 입법 절차 없이 포괄적으로 효력이 발휘된다.
>
> ④ (가)는 (나), (다)와 달리 헌법과 동등한 효력을 가진다. (×)
> → 조약, 국제 관습법, 법의 일반 원칙 모두 헌법보다 하위의 효력을 가진다.
>
> ⑤ (가)~(다)는 모두 국제 사법 재판소에서 재판의 규범으로 활용된다. (○)

12 법의 일반 원칙　답①

제시된 내용은 신의 성실의 원칙, 손해 배상 책임의 원칙, 권리 남용 금지의 원칙으로서 국제법의 법원의 하나인 법의 일반 원칙에 해당한다. ㄱ, ㄴ. 법의 일반 원칙은 국제 사회의 문명국들이 공통으로 인정하여 국내법에 반영하고 있는 행위 원칙을 말한다. 법의 일반 원칙은 국제 분쟁을 해결할 때 관련 법규가 없거나 법규의 내용이 명확하지 않아 재판할 수 없는 경우를 막고자 국제 사법 재판소에서도 재판의

준거로 활용하고 있다. 따라서 국제 조약의 한계를 보완해 주는 기능을 한다. ㄷ은 조약, ㄹ은 국제 관습법에 해당한다.

내 것으로 만드는 셀파 - Tip

▶ **국제법의 법원**

조약	국가 상호 간, 국제기구와 국가 간에 체결한 합의로, 주로 문서 형식으로 이루어짐(양자 조약과 다자 조약).
국제 관습법	국가들이 오랜 기간 반복해 오면서 국제 사회에서 법 규범의 효력을 가지게 된 관습 법규(국내 문제 불간섭의 원칙, 외교관의 면책 특권 등)
법의 일반 원칙	여러 국가의 국내법이 공통으로 따르는 법의 보편적인 원칙(신의 성실의 원칙, 권리 남용 금지의 원칙, 손해 배상 책임의 원칙 등)

13 국제법의 법원 (답)⑤

(가)는 조약, (나)는 국제 관습법, (다)는 법의 일반 원칙이다. ㄷ. 법의 일반 원칙에는 불법 행위에 대한 손해 배상 책임 원칙, 신의 성실의 원칙, 권리 남용 금지의 원칙 등이 있다. ㄹ. 조약, 국제 관습법, 법의 일반 원칙은 모두 국제 사법 재판소에서의 재판 규범으로 작용한다.

정답을 찾아가는 셀파 - Tip

ㄱ. (가)는 국가와 국제기구 간에는 체결할 수 없다. (×)
→ 조약은 국가와 국제기구 간에도 체결 가능하다.

ㄴ. (나)가 국내에 적용되려면 입법 절차를 거쳐야 한다. (×)
→ 국제 관습법은 포괄적인 구속력을 가지므로 별도의 입법 절차 없이 국내에 적용된다.

14 조약과 국제 관습법의 적용 (답)②

(가)는 조약, (나)는 국제 관습법이다. ① 우리나라에서 조약의 체결권과 비준권은 대통령에게, 동의권은 국회에 있다. ③ 조약은 체결 당사국에만 효력이 인정되지만, 국제 관습법은 모든 국가에 포괄적으로 효력이 인정된다. ④ 국제 관습법은 별도의 체결 절차 없이 효력이 인정된다. ⑤ 시대에 따라 국제 관습법의 내용이 체결 절차를 거치면 조약으로 바뀌기도 한다. ② 신의 성실의 원칙, 손해 배상 책임의 원칙은 법의 일반 원칙의 사례이다.

자료를 분석하는 셀파 - Tip

조약	국제 관습법
외교관이나 정부의 위임을 받은 공무원이 협정 문서에 서명함. 조약의 체결	국가 간 문제의 관행화된 해결 방법과 원칙이 반복적으로 적용됨. 국제적인 관행의 존재
↓	↓
국가 원수가 비준하고 비준서를 상호 교환함. 조약의 비준	관행화된 방법과 원칙이 각 국가로부터 법으로 승인되고 준수됨. 법적 인식을 얻어야 함.
우리나라에서 중요한 조약은 국회의 동의를 얻어야 함.	별도의 입법 절차 없이 포괄적인 구속력을 가짐.

15 조약 (답)③

제시된 자료는 대한민국과 A국이 맺은 범죄인 인도 조약으로, 국제법상 조약에 해당한다. ㄴ. 조약은 원칙적으로 조약을 체결한 당사국

간에만 구속력을 지닌다. ㄷ. 일반적으로 조약 체결의 주체는 국가이지만, 국제기구도 조약 체결의 주체가 될 수 있다.

정답을 찾아가는 셀파 - Tip

ㄱ. 반드시 국회의 동의를 얻어 대통령이 체결해야 한다. (×)
→ 모든 조약이 국회의 동의를 얻을 필요는 없다. 헌법에 규정한 중요한 조약만 국회의 동의를 받는다. 범죄인 인도 조약은 헌법에서 국회의 동의를 얻도록 명시된 조약이 아니므로 국회의 동의를 얻을 필요가 없다.

ㄹ. 국제 사회에서 오랫동안 관행이 존재해야 하고, 그 관행에 법적 확신이 있어야 한다. (×)
→ 국제 관습법에 대한 설명이다.

16 국내법과 국제법의 비교 (답)④

장애인 권리 협약은 국제 조약으로서 국제법이고, 장애인 차별 금지 및 권리 구제에 관한 법률은 우리나라의 법률로서 국내법이다. ㄴ. 장애인 권리 협약은 헌법에 의하여 체결·비준된 조약이므로 국내의 법률과 동등한 효력을 가진다. 따라서 헌법보다 하위의 지위를 가진다. ㄹ. 국제법 중에서 조약은 성문화된 형식으로 존재한다. 국내의 법률도 성문화된 형식으로 존재한다.

정답을 찾아가는 셀파 - Tip

ㄱ. 우리나라에서 ㉠에 대한 비준 권한은 국회에 있다. (×)
→ 조약에 대한 비준권은 대통령에게 있다.

ㄷ. ㉡은 ㉠과 달리 강제적으로 집행할 기관이 없다. (×)
→ 국내법은 행정 기관에서 강제적으로 집행할 수 있으나, 국제법은 강제적으로 집행할 기관이 없다.

17 조약 (답)④

한국이 A국과 체결한 자유 무역 협정은 국제법상 조약에 해당한다. 조약은 국제법 주체 간에 체결된 명시적 합의로 조약 외에 협약, 협정, 의정서 등 다양한 용어로 불린다. 일반적으로 조약 체결의 주체는 국가이지만 국제기구도 국가와 조약을 맺을 수 있다. 우리나라에서 조약의 체결 및 비준권은 대통령에게 있으며, 중요한 조약은 국회의 동의를 받아야 한다. 자유 무역 협정은 우호 통상과 관련된 조약이므로 헌법의 규정에 따라 국회의 동의를 받아야 한다. ④ 조약은 원칙적으로 조약을 체결한 당사국 간에만 구속력을 지닌다.

18 국제법의 법원 (답)⑤

국내 문제 불간섭의 원칙은 국제 관습법, 원칙적으로 성문의 형식으로 존재하는 것은 조약이다. 따라서 A는 조약, B는 국제 관습법, C는 법의 일반 원칙이다. ⑤ 조약은 체결 당사국에만 적용된다. 반면 법의 일반 원칙은 모든 국가에 포괄적으로 적용된다. ① 국제법은 우리나라에서 헌법의 하위 법규로 인정되므로 조약과 국제 관습법 모두 위헌 법률 심판의 대상이다. ② 조약과 국제 관습법, 법의 일반 원칙은 모두 우리나라에서 헌법보다 하위의 효력을 가진다. ③ 법의 일반 원칙은 별도의 입법 절차 없이 포괄적인 구속력을 가진다. 따라서 우리나라에서 국회의 동의 절차가 필요 없다. ④ 국제 사법 재판소의 재판 규범으로 활용되는 것은 조약, 국제 관습법, 법의 일반 원칙이 모두 해당한다.

19 국제 사회의 형성 과정

모범 답안 | (1) 베스트팔렌 조약

(2) 주권과 영토를 가진 국민 국가가 국제 사회의 주체로 등장하였다.

주요 단어 | 주권, 영토, 국민 국가, 국제 사회의 주체

채점 기준	배점
베스트팔렌 조약이 국제 사회에 끼친 영향을 정확하게 서술한 경우	상
베스트팔렌 조약이 국제 사회에 끼친 영향을 미흡하게 서술한 경우	하

20 국제 사회를 보는 관점

모범 답안 | (1) (가) – 현실주의적 관점, (나) – 자유주의적 관점

(2) 세계 평화를 실현하기 위해 (가)는 국제 사회의 여러 세력 간에 힘의 균형이 이루어지는 '세력 균형' 전략이 필요하다고 본다. (나)는 어느 한 국가가 공격을 받을 때 국제 사회가 이에 함께 저항하는 '집단 안보' 체제가 필요하다고 본다.

주요 단어 | 세계 평화, 세력 균형 전략, 집단 안보 체제

채점 기준	배점
현실주의적 관점과 자유주의적 관점에서 세계 평화 실현 방안을 각각 구분하여 정확하게 서술한 경우	상
현실주의적 관점과 자유주의적 관점에서 세계 평화 실현 방안을 미흡하게 서술한 경우	중
현실주의적 관점과 자유주의적 관점에서 세계 평화 실현 방안을 한 가지만 서술한 경우	하

21 세계화의 영향

모범 답안 | (1) 세계화

(2) 전 지구적 문제를 해결하기 위해 각국 정부뿐만 아니라 지역 사회, 국제적 시민 단체 등이 국제 사회의 중요한 행위 주체로 등장하고 있다.

주요 단어 | 전 지구적 문제, 각국 정부, 지역 사회, 국제적 시민 단체

채점 기준	배점
세계화에 따른 국제 사회의 변화된 행위 주체를 정확하게 서술한 경우	상
세계화에 따른 국제 사회의 변화된 행위 주체를 미흡하게 서술한 경우	하

22 국제법과 국내법

모범 답안 | (가)는 조약으로 국제법, (나)는 국내법이다. 국제법상의 조약은 국가와 국가 간의 합의에 의해 체결하지만, 국내법은 국내의 입법 기관인 의회가 제정한다. 국제법상 조약은 체결 당사국에게만 적용되지만, 국내법은 국내의 모든 구성원에게 적용된다.

주요 단어 | 국제법, 국내법, 국가 간 합의, 의회, 체결 당사국, 모든 구성원

채점 기준	배점
조약과 국내법의 제정 방법과 적용 범위를 정확하게 서술한 경우	상
조약과 국내법의 제정 방법과 적용 범위를 미흡하게 서술한 경우	중
조약과 국내법의 제정 방법과 적용 범위 중 한 가지만 정확하게 서술한 경우	하

23 국제법의 한계

모범 답안 | 한 국가의 국민이 국내법을 지키지 않을 때는 국가의 공권력에 의해 일정한 제재가 가해진다. 하지만 국제법의 경우에는 이를 강제적으로 집행할 세계 정부가 존재하지 않아, 국제법을 지키지 않는 국가에 국제법의 이행을 강제하기가 어렵다.

주요 단어 | 국가의 공권력, 강제적 집행, 세계 정부, 이행 강제

채점 기준	배점
국제법의 한계를 국내법과 비교하여 정확하게 서술한 경우	상
국제법의 한계를 국내법과 비교하여 미흡하게 서술한 경우	하

도전 수능 문제
p. 200 ~ p. 203

01 ④	02 ③	03 ③	04 ②	05 ②	06 ④
07 ①	08 ⑤	09 ③	10 ①	11 ④	12 ②
13 ③	14 ③	15 ③	16 ③		

01 국제 사회의 변천 과정 답 ④

① 베스트팔렌 조약을 계기로 유럽에서는 주권을 가진 민족 국가가 국제 사회의 중요한 정치 단위가 되었다. ② 제국주의 시대에는 상품 시장을 확보하기 위한 식민지 쟁탈로 강대국들의 패권주의 경쟁이 강화되었다. ③ 닉슨 독트린 발표 이후 국제 사회는 냉전 완화와 다극 체제 경향이 강화되었다. ⑤ A 시기는 냉전 구축 시기, B 시기는 냉전 완화 시기이다. 따라서 A 시기는 이념 대립에 기초한 양극 체제가 지배적이었다. ④ 몰타 선언은 세력 균형 전략에 기초한 냉전 체제가 종식되는 계기가 되었다. 몰타 선언 이후 국제 사회에서 국제 분쟁을 해결하기 위한 국제 연합의 활동이 증가한 것은 집단 안보 전략에 기초한 것이다.

02 국제 사회의 변천 과정 답 ③

(가)는 제2차 세계 대전 후 냉전 체제, (나)는 냉전의 완화와 평화 공존의 시대, (다)는 냉전 종식, (라)는 21세기 국제 사회에 해당한다. ③ 몰타 선언 이후 자본주의와 공산주의 간의 대립은 사라지고 공산권 국가의 몰락이 이어지면서 시장 경제 체제가 확대되었다.

정답을 찾아가는 셀파 - Tip

① (가)는 국제 연맹을 대체하는 국제 연합 창설의 기초가 되었다. (×)
→ 트루먼 독트린 이전에 국제 연합이 이미 창설되어 있었다.

② (나)는 미·소 간 이데올로기 대립을 종식시키는 결과를 가져왔다. (×)
→ 닉슨 독트린으로 냉전의 완화가 이루어졌으며, 냉전 종식은 몰타 선언 이후에 이루어졌다.

③ (다) 이후 상이한 두 경제 체제 간의 경쟁 구도는 사라지고 시장 경제 체제가 확대되는 현상이 나타났다. (○)

④ (라)는 탈냉전 후 발생한 국가 간 국지적 전쟁의 대표적인 사례이다. (×)
→ '9·11 테러'는 무차별적 테러이지, 국가 간의 국지적인 분쟁은 아니다.

⑤ (가) 이후에는 이념 중심의 양극 체제가, (다) 이후에는 실리 중심의 양극 체제가 출현하였다. (×)
→ (가) 이후에는 이념 중심의 양극 체제, (다) 이후에는 군사적으로 미국 중심의 단극, 경제적으로 다극 체제인 단·다극 체제가 형성되었다.

내 것으로 만드는 셀파 - Tip

▶ 주요 선언의 의의

트루먼 독트린	1947년 미국의 대통령 트루먼이 의회 연설에서 소련의 공산화 위협을 막기 위해 그리스 등의 자유 진영 국가들을 지원해야 한다고 주장하였다. 이로써 냉전 체제가 시작되었다.
닉슨 독트린	1969년 베트남 전쟁에 시달린 미국이 아시아 국가에 대한 지원을 줄이겠다고 한 선언으로서 냉전 체제의 완화를 불러왔다.
몰타 선언	1989년 지중해 섬 몰타에서 만난 미국과 소련의 정상은 국제 사회 냉전의 종식을 선언하였다. 이로써 민주주의와 공산주의 간의 이념 대립의 상징이었던 냉전 체제는 소멸되었다.

03 국제 사회의 특징 〈답〉 ③

제시된 첫 번째 사례는 국제 수지와 환율 문제를 둘러싼 미국과 중국의 경제적 갈등 관계를, 두 번째 사례는 보호 무역 반대와 양국 간 경제 협력을 위한 협력 관계가 나타난다. ③ 국제 사회는 자국의 이익을 위해 다른 국가와 갈등하기도 하고 협력하기도 한다.

정답을 찾아가는 셀파 - Tip

① 국가 이익보다 이념 문제가 중시되고 있다. (×)
→ 이념보다 자국의 경제적 이익이 우선된다.
② 주권 국가들의 평등한 법적 권리가 침해받고 있다. (×)
→ 미국과 중국은 대등한 관계에서 협력하고 있다.
③ 국가 이익 증진과 관련된 갈등과 협력 관계가 공존한다. (○)
④ 국가 간 갈등은 정치적 이해관계의 차이에 의해 발생한다. (×)
→ 국가 간 갈등은 경제적 이해관계의 차이에 의해 발생한다.
⑤ 환율 문제는 국가의 경제 이익 실현을 위해서 가장 중요하다. (×)
→ 환율이 국가의 경제 이익 실현을 위한 가장 중요한 문제라고 단정짓기 어렵다.

04 국제 사회의 변천 과정 〈답〉 ②

ㄱ. 베스트팔렌 조약은 교황의 권위에서 벗어나 독립된 주권을 가진 민족 국가가 국제 사회에 등장하는 계기가 되었다. ㄹ. 제2차 세계 대전 이후 세계는 소련으로 대표되는 공산권의 동구 진영과 미국으로 대표되는 자유 민주 국가들의 서구 진영으로 나뉘어 대립되었으며, 이후 경제적으로 부유한 북반구 국가와 가난한 남반구 국가 간의 경제 격차가 심화되었다.

정답을 찾아가는 셀파 - Tip

ㄴ. (나)에서는 몰타 선언을 계기로 강대국 간 이해관계를 협의·조정하게 되었다. (×)
→ 몰타 선언은 (라) 시기에 해당한다.
ㄷ. (다)에서는 전쟁 방지를 위해 국제 연합이 창설되었다. (×)
→ (다)에서는 국제 연맹이 창설되었다. 국제 연합은 제2차 세계 대전 이후에 창설되었다.

05 국제 사회의 특징 〈답〉 ②

ㄴ. 중국과 타이 간에는 범죄인 인도 조약이 체결되어 있지만, 중국

은 탁신 전 총리를 인도하는 것에 대해 부정적이다. 따라서 국제법의 이행에는 당사국의 의지가 중요함을 알 수 있다. ㄷ. 탁신 전 총리에 대한 처벌이라는 국내 문제가 중국과 타이 간의 국제 문제로 비화되고 있다. ㄱ. 조약보다 국가 이익을 중시하는 사례이다. ㄹ. 조약은 국내법보다 구속력이 강하지 않다.

06 국제법의 법원 〈답〉 ④

우리나라에서 대통령이 체결권을 갖는 것은 조약이다. 따라서 B는 조약이다. ㄴ. A가 국제 관습법이면 C는 법의 일반 원칙이다. 신의 성실의 원칙은 법의 일반 원칙에 해당한다. ㄹ. 국제 사법 재판소는 조약, 국제 관습법, 법의 일반 원칙, 관례, 학설 등을 재판 준거로 활용한다. ㄱ. 국내 문제 불간섭은 국제 관습법의 예이다. ㄷ. 조약, 국제 관습법, 법의 일반 원칙은 모두 헌법보다 하위의 효력을 가진다.

07 국제 사회를 바라보는 관점 〈답〉 ①

국제 사회를 바라보는 관점 중 (가)는 자유주의적 관점, (나)는 현실주의적 관점이다. A는 총회, B는 안전 보장 이사회이다. ① 총회는 주권 평등의 원칙에 따라 1국 1표로 표결하는 국제 연합의 최고 의사 결정 기관이다.

정답을 찾아가는 셀파 - Tip

① A는 주권 평등의 원칙이 적용되는 국제 연합의 최고 의사 결정 기관이다. (○)
② B에서 △△국은 실질 사항을 제외한 안건에 대해 거부권을 행사할 수 있다. (×)
→ 안전 보장 이사회에서는 절차 사항을 제외한 안건에 대해 거부권 행사가 가능하다.
③ A는 B와 달리 국제 사법 재판소의 재판관을 선출하는 권한을 가진다. (×)
→ 총회와 안전 보장 이사회 모두에서 재판관 선출 권한을 가진다.
④ (가)는 (나)와 달리 국제 사회가 무정부 상태라고 본다. (×)
→ (가), (나) 두 관점 모두 국제 사회가 무정부 상태라고 인정한다.
⑤ (나)는 (가)와 달리 집단 안보 체제를 통해 국제 평화를 실현해야 한다고 본다. (×)
→ 집단 안보 체제는 자유주의적 관점에서 주장한다.

내 것으로 만드는 셀파 - Tip

▶ 집단 안보 전략과 세력 균형 전략

집단 안보 전략	국제 규범을 집행할 국제기구를 두고 공동으로 침략국을 응징함으로써 국제 평화를 실현할 수 있다는 전략
세력 균형 전략	외부 세력이 침략 의도를 갖지 못하도록 힘의 균형이 존재해야 국가 안보가 가능하다는 입장에서 군사력 증강을 중시하는 전략

08 국제법의 법원 〈답〉 ⑤

A는 조약, B는 국제 관습법, C는 법의 일반 원칙이다. ⑤ 신의 성실의 원칙, 권리 남용 금지의 원칙 등은 법의 일반 원칙에 해당한다.

09 국제법의 법원 　　　　　답 ③

모든 국가에 포괄적인 구속력을 가진 것은 국제 관습법과 법의 일반 원칙이므로 C는 조약이다. ㄴ. 우리나라의 경우 조약에 대한 비준권은 대통령에게 있다. ㄷ. '국내 문제 불간섭'은 국제 관습법의 사례이므로 B는 법의 일반 원칙에 해당한다.

10 국제법의 법원 　　　　　답 ①

국제법의 법원 중 A는 조약, B는 국제 관습법이다. ① 우리나라에서 헌법에 의해 체결·공포된 조약은 국내법과 같은 효력을 지닌다.

11 국제 사회를 바라보는 관점 　　　　　답 ④

국제 관계를 바라보는 갑의 관점은 자유주의적 관점, 을의 관점은 현실주의적 관점이다. ㄱ. 자유주의적 관점은 인간을 이성을 가진 존재로 보므로 도덕적 규범에 따른 외교 정책 수립이 가능하다고 본다. ㄴ. 국제 연합 안전 보장 이사회의 상임 이사국이 거부권을 갖는 것은 국제 사회가 힘의 논리에 의해 움직인다는 것을 보여주므로 현실주의적 관점으로 설명할 수 있다. ㄹ. 국가 간 힘의 균형을 강조하며 이를 통해 전쟁 억제가 가능하다고 보는 관점은 현실주의적 관점이다. ㄷ. 자유주의적 관점은 집단 안보 체제를 통해 국제 평화가 보장될 수 있다고 본다.

12 국제법의 법원 　　　　　답 ②

체결 당사국에만 법적 구속력을 가지는 것은 조약이다. 국제 관습법은 별도의 체결 절차 없이도 국제 사회에서 법적 구속력이 발생하며 국내 문제 불간섭이 대표적인 사례이다. 갑은 조약, 정은 국제 관습법에 대해 일관되게 옳은 응답을 하였다.

13 국내법과 국제법의 관계 　　　　　답 ③

㉠ 제시문의 '출입국 관리법'은 국내법 중 법률에, ㉡ '사증 면제 협정'은 국제법 중 조약에 해당한다. ③ 우리나라에서 조약에 대한 체결권은 대통령에게 있다. ① 국내법은 강제적으로 집행할 기관이 있다. ② 조약은 체결 당사자에게만 구속력을 가진다. ④ 우리나라에서 조약은 헌법의 하위법으로서 효력을 가진다. ⑤ 국내법 중 법률은 성문화된 형식을 갖추고 있다. 조약은 성문화된 형식을 갖추고 있는 것이 일반적이다.

14 국제 사회를 보는 관점 　　　　　답 ③

국제 사회를 보는 관점 중 (가)는 현실주의적 관점, (나)는 자유주의적 관점이다. ③ 자유주의적 관점에서는 국제 사회는 이성과 제도의 영향력이 크다고 본다.

15 국제 사회를 보는 관점 　　　　　답 ③

국제 관계를 바라보는 관점 중 갑은 현실주의적 관점, 을은 자유주의적 관점을 갖고 있다. ③ 자유주의적 관점은 집단 안보 체제를 국제 평화 실현의 방안으로 본다.

① 갑의 관점은 보편적 선이나 윤리의 관점에서 국제 관계를 설명한다. (×)
→ 을의 관점에 해당한다.

② 갑의 관점은 국제법을 국제 사회의 분쟁 해결을 위한 효과적인 수단으로 본다. (×)
→ 을의 관점에 해당한다.

③ 을의 관점은 집단 안보 체제를 국제 평화 실현의 방안으로 본다. (○)

④ 을의 관점은 세력 간 힘의 균형이 이루어지는 전략으로 국제 질서 유지가 가능하다고 본다. (×)
→ 갑의 관점에 해당한다.

⑤ 을의 관점과 달리 갑의 관점은 국제 사회에서 강제력을 행사할 수 있는 중앙 정부가 존재한다고 본다. (×)
→ 자유주의적 관점과 현실주의적 관점 모두 국제 사회에서 중앙 정부의 존재를 인정하지 않는다.

국제 사회를 보는 관점

국가 간 관계는 힘의 우위에 의해 결정되는 것입니다. 따라서 국가는 힘을 길러 자국의 안보를 지키려 하여, 자국의 이익을 배타적으로 추구합니다.

국제기구 등 다양한 제도를 통해서 국가 간 평화는 실현될 수 있습니다. 또한 국가가 서로 협력함으로써 공동의 이익을 실현할 수 있습니다.

현실주의적 관점 / 자유주의적 관점

• 힘의 논리 강조
• 세력 균형 전략으로 평화 실현

• 국제법과 국제기구 강조
• 집단 안보 전략으로 평화 실현

16 국제법의 법원 　　답 ③

우리나라에서 조약에 대한 비준권은 대통령에게 있으므로 첫 번째 답안 내용은 틀렸다. 따라서 두 번째 답안 내용이 옳은 서술이다. 국제 사회의 반복된 관행이 법적 확신을 얻어 효력을 가지게 된 것은 국제 관습법이므로 A는 국제 관습법이다. ③ 조약, 국제 관습법, 법의 일반 원칙은 모두 국제 사법 재판소의 재판 준거가 될 수 있다. ①, ④, ⑤는 조약에 대한 설명이다. ② 국제 관습법은 헌법보다 하위의 법령이다.

02 국제 문제와 국제기구 ~ 우리나라의 국제 관계와 국제 질서

탄탄 내신 문제 　　p. 208 ~ p. 211

01 ③　　02 ②　　03 ①　　04 ④　　05 ④　　06 ①
07 ③　　08 ⑤　　09 ③　　10 ②
11 (1) 국제 문제 (2) 해설 참조　　12 (1) A – 총회, B – 안전 보장
이사회 (2) 해설 참조　　13 (1) 국제 사법 재판소 (2) 해설 참조
14 공공 외교　　15 해설 참조

01 국제 문제의 특징 　　답 ③

북한의 방사포 발사와 시리아에서 발생한 테러는 국제 사회의 안보를 위협하는 국제 문제이다. 이러한 문제는 해당 국가에만 영향을 미치는 것이 아니라 국경을 초월하여 전 세계의 평화를 위협하며 과도한 군비 경쟁을 유발한다. ③ 국제 문제는 피해에 대한 보상 주체와 대상이 불명확하다.

02 국제 분쟁의 해결 방식 　　답 ②

국제 분쟁의 해결 방식에서 (가)는 외교적 해결, (나)는 국제기구에 의한 해결, (다)는 사법적 해결이다. ㄱ. 외교적 해결은 분쟁 당사국이 충분한 논의와 이견 조율을 거쳐 분쟁 해결의 원칙이나 절차에 합의하고, 협상을 통해 해결책을 마련하는 방식이다. 이는 당사국이 직접 양보와 타협을 통해 원만한 합의를 이끌어내는 방식이다. ㄷ. 사법적 해결 방식은 분쟁 당사국의 이해관계를 떠나 국제법을 적용하여 분쟁을 해결하기 때문에 비교적 공정한 해결을 기대할 수 있으나, 분쟁 당사국이 판결에 불복할 경우에는 판결 결과를 강제하기 어렵다는 한계가 있다.

ㄴ. (나)는 당사국 간의 협상이 원만하게 이루어질 때 취할 수 있는 방식이다. (×)
→ 국제기구에 의한 해결은 당사국 간의 협상이 원만하게 이루어지지 않을 때 취할 수 있다.

ㄹ. (다)는 (가), (나)에 비해 신속한 해결 방식이다. (×)
→ 사법적 해결은 분쟁 당사국의 입장을 듣고 증거를 찾는 등의 과정이 복잡하기 때문에 외교적 해결에 비해 느린 편이다.

03 국제 연합의 주요 기관 　　답 ①

(가)는 총회, (나)는 안전 보장 이사회, (다)는 국제 사법 재판소이다. ① 총회는 국제 연합의 최고 의사 결정 기관으로서 주권 평등의 원칙에 따라 1국 1표를 행사한다.

① (가)는 국제 사회에서 주권 평등의 원칙이 적용되는 사례이다. (○)

② (나)에서는 이사국 중 3/5 이상이 찬성하면 상임 이사국이 반대하는 결의안도 채택할 수 있다. (×)
→ 실질 사항은 3/5 이상 찬성에 상임 이사국의 거부권 행사가 가능하므로 상임 이사국이 반대하면 결의안 채택이 불가능하다.

③ (다)는 분쟁 당사국들의 합의가 없어도 재판을 진행할 수 있는 강제적 관할권을 가진다. (×)
→ 분쟁 당사국의 합의가 있어야 재판 진행이 가능하다.

④ (다)의 의견은 (가)와 (나)에 구속력을 지닌다. (×)
→ 국제 사법 재판소의 의견은 총회와 안전 보장 이사회에 구속력을 가지지 않는다.

⑤ (가)~(다)는 강력력을 행사하는 세계 정부의 조직 기구이다. (×)
→ 안전 보장 이사회는 경제 및 군사 조치 등의 강제력이 있지만, 총회와 국제 사법 재판소는 강제력이 없다.

04 국제 연합의 주요 기관 　　답 ④

A는 총회, B는 안전 보장 이사회, C는 국제 사법 재판소이다. ④ 국제 사법 재판소에서의 재판은 국제 연합 회원국은 물론 비회원국도 청구할 수 있으나 국제기구나 개인은 당사자가 될 수 없다.

① A는 국제 연합의 실질적 의사 결정 기관이다. (×)
→ 안전 보장 이사회에 대한 설명이다.

② B는 A에서 투표로 선출된 15개국으로 구성된다. (×)
→ 비상임 이사국 10개국만 총회에서 선출된다.

③ C는 정국이 판결에 불복할 경우 직접적인 제재를 가할 수 있다. (×)
→ 국제 사법 재판소가 자체적으로 제재를 가할 수는 없다.

④ A의 구성원이 아닌 경우라도 C에 제소할 수 있다. (○)

⑤ 병국은 B와 달리 A에서는 투표권을 행사하지 못한다. (×)
→ 병국은 안전 보장 이사회의 상임 이사국이며, 국제 연합의 회원국이므로 총회에서 투표권을 행사할 수 있다.

▶ 총회와 안전 보장 이사회

총회	• 모든 회원국이 참여하는 최고 의결 기관 • 국제 평화에 관한 권고, 안전 보장 이사회 비상임 이사국 선출, 새로운 가입국의 승인 등 • 주권 평등의 원칙에 따라 1국 1표 행사
안전 보장 이사회	• 국제 평화와 안전 유지에 관한 국제 연합의 실질적 의사 결정 기관 • 국제 분쟁 조정 절차나 방법 권고, 침략국에 대한 경제·외교적 제재나 군사적 개입 • 5개 상임 이사국과 10개 비상임 이사국으로 구성 • 15개 이사국 중 9개국 이상의 찬성으로 의결하는데, 절차 사항이 아닌 실질 사항의 경우에는 상임 이사국 중 한 국가라도 거부권을 행사하면 안건이 부결됨.

05 국제 사법 재판소 　　　답 ④

(가)는 국제 사법 재판소이다. 국제 사법 재판소는 총회와 안전 보장 이사회가 선출하는 국적을 달리하는 15명의 재판관으로 구성된다. 재판은 국제 연합 회원국은 물론 비회원국도 청구할 수 있으나 국제기구나 개인은 당사자가 될 수 없다. 국제 사법 재판소는 조약과 국제 관습법 등의 국제법을 근거로 판결을 내린다. ④ 국제 사법 재판소는 강제적 관할권이 없으므로 원칙적으로 분쟁 당사국 일방의 제소에 상대국이 응해야 재판이 가능하다.

▶ 국제 사법 재판소

역할	• 국가 간의 분쟁에 대해 국제법을 적용하여 해결하는 국제 연합의 사법 기관 • 국제 연합 총회 및 안전 보장 이사회에서 선출한 서로 국적이 다른 15명의 재판관으로 구성됨. • 회원국뿐만 아니라 비회원국도 재판 신청이 가능함(국제기구와 개인은 신청할 수 없음.). • 조약, 국제 관습법, 법의 일반 원칙 등에 따라 재판함.
한계	• 강제적 관할권이 없어 기본적으로 분쟁 당사국 간 합의가 있어야 재판 가능함. • 당사국의 판결 불복 시 직접적인 제재 수단이 없음.

06 국제 사법 재판소의 한계 　　　답 ①

제시된 사례에서 이스라엘의 분리 장벽이 팔레스타인 주민의 인권을 침해하기 때문에 철거해야 한다는 국제 사법 재판소의 판결을 이스

라엘이 이행하지 않고 있지만 국제 사법 재판소가 이에 대해 어떤 제재를 내리지 못하고 있다. 국제 사법 재판소는 판결을 이행하지 않는 국가에 직접적인 제재를 가할 수단을 갖고 있지 않기 때문이다.

① 판결을 이행할 강제적 제재 수단이 없다. (○)

② 재판관의 구성이 강대국 위주로 되어 있다. (×)
→ 국적이 서로 다른 15개국의 재판관으로 구성된다.

③ 국제 비정부 기구가 재판에 개입하는 일이 많다. (×)
→ 국제 비정부 기구가 재판에 개입하는 일은 없다.

④ 국제법이 아닌 당사국의 이해관계로 판결이 이루어진다. (×)
→ 국제법에 의해 판결이 이루어진다.

⑤ 한 국가만의 제소로 재판이 시작되어 재판이 남발되고 있다. (×)
→ 분쟁 당사국이 동의해야 재판이 이루어진다.

07 우리나라의 국제 관계 변화 　　　답 ③

제시된 자료에서 1974년까지는 우리나라가 수출을 하는 대상 국가는 10개국 정도밖에 되지 않았다. 그러나 2016년에는 200여 개국 이상으로 증가하였다. 이를 통해 우리나라의 수출 다변화가 이루어졌음을 알 수 있다.

① 유럽 국가의 경제적 영향력이 커졌다. (×)
→ 제시된 자료를 통해 파악하기 어렵다.

② 미국과의 무역 분쟁이 현실화되고 있다. (×)
→ 미국에 대한 수출 비중이 줄어들고 있어 무역 분쟁이 있다고 보기 어렵다.

③ 수출 대상국이 과거에 비해 다변화하였다. (○)

④ 일본에 대한 무역 적자의 폭이 커지고 있다. (×)
→ 일본과의 수입 비중은 제시되어 있지 않으므로 무역 적자의 폭에 대해서는 알 수 없다.

⑤ 한국 경제에서 중국의 영향력이 약화되었다. (×)
→ 수출에서의 중국의 비중이 크게 증가하고 있어 중국의 영향력이 강화되었다.

08 한반도의 지정학적 위치 　　　답 ⑤

한반도는 유라시아 대륙의 동쪽 끝 동북아시아에 있어 대륙과 해양이 만나는 전략적 요충지이기 때문에 오래전부터 외세의 침입이 잦았다. 정부 수립 이후 지정학적 위치와 냉전 체제라는 국제 질서로 인해 한반도는 강대국 간 대립의 장이 되었다. 우리나라가 위치한 동아시아 지역은 미국, 러시아, 중국, 일본 등 강대국의 이해관계가 얽혀 있어 이들 간 세력 경쟁이 언제든지 나타날 수 있는 지역이다. 그러나 한편으로는 경제적 상호 의존이 심화하여 동아시아 지역 내 경제적 협력의 필요성은 더욱 높아지고 있다. 이러한 동아시아의 특수한 상황 속에서 우리나라는 한반도를 포함한 동아시아 지역의 평화를 유지하는 데 중재자 역할을 할 수 있다. ⑤ 국제 무역에서 세계 소비 시장의 역할을 하지는 못했다.

09 우리나라의 외교 정책의 변화 　　　답 ③

③ 1970년대 냉전이 완화되고 중국과 미국 등 강대국들이 이념보다 실리를 추구하는 외교 전략을 펼치자, 우리 정부는 차츰 공산 진영 국가들과 관계를 맺기 시작하였다. 중국과 수교한 것은 1990년대이다.

채점 기준	배점
안전 보장 이사회의 표결 방식을 정확하게 서술한 경우	상
안전 보장 이사회의 표결 방식을 미흡하게 서술한 경우	하

13 국제 사법 재판소

모범 답안 | (1) 국제 사법 재판소

(2) 판결의 결과를 당사국이 이행하지 않더라도 직접적인 제재 수단이 없다.

채점 기준	배점
국제 사법 재판소라고 쓰고, 그 한계점을 판결의 구속력과 관련지어 정확하게 서술한 경우	상
국제 사법 재판소라고 쓰고, 그 한계점을 미흡하게 서술한 경우	중
국제 사법 재판소라고만 쓴 경우	하

14 공공 외교

답 공공 외교

공공 외교란 주로 대사나 외교 사절이 국가 간의 관계를 조정해 나가는 전통적 외교에서 벗어나 상대 국가의 국민을 포함한 다양한 비정부 행위자에게 자국의 입장을 알리고 설득하며 여론 형성에 긍정적인 영향을 미치기 위해 노력하는 다양한 활동을 말한다.

15 우리나라의 바람직한 외교 방향

모범 답안 | 국제기구나 국제 회의, 국제 원조를 통한 국제 문제 해결에 적극적으로 협력하고, 정부뿐만 아니라 민간 차원에서도 적극적으로 외교에 참여하는 등 국제 사회에서 우리나라의 위상을 높이기 위해 노력해야 한다.

주요 단어 | 국제기구 활동 참여, 민간 차원, 우리나라의 위상

채점 기준	배점
우리나라의 바람직한 외교 전략을 정확하게 서술한 경우	상
우리나라의 바람직한 외교 전략을 미흡하게 서술한 경우	하

▶ 우리나라 외교 정책의 변화

1950년대	반공 외교, 미국 중심 외교
1960년대	제3세계 국가에 대한 외교 강화
1970년대	공산권 외교 강화, 사회주의 국가에 문호 개방
1980년대	북방 외교 → 소련이나 중국, 동유럽 국가 등으로 외교 영역 확대
1990년대	남북한 긴장 완화 노력, 실리 외교 전개
2000년대	6자 회담 추진, 6·15 남북 공동 선언

10 바람직한 외교 정책의 방향

답 ②

제시문에서는 강대국들이 한반도를 둘러싸고 있는 현실에서 이념에 사로잡혀 어느 한 강대국에만 의존해서는 안 된다는 점을 강조한다. 즉, 국제 관계에 있어서 우리나라의 주체성과 능동성을 강화함으로써 외교에서 주도적인 역할을 해야 한다.

정답을 찾아가는 셀파 - Tip

① 외교 창구를 정부 주도로 단일화한다. (×)
　→ 민간 외교의 역할도 중요하다.
② 주도적이면서도 다변화된 외교를 전개한다. (○)
③ 우리나라의 이익 추구에 외교적 역량을 집중한다. (×)
　→ 우리나라의 이익 추구에만 집중할 경우 외교적 갈등을 일으키기 쉽다.
④ 북한을 자극하지 않는 국제 환경을 조성해야 한다. (×)
　→ 북한의 핵 위협에 단호하게 대응해야 한다.
⑤ 미국을 위시한 자유 우방과의 유대를 강화해야 한다. (×)
　→ 어느 한 강대국에게만 의존해서는 안 된다.

서답형 문제

11 국제 문제의 특징

모범 답안 | (1) 국제 문제

(2) 국제 문제는 그 영향력의 범위가 넓고 전 지구적인 위기를 초래할 수 있다. 또한 어느 한 국가의 노력만으로 해결되기 어렵다.

주요 단어 | 전 지구적인 위기, 한 국가의 노력

채점 기준	배점
국제 문제의 특징 두 가지를 정확하게 서술한 경우	상
국제 문제의 특징 두 가지를 미흡하게 서술한 경우	중
국제 문제의 특징을 한 가지만 서술한 경우	하

12 국제 연합의 주요 기관

모범 답안 | (1) A - 총회, B - 안전 보장 이사회

(2) 안전 보장 이사회는 안건을 표결할 때에는 9개국 이상의 찬성으로 의결하는데, 절차 사항이 아닌 실질 사항의 경우 상임 이사국 만장일치제에 따라 상임 이사국 중 한 국가라도 거부권을 행사하면 안건은 통과될 수 없다.

주요 단어 | 상임 이사국, 거부권, 절차 사항, 실질 사항

도전 수능 문제　　　　　　　　　　p. 212 ~ p. 213

01 ⑤	02 ③	03 ③	04 ④	05 ②	06 ⑤
07 ④	08 ②				

01 국제 문제의 특징

답 ⑤

ㄷ. 테러와 종교 분쟁 등은 우리의 생존을 위협하는 안보 문제이다. 오늘날 국제 사회에는 민족, 인종, 종교 등의 차이나 영토, 자원을 둘러싼 갈등으로 인해 크고 작은 분쟁이나 전쟁이 발생하여 개별 국가의 안보와 세계 평화를 위협하고 있다. ㄹ. 국제 문제는 중앙 정부가 없는 국제 사회의 특성상 개별 국가에 대하여 합의를 이행하도록 강제하기 쉽지 않다. ㄱ. 국제 문제는 국경을 초월하여 발생하고 다수의 국가에 영향을 미치기 때문에 문제 해결을 위해서 국가 간의 협력이 필수적이다. ㄴ. 국제 문제는 책임 소재가 분명하지 않은 경우가 많고 자국의 이익을 우선시하는 경향으로 인해 해결 방안에 대한 국가 간 합의 도출이 어렵다.

02 국제 문제의 해결 방식 ··· 답 ③

유전자원의 활용 문제를 원만히 해결하기 위해 생물다양성협약 당사국 총회에서 이와 관련된 조약을 체결했다. 체결 국가인 우리나라는 관련 법률을 제정하여 시행하고 있다. 이를 통해 국제 사회는 국제법을 통해 상호 간 협력을 함으로써 국제 문제를 해결하고 있음을 알 수 있다.

03 국제 사회의 특징 ··· 답 ③

ㄷ. 냉전이 종결되고 지구촌에는 과거에는 부각되지 않았던 환경 문제나 인권 문제 등이 부각되고 있다. ㄹ. 국제 연합은 회원국들의 분담금으로 운영되는데 분담금을 제대로 납부하지 않는 국가가 많아 재정적으로 어려움을 겪고 있다.

04 국제 사회의 변천 과정 ··· 답 ④

A 시기는 냉전의 강화, B 시기는 냉전의 완화, C 시기는 냉전의 종결이 이루어졌다. ④ B 시기는 냉전이 완화되고, 중국과 일본, 독일, 제3세계가 성장하던 시기로 양극 체제가 다극 체제로 전환되었다.

05 국제 연합의 주요 기관 ··· 답 ②

A는 안전 보장 이사회, B는 총회이다. ㄱ. 갑국은 거부권을 행사하였으므로 안전 보장 이사회의 상임 이사국이다. ㄹ. 국제 사법 재판소의 재판관은 총회와 안전 보장 이사회에서 선출된다.

06 국제 연합의 주요 기관 ··· 답 ⑤

A는 총회, B는 안전 보장 이사회, C는 국제 사법 재판소이다. ㄷ. 국제 사법 재판소는 조약, 국제 관습법, 법의 일반 원칙 등을 재판의 준거로 활용할 수 있다. ㄹ. 국제 사법 재판소는 강제적 관할권이 아니라 분쟁 당사국들이 합의하여 분쟁 해결을 요청한 경우 관할권을 가진다.

07 국제 연합의 주요 기관 ··· 답 ④

④ 을이 옳게 말한 학생이라면 (가)에는 틀린 내용이 들어가야 한다. 국제 연합의 최고 의결 기관으로 주권 평등의 원칙이 적용되는 것은 총회이다.

08 우리나라 외교 정책의 변화 ··· 답 ②

(가)는 1970년 이전, (나)는 1970년대, (다)는 1980년대, (라)는 1990년 이후의 외교 정책이다. ㄱ. 미국 중심의 자유 진영 외교는 냉전 체제의 성립과 관련된다. ㄹ. 유엔 평화 유지군 활동은 지구촌 분쟁 지역의 문제 해결에 동참하는 외교이다.